Hans Speidel · Aus unserer Zeit

Hans Speidel

Aus unserer Zeit

Erinnerungen

Propyläen

© 1977 by Verlag Ullstein GmbH, Berlin · Frankfurt/M · Wien
Propyläen Verlag
Alle Rechte vorbehalten
Satz und Druck: Süddeutsche Verlagsanstalt
und Druckerei, Ludwigsburg
Printed in Germany 1977
ISBN 3 550 07357 7

1. Auflage Oktober 1977
2. Auflage November 1977
3. Auflage Dezember 1977
4. Auflage Dezember 1977

Meiner lieben Frau
und meinen Kindern

Inhalt

7

Zweiter Teil

9

11

Erster Teil

Jugendjahre in Stuttgart

Am Albtrauf, inmitten einer gottbegnadeten schwäbischen Landschaft, in Metzingen, rund fünfundzwanzig Kilometer ostwärts von Tübingen, wurde ich am 28. Oktober 1897 geboren. Die dichtende Großmutter wertete es als gutes Zeichen für die Zukunft, daß der Arzt »Münzinger«, die Hebamme »Glück« und die Hilfe »Wizemann« hießen. Den Namen Hans erhielt ich nach dem Schweizer General Hans Herzog, der als Schweizer Oberbefehlshaber im Januar 1871 die französische Armee des Generals Bourbaki nach der Schlacht an der Lisaine beim Betreten Schweizer Bodens entwaffnet hatte und so über die Grenzen seines Landes hinaus bekannt geworden war. Er hatte die Schwester meiner Großmutter von Alberti zur Frau und ebenfalls am 28. Oktober Geburtstag. Mein Vater empfand für diesen Onkel, eine starke Persönlichkeit, besondere Verehrung, die dieser mit väterlicher Freundschaft erwiderte.

Eine Photographie Moltkes aus dem Jahr 1873, die der Feldmarschall mit dem Wahlspruch »Erst wägen, dann wagen« in seinen feinen Schriftzügen Hans Herzog gewidmet hatte, steht vor mir.

Mein guter Vater hatte uns gelehrt »Proavum nescire turpe est« und selbst beispielhaft Familienkunde betrieben, uns Geschichte und Stammbäume aufgezeichnet, die zum Teil bis zum späten Mittelalter reichen. Seine Familienkunde bedeutet ein teures Vermächtnis: Sie gibt einen lebendigen Widerschein der Ereignisse der letzten Jahrhunderte im engeren Raum.

Es ist hier nicht der Platz, die Stammesfolgen aufzuzeigen, oder

13

auch die Linien zu Johannes Kepler, Johannes Brenz, Wilhelm Hauff. Die Ursprünge der württembergischen Speidel scheinen wie die der bayerischen und österreichischen auf den Raum der Zollernalb zurückzugehen.

Das Wappen mit drei Keilen, den »Speideln«, in rot und gold, ist schon 1484 zu finden, später ein dreigeteiltes Feld mit je drei Keilen und einem Greifen in der Mitte.

Die Vorväter waren Bauern, Handwerker, Lehrer, Beamte. Mein Großvater Wilhelm von Speidel (1815–1894) war Landgerichtspräsident in Heilbronn, im höchsten richterlichen Amt Präsident des Königlich-Württembergischen Staatsgerichtshofes. In den Erinnerungen meines Vaters ist sein Charakterbild wie folgt festgehalten: »Im Beruf hatte der Vater, der geborene Jurist, mit strengster Auffassung der Pflicht und mit unermüdlicher Schaffenskraft das Ideal eines Richters verkörpert, der auf höherer Warte als derjenigen einer Partei stand und dem von ihm erkannten Recht jederzeit und ohne Ansehen der Person zum Sieg zu verhelfen suchte, mit Strenge auch menschliche Milde wahrend. Dabei hatte er ein warmes Herz für das deutsche Vaterland, dem er mit Entschiedenheit anhing, wenngleich er es unterließ, abgesehen von Teilnahmen an vaterländischen Feiern, an die Öffentlichkeit zu treten. Er war der Ansicht, daß unter solcher Tätigkeit der Glaube an die Unabhängigkeit eines Richters notleiden könnte. Er dachte hierin hoch von seinem Beruf, den er etwas mehr als vierundvierzig Jahre erfüllt hat. Dem Juristen fehlte es jedoch nicht an vielseitigem Bildungsstreben auf dem Gebiete der Literatur, der Musik und der bildenden Kunst.«

Mein Vater (* 28. 1. 1859, † 23. 12. 1938) studierte Forstwissenschaften in Tübingen, München und Hohenheim. Nach verschiedenen Verwendungen als Forstbeamter wurde er 1889 Privatdozent an der Staatswissenschaftlichen Fakultät der Universität Tübingen, 1891 außerordentlicher Professor. In seiner praktischen Ausbildungszeit im tiefen Schwarzwald erbat er im Winter

von seinem Dienstherrn, einem urigen Forstmeister, eine Petro-
leumlampe, um nach Dienstschluß sich auf seine Vorlesungen
vorbereiten zu können. Sie wurde ihm verweigert mit dem durchaus einleuchtenden Hinweis: »Des isch net nötig. Wenn's dunkel
wird, geht mer in d'Sonn« (Gasthaus zur Sonne). 1894 wurde ihm
als Oberförster das Forstamt Metzingen übertragen; gleichzeitig
führte er seine akademische Tätigkeit in Tübingen fort.

1902 erfolgte die Berufung nach Stuttgart an die Königlich-
Württembergische Forstdirektion als Forstrat, später Oberforst-
rat und Stellvertreter des Präsidenten. Den Abschluß einer beinahe fünfzigjährigen Tätigkeit im Staatsdienst bildete ein erneuter
forstlicher Lehrauftrag in Hohenheim bis 1930.

Auch schriftstellerisch betätigte sich mein Vater zeit seines
Lebens. Seine fachwissenschaftlichen Werke über den Waldfeld-
bau in Oberschwaben, die Buchenwirtschaft auf der Alb, die
waldbaulichen Forschungen in württembergischen Fichtenbe-
ständen, die Ertragsuntersuchungen in Forchenbeständen, kritische Gänge im Gebiet der Holzmeßkunde, Forsteinrichtungen
und anderes mehr waren Standardwerke der Forstwissenschaft,
von denen ich einige nach einem halben Jahrhundert in der
Bücherei des Oberforstmeisters von Fontainebleau fand. Das weit
verbreitete »Schwäbische Baumbuch« gibt Zeugnis nicht nur
vom Wissen meines Vaters, sondern auch von seiner Liebe zu den
Wäldern. Es ist ebensowenig überholt wie die zahlreichen Aufsät-
ze zum Natur- und Heimatschutz. In seiner feinfühligen, beinahe
unmerklichen Art führte mein Vater uns in die Schönheiten
unserer heimatlichen Wälder ein. Die alten Bäume hatten es ihm
besonders angetan, und er verband oft den Wuchs der königlichen
Riesen mit geschichtlichem Geschehen im Lande.

»Wohl dem, der seiner Väter gern gedenkt« – wir Kinder tun es.
Klein von Statur, nobel in der Erscheinung, strahlte unser Vater
eine unendliche Güte aus, doch auch eine unantastbare Autorität. Sie wirkte sich bei dem Hochschullehrer auf seine Studenten

15

aus; sie fühlten, daß er nicht nur ein Gelehrter, sondern auch ein weiser Mann war, der niemandem seinen Rat versagte. Er war in »Harmonie mit dem Unendlichen«, erzog uns zu Liebe, Ehrfurcht und Bereitschaft zum Dienen und Danken.

Die Familie meiner Mutter Amalie (Mali) von Klipstein stammte aus Hessen-Darmstadt und hatte in drei Jahrhunderten ein Drittel ihrer männlichen Nachkommen als Forstleute gestellt, im übrigen Offiziere, Pfarrer und Juristen. Bekannt wurde mein Großvater, Dr. Philipp Engel von Klipstein, als Präsident der Großherzoglich-Hessischen Oberforstdirektion. Er liegt unter der Klipstein-Eiche bei Darmstadt begraben.

In ihrer Zeit hatte meine Großmutter, Charlotte von Klipstein, geborene Lotheissen (1837–1898), einen Namen als Lyrikerin und Verfasserin von Novellen, die meist in der Literaturbeilage der Frankfurter Zeitung »Didaskalia« unter dem Pseudonym Karl Eisen-Stein erschienen sind. Nach dem Urteil einer zeitgenössischen Schriftstellerin gehörte sie »jahrzehntelang in der hessischen Residenz zu den liebenswürdigsten und geistig anmutigsten Frauen.« Sie arbeitete für ihre drei Kinder, da mein Großvater, Emil von Klipstein, Großherzoglich-Hessischer Forstmeister (1812–1875), nach kurzer Ehe einem Lungenleiden erlegen war.

Wie die Großmutter war meine Mutter allem geistig Schönen und Guten aufgeschlossen. Ihr Verhältnis zu den Menschen im Geben und Nehmen, im Schenken und Empfangen erschien uns immer als etwas Besonderes. Mit einem ausgeprägten Familiensinn begabt, wußte sie geschichtliches und kulturelles Geschehen mit persönlichen Erinnerungen zu verbinden und in lebendiger Form weiterzugeben, so das Gedenken an die letzte Zarin Alix (Alexandra Feodorowna), mit der sie in der Jugend gespielt hatte. Sie war die Mitte eines gewählten Freundeskreises, in dem die Kunst des Gesprächs geübt wurde. Eine gute Erscheinung, die Form beherrschend, aber immer allem Menschlichen zugetan, war sie wahrhaft eine regina domus.

16

Metzingen und Stuttgart waren also die Stationen meiner Jugend. Vom alten Metzingen blieb der Hauch der herrlichen Landschaft, der blühenden Gärten, der vom Vater betreuten Wälder. Mit tiefem Dank und großer Freude nahm ich an meinem 75. Geburtstag die einstimmige Wahl zum Ehrenbürger meiner Geburtsstadt an.

Die lebendigste Erinnerung bindet sich an Stuttgart, wo ich im traditionsbewußten Elternhaus mit meinen Geschwistern Wilhelm (geboren 1895) und Lotte (geboren 1906) wohlbehütet aufwuchs.

Politisch neigte der Vater zum national-liberalen Denken. Er war seinem König treu ergeben, dem Vater und Sohn am 2. 10. 1921 die letzte Ehre erweisen konnten, ich – letztmals in der Uniform der Königsgrenadiere – als Ehrenwache bei der Trauerfeier in Ludwigsburg.

Den Eltern danke ich die Schulung im »Gymnasium illustre« des Landes, dem Eberhard-Ludwig-Gymnasium, das eine humanistische Erziehung von einer Universalität und Prägekraft vermittelte, die heute wie eine Legende klingt. Die Schüler hielten Reden auf lateinisch und griechisch: eine Ansprache über »Freiheit und Bindung« ist mir heute noch erinnerlich. Wir hatten Lehrer, Paidagogoi, die uns die Antike nicht als tote Historie nahebrachten, sondern in ihrer zeitlosen Bedeutung für Gegenwart und Zukunft, für die Politeia wie für die Kulturen. Sie engagierten sich für ihre Schüler; so blieb auch eine innere Bindung an die Lehrer über die Schulzeit hinaus. Wir durften Theater spielen, unter anderem die Trilogie des »Wallenstein« und Heyses »Kolberg« bei der Hundertjahrfeier der Völkerschlacht von Leipzig – ein idealistisches, heute fast vergessenes Schauspiel aus der geschichtlichen Atmosphäre der Freiheitskriege. Der König stellte das neue kleine Haus des Hoftheaters zur Verfügung und erschien selbst zur Premiere. Ein Gneisenau von natürlicher Autorität war der spätere Heidelberger und Freiburger Professor Arnold Bergstraesser, dessen geistreiche, mitreißende Persönlichkeit uns Jugendliche in Diskussionen anregte und bewegte. Unser Weg sollte uns später noch oft zusammenführen.

Diese Verbindung mit dem Hoftheater brachte uns nicht nur tiefwirkende Schauspiel- und Opernerlebnisse, wie sie begeisterte Jugend zu allen Zeiten hat. Die Nähe der Bühnenwelt führte uns auch an das Neueste und Jüngste heran, an das noch umstrittene dichterische und musikalische Schaffen der Zeit. So ist mir die Uraufführung der »Ariadne auf Naxos« von Richard Strauss/ Hugo von Hofmannsthal noch heute unverlierbar in der Erinnerung – sie ist bis heute in der »Wiener Fassung« eine meiner Lieblingsopern.

Nachhilfestunden ermöglichten mir zusätzlichen Theater- und Konzertgenuß. Der Königlich-Württembergische Generalmusikdirektor Max von Schillings, dessen Sohn zu uns ins Gymnasium ging, sorgte für unsere musische Bildung und ließ uns an Proben und Aufführungen teilnehmen. Unvergeßlich ist jenes Gastspiel am Vorabend des ersten Weltkrieges, als Enrico Caruso nach einer für uns Pennäler unerschwinglichen »Bajazzo«-Aufführung vor das Hoftheater auf die Stufen von Donndorfs Schicksalsbrunnen trat und auf unsere stürmischen Bitten »Lache Bajazzo« in die Sommernacht sang.

Die gewaltigen technischen Fortschritte nach der Jahrhundertwende begeisterten die Jugend: Der Siegeszug des Grafen Zeppelin, die ersten Flugzeuge, die Automobile von Daimler. Mit dem Grafen Zeppelin fühlten wir Buben uns als Schwaben besonders verbunden, studierten das starre Luftschiff in Manzell bei Friedrichshafen, dichteten ihn an und suchten die persönliche Begegnung im Stuttgarter Herdweg, wo er residierte – sie sollte aber erst in den Argonnen zustande kommen, wo der alte General uns, die Ulmer Königsgrenadiere, in der Uniform seiner roten Ulanen besuchte. Der im Wuchs kleine Mann mit den klaren Augen

18

unter den buschigen Brauen und dem weißen Schnurrbart trat denkbar bescheiden auf, fesselte aber im lebendigen Gespräch, das von seiner Universalität zeugte.

Vom letzten Vorkriegssommer am Bodensee, unserem schwäbischen Meer, bleibt mir die Begegnung mit Kaiser Franz Joseph unvergessen, der unseren König Wilhelm II. von Württemberg in Friedrichshafen besuchte. Beide Monarchen sahen in der Uniform ihrer Chefregimenter grotesk aus: Der alte österreichische Kaiser im schmucklosen Rock des Heilbronner Füsilier-Regiments 122, natürlich mit der Pickelhaube, unser »vollschlanker« Landesherr als ungarischer Husar – am Nachmittag erwiderten sie dann in zünftiger Gebirgskluft unseren Gruß.

Meine ersten schriftstellerischen Versuche gehen in jene Zeit zurück. Ich schrieb und illustrierte zu jedem Sonntag in zwei Ausfertigungen ein »Sonntagsblatt« für die Familie. Es enthielt »politische Leitartikel« und ein Feuilleton, das seine Anregungen wohl aus dem Gymnasium geholt haben wird, wo uns neben den Klassikern auch schon die Zeitgenossen nahegebracht wurden; mit welcher Leidenschaft lasen und diskutierten wir Gerhart Hauptmann, Richard Dehmel oder Hermann Hesse!

Das musikalische Interesse wurde gefördert durch Unterricht am Klavier, das ich aber weniger zum sinnvollen Üben als zum Begleiten als »Sänger« bearbeitete.

Das Bürgertum lebte in der Vorkriegszeit in der überwiegenden Mehrheit bescheiden. Die sozialen Probleme waren nicht brennend, da gerade bei uns im Schwäbischen, wo eine ausgewogene Mischung von Landwirtschaft und Industrie bestand, weitsichtige Unternehmer wie Bosch, Daimler oder Zeppelin den Arbeiter durch sein »Häusle« seßhaft und zufrieden machten. Die Klassenunterschiede waren in unserer Heimat nicht so tief wie anderswo.

In den unmittelbaren Vorkriegsjahren brachen aus dieser heilen Welt, vielleicht auch aus einer gewissen Saturiertheit heraus, die »Wandervögel« und »Jung Deutschland« auf, Jugend aus allen Kreisen und Schichten. Sie sang, was vom Volk empfunden, vom Volk auch dichterisch erfaßt wurde. Das Lied ließ die Geschichte lebendig werden, sicher in vielem romantisch verklärt, aber in einem tiefen Verhältnis zum Vaterland. Ein überspannter Nationalismus lag ihnen fern. »Wandervogel« und »Jung Deutschland« sollten Stadt und Land, Arbeiter des Geistes und der Hand – wie man es damals nannte – einander näherbringen. Ich glaube, sie haben in der Tat viele Barrieren niedergerissen oder doch übersteigbar gemacht.

Im Sommer 1913 hatte mein Bruder Helm sein Abitur gemacht und war als Fahnenjunker in das Grenadier-Regiment König Karl (5. Württ.) Nr. 123, das Chef-Regiment des Königs, in Ulm eingetreten.

Am 28. Juni 1914 wurden der österreichische Thronfolger, Erzherzog Franz Ferdinand, der Schwager unseres präsumtiven Thronfolgers Herzog Albrecht von Württemberg, und seine Gattin in Sarajewo ermordet. Die folgenden vier Wochen flossen in dumpfer Erregung dahin, in einer Unsicherheit des Denkens und der Gefühle, während ein märchenhaft blühender Sommer ins Land ging. Der Mann auf der Straße wollte den Frieden. Mit dem Ende des Schuljahres fuhren groß und klein in die Ferien.

Es sollte die Ruhe vor dem Sturm sein. Um die Mittagsstunde des 31. Juli, eines heißen Sommertages, wurde der »Zustand drohender Kriegsgefahr« verkündet, kurz darauf die Mobilmachung.

Uns frisch gebackene Oberprimaner mit den weißen Mützen und schwarz-roten Bändern hielt es nicht zu Hause. Am Schloßplatz bildete sich aus Menschenmassen ein Zug; Bürger aller Stände, Arbeiter, Jugend – alle Arm in Arm – zogen zum Wilhelmspalais, um den König zu begrüßen. Die Vaterlandslieder erschollen; als der König erschien, wurde das Württemberger-Lied angestimmt »Graf im Bart, Ihr seid der Reichste, Euer Land trägt Edelstein.« Ich stand neben dem König, der unter Tränen dankte und auf den bitteren Ernst einer schweren Zukunft verwies.

Von diesem Aufbruch, dieser Erhebung, können sich nachfolgende Generationen keine zureichende Vorstellung machen. Für einen Augenblick schienen alle Menschen wirklich Brüder geworden zu sein. Die großen Persönlichkeiten unseres geistigen Lebens gaben ihrer leidenschaftlichen Vaterlandsliebe Ausdruck: sei es Gerhart Hauptmann, dem ich später freundschaftlich verbunden sein durfte, seien es Thomas Mann, Hugo von Hofmannsthal, Richard Dehmel, Heinrich Lersch, Klabund, Hans Pfitzner oder Richard Strauss. – In diesen Wochen des Aufbruchs waren auch sie, sonst so abgesondert und einzelgängerisch, alle Angehörige eines einigen Volkes.

Nach dem Ausmarsch der aktiven Truppen konnten die Ersatzeinheiten den Strom der Kriegsfreiwilligen nicht voll aufnehmen; alle, alle kamen – oft in Sorge, zu spät zur Verteidigung des Vaterlandes zu kommen. Niemand hat diese grandiose und erschütternde Erhebung des deutschen Volkes, des »Eintretens für eine gerechte Sache«, aus eigenem Erleben gültiger, menschlicher geschildert als Carl Zuckmayer in seinen Erinnerungen »Als wär's ein Stück von mir«. Seherisch schrieb 1917 Max-Hildebert Boehm in den »Preußischen Jahrbüchern«: »In mannigfacher Hinsicht wird uns vielleicht späterhin der August 1914 weniger Anbruch einer neuen Zeit, als vielmehr der erhebende schmerzliche Abschied, der prächtig rauschende Schlußakkord einer Romantik bedeuten, von der sich das deutsche Gemüt nur unter schweren Verzichten losreißt.«

21

Der erste Weltkrieg

Nachdem mein Bruder schon in den Augusttagen ins Feld gezogen war, trat ich am 30. 11. 1914 mit knapp siebzehn Jahren, nach dem Notabitur, als Fahnenjunker in das Grenadier-Regiment König Karl ein, stolz, die Gardelitzen tragen zu dürfen. Im Chef-Regiment des Königs galt für den Offiziersnachwuchs anstelle anderer Privilegien das Bildungsprinzip. In harter Ausbildungszeit in Ulm und im bitterkalten Ennabeuren am Rande des Truppenübungsplatzes Münsingen wurde uns das militärische Handwerk beigebracht und dabei auch dem Fahnenjunker nichts »geschenkt«. Als besondere »Auszeichnung« war ich dazu noch »Putzer« bei zwei Unteroffizieren, so daß der Dienst eine Stunde früher begann und entsprechend später endete. Alles aus eigener Anschauung kennenzulernen, hatte erzieherischen Wert. Die Kameradschaft der Freiwilligen half über schwere Stunden hinweg und schuf, ebenso wie die menschliche Verbundenheit, einen beispielgebenden »Esprit de Corps«. Anschließend nahm ich sechs Wochen an einem instruktiven Fahnenjunkerlehrgang auf dem Truppenübungsplatz Döberitz bei Berlin teil. Er war besonders lehrreich, weil er von Offizieren mit erster Fronterfahrung geleitet wurde. Dabei lernten wir nicht nur die elementaren Grundsätze der Taktik, sondern auch der Menschenführung kennen, der im alten Heer schon hohe Bedeutung beigemessen wurde.

Von unseren Vorgesetzten wurden wir ausdrücklich Samstagabend und Sonntag in Konzerte und Theater geschickt, natürlich in Uniform – so konnte auch keiner auf Abwege geraten. Als Ausgleich harten Dienstes genossen wir die philharmonischen Konzerte, Musteraufführungen in der Hofoper »Unter den Linden« und in der Städtischen Oper in Charlottenburg und besonders auch das Schauspiel Max Reinhardts. Damals erlebte ich erstmals Richard Strauss als »Hofkapellmeister« und war erstaunt über seine strenge, sparsame Zeichengebung.

Beim Gottesdienst im Berliner Dom holte uns wiederholt die Kaiserin in ihre Empore; sie hinterließ uns Fahnenjunkern in ihrer Mütterlichkeit und Würde einen bleibenden Eindruck.

Als Fahnenjunker-Unteroffizier zog ich dann im April 1915 in die Argonnen, die mir ein dreiviertel Jahr die soldatische Heimat werden und unauslöschlich im Gedächtnis bleiben sollten. Die Landschaft trug urwaldähnlichen Charakter, eine Durchforstung fehlte. Von ihrer Unheimlichkeit zeugen Namen wie »moulin de l'homme mort« oder die Höhe »la fille morte«. Die Römer hatten auf der »Haute Chevauchée« eine Straße – voie romaine – durch das Waldgebirge geschlagen, auf der die Hunnen zu den Katalaunischen Feldern gezogen sein sollen. Unentwirrbares Gestrüpp, Stechpalmen, mannshohe Farne, dazwischen aufragend alte Eichen und Buchen bildeten den Rahmen für Waldkampf und Stellungskrieg. Die Truppe hauste in Laub- und Erdhöhlen, in Unterständen verschiedenster Art. Mein erster Wigwam in Bereitschaft trug die heute noch im Hause existierende Birkentafel »Nibelheim«, eine Reminiszenz an die ersten »Ring«-Eindrücke vor Kriegsbeginn. In solcher Umgebung wurde ich in das Feldregiment eingegliedert, zunächst als Gruppen-, bald als Zugführer.

Die Schlachtberichte der »Alten« vom August 1914, wo unter den Klängen des König-Karl-Marsches mit wehenden Fahnen angegriffen wurde, paßten nicht mehr in diese Art des monatelangen Ringens Schritt für Schritt im Wald-, Graben- und Sappenkampf, der durch die schweren Sturmangriffe auf befestigte Feldstellungen der Franzosen im Juni/Juli und September 1915 unterbrochen wurde. Keiner der »Jungen« wird die innere Überwindung beim ersten Sturm aus dem Graben heraus »über Bank« wohl vergessen können. Man muß immer weniger Angst haben als der andere, sagte ich oft meinen Grenadieren. Unvergeßlich bleibt aber die Kameradschaft, die sich »im Wald« herausgebildet und die ohne Unterschied von Rang und Alter sich über ein halbes Jahrhundert bewährt hat. Hier begegnete ich erstmals den Leutnanten Oscar Bechtle, Oskar Farny und Jona von Ustinov, dem Vater des berühmten Schauspielers Peter, mit denen ich verbunden blieb.

Als ich eines Tages in vorderer Linie den Flügelzug meines Regiments führte, sagte mein Kompaniechef: »Die nächsten Tage können Sie ruhig sein; die Anschluß-Kompanie unseres Brigaderegiments führt Leutnant Erwin Rommel.« So war sein Ruf schon damals.

Das Verlassen des verwunschenen Waldes zum Einsatz in Flandern war eine denkwürdige Zäsur, nicht zuletzt der Abschied vom Friedhof der württembergischen Königsgrenadiere, einem Hain, der durch alte Eichen wie ein gewaltiger Dom geschlossen war. Unter einem würdigen Denkmal – »Der Gekreuzigte«, von einem Regimentsangehörigen aus einer Eiche geschnitzt – ruhen hier über ein halbes tausend Regimentskameraden. »Argonnenkämpfer« war zu einem Ehrentitel geworden.

Die Beförderung zum Leutnant im November 1915, Eisernes Kreuz und silberne württembergische Tapferkeitsmedaille empfand ich als Bestätigung des persönlichen Einsatzes in der Kampfgemeinschaft meiner Grenadiere.

Das Jahr 1916 begann in Flandern, wo wir von unseren Stellungen in der »Bastion« und auf der »Doppelhöhe 60« die Martinskathedrale und die Tuchhallen von Ypern aus der Ferne sahen – sie blieben unerreichte Ziele! Die schweren verlustreichen Kämpfe um die »Bastion« im März duldeten kein Verweilen.

Nach der harten Argonnenzeit lechzten wir nach anderem. In

24

den kampfärmeren Monaten April bis Juni gab es für die Ruhe-Bataillone Ausflugsmöglichkeiten nach Brügge, Gent und Ostende. Der Anblick der flämischen Gotik, die Kunstschätze eröffneten uns eine Welt friedlicher Schönheit. An »kriegerischen Eindrükken« habe ich mein durchaus friedliches Auslaufen in einem Unterseeboot von Zeebrügge aus behalten, weil es mir erstmals den Einblick in eine technische Wunderwelt gewährte, aber auch die Anforderungen an den Menschen auf engstem Raum zeigte.

Die Somme-Schlacht beherrschte 1916 das Kriegsgeschehen im Westen. Unsere 27. Division wurde Ende Juli beschleunigt nach dem neuen Kampfplatz verlegt, das Grenadier-Regiment an den Brennpunkt Guillemont.

Fragt man mich nach einem Höhepunkt der westlichen Materialschlachten, so werde ich immer die Jahrestage von Mars-la-Tour und Gravelotte, den 16. bis 18. August 1916, nennen.

Aus den Katakomben von Combles, uralten Naturhöhlen, führte ich meine Kompanie über das von Granaten zerpflügte Feld durch ein Feuer, das sich stetig steigerte und seine Opfer forderte. Ein weißes Band bezeichnete den von Gefallenen gesäumten Trampelpfad, der sich schließlich vor der Kampflinie verlor, die keinen Graben mehr zeigte, nur Trichter – als Widerstandsnester benutzt. Wie in einem gewaltigen Eisenwerk hämmerten Granaten, bliesen Schrapnells, orgelten Schiffsgranaten und Kugelminen.

Kaum in der Stellung vor dem kleinen, zerzausten Thrônes-Wald, teilweise unter Ausnutzung eines Hohlwegs, brach sich die Brandung des ersten britischen Angriffs in der Abwehr unserer Grenadiere. Der Angriff wurde in verschiedener Stärke Tag und Nacht erneuert, bis er am 18. August die gewaltigste Steigerung erfuhr. Die Engländer wollten den Durchbruch erzwingen. Immer neue Angriffsverbände, die Offiziere teilweise zu Pferd, traten nach Feuerzusammenfassungen, die alles in Schutt und Staub hüllten, an. Einzelne britische Offiziere forderten uns zur Über-

25

gabe auf – die Grenadiere hielten, wenn auch die Kompanie, zur Schlacke ausgebrannt, schon über drei Viertel ihrer Kampfstärke verloren hatte. Gurt um Gurt rasselte aus den wenigen übriggebliebenen Maschinengewehren, Handgranaten flogen, der Nahkampf entbrannte.

Am Abend dieses glühendheißen Sommertages gaben Englands Kerntruppen schließlich auf – wir waren unsagbar erleichtert und dankbar.

Die Kämpfer von Guillemont wurden in der Nacht von den 73er Füsilieren mit dem blauen Gibraltar-Ärmelband abgelöst. In ihrem Verband führte Ernst Jünger seine Kompanie nach vorne. Erst ein Vierteljahrhundert später sollte ich ihm persönlich begegnen. Noch nach dem zweiten Weltkrieg kreisen seine Gedanken um diese Tage, wenn er in seinem Roman »Heliopolis« vom Bild »Die Letzten von Guillemont« spricht.

»Am 23. August übergibt die 27. Division Guillemont, den Brennpunkt der August-Kämpfe, den Händen der 111. Division und rückt unbesiegt ab. Nur als Beispiel deutscher Standhaftigkeit sei sie hier genannt«, schreibt Hermann Stegemann im vierten Band seiner Kriegsgeschichte.

Ich mußte nach Zug- und kurzer Kompanieführertätigkeit den schwerverwundeten Adjutanten des II. Bataillons, den späteren Oberkirchenrat Reinhold Sautter, ersetzen.

Wieder zogen wir nach Flandern in den Wytschaete-Bogen, in eine sogenannte ruhige Stellung, die sich aber durch Trichtersprengungen bei St. Eloi als reichlich ungemütlich erweisen sollte. Doch die verebbende Somme-Schlacht forderte erneut die bewährten schwäbischen Verbände. So kamen wir wieder in das altbekannte Kampfgebiet, wo wir die ehemals blühenden Dörfer als wüste Steinhaufen wiederfanden. Der winterliche Aufenthalt in Schlamm, Trichtern und Wassergräben war bitter, wenn auch Kampfhandlungen und rollendes Artilleriefeuer nachgelassen hatten.

In diesem Abschnitt war das XIII. württembergische Armee-korps vereinigt; bei den benachbarten Olga-Grenadieren traf ich als Kompanieführer unseren Spielleiter von »Kolberg« aus dem Jahre 1913 wieder, den Hofschauspieler, diesmal Hauptmann Kurt Junker, und Eberhard Wildermuth, den Feldmarschall Rommel sich achtundzwanzig Jahre später als »sicheren Mann« und Kommandanten von Le Havre holte und dessen Verdienste um das Entstehen der Bundeswehr nach dem zweiten Weltkrieg noch heute viel zu wenig bekannt und gewürdigt sind.

Beim »Hindenburgrückzug« im März 1917 – einer operativen Verkürzung der Front – gehörten wir zur Nachhut, wobei die Täuschung des Gegners über die deutschen Operationsabsichten weitgehend glückte.

Nach erfolgreicher Durchführung dieses Auftrages bestimmte General Ludendorff unsere 27. (die 2. königlich-württembergische) Division als »Übungsdivision« im Raume Valenciennes, neue wirksame, taktische Formen in Abwehr und Angriff zu erproben. Die Führer der an der Westfront eingesetzten Verbände wurden hier geschult.

Eine Krise in der Abwehrschlacht bei Arras erforderte nach vier Wochen unseren beschleunigten Einsatz bei Bullecourt, wo wir im April/Mai 1917 dem australischen Gegner einen Durchbruch verwehrten. Der erste »Tank« fiel unversehrt in die Hände unseres Regiments. Wir wurden viel bestaunt.

Nach einem ruhigen Frühsommer an der Somme ging es im August wieder nach Flandern zu den Schlachten um Paschendaele und im Houthulster-Wald. Dazwischen lag eine wohltuende Ruhezeit an der holländischen Grenze. Das Kampfgebiet des ehemaligen Houthulster-Hochwaldes mit einst herrlichem Baumbestand war ein wirres Durcheinander von Granattrichtern, Betonklötzen, Baumstümpfen. Warme Verpflegung konnte ins Trichterfeld nicht vorgebracht werden, weil das englische Artilleriefeuer ohne Unterbrechung orgelte. In dieser Lage wurde ich plötzlich aus der vorderen Linie zurückgerufen. Bataillons- und Regimentskommandeur hatten mich bestimmt, vom Kaiser persönlich bei Gent das Eiserne Kreuz erster Klasse angeheftet zu bekommen, nachdem ich schon im Februar aus der Hand des württembergischen Königs die goldene württembergische Militärverdienstmedaille erhalten hatte. Die Monarchen wirkten grundverschieden: Der Kaiser eindrucksvoll in der Erscheinung, mit durchdringendem Blick, sehr ernst, war über die örtliche Gefechtslage voll unterrichtet. Er fragte nach meinen Kampfeindrücken und sparte nicht mit Lob für die schwäbischen Soldaten. Der König war von der Weisheit des Alters und der Güte des Herzens geprägt, erkundigte sich nach den Kommandeuren, nahm inneren Anteil an den Härten der Kämpfe. Er brachte einen Hauch der Heimat.

Als ich in die vordere Linie zurückkehrte, kam ich gerade recht, um meinem erneut schwer verwundeten Bruder, dem Führer der 5. Kompanie, erste Hilfe und Zuspruch zu geben.

Es folgten Ruhetage im südlichen Elsaß bei Colmar, die der Ausbildung dienten. Überwältigt standen wir vor dem Isenheimer Altar des Meisters Matthias Grünewald. Manch ein Ausflug führte uns auch ins alte württembergische Reichenweier. Am 21. März trat das Regiment zur »großen Offensive 1918« südlich Cambrai an und erzielte den entscheidenden Ein- und Durchbruch trotz schwerer Schwankungen der Kämpfe. Nicht nur beispielhafte Kommandeure, wie Oberst Kurt Freiherr von Lupin und Hauptmann Wilhelm Baessler, auch die schwäbischen Unteroffiziere und Mannschaften waren Vorkämpfer in der, wie wir alle fest glaubten, zum Erfolg führenden Entscheidungsschlacht. Das Schicksal wollte es anders.

Das Jahr 1918 war bis zum Waffenstillstand ein Zeitraum schwerster Kämpfe und Spannungen, doch bewahrten die Grenadiere ihre tapfere Haltung, auch als im August ein britisches Kavallerie-Regiment kühn gegen uns anritt, aber, wie einst die

Division Bonnemains bei Fröschweiler oder die Division Marguerite bei Floing, im Feuer des klein gewordenen Häufleins der Königsgrenadiere zusammenbrach.

Nach kurzer Kampfzeit vor Verdun am Fuße des Douaumont hatte ich am 2. November 1918 südlich der Maas ein unheimlichheiteres Erlebnis, als ich bei einer nächtlichen Erkundung mit meinen beiden getreuen Begleitern aus dem Remstal einen amerikanischen Regimentsgefechtsstand in einer Ferme ausmachte und hundert Meter davor an einem Waldrand zur Beobachtung verhielt. Ein Rascheln und Knacken im Holz; wir entsicherten unsere Pistolen, zwei feurige Lichter näherten sich. Es war aber kein Amerikaner, sondern eine starke Wildsau. Gottlob schoß keiner von uns, sonst wäre der Rückweg verlegt gewesen. – Die amerikanischen Verbände waren nach zwölfstündigem Erkundungsgang geortet.

Der Waffenstillstand erreichte uns an der Maas, von der wir in einem mehr als 500 Kilometer langen Fußmarsch in voller Ordnung in die Heimat zurückkehrten. Während dieser Zeit erst erfuhren wir von den schweren politischen Ereignissen in der Heimat: von der Abdankung des Kaisers, der Internierung in Holland, von der Bildung von Soldatenräten, die in unserem Regiment auf Wunsch der Grenadiere nicht durchgeführt wurde. Bei unserer Rast vom 2. auf den 3. Dezember in Bad Ems fanden sich Männer der 27. (2. württembergischen) Division zusammen, um eine Wiederherstellung der Monarchie im heimatlichen Württemberg zu planen. Das Bekanntwerden des Thronverzichts des Königs am 30. November und eine Intervention des neuen Generalquartiermeisters, des württembergischen Generalleutnants Wilhelm Groener, verhinderten praktische Maßnahmen. Groener hatte schon in der Nacht vom 9. auf den 10. November dem Führer der Mehrheitssozialisten, Friedrich Ebert, zugesagt, die bisherigen Ordnungskräfte einem neuen deutschen Staat zur Verfügung zu stellen. Am 18. Dezember 1918 zogen die gelichteten Verbände der Königsgrenadiere mit wehenden Fahnen und unter Glockengeläut in die alte Garnisonsstadt Ulm ein, in sich geschlossen und fest gefügt.

Das Grenadier-Regiment, dessen letzter Adjutant ich war, unsere militärische Heimat, wurde aufgelöst. Das Traditions- und Solidaritätsgefühl bei seinen Angehörigen ohne Ansehen von Dienstgrad und Person hat aber die wechselvollen Zeitläufte mit vielfach wechselnden Idealen – wenn sie diesen Begriff verdienen – überdauert. Für den Soldaten brachte das Kriegserlebnis trotz der Härte und Tragik der Kämpfe das Gefühl der Bewährung, die Erfahrung tiefer Menschlichkeit in einer Kameradschaft, die keine sozialen Unterschiede kannte, in gewissem Sinne also eine menschliche und politische Schulung, bestimmend für das fernere Leben.

Trotz der Niederlage empfanden wir keine Verletzung der soldatischen Ehre. Schwer lasteten auf uns allen der Ausgang des Krieges, später der Vertrag von Versailles und die Pariser Vorortverträge, die – punischen Abmachungen gleich – den Keim künftiger Auseinandersetzungen schon in sich bargen. Besonders bitter erschien die Haltung des amerikanischen Präsidenten Wilson, der in seinen »14 Punkten« in der Theorie politischen Zukunftsvisionen nachhing, in der Praxis aber, beim Selbstbestimmungsrecht der Völker etwa, das Gegenteil betrieb. Ein Verständnis für europäische Probleme war ihm fremd, die russische Revolution schien er als quantité négligeable zu werten.

Nach dem ersten Krieg

Bei der Auflösung des Regiments inmitten der Revolution, die freilich in der schwäbischen Heimat nicht jene Formen wie in Berlin und München annahm, faßte mich mein Regimentskommandeur Oberst Freiherr von Lupin »am Portepee« und ersuchte mich, in der Not der Heimat Soldat zu bleiben.

So blieb ich in der württembergischen Armee und wurde dann ins »Übergangsheer«, die »vorläufige Reichswehr« übernommen. Im Versailler Friedensvertrag wurde von der Entente für das besiegte Deutschland ein Freiwilligenheer mit der Beschränkung auf 100 000 Mann in sieben Infanterie- und drei Kavallerie-Divisionen festgelegt: die Reichswehr. Die Umgliederung war schwierig und voller Härten; ein großer Teil der Berufssoldaten mußte ausscheiden.

Als die Reichsregierung einen Einsatz gegen die Machthaber der Räterepublik in München anordnete, wurde ich dem Ad-hoc-Organisationsstab für Planung und Durchführung der Aktion unter dem Chef des Generalstabs des Oberkommandos Ulm, dem späteren Feldmarschall Ritter von Leeb zugeteilt. Die zur Verfügung stehenden Truppenkontingente trugen wirksam dazu bei, die ungesetzliche Räte-Herrschaft zu beenden.

Im Spätsommer 1919 wurde ich als Ordonnanzoffizier zum Reichswehr-Infanterieführer 13, dem Generalmajor Ernst Reinhardt, nach Stuttgart versetzt – zur besonderen Freude meiner Eltern. Hier belegte ich nebenbei an der Technischen Hochschule Geschichte bei Professor Gottlieb Egelhaaf, Germanistik und

Ästhetik bei Professor Hermann Meyer. Mein verständnisvoller Kommandeur hatte mir die Möglichkeit zum Studium gegeben. Er bestimmte mich auch im Winter 1919/20 zur Vorbereitung auf die sogenannte Wehrkreisprüfung, die der früheren Prüfung zur Kriegsakademie, d. h. für die Generalstabsausbildung entsprach. 1920 fand diese Prüfung auf Weisung des Generals von Seeckt erstmals statt: Taktik, Geschichte, Staatswissenschaften, eine Fremdsprache waren neben Geopolitik, Naturwissenschaften und militärischen Fachgebieten die Hauptprüfungsfächer. Von 350 Prüfungsteilnehmern im Reichsgebiet wurden 70 einberufen; ich hatte das Glück, an der zweiten Stelle zu sein. Bemerkenswert bleibt die Prüfungsaufgabe in Geschichte: »Welche Einflüsse haben auf die Einigung Deutschlands seit der Römerzeit fördernd und hindernd gewirkt?« In vier Stunden Arbeitszeit waren alle Hilfsmittel erlaubt, aber gerade an dieser Genehmigung scheiterten viele. Die Prüfenden in Berlin, Historiker der Universität und Generalstabsoffiziere, konnten erkennen, wer einen Überblick über die Geschichte besaß. Das Thema gab ein Abbild damaliger Gedanken und Gefühle.

Die Zeitläufte ließen niemanden zur Ruhe kommen. Nach Umsturzversuchen von links erfolgte ein Gegenschlag von rechts. Am 13. März 1920 besetzten Truppen von General der Infanterie von Lüttwitz und von Korvettenkapitän Ehrhardt die Regierungsgebäude in Berlin und riefen Generallandschaftsdirektor Kapp aus Ostpreußen zum Reichskanzler aus. Die Regierung des sozialdemokratischen Reichskanzlers Bauer floh nach Stuttgart. Die württembergische Regierung und das württembergische Volk waren völlig überrascht.

Die Nationalversammlung traf ebenfalls in Stuttgart ein und tagte im Kunstgebäude am Schloßplatz. In der Nacht nach der Ankunft der Regierung wurden die besten Verbände der Reichswehr im südwestdeutschen Raum, die Jägerbataillone aus Weingarten und Konstanz unter Führung der Freiherrn von Seutter und von Rotberg, zum Schutz herangezogen. Die Verwirrung der Lage geht auch daraus hervor, daß mich bei der nächtlichen Einweisung auf dem Güterbahnhof in Untertürkheim ein Bataillonskommandeur fragte: »Wen solle mir jetzt hänge?«

Schicksalsstunden der Geschichte!

Nach vier Tagen brach der Putsch in Berlin, wo ein Generalstreik ausgerufen wurde, zusammen.

Vom Herbst 1920 bis Herbst 1922 dauerte die Führergehilfenausbildung in Stuttgart beim Wehrkreiskommando V: ein Studium generale, das nicht nur hohe Anforderungen an das militärische Können, sondern auch an das Allgemeinwissen stellte. Übungsreisen und Truppenkommandos ergänzten den Unterricht im Hörsaal. Wir hatten das Glück, hervorragende Lehrer zu haben, vor allem den damaligen Major und späteren General Wolfgang Muff, der – ein universeller Geist – uns tiefgründig und modern in die Zeitströmungen einführte, nicht zuletzt in die Gedanken Oswald Spenglers und des Grafen Keyserling, der auch persönlich zu uns sprach.

Das Wehrbereichskommando V in Stuttgart war hervorragend besetzt. Befehlshaber war der württembergische Generalleutnant Walther Reinhardt, eine überragende Führerpersönlichkeit von profunder Bildung. Er hatte sich im Januar 1919 auf Veranlassung von Hindenburg in die Bresche geworfen und das Amt des preußischen Kriegsministers übernommen. Bis zum Kapp-Putsch war er dann Chef der Heeresleitung, was ihm, vor allem in seinem Zusammengehen mit Reichswehrminister Noske, vielfach verdacht wurde. Nach militärischem Können und politischer Einsicht war er der bedeutendste Kopf der Reichswehr. Es war ein geschichtlich schwerer Fehler, daß dieser außergewöhnliche Mann 1926 nicht Nachfolger des Generalobersten von Seeckt wurde. Wir hatten es alle als selbstverständlich erwartet. Er hätte die Reichswehr militärisch und politisch wirklich geführt; anders als General Heye, welcher der Lage nicht gewachsen war.

33

Reinhardt galt aber als »schwäbischer Demokrat«, doch war seine Reichstreue vorbildlich. So bleiben mir die Parade und die Ansprache über die Einheit des Reiches vor dem Residenzschloß in Stuttgart am 50. Jahrestag der Reichsgründung – 18. Januar 1921 – unvergessen. Reinhardt als württembergischer Offizier trug dabei nur preußische Auszeichnungen, den Pour le mérite mit Eichenlaub und das Komturkreuz des Hausordens von Hohenzollern. Die Rede hat damals über Süddeutschland hinaus gewirkt. Walther Reinhardt sah in der neugebildeten Reichswehr die »eherne Klammer der Einheit des Reiches«. Er hatte den Mut zum Bekenntnis, eine seltene Entschlußfreudigkeit, die er als Korps- und Armeechef schon bewiesen hatte, das »feu sacré«, das die Soldaten mitriß. Ich durfte als Ordonnanzoffizier dienstlich und menschlich ihm begegnen. Die Verbundenheit hat bis zu seinem allzufrühen Tode 1930 gedauert. Sein Chef des Generalstabs in Stuttgart war Oberstleutnant Werner von Blomberg, der spätere Feldmarschall, dessen rein militärische Fähigkeiten bedeutend waren.

Nach erfolgreicher zweijähriger Ausbildung trat ich für kurze Zeit zur Truppe zurück. Die kommunistischen Umsturzversuche in Sachsen und Thüringen und die Auflehnungsversuche Bayerns gegen das Reich zwangen im Herbst 1923 den Reichspräsidenten Ebert, den Ausnahmezustand zu verkünden und Reichswehrminister Geßler, später dem Chef der Heeresleitung, General Hans von Seeckt, die vollziehende Gewalt zu übertragen. Seeckt verbot nun sowohl die nationalsozialistische als auch die kommunistische Partei. Ein württembergisch-badischer Verband, verstärkt durch kriegserfahrene Zeitfreiwillige aus den Tübinger und Stuttgarter farbentragenden Verbindungen unter Oberst Föhrenbach, wurde zum Einsatz in Sachsen-Thüringen gebildet. Das kriegsmäßige Eindringen in eigenes Land über Plauen/Werdau bedeutete eine Belastung für die Soldaten, die diese Aufgabe mit der notwendigen Festigkeit, aber auch mit großer

Rücksichtnahme ausführten. Feldgeschütze – im Handzug voraus – schüchterten die Aufständischen ein. So konnten wir unseren Auftrag ohne Blutvergießen ausführen. Die Bevölkerung hatte zuvor Schweres genug erduldet.

Nach dem Zusammenbruch der Revolte wurden wir von der Bevölkerung überschwenglich gefeiert. Die Bindung zwischen den Sachsen und Thüringern und uns Badenern und Schwaben und damit das Gefühl der Zusammengehörigkeit im Reich hatte sich erneut gefestigt.

Als Führergehilfe hatte ich Sonderaufgaben des Kommandeurs des württembergisch-badischen Detachements zu erfüllen. Die schwierigste Aufgabe bestand darin, nach dem Hitler-Putsch in München am 9. 11. 1923 mit Verbänden der 7. bayerischen Division zu verhandeln, die in unserem Rücken die sächsisch-bayerische Grenze besetzt hielten und durch einen von General von Lossow und Hitler geplanten Marsch auf Berlin eine Gefahr für uns darstellen konnten. Außerdem sollte ich die Lage der Reichswehr und das Verhältnis Bayern – Reich in München klären. In Bayern waren nämlich von Generalstaatskommissar von Kahr und von dem ihn unterstützenden bayerischen Landeskommandanten von Lossow partikularistische und gegen das parlamentarische System gerichtete Bestrebungen im Gang. Die Reichseinheit war erneut gefährdet, ebenso die Geschlossenheit der Reichswehr durch die Gehorsamsverweigerung von Lossow gegenüber Reichswehrminister Geßler und General von Seeckt. Immer wieder entstand in diesen Jahren ein Dilemma zwischen der Einheitlichkeit des Reiches und separater politischer Gestaltung der einzelnen Länder.

Die Ergebnisse meiner Erkundungen widersprachen sich vielfach. Auch der Vortrag beim Kommandeur der 7. Division, Generalleutnant von Lossow, der die bayerischen Reichswehrtruppen für den Freistaat Bayern feierlich »in Pflicht genommen« hatte, zeigte Undurchsichtigkeit. Ich hielt es für notwendig, zuerst meinen alten Befehlshaber Walther Reinhardt in Stuttgart zu unterrichten, der nach meinen nicht sehr erfreulichen Erfahrungen im Hinblick auf den Konflikt zwischen Berlin und München nur bemerkte: »Wenn sich die Mächtigen streiten, leiden immer nur die Kleinen!«

Der Einsatz der Truppe zur inneren Sicherheit, zum Schutz der Freiheit nach innen war etwas unerwartet Neues, Fremdes. Als wir in den Krieg zogen, empfanden wir dies als unsere selbstverständliche Pflicht. Jetzt wurden wir Württemberger als Reichsexekutive nach München, ins Ruhrgebiet, nach Westfalen, nach Sachsen-Thüringen gerufen, um Ruhe und Ordnung herzustellen. In dieser Art von Polizeiaufgaben fühlten wir uns nicht wohl. Daß die junge Reichswehr vor die Aufgabe gestellt war, das Reich auch vor innerer Bedrohung – sowohl Umsturzversuchen wie separatistischen Bestrebungen – zu bewahren, daß sie gegen Teile des eigenen Volkes antreten mußte, bedeutete eine große Belastungsprobe. Obwohl die Reichswehr die Republik immer wieder vor Putschen von links und rechts rettete, hat sie wenig Dank dafür geerntet, ja wurde obendrein als »Staat im Staate« gescholten.

Nachdem Sachsen und Thüringen befriedet waren und der Konflikt zwischen Bayern und dem Reich beigelegt war, Seeckt somit seinen Auftrag erfüllt hatte, legte er am 1. März 1924 die vollziehende Gewalt in die Hände des Reichspräsidenten zurück. Damit war der Ausnahmezustand unter seinem Oberbefehl beendet. Seeckt hat so nicht nur seine staatsmännische und trotz aller Vorbehalte verfassungstreue Gesinnung unter Beweis gestellt, sondern vielmehr das Reich vor innerer Zerrüttung und Zwiespalt bewahrt.

Die Stuttgarter Jahre bleiben nicht nur durch das Elternhaus, die militärische Arbeit und das Studium in Stuttgart und Tübingen unvergeßlich, sondern auch durch kulturelle Erlebnisse.

Die zentrale Gestalt war Fritz Busch, der 1918 als letzter

königlich-württembergischer Generalmusikdirektor mit 28 Jahren nach Stuttgart kam und das musikalische Leben in Konzert und Theater allen Schwierigkeiten zum Trotz meisterte und als einer der bedeutendsten Dirigenten der Ära von Schillings die glanzvolle, aber allzu kurze Ära Busch folgen ließ. Die Sinfoniekonzerte in der Liederhalle und die Premieren in der Oper sind mir in starker Erinnerung – eine Widmung von seiner Hand in meinem »Tristan«-Auszug bringt mir diese großen Abende wieder ins Gedächtnis. Pfitzner, Hindemith und Schreker lernte ich durch ihn kennen und genoß die fröhlichen und geistvollen Abende in der »Elsässer Taverne«, wo der Wirt Willy Widmann als Zauberkünstler auftrat und Fritz Busch als Katalysator gelöst und warmherzig wirkte. Sänger und Sängerinnen wie Helene Wildbrunn, Lilly Onegin, Rudolf Ritter, Fritz Soot, Hermann Weil belebten den Kreis, in dem wiederholt Joachim Ringelnatz lallend seine Verse sprach. Regelmäßiger Gast in dieser kultivierten Zechrunde war Dr. Kurt Schumacher, damals Chef-Redakteur der »Schwäbischen Tagwacht« in Stuttgart, der sich bei unserer Wiederbegegnung als Vorsitzender der SPD im Herbst 1950 gern an diese frohen Stunden erinnerte.

Zum Brahms-Fest im Sommer 1922 lud mich Fritz Busch nach Dresden ein, und ich genoß in dem einzigartigen, noch heilen Elbflorenz die großartige sächsische Staatskapelle. Vom Truppenübungsplatz Grafenwöhr rief er mich zur Generalprobe der »Meistersinger« nach Bayreuth, wo 1924 die Festspiele nach dem ersten Weltkrieg wieder eröffnet wurden. In Wahnfried stellte er mich Cosima Wagner vor, die, geistig überragend, wie eine regierende Fürstin empfing; die warmherzige Menschlichkeit von Siegfried und Winifried Wagner war ihr fremd.

Am 7. 3. 1933 sollten bestellte Nationalsozialisten Fritz Busch nach glanzvoller elfeinhalbjähriger Tätigkeit buchstäblich vom Pult der Dresdner Staatsoper jagen, weil er nicht Mitglied der Partei werden wollte und sie offen ablehnte.

Trotz verschiedener Angebote in Deutschland schiffte sich Busch am 15. 6. 1933 nach Buenos Aires ein, um am Theater Colón zu dirigieren.

Nach der Einnahme von Paris 1940 wandte sich Fritz Busch aus Buenos Aires auf Umwegen an mich wegen seiner Tochter Eta, die, mit dem Charakter-Bariton der Grand Opéra Martial Singher verheiratet, ihr erstes Kind erwartete. Es mangelte dem jungen Paar zwangsläufig am Lebensunterhalt. Ich konnte ihnen helfen, schließlich auch zum Weg über die »grüne Grenze« und zur Wiedervereinigung via Lissabon mit den Eltern. Brief und Telegramm von Fritz Busch bestätigten die Heimkehr mit dem Schlußwort: »Die Treue ist doch kein leerer Wahn.«

Leider hat Fritz Busch trotz vieler Rufe und Angebote nach dem zweiten Weltkrieg den Weg in die alte Heimat nicht mehr zurückgefunden. Wie viele haben es bedauert, nicht zuletzt Wieland Wagner für Bayreuth.

In dieser Zeit versuchte ich mich erstmals schriftstellerisch in kleinen Essays, Buch- und Theaterkritiken, die teilweise im »Schwäbischen Merkur« erschienen. Dies bewog meine Freudenstädter Freunde, meinen alten Kommandeur Wilhelm Baessler und Hermann Lutz, mich im geliebten Hotel Waldeck Gerhart Hauptmann vorzustellen, zu dessen 60. Geburtstag ich mich in jugendlicher Unbekümmertheit kritisch geäußert hatte. Eine dauernde Freundschaft war die Folge, die bis zu seinem Tod 1946 im polnisch besetzten Schlesien währte. Der Dichter, »der letzte Homeride« im Goetheschen Sinne, wie er sich selbst gern nannte, war ein Genie der Freundschaft, von dem – um mit Carl Zuckmayer zu sprechen – »ein Quell von Wärme, ein Meer von schöpferischer Gewalt, ein Strom von Milde, von Kraft, von Vertrauen ausging, aber auch von festlicher Würde.« Mir bleibt er unvergessen als Anwalt der Menschenwürde, als Menschenschöpfer – und als Deutscher, der am Ende seines Lebens Luther zitierte: »Germanis meis natus sum et eis etiam servo.« Die freie

Offenheit, mit der er jedem Menschen, auch dem einfachen und jüngeren entgegentrat, und die unversiegende Phantasie, mit der er immer neue Wunder der Schöpfung, auch in der kleinsten Blume, erfaßte, berührten tief.

Im Februar 1924 lud er mich in die meer- und pinienumrauschte Villa Porticiuolo in Santa Margherita ein und verband damit die Bitte, seinem Sohn Benvenuto beim Studium Mentor zu sein. »Jeder Tag ist ein Geburtstag« – so war es auch in dieser für mich denkwürdigen Zeit an der Costa felice. Im äußeren Ablauf glichen sich die leuchtenden Frühlingstage. »Il grande poeta«, wie ihn die Bewohner von Santa Margherita grüßten, stieg jeden Morgen durch die steilen Weinberge zur Höhe, in der Hand ein kleines Notizheft, in das er seine Gedanken oder Wahrnehmungen eintrug. Vielfach wurde er von seiner Sekretärin Elisabeth Jungmann begleitet, die oft druckreife Verse mitstenografierte.

Gegen Mittag wurde der Apéritif in einem Restaurant am sonnigen Strand zu einer »heure sainte«, an der Dichter wie Herbert Eulenberg, Oskar Loerke, Franz Werfel die Stunden erhöhten, wo die geistvolle, doch recht resolute Alma Mahler ihre Herrschaft auszuüben versuchte. Welche Überraschung, die bald neunzigjährige, doch noch vitale Dame lange nach dem zweiten Weltkrieg in einem italienischen Restaurant in New York wiederzutreffen!

Nach einer ausgiebigen Siesta ging Gerhart Hauptmann spazieren, um dann mehrere Stunden zu arbeiten. Frau Margarethe schwamm in dieser Zeit trotz des erbärmlich kalten Wassers im Meer. In ähnlicher Runde wie um die Mittagsstunde feierte der »Große Magus« allabendlich, sprühend in der Lust am Pokulieren, und trug vielfach aus unveröffentlichten Werken vor, besonders gern aus seinem »Till Eulenspiegel«.

Ich bewahre heute noch sein Bild aus jenen Nächten, auf das er ein Herz mit den Worten »ex corde lux« malte. Er rief uns zu: »Wo willst Du stehn: hoch oder niedrig? Verborgen oder öffentlich auf der Rednerbühne? Auf der Kommandobrücke eines Schiffes oder eines Staates? Dort will ich stehen, wo ich zu mir und anderen sagen muß: Hier stehe ich, ich kann nicht anders, Gott helfe mir, Amen!«

Als am 15. November 1944 mein Geburtstagsgruß wegen meiner Verhaftung durch die Gestapo ausgeblieben war, wandte er sich besorgt an meine Frau. Heute, ein Vierteljahrhundert nach seinem Tode, scheint Gerhart Hauptmann am Rande der Vergessenheit: Ein Schicksal, das er mit manchem unserer Klassiker teilt. Doch sind sein magisches Bildnervermögen, weite Teile seines Werkes so stark, so menschlich, daß sie unzerstörbares Besitztum bleiben und einer Renaissance entgegensehen werden, wie sie auch Hölderlin, Büchner, Hugo von Hofmannsthal, Hermann Hesse zuteil wurde.

Da ich für die Einberufung zum dritten Jahr der Führergehilfenausbildung trotz Qualifikation »zu jung« war, leistete ich Truppendienst in der 7. Kompanie des Infanterieregiments 13 in Ludwigsburg, das noch eine echte Garnisonsstadt war, in der Bürger und Soldat aufeinander angewiesen und im gemeinsamen Erleben eine Einheit waren.

Mein Kompaniechef war der Pour-le-mérite-Ritter Hermann Köhl, eine Perle als Mensch und Soldat, der sich schon damals auf seinen historischen Flug über den Ozean vorbereitete und mir deshalb weitgehend die Führung der Kompanie überließ.

Die Teilnahme am obligaten »Vierteles«-Frühschoppen forderte er allerdings unerbittlich. Es war erstaunlich, wie dieser Mann, ohne sich um die ihn oft verlachende Umwelt zu kümmern, seinem Ziel zustrebte und Zukunftsbilder – unter anderem ein Dreieck-Flugzeug ohne Tragflächen – entwickelte, die heute zum Teil verwirklicht sind. Sein Endziel war ein ständiger Luftverkehr Europa–USA mit Flugzeugen, nicht mit Luftschiffen. Bei der Rückkehr vom ersten Ozeanflug Ost–West empfing Deutschland, insbesondere der Heimathafen Bremen, Hermann Köhl, den Freiherrn von Hünefeld und den irischen Oberst Fitzmaurice mit überschäumender Begeisterung. Der Staat nutzte sein Können und seinen Wagemut aber nicht; Hermann Köhl blieb bis zu seinem frühen Tod Außenseiter. In den USA blieb sein Andenken stärker lebendig, wie ich noch nach dem zweiten Weltkrieg feststellen konnte.

Wir konnten nach meiner Versetzung nach Berlin mit ihm und seiner Frau, dem »Peterle«, oft zusammen sein, dort hielt er auch unsere Christa über die Taufe.

In der Mitte der zwanziger Jahre wechselte ich in die 8. MG-Kompanie und wurde Führer des vierspännigen Maschinengewehrbegleitzuges. Neben der erfrischenden Tätigkeit in der Truppe wurde ich beauftragt, im Wehrbereich Vorträge zu halten, vielfach vor ehemaligen Kriegsteilnehmern, hauptsächlich Reserveoffizieren, über militärische und geschichtliche Themen, aber auch vor literarischen Kreisen, sei es über Gerhart Hauptmann, Wilhelm Hauff oder über kritische Theatergänge. Über hundert Vorträge hielt ich in dieser Zeit und konnte so auch das bescheidene Gehalt etwas aufbessern.

In unserer schwäbischen Heimat war die Reichswehr eng mit dem Volk verbunden. Aus allen Schichten der Bevölkerung meldeten sich so viele Freiwillige zum aufgezwungenen Berufsheer, daß längst nicht alle eingestellt werden konnten; ähnlich war es mit dem Offiziersnachwuchs. In den Manövern zeigte sich die von Scharnhorst einst in anderer Lage geforderte »innige Verbindung von Nation und Armee«. In beinahe einem Jahrzehnt habe ich nicht eine einzige Reibung oder einen Mißton mit der Bevölkerung Württembergs erlebt.

Frei und unabhängig vom Parteigetriebe diente die Reichswehr als »rocher de bronze« dem Vaterland. Daß Offiziere und Unteroffiziere am Anfang der monarchischen Staatsform nachhingen, schmälert dieses Urteil nicht; ja, es wäre gefährlich gewesen, wenn gerade die Soldaten eine jahrhundertealte monarchische Tradition wie ein Hemd abgelegt hätten.

Der Sinn für eine gesunde Tradition, Geschichtsbewußtsein und Achtung vor der Vergangenheit, die symbolkräftiger als unsere Gegenwart gewesen ist, beeinträchtigten keineswegs den Einsatz für den Staat, auf dessen Verfassung die Reichswehr vereidigt war. Und dieser Eid wurde ernst genommen.

Dank des großen Verständnisses meiner Vorgesetzten in Stuttgart und Ludwigsburg konnte ich neben dem Dienst mein Geschichtsstudium in Tübingen fortsetzen und am 14. Februar 1925 mit der Doktorpromotion »magna cum laude« abschließen. Hervorragende Hochschullehrer, wie die Professoren Haller, Wahl und Weber haben mir unendlich viel, nicht nur fürs Studium, sondern fürs Leben gegeben. Sie haben sich jeder Diskussion gestellt, sind nie ausgewichen – sie waren für die Studenten da. Diese aber, in der Mehrzahl Kriegsteilnehmer, hatten aus dem Felde Kameradschaft und echten Gemeinsinn mitgebracht. Zu ihnen sahen die jungen Semester auf. Die Verbindungen lebten wieder auf, sorgten für Zusammenhalt und Frohsinn – trotz vielfach spartanischer Lebensweise.

Das Thema meiner schriftlichen Arbeit hieß: »1813–1924. Eine militärgeschichtliche Untersuchung«. Es war der Versuch eines Vergleichs dieser beiden Epochen in politischer, militärischer und wirtschaftlicher Hinsicht.

Das Rigorosum fand als Kolloquium im großen Kreis mit Dekan, Prodekan und den Ordinarien der Fakultät statt und führte zu einem eindrucksvollen Streitgespräch zwischen den Historikern Haller, Wahl und Weber und dem Kandidaten.

Das Jahr 1925 brachte noch ein persönlich bedeutsames Ereignis. Am 27. Oktober heiratete ich die Frau, die mit mir Freud und Leid, Sicherheit und Unsicherheit zu teilen bereit war. Erst im Unsicheren bewährt sich die Sicherheit des Menschen. Die Schwäbin Ruth Stahl, Tochter des ehemaligen Majors und dann

42

in der Industrie in Karlsruhe tätigen Theodor Stahl, gab das Ja-Wort und schenkte mir drei Kinder, über die noch später zu sprechen sein wird: Ina Rose am 16. November 1927, Christa Ute am 23. Oktober 1932 und Hans Helmut am 30. August 1938. Die ersten Ehejahre verbrachten wir in der alten Barock-Residenz Ludwigsburg, die durch das kulturelle Erleben im nahen Stuttgart und eine beispielhafte Kameradschaft in der großen Garnison geprägt waren.

Dienstlich brachten die »Truppenjahre« – durch viele Kommandos unterbrochen – mit der Verantwortung menschliche Befriedigung. Jeden Winter ging es mit der Maschinengewehrkompanie in die Allgäuer Bergwelt zum Skilaufen, wo wir in Oberjoch eine alte Sennhütte, die Kemmatsriedalpe, gemietet hatten; Ruth fand eine Bleibe bei Bergbauern.

Der Skilauf förderte einen gesunden Korpsgeist, auch durch praktische Hüttenkameradschaft, deren erzieherischer Wert hoch einzuschätzen war. Aus den bescheidenen Scherflein aller Soldaten wurde im Laufe der Jahre das Jägerhaus in Oberjoch gebaut, das nach dem Kriege die Amerikaner und später ihre dortigen bayerischen Rechtsnachfolger uns enteignet haben.

1929 schlug die Abschiedsstunde vom Idyll Ludwigsburg. Ich wurde ins Reichswehrministerium nach Berlin versetzt, um am sogenannten Lehrgang »R«, dem dritten Jahr der Generalstabsausbildung, teilzunehmen. Als Leiter wirkte der hervorragende Lehrer für Taktik und Operation – ein Meister seines Faches – Major i. G. Hans Reinhardt, der spätere Generaloberst und Oberbefehlshaber einer Heeresgruppe im Osten, dem als Lehrer für Kriegsgeschichte der sehr qualifizierte Major i. G. Walter Model beigegeben war. Dem künftigen Feldmarschall begegnete ich im August 1944 als sein Chef des Generalstabs wieder.

Unter den nur fünfzehn »Schülern« – es war »gesiebt« worden – waren die späteren Generale Heusinger, Schneckenburger, Winter und von Ziehlberg, den Hitler im Zusammenhang mit dem

43

20. Juli 1944 noch im Januar 1945 erschießen ließ. Die im Universitätsstil gehaltene Ausbildung war auf allen militärischen Gebieten, in Politik, Wirtschaft und Geschichte von größter Intensität. Plan- und Kriegsspiele ergänzten den theoretischen Unterricht. Jeder Teilnehmer mußte nebenbei als Hausarbeit eine Manöveranlage im Divisionsrahmen und eine Winterarbeit mit kritischem Quellenstudium anfertigen. Letztere mußte ich als Schlußvortrag des Lehrgangs halten, dem auch der Chef des Truppenamts des späteren Generalstabes, Generalleutnant Adam, und der Abteilungsleiter, Oberst i. G. von Brauchitsch, der spätere Feldmarschall, beiwohnten. Das Thema hieß: »Welche Anforderungen sind nach den Erfahrungen im August und Anfang September 1914 bei der 1. bis 3. deutschen Armee und bei der 9. französischen Armee für die Schlachtleitung in einem Zukunftskriege an die Persönlichkeit des Armeeführers zu stellen?« Dreißig Jahre später habe ich mit dem damaligen Chef des Generalstabs der 9. französischen Armee, General Maxime Weygand, in Fontainebleau über diese Fragen sprechen können, nachdem er meinen Vortrag gelesen hatte.

Hier erscheint ein Wort zur Geschichte des Generalstabs angebracht: Die Schöpfer des Generalstabs – Gerhard von Scharnhorst und August von Gneisenau – haben uns in der Kriegsakademie, heute der Führungsakademie, ihre Bildungsgedanken weitergegeben.

Was sich an zeitlosen politischen, kriegsphilosophischen und militärwissenschaftlichen Erkenntnissen und Überlegungen aus dem Aufbruch der Freiheitskriege ergeben hat, ist uns im Werk von Clausewitz überliefert. Während die preußischen Reformer dem geistigen Leben innig verbunden waren und diese Geisteshaltung auf Führung, Generalstab und Truppe zu übertragen wußten, setzte in den folgenden Jahrzehnten Reaktion und Stagnation ein.

Die geistesgeschichtliche Epoche des deutschen Idealismus, der Scharnhorst und Gneisenau zuzurechnen sind, wurde abgelöst vom Zeitalter der materialistischen, positivistischen Philosophie. Verbunden mit dieser Sicht der Dinge setzte der Siegeszug der analytischen Methode in der Wissenschaft ein. Alles wurde zergliedert, der einen oder anderen Kategorie zugeschrieben, hatte Entweder-Oder zu sein. Reines Spezialistentum mit seiner aufsplitternden Wirkung breitete sich aus; die synthetische Erkenntnismethode rückte in den Hintergrund. Der »Zeitgeist« liebte vermeintlich »klare« Aufteilungen, und so wurden auch die Militärwissenschaften auf das rein Fachliche begrenzt.

Diese Beschränkung machte sich in Bildung und Ausbildung des preußischen Generalstabs bemerkbar. Moltke selbst war wohl von jeder Einseitigkeit frei, über seinem umfassenden Geist lag etwas Besinnliches, das eher in sich gekehrt war, als daß es – wie bei den Reformern – ausstrahlte. Das Denken, Forschen, Planen des Generalstabs lag aber mehr im rein militärischen Bezirk – fern dem Strukturwandel von Staat und Gesellschaft, ohne Bindung an die Universitäten und andere Pflanzstätten des Geistes. Die hohe Bedeutung Moltkes für Ausbau und Organisation des Generalstabs, für die klassisch-operative Schulung wird durch ein solches Urteil nicht berührt. Auch Graf Schlieffen sah in der strengen fachlichen Beschränkung, in gewisser Einseitigkeit der Ausbildung der Generalstabsoffiziere ein Ideal, das seine Früchte in dem großartig durchgebildeten technischen Apparat des Generalstabs im ersten Weltkrieg trug.

Die Kriegsakademie war mehr zu einer Art Fachschule geworden, die zwar höchsten militärischen Ansprüchen genügte, im In- und Ausland außergewöhnliches Ansehen genoß, aber eine gewisse geistige Isolierung, zunächst unmerklich, zur zwangsläufigen Folge hatte.

Nach dem ersten Weltkrieg erweiterte Generaloberst von Seeckt die sogenannte »Führergehilfen-Ausbildung« auf Diszipli-

nen der Geisteswissenschaften, vor allem auch auf eine enge
Verbindung mit der Außenpolitik. Plan- und Kriegsspiele mit den
Spitzen des Auswärtigen Amtes setzten ein. Später wurde durch
die Einrichtung von Lehrgängen für besonders befähigte Offiziere
des Generalstabs, die General der Infanterie Walther Reinhardt
geleitet hat, eine enge Verbindung mit Universität und Techni-
scher Hochschule angestrebt und Probleme der industriellen
Massengesellschaft ins Studium einbezogen. Durch die politische Entwicklung sollten solche neuen Gedanken nicht zur Entfaltung kommen. Die Wehrmachtführung ließ sich durch die
»Machtergreifung« Hitlers in die Defensive drängen. Energien
und Reformgeist wurden gelähmt. Es ist das Verdienst von Generaloberst Ludwig Beck, daß es inmitten dieser turbulenten Zeit
dennoch gelang, eine moderne Kriegsakademie aufzubauen.

Becks Postulate waren neben Selbstzucht, Vernunft und Maß
eine umfassende Bildung als Mittel, die Komplexität der damaligen Lage zu meistern. Er bezeichnete einmal den Generalstab als
»Beruf der stillen Verdienste«.

Zum Abschluß der Generalstabsausbildung erhielt ich Gelegenheit zu einer Reise nach Frankreich zu Sprachstudien, auf der ich
erstmals Paris kennenlernen und meine alten Kampfstätten des
Weltkrieges besuchen konnte. Es war ein eigenartiges Gefühl,
nun im Frieden in den hochsommerlichen »Urwald« der Argonnen eindringen und die erinnerungsschweren Stellungen und
Unterstände, nicht zuletzt den wild überwucherten Friedhof der
Königsgrenadiere wiederfinden und meiner Frau zeigen zu
können.

Auf den 1. Oktober 1930 wurde ich in eine Generalstabsstelle
der Abteilung fremde Heere des Truppenamtes, Referat Westeuropa: Frankreich, Belgien, Niederlande, Luxemburg, Spanien,
Portugal versetzt und so mit der Militärpolitik und den militärischen Gegebenheiten dieser Länder befaßt.

Das Verhältnis zu Frankreich war von deutscher militärischer Seite frei von Chauvinismus. Alle in der Abteilung arbeitenden Persönlichkeiten, nicht zuletzt auch der Chef des Truppenamtes, Generalleutnant Wilhelm Adam, strebten ein gutes nachbarliches Verhältnis zu Frankreich an und gaben entsprechende Weisungen.

General Adam, ein urwüchsiger Bayer, war eine kraftvolle und klare Persönlichkeit, die das Generalstabshandwerk überlegen beherrschte. Seine Generalstabsreisen, seine Kriegs- und Planspiele blieben gleichermaßen durch taktische wie operative Schulung unvergeßlich. Er leitete »Kriegsspiele« auch mit den Spitzenpersönlichkeiten des Auswärtigen Amtes, wie Staatssekretär von Bülow, Ministerialdirektor Dr. Köpke, Freiherrn Ernst von Weizsäcker. Dabei demonstrierte er überzeugend den Primat der Politik und ließ die Staatsmänner Deutschlands und in entsprechender Rollenverteilung diejenigen Frankreichs, Polens, der Tschechoslowakei und Großbritanniens durch dafür eingeteilte jüngere Diplomaten zu Wort kommen. Grenzfälle, die sich für den Diplomaten oder Soldaten dabei oft ergaben, vor allem das Krisenmanagement – wie man heute sagen würde – wurden minuziös durchgespielt. Hitler verbot nach der Machtübernahme diese gemeinsamen Übungen von Auswärtigem Amt und Generalstab. Seine potentiellen Gegner – Diplomaten und Soldaten – sollten nicht mehr zusammen arbeiten. Das »divide et impera« des Diktators zielte vor allem auf fachliche Einseitigkeit in der Erziehung des Generalstabes.

General Adam bot Hitler 1938 am Westwall mutig Paroli. Auf Hitlers Behauptung von der Unüberwindbarkeit des Westwalls vertrat General Adam die Ansicht, rebus sic stantibus könnten die Franzosen an vielen Stellen durchbrechen. Adam wurde entlassen und auch im Kriege nicht mehr verwendet. Der Westwall brauchte dank der französischen Untätigkeit 1939 die Bewährungsprobe nicht zu bestehen.

Auch mit militärwissenschaftlichen Arbeiten wurde ich in dieser Zeit beauftragt. So schrieb ich unter anderem den militärischen Teil der Schrift des Grafen Montgelas über »Frankreichs Rüstung«, arbeitete an den Publikationen über die damals aktuellen Abrüstungsprobleme des Legationsrats Dr. Schwendemann, vor allem aber an dem Standardwerk von Ernst Robert Curtius und Arnold Bergstraesser über Frankreich mit. Ich veranlaßte die Herausgabe einer Studie des damaligen Majors Charles de Gaulle über die Bedeutung der modernen Panzerwaffe (»Au fil de l'épée«).

Als besonderes Ereignis dieser Jahre ist mir eine Sitzung des Völkerbundes über Abrüstungsfragen in Erinnerung geblieben, zu der ich entsandt wurde und bei der Salvador de Madariaga souverän den Vorsitz führte. Die Gespräche am Rande in Genf galten aber eher einer nur schlecht getarnten Aufrüstungsdiskussion. Deutscher militärischer Sachverständiger war Generalleutnant Werner von Blomberg, mein alter Chef aus Stuttgart, der fest und doch behutsam die deutschen Interessen vertrat.

Im September 1932 fanden die großen Herbstübungen der Reichswehr an der Oder statt, bei denen die verstärkte 1. Infanteriedivision unter Generalleutnant Gerd von Rundstedt und die verstärkte 3. Kavalleriedivision unter Generalleutnant Fedor von Bock gegeneinander antraten. Führung und Truppe waren auf einem Höchststand der Ausbildung, wie auch alle ausländischen Delegationen feststellten. Außer dem Militärattachécorps waren größere Offiziersdelegationen aus Schweden, der Schweiz und besonders der UdSSR erschienen, zumal in der Weimarer Republik ja eine Zusammenarbeit zwischen Roter Armee und Reichswehr stattfand.

Die sowjetische Delegation wurde von Marschall Tuchatschewski geführt, den ich wiederholt zu begleiten hatte. Er war von mittelgroßer eleganter Gestalt, seine klaren Augen zeugten von Willenskraft. Umfassend gebildet, war er ein ausgesprochen kritisch veranlagter Geist. Zwei Aussprüche von ihm sind mir in der Erinnerung geblieben. Als Generalfeldmarschall von Hindenburg in seiner gütigen Art ihn fragte: »Wie alt waren Sie denn, Herr Marschall, bei ihrer erfolgreichen Operation vor Warschau 1920?« antwortete Tuchatschewski prononciert: »Alt genug, um eine Armee zum Siege zu führen!« In der Abschiedsnacht im Hotel Esplanade am Scharmützelsee äußerte er später beschwingt: »Mir ist es gleichgültig, ob ich unter dem Andreaskreuz oder der roten Fahne in Konstantinopel einziehe.« Der ehemalige zaristische Gardeoffizier war russischer Nationalist, der politisch Frankreich, dessen Sprache er fließend beherrschte, zuneigte. Er wurde im Jahre 1937 von Stalin mit den Spitzen der russischen militärischen Führung liquidiert.

Die Berliner »goldenen Jahre«, die 20er und beginnenden 30er Jahre, verdienen in künstlerischer, zum Teil auch geistiger Beziehung diese Bezeichnung, nicht aber in politischer. Nicht die quantitative Hochflut an Konzerten, Theatern und Kunstausstellungen rechtfertigt die Bezeichnung »golden«, vielmehr die künstlerische Qualität, wie sie nur selten in einer Weltstadt in einer Epoche erreicht wurde. Das philharmonische Orchester, geschult durch Arthur Nikisch, den ich 1922 noch gehört habe, unter Wilhelm Furtwängler, das Musikdrama, die Oper unter Richard Strauss, Max von Schillings, Erich Kleiber, Leo Blech, Wilhelm Klemperer waren Höhepunkte musikalischen Erlebens.

Nicht minder glänzte das Schauspiel unter Max Reinhardt im »Deutschen Theater«. Seine Hauptmann-Aufführungen, sein »Prinz von Homburg« am Vorabend der sogenannten Machtergreifung blieben Eindrücke fürs Leben, sie schufen das Maß.

Diskussionsabende im kleinen Kreise, etwa mit meinem Tübinger Lehrer, dem Althistoriker Wilhelm Weber auf dem Lehrstuhl Mommsens, dem Neuhistoriker Walter Elze, mit dem Essayisten und Theatermann Julius Bab, dem Dichter Hans Schwarz, runden das kulturelle Bild jener Zeit. Hans Schwarz, der als Essayist, Lyriker und »preußischer« Dramatiker viel Zeitloses geschaffen hat, blieb der dichterische Durchbruch versagt. Ich habe ihm bis an sein Lebensende manche geistige Anregung zu verdanken.

Ein Höhepunkt soll noch Erwähnung finden: Am Morgen des 15. November 1932 – dem 70. Geburtstag Gerhart Hauptmanns – rief Carl Zuckmayer einer festlichen Runde in Berlin zu: »Sage mir keiner, ein Geburtstag sei ein Tag wie jeder andere und es stehe wohl an, das Werk, die Leistung, nicht aber die Person und den Tag zu feiern. Der Tag und die Stunde, zu der eine Mutter ihr Kind auf die Welt bringt, ist von den Sternen des Lebens beschie- nen, die unsere Bahn begleiten, unser Tun bestrahlen und be- schatten bis zum Ende . . . Ja, ich will jetzt zur Freude aufrufen, zum Fest, zur Feier! Dies ist die Stunde, wo die Sonne senkrecht überm Pol steht, und in die kein Schatten fällt! . . .«

Dies war der dithyrambische Introitus für das Festmahl, wel- ches die Reichsregierung unter Kanzler Franz von Papen am Abend im Hotel Adlon dem Dichter gab, nachdem er am Mittag Gast des Reichspräsidenten von Hindenburg gewesen war. Ich hatte das Glück, zwischen Carl Zuckmayer und Rudolf G. Bin- ding gesetzt zu werden. Ganz im Sinne des gefeierten Magus ergriff uns die Lust zum Pokulieren, das Fest – voll Nektar und Ambrosia – wurde zum Beginn einer Freundschaft mit Zuckmay- er, die über Höhen und Tiefen unseres gemeinsamen und doch so verschiedenen Erlebens bis zuletzt so jung blieb wie am ersten Tag.

Der Abend war der Beginn einer Freundschaft, aber auch in gewissem Sinne Ende einer Epoche: Max Reinhardt, Oberbürger- meister Dr. Carl Goerdeler, Herbert Eulenberg, Werner Krauss, Elisabeth Bergner – die beiden letzteren hatten in der Festauffüh- rung von »Gabriel Schillings Flucht« ihre Meisterschaft gezeigt – saßen mit im Kreise.

Carl Zuckmayer hatte in seiner Geburtstagsrede auch die Be-

50

stimmung des Menschen zur Freiheit anklingen lassen. Solche Gedanken bewegten uns in den zunächst ernsten Abendgesprächen – zweieinhalb Monate vor der »Machtergreifung«.

Das Erleben des ersten Weltkrieges beschäftigte naturgemäß den Artilleristen Carl Zuckmayer, den Husaren Rudolf G. Binding und den Grenadier Hans Speidel. Hier blieb mir besonders im Gedächtnis, wie »Zuck« das oft zitierte Wort von der »verlorenen Generation« verwarf, wir hätten doch in anderem Sinne so unendlich viel gewonnen! Seine Lebensintensität, seine Gestaltungskraft, seine Fähigkeit, sich in jeder Lage zu bewähren, wurden mir damals schon deutlich.

Zuckmayer nannte Gerhart Hauptmann den »großen Tauf- und Firmpaten unserer Freundschaft« und schrieb mir am 29. 12. 1969 auf meine Hauptmann-Rede in Baden-Baden: Hauptmann »ist und bleibt für mich die größte Dichter- und Menschengestalt, der ich in meinem Leben begegnet bin, und je trüber sich heute die Nebel ballen, von denen Kunst, Dichtung, Größe, Ehrfurcht verschleiert werden, desto leuchtender wird seine Gestalt hervortreten, wenn diese Nebel sich längst ins ewige nihil verflüchtigt haben«.

Das Geschenk Gerhart Hauptmanns zu seinem 70. Geburtstag, das Drama »Vor Sonnenuntergang«, hatte bereits am 16. Februar 1932 unter der einzigartigen Regie Max Reinhardts mit Werner Krauss als Geheimrat Clausen und Helene Thimig, der späteren Frau Max Reinhardts, als Inken Peters seinen Uraufführungserfolg erlebt.

Im politischen Bereich stiegen dagegen die Sorgen. Während die Regierung Brüning außenpolitisch maßvoll und zielbewußt den Weg zur »Gleichberechtigung« beschritten und erste Erfolge aufzuweisen hatte, welche die Regierung Papen im Dezember 1932 in Genf zum Teil einbringen konnte, nahmen innenpolitisch die Spannungen zu; die Arbeitslosigkeit stieg, die Lebensbedingungen, nicht zuletzt in Berlin, wurden täglich schwieriger. Die

Nationalsozialistische Deutsche Arbeiterpartei forderte den Eintritt in die Regierung, den der alte Feldmarschall durch die Ernennung Hitlers zum Reichskanzler am 30. Januar 1933 gewährte. Unter den jüngeren Offizieren des Generalstabs waren die Meinungen über diese folgenschwere Entscheidung sehr geteilt. Die Oberbefehlshaber des Heeres und der Kriegsmarine kamen aber in ihren Überlegungen weder zu einem Entschluß noch zu einem Vorschlag zur Lösung der Krise. Die Mehrheit des Volkes glaubte, durch die Bindung Hitlers und die Einbeziehung der NSDAP in die Verantwortung ein Optimum erreicht zu haben.

Der »Tag von Potsdam« am 21. März 1933 und das Ermächtigungsgesetz für die Regierung Hitlers, dem alle Parteien mit Ausnahme der SPD – die KPD war schon verboten – zugestimmt hatten, konnten nach damaliger Auffassung eine Verminderung der Arbeitslosigkeit und eine Besserung der wirtschaftlichen Lage erhoffen lassen. Tatsächlich war durch die Reflationierung ein bescheidener wirtschaftlicher Aufschwung festzustellen.

Äußerlich ging das Leben in Berlin zunächst seinen gewohnten Gang, von einem polizeilichen Druck war wenig zu spüren, das Rowdytum der SA war nur sporadisch. Der Druck auf die Juden im Kultur- und Geschäftsleben begann aber in zunehmendem Maße.

Der militärische Bereich war weitgehend apolitisch, die Verwaltung hielt anfangs Distanz zu den neuen Machthabern. Durch die Gestalt des Reichspräsidenten von Hindenburg fühlte man sich geborgen.

Beim Militärattaché in Paris

Das Jahr 1933 brachte für unser persönliches Schicksal eine einschneidende Wendung. Schon im Dezember 1932, also vor der sogenannten »Machtergreifung«, wurde mir eröffnet, daß nach einer internationalen Entscheidung in Genf die Posten von Militärattachés an den Botschaften in den Hauptstädten der Welt wieder eingerichtet werden sollten und ich als Gehilfe des Militärattaché an der deutschen Botschaft in Paris vorgesehen sei. Ich sollte mich in aller Stille darauf vorbereiten. Der Militärattaché, Generalleutnant Erich Kühlenthal, trat sein Amt bereits am 1. April 1933 an, während der »Apparat« ab 1. Oktober arbeiten sollte. Unterrichtungen in den verschiedenen Abteilungen des Generalstabs, Teilnahme an Manövern und Sprachurlaub dienten der Vorbereitung.

Auch ließ ich mich auf der Verkehrsfliegerschule in Braunschweig als Flugzeugbeobachter ausbilden, da ich zunächst die Aufgaben eines Luftattaché mit übernehmen mußte.

Während des Manövers des V. Armeekorps im September 1933 in Oberschwaben nahm mich der neue Chef des Stabes des Reichskriegsministers, Oberst i. G. von Reichenau, der mir vom Skilauf in Oberjoch als hervorragender Sportsmann und allzeit fröhlicher Kamerad wohlbekannt war, zur Seite und verwarnte mich: Es sei ihm zu Ohren gekommen, daß ich der Regierung gegenüber kritisch eingestellt sei und das nationalsozialistische Gedankengut in der Öffentlichkeit nicht verträte. Er erwarte eine grundlegende Änderung meiner Auffassungen, nicht zuletzt im

53

Hinblick auf meine bevorzugte Verwendung. Ein Teilnehmer unserer Diskussionsabende hatte mich also gemeldet! Diese Tatsache wirkte wie ein Schock: Konnte man unter Kameraden, unter Freunden nicht mehr offen sein? Ein innerer Zwiespalt bahnte sich an. Als ich später während meiner Pariser Zeit zur routinemäßigen Berichterstattung nach Berlin kam, berührte Reichenau nie mehr dieses Gespräch. Bei der Westoffensive 1940 stand ich als erster Generalstabsoffizier des IX. Armeekorps unter seinem Oberbefehl als Führer der 6. Armee. Er war – wohl angesichts der Leistungen des IX. Armeekorps – bei jeder Begegnung, sei es am Feind, sei es auf den Gefechtsständen, von herzlicher Kameradschaft.

Als Chef des Generalstabes des Militärbefehlshabers in Frankreich erlebte ich im Frühjahr 1941 einen Besuch von Reichenau in Paris. Beim Abschiedszusammensein brach es in früher Morgenstunde nach vielen militärischen und politischen Gesprächen, vor allem über den bevorstehenden Rußlandfeldzug, aus ihm heraus: Er mache sich schwerste Sorgen um die Zukunft des Reiches und glaube, mit der augenblicklichen Staatsführung könne es so nicht mehr weitergehen. Ehe wir auseinandergingen, trug er frei von Pathos und menschlich nobel seine Neuübertragung von Sonetten Shakespeares vor, von denen ich das 116. noch aufbewahre. So war Feldmarschall von Reichenau: »Zwei Seelen ...«

Am 1. Oktober 1933 fuhr ich mit dem französischen Botschafter in Berlin, André François-Poncet, mit dem Nordexpreß nach Paris und erlebte aufschlußreiche Stunden militärpolitischer und diplomatischer Belehrung. Auch sprach er schon von Sorgen über mögliche Schatten auf dem deutsch-französischen Verhältnis, wie sie sich allzubald abzeichnen sollten. Er verkürzte die damals noch lange Fahrt als vollendeter Gastgeber und führte geistvoll in das französische Kulturleben ein.

Mitte Oktober siedelten wir dann mit unseren beiden Kindern,

Ina und Christa, nach Neuilly-sur-Seine über und fanden dort unweit des Parc de Bagatelle in einem Neubau eine schöne Wohnung.

Die Aufnahme in der deutschen Botschaft war erfreulich. Der bedeutende Frankreich-Kenner, Botschafter Leopold von Hoesch, dem ich von Berlin aus wiederholt hatte vortragen müssen, war nach London versetzt. Herr im Palais Beauharnais war Botschafter Dr. Roland Koester, eine außergewöhnliche Persönlichkeit, ein großer Herr, der hohe Anforderungen stellte, nicht zuletzt gegen sich selbst, rückhaltlos offen, sowohl den Franzosen, wie auch der eigenen Regierung gegenüber. Zwei bedeutungsvolle Episoden bleiben mir unvergeßlich. Während eines Routinevortrags kam überraschend der ehemalige Ministerpräsident Edouard Herriot, um von seinem Moskau-Besuch zu berichten. Ich durfte zunächst dabei bleiben. Der gewichtige Mann schwärmte in seiner bewunderungswürdigen farbigen Eloquenz von seiner Aufnahme bei den Sowjets und seiner Ernennung zum Ehrenoberst der Kosaken. Nach seinen Tiraden legte ihm Koester begütigend die Hand auf die Schulter und sagte fröhlich: »On vous a roulé, cher ami.«

Am 2. August 1934 mußte ich den Botschafter beim Staatsbegräbnis für Marschall Lyautey in Nancy vertreten, wobei der damalige Kriegsminister Marschall Pétain die Gedenkrede hielt, die Lyautey als großen Kolonisator und Leitbild für die französische Armee wertete. Als ich am späten Abend aus fast tropischer Hitze zurückkam, wurde ich dringend zum Botschafter befohlen. Er stand am Schreibtisch Bismarcks, der hier einst Gesandter gewesen war, ernst und dienstlich: »Sie wissen, Hindenburg ist gestorben, nun soll ich Sie auf diesen Reichskanzler vereidigen. Hier, unterschreiben Sie, es wird Ihnen nichts anderes übrigbleiben. Einen Eid kann und will ich Ihnen nicht abnehmen.« Dann lud er mich zu Wein und Aussprache über die weltpolitische Lage ein. Sein tiefer Pessimismus wurde durch die Ereignisse überboten.

Mit den höheren Beamten der Botschaft entwickelte sich ein bleibendes Freundschaftsverhältnis. Den ersten Weltkrieg hatten alle als Offiziere mitgemacht: An der Spitze der Botschafter, der das Flugzeugführerabzeichen und das Eiserne Kreuz erster Klasse bei allen Einladungen auf dem Frack trug, weiter der kultivierte Botschaftsrat Dr. Dirk Forster, ein profunder Kenner der politischen Materie, der gewandte, über hervorragende internationale Beziehungen verfügende Gesandtschaftsrat Dr. Dumont, die Legationssekretäre Freiherr von Maltzan, Freiherr von der Heyden-Rynsch, von Holleben und Peter Pfeiffer, der 1934 aus Moskau kam. Mit Ausnahme des Freiherrn von der Heyden hatten alle der nationalsozialistischen Regierung gegenüber starke Reserven. Forster und Freiherr von Maltzan mußten später den Dienst quittieren. Dem treuen Freund Voit von Maltzan blieben wir verbunden. 1957 wurde er Botschafter in Paris, als ich Oberbefehlshaber in Fontainebleau wurde. So liefen unsere Lebenswege bis zu seinem Ende wieder zusammen.

Mein militärischer Vorgesetzter Generalleutnant Erich Kühlenthal besaß als ehemaliger Chef der Abteilung Fremde Heere eine militärpolitische Erfahrungsbasis und hatte sich durch seine weltmännisch offene Art bei den Franzosen bald eine geachtete Stellung erworben. Er blieb auch in schwierigen Lagen korrekt, das wußten und schätzten seine Partner. Er ließ mich arbeiten, ich genoß sein Vertrauen. So war die Zusammenarbeit eine Freude, nicht minder mit dem prächtigen Seemann Korvettenkapitän Paul Wever, der sich als Marineattaché bewährte und überall Freunde gewann. Er schied nach dem Attentat auf Hitler am 20. Juli 1944 als Admiral in Südfrankreich aus dem Leben.

Auf französischer Seite war die Aufnahme korrekt, wenn auch zunächst sehr zurückhaltend. Schließlich war ich der erste deutsche Generalstabsoffizier nach dem verlorenen ersten Weltkriege, dessen Gedächtnis nicht nur bei den Soldaten lebendig war. Auch ein gewisser Chauvinismus war noch nicht abgeklungen. Zunächst blieben die Kontakte nur auf den sehr klugen, militärisch und geschichtlich hochgebildeten Chef des Deuxième bureau, Colonel Koeltz, seinen Stellvertreter, Lieutenant-Colonel Gauché und den Deutschland-Referenten, Commandant de Mierry, beschränkt.

Das Militärattaché-Corps in Paris war das größte in Europa und umfaßte qualifizierte Vertreter. Ein besonderes Vertrauensverhältnis entwickelte sich mit den Militärattachés von Österreich, erst Dr. Rendulic, später Generaloberst im zweiten Weltkrieg, dann Oberst i. G. Jahn, von Ungarn Oberst i. G. von Rakowski, der ebenfalls Generaloberst im zweiten Weltkrieg wurde und in der Nachkriegszeit leider verschollen ist, mit dem italienischen Marineattaché, dem ebenso klugen wie ritterlichen späteren Admiral Angelo Parona, mit dem spanischen Oberst i. G. Barroso, mit dem ich 1958, als er Verteidigungsminister in Madrid war, alte Erinnerungen auffrischte, und mit dem türkischen Oberstleutnant i. G. Seyfi Bey, der später ebenfalls Verteidigungsminister seines Landes wurde.

An herausragenden Persönlichkeiten unter den Militärattachés sind noch zwei Generale zu nennen: der bedeutende Sowjetrusse General Ventzow, ein Freund Marschall Tuchatschewskis, der ebenfalls der »Säuberung« Stalins zum Opfer fiel, und der königlich-jugoslawische General Michailowitsch, den die Engländer nach dem Kriege an Jugoslawien auslieferten, wo er trotz seines Widerstands gegen die deutsche Besatzung hingerichtet wurde.

Wir wurden bald kameradschaftlich in den Kreis der Attachés aufgenommen. Hier zeigte sich besonders das Ansehen, das der deutsche Soldat durch Leistung und Haltung im ersten Weltkrieg gewonnen hatte. Die Anfragen nach Auskünften über die jüngste Kriegsgeschichte, die Bitten um unsere taktischen und operativen Auffassungen mehrten sich.

57

Innen- und außenpolitisch war das Jahr 1934 sehr bewegt. Eine gegen das Parlament gerichtete Demonstration brach am 6. Februar 1934 auf der Place de la Concorde und vor der Kammer blutig zusammen. Oberst Koeltz sagte mir, sie habe nur der »politischen Sauberkeit« gegolten, aber unsaubere Elemente hätten sie geschickt für ihre dunklen Ziele genutzt. Ein Einsatz der aktiven Truppe sei deshalb nicht erfolgt, weil kein Offizier oder Soldat seine Waffe gegen die »anciens combattants« erhoben hätte. Ihre Ziele waren verschwommen. Botschafter Koester und ich sahen uns an Ort und Stelle die Kundgebungen an; auf die Frage nach dem Zweck erhielt man freilich meist die stereotype Antwort: »que ça change«.

Die Rede des Vizekanzlers von Papen am 17. Juni 1934 und die »Röhm-Revolte« vom 30. Juni 1934 mit ihren blutigen Auswirkungen machten einen tiefen Eindruck auf die Franzosen, nicht zuletzt auf die französischen Soldaten, und verstärkten die »incertitudes allemandes«. Empört wurde der Vorwurf der nationalsozialistischen Staatsführung zurückgewiesen, General von Schleicher habe mit der französischen Regierung gegen Hitler konspiriert. Besonders deprimierend war für uns der immer wiederkehrende Vorwurf von soldatischer Seite, warum die deutsche militärische Führung den Mord an den Generalen von Schleicher und von Bredow ohne jede Gegenaktion hingenommen hätte. Eine schlüssige Antwort gab es nicht.

Im Juli steigerte sich die nationalsozialistische Agitation in Österreich und endete mit der Ermordung des österreichischen Bundeskanzlers Dr. Dollfuß am 25. Juli. Internationale Rückwirkungen, aber keine Gegenaktionen, die eine Isolierung Hitlers bewirkt hätten, traten ein. Am späten Abend suchte mich noch der italienische Marineattaché auf, um mir vertraulich mitzuteilen, daß Mussolini die Mobilmachung von zwei Armeekorps und ihren Aufmarsch an Brenner und Reschenpaß befohlen habe. Italien hatte nämlich nicht nur zusammen mit Frankreich und

England in einer feierlichen Deklaration die Unabhängigkeit Österreichs bekräftigt; es bestanden auch Berührungspunkte zwischen den ständestaatlichen Vorstellungen von Dollfuß und dem Korporativsystem Mussolinis.

Im August starb Hindenburg, es folgte die Vereidigung der Wehrmacht auf die Person Hitlers. Die französische Presse und die öffentliche Meinung reagierten auf den Tod Hindenburgs im allgemeinen mit großem Respekt. Beim Trauergottesdienst erschien der Kriegsminister Marschall Pétain in der deutschen evangelischen Kirche. Beim Abschluß der Feierlichkeit drückte er mir die Anteilnahme der französischen Streitkräfte aus und sagte: »Mich trifft der Abschied von diesem großen Soldaten besonders schwer. Er war wohl mein Gegner im Krieg, aber in unseren soldatischen und charakterlichen Auffassungen waren wir über Fronten und Grenzen hinweg ähnlich.« Die Noblesse der Gegner von einst, ein Relikt des Rittertums, war dem Marschall zu eigen.

Am 9. Oktober 1934 wurden in Marseille König Alexander von Jugoslawien und der französische Außenminister Barthou zu Beginn des jugoslawischen Staatsbesuches von einem kroatischen Nationalisten ermordet. Wir hörten die bestürzende Nachricht bei einem Empfang in einer südamerikanischen Botschaft, als plötzlich der Kronleuchter sich löste und klirrend auf dem Boden zerschellte. Mit Barthou, der bei diesem Staatsbesuch seine Ostpolitik weiter verfolgen wollte, war ein unerbittlicher Gegner Deutschlands und ein Verfechter der französisch-sowjetischen Annäherung zur Einkreisung Deutschlands aus dem Leben geschieden. Er wurde durch Laval ersetzt, der bei den schnell wechselnden Kabinetten der Dritten Republik schon mehrere Ministerämter innegehabt hatte und später Ministerpräsident der Vichy-Regierung wurde.

Als Satyrspiel darf hier erwähnt werden, daß dreiundzwanzig Jahre später ein Film der ostzonalen DEFA gedreht wurde, in dem mit gefälschten Dokumenten und Bildern ich als Miturheber des Königsmordes gezeigt wurde, um mich bei Übernahme meines Kommandos als Oberbefehlshaber der verbündeten Landstreitkräfte Europa-Mitte in Fontainebleau bei den Alliierten, vor allem den Franzosen, unmöglich zu machen. Die französische kommunistische Presse nahm natürlich begierig den »Fall« auf. Englische Gerichte legten in vorbildlicher Unparteilichkeit in einem langwierigen Prozeß den Verleumdern das Handwerk. Der Film wurde nicht mehr gezeigt.

Erwähnung verdienen aber auch einige erfreuliche Ereignisse in diesem spannungsgeladenen Jahr 1934. Anfang April beteiligte sich erstmals eine deutsche Equipe unter dem Kommandeur der Reitschule Hannover, Generalmajor Freiherr von Dalwigk, am berühmten »Concours hippique militaire international« in Nizza und überzeugte durch ihre Leistung. Zuvor waren die deutschen Reiter in Paris vom französischen Kriegsminister empfangen und durch eine Einladung des französischen Generalstabschefs, General Gamelin, geehrt worden.

Im glühend heißen Juli – unmittelbar vor den traurigen Ereignissen in Österreich – wurde General Freiherr von Dalwigk mit einigen Reiteroffizieren in das »Mekka der französischen Reiterei«, das pittoreske Loire-Städtchen Saumur, eingeladen.

Der Kommandeur der französischen Kavallerie-Schule, General de Fornel de la Laurencie, war ein Gastgeber par excellence. Die bedeutendste Dressur-Equipe, das »cadre noir«, wurde uns von Commandant Wallon vorgeführt, die französische Equipe von dem alten Reitersmann de Laissardière. An einem herrlichen Sommermorgen wurden uns Pferde zur Verfügung gestellt, um den parcours de Verrie mit seinen berühmten Hindernissen aus dem Sattel kennenzulernen. Mein irischer Hunter nahm die Hindernisse erfreulicherweise von selbst. Doch wurde an Stand- und Sitzfähigkeit jeglicher Art manche Anforderung gestellt.

Nach der Einnahme von Paris 1940 hatte ich mit General de

Fornel de la Laurencie wiederholt zu verhandeln und konnte in dieser für ihn so bitteren Lage seine Würde und seinen Takt bestätigt finden.

In Nizza ergab es sich, daß gleichzeitig die Berliner Philharmoniker unter Wilhelm Furtwängler gastierten und so unter den begeisterten Zuhörern die deutschen Reiter mit den Equipen der anderen Nationen zugegen waren, ein europäisches Bild, das hoffen ließ.

Kurz darauf eröffnete Furtwängler die Pariser Sommer-Saison mit einer magistralen Aufführung von »Tristan und Isolde« in deutscher Sprache. Lauritz Melchior und Frieda Leider waren die umjubelten Protagonisten. Was Wilhelm Furtwängler in jenen Zeiten durch sein Auftreten, seine Menschlichkeit, seine Souveränität für die Musik und für unser Land geleistet hat, wurde in den wirren Nachkriegszeiten falsch ausgelegt. Die Franzosen hatten und haben aber ein sehr feines Gefühl für Können, echte Größe und das Humane, so daß sie den deutschen Meister nach dem zweiten Weltkrieg wieder ebenso warmherzig und begeistert empfingen wie zuvor. Mühsam waren für Furtwängler nur die Proben mit dem französischen Orchester, da dessen Mitglieder vielfach Nebenbeschäftigungen nachgingen und sich durch Stellvertretungen und Unpünktlichkeit auszeichneten. Aber er begegnete dieser Belastung mit intensiver Arbeit, Geduld und befreiendem Humor. Nach dem Kriege war er verändert, vielfach bitter, schwer, manchmal fast melancholisch; die deutsche Katastrophe hatte ihn tief getroffen.

Auch das Jahr 1935 war durch politische Ereignisse voll tiefgreifender Veränderungen und Belastungen gekennzeichnet. Der überragende deutsche Abstimmungserfolg im Saargebiet und die daraus resultierende Rückgliederung trafen die Franzosen schwer; sie machten kein Hehl daraus. Die Angst vor dem »deutschen Nationalismus« wuchs, wenngleich es sich doch hier nur um altes deutsches Gebiet gehandelt hatte.

61

Das französisch-englische Protokoll – das Wiederaufleben der Entente cordiale – vom 3. Februar beruhigte das aufgeregte Gemüt des »français moyen« etwas. Es erschien als eine Bestätigung des Ausspruchs des britischen Premiers Baldwin vom Jahre zuvor, daß »Englands Grenze am Rhein« liege.

Aber die »incertitudes allemandes« schienen sich für die Franzosen zu häufen. In ihrem ungestillten Sicherheitsverlangen suchten sie ihnen durch Stärkung und Vergrößerung ihres kontinentalen Militärpaktsystems zu begegnen. Die »Verkündung deutscher Wehrfreiheit« durch Hitler am 16. März 1935 durch die Einführung der Allgemeinen Wehrpflicht schlug wie eine Bombe in Paris ein; sie löste verstärkte Aktivierung des Gedankens »l'Europe contre l'Allemagne« aus. Eine bittere Enttäuschung gab es aber für Frankreich, als nach der Konferenz von Stresa zwischen England, Italien und Frankreich und nach dem Verdikt des Völkerbundes vom 17. April wegen der Verletzung des Locarno-Pakts eine Tiefenwirkung ausblieb, zumal England eine Appeasementpolitik gegenüber Deutschland einschlug und mit dem deutsch-englischen Flottenabkommen vom Juni 1935 Hitler Vertragsfähigkeit attestierte.

Ich hatte dem Chef des Deuxième bureau, Oberst Koeltz, die Verkündung der Wehrfreiheit zu notifizieren und mußte zunächst einen Schwall von Vorwürfen über mich ergehen lassen, der aber auf meine Gegenargumente hin einer ruhigeren Betrachtungsweise wich. In einem privaten Gespräch verstand er sich zu dem Zugeständnis, daß der Vertrag von Versailles gegenüber Deutschland überzogen gewesen sei. In dieser Lage durfte ich erneut feststellen, daß die persönlichen Beziehungen mit den französischen Kameraden auch unter solchen politischen Belastungen nicht gelitten hatten.

Damals meldete ich dem Chef des deutschen Generalstabes: »Während früher in französischen Generalstabskreisen gesagt wurde, daß im ›freien Spiel der Kräfte‹ Frankreich immer die

Vorhand haben wird, so wurde jetzt doch auch schon vorsichtig der Gedanke laut, daß auf weite Sicht die von allen Fesseln befreite deutsche Wehrkraft Frankreich überflügeln könne!« Die Folgerung, mit einem solchen Nachbarn zu einem modus vivendi zu kommen, ihn in gewisser Weise zu binden, wurde in den maßgebenden politischen Kreisen Frankreichs nicht gezogen. Theoretische Sicherheitsbedenken, die Fesseln der übersteigerten Barthouschen Militärpolitik – verstärkt durch die Übereinstimmung mit der UdSSR –, der französische Völkerbundgedanke verhinderten dies, wobei noch die Behauptung aufgestellt wurde, daß man, nachdem Deutschland sich selbst die Wehrfreiheit wiedergegeben habe, keinen konkreten Verhandlungsgegenstand mit Berlin mehr habe. Ich schrieb weiter: »In der französischen Außenpolitik dominiert die Militärpaktpolitik, weil der Quai d'Orsay ›aus Angst vor dem Entschluß‹ noch von der früheren Erbschaft mit alten Requisiten lebt und nicht den Mut aufbringt, vielleicht auch innerpolitisch nicht aufbringen konnte, die Vergangenheit zu überwinden und eine Tatsachenpolitik mit Deutschland schöpferisch neu zu gestalten.«

Wir glaubten damals fest an die Möglichkeit einer deutsch-französischen Verständigung. Die wirklichen Absichten Hitlers waren uns verborgen, zumal Hitler bei der Wiedereinführung der Wehrpflicht »vor dem deutschen Volk und vor der Welt« die Versicherung abgab, daß »die deutsche Rüstung kein Instrument kriegerischen Angriffs« sei, sondern »ausschließlich der Verteidigung und damit der Erhaltung des Friedens« dienen wolle.

Diese außen- und militärpolitischen Ereignisse und Gegebenheiten verhalfen den französischen Streitkräften zu einem erheblichen Redressement. Die hartumkämpfte Dienstzeitfrage wurde gelöst, die zweijährige Dienstzeit eingeführt. Gleichzeitig wurde die Gesamtzahl der Langdienenden erhöht. Verschiedene Truppenteile wurden aus Innerfrankreich an die deutsche Grenze verlegt, die Grenzdivisionen auf mobile Stärken gebracht. Diese

Verlegungen blieben auch bei den bevorstehenden Entspan-
nungsphasen bestehen, die mit neuen Krisen abwechselten. Sie
erhöhten so im Hinblick auf Zeit und Raum die Schlagkraft des
französischen Heeres. Die Maginot-Linie wurde besetzt und
durch Feldbefestigungen ergänzt.

Ein bewegendes Ereignis war am 12. Juli 1935 abends die Weihe
des deutschen Soldatenfriedhofs Maissémy bei St. Quentin, auf
dem über 30 000 Gefallene des ersten Weltkrieges gebettet waren. Linden, rote Rosen und blauer Lavendel überblühten die
Gräber, als der deutsche Geschäftsträger, Botschaftsrat Dr. Forster, die Gedenkstätte weihte. Ich begleitete ihn in Uniform. Der
Bauführer des Volksbundes Deutscher Kriegsgräberfürsorge
schloß seine Worte: »Möge hinfort von dieser Stätte des Friedens,
die einst blutiger Krieg durchwühlte, der Friedensgeist ausstrahlen, den zwei kampferprobte Völker zu beiden Seiten des Rheins
so heiß ersehnen.« Die französischen Behörden und die Bevölkerung, die so viel gelitten hatte, beteiligten sich, in der Trauer
vereint, an diesem schweren Gedenken und nahmen uns gastlich
im Schatten der noch nicht wieder hergestellten gotischen Kathedrale auf, während ein dünnes Glockenspiel vom Rathaus klang.

Da Generalleutnant Kühlenthal auf Urlaub war, wurde ich zu
den ersten größeren Panzermanövern, zu der »Exercice de Com-
bat du Camp de Mailly« am 24. und 25. September 1935 eingeladen, die mit einer Feuerzusammenfassung von neun Batterien (75
und 155 mm) abgeschlossen wurde. Die Übung fiel in eine Zeit
weltpolitischer und für Frankreich auch innenpolitischer Spannungen. Sie hatte ihrer Ausgangslage nach keinen politischen
Nebenzweck, sollte aber den Gästen und den ausländischen
Militärattachés sowie der Armeekommission der Kammer ein
Bild der Stärke Frankreichs geben. Ein höherer französischer
Generalstabsoffizier äußerte mir gegenüber auf dem Manöverfeld
ganz offen – unter Anspielung auf Deutschland, England und
Italien –, Frankreich müsse auch einmal »montrer sa force«. Bei

den Führungs- und Gefechtsgrundsätzen wurden nur Lagen eines Bewegungskrieges vorgetragen und die manœuvre d'aile (Umfassungsmanöver) als Hauptübungsgegenstand bestimmt; sie blieben aber in der Durchführung schematisch und schwerfällig. Möglichkeiten zu schnellen und freien Führungsentschlüssen wurden nicht genutzt. Der Eindruck der Führung bei Verteidigungsmaßnahmen war sehr gut, dagegen erschienen alle Maßnahmen einer beweglichen Kampfführung den modernen Erfordernissen eines Bewegungskrieges nicht angepaßt. Mein Abschlußurteil war damals: »Das französische Heer, wohldiszipliniert und – in Anbetracht der Länge der Dienstzeit – gut ausgebildet, arbeitet an der Vervollkommnung der Ausbildung zum Bewegungskrieg, bleibt aber noch vielfach stellungskriegsbehaftet. Die französische höhere Führung arbeitet bewußt und energisch an der Behebung dieses erkannten Mangels.«

Als besondere Persönlichkeit fiel mir der Führer der blauen Partei, der 46jährige Oberstleutnant De Lattre de Tassigny, auf, der lange der erste Generalstabsoffizier General Weygands gewesen war. De Lattre de Tassigny erzählte mir von der Überlegenheit Weygands in allen Fragen operativer und psychologischer Art; ein Bekenntnis Weygands sei das Vorwort zu der Neuausgabe von Marschall Lyauteys Schrift »Du rôle social de l'officier«. General Weygand sei immer ausgeglichen und vornehm im Urteil gewesen, im Gegensatz zu Marschall Foch, der in seiner »krankhaften Nervosität und Unerträglichkeit« sehr unbequem gewesen sei. Politisch habe Weygand nur Aufträge seiner Regierung ausgeführt.

De Lattre de Tassigny machte einen ausgezeichneten Eindruck: frisch, taktisch klug, sicher im Urteil, elegant, diese Eigenschaften aber gepaart mit einer Dosis an Überheblichkeit und Eitelkeit. Seine Kameraden prophezeiten ihm damals eine große Zukunft in der französischen Armee – tatsächlich wurde er Marschall von Frankreich.

Zehn Jahre später war ich in Urnau – nach Befreiung aus den Fängen der Gestapo durch das I. französische Korps des Generals Béthouart – im Befehlsbereich des Generals De Lattre de Tassigny, der als Oberbefehlshaber der 1. französischen Armee in Bad Schachen unter kolonialer Prachtentfaltung residierte.

Als ich nach Erklärung der Wehrfreiheit auch für die neu entstehende Luftwaffe akkreditiert wurde, lernte ich den Adjutanten des Chefs des Generalstabs der Luftwaffe, Capitaine Paul Stehlin, kennen und schätzen, einen warmherzigen, sehr klugen und selbständig denkenden Jagdflieger, mit dem mich nach vielen schicksalhaften Begegnungen und gemeinsamem Erleben eine herzliche Freundschaft bis zu seinem jähen Tode 1975 verband.

Die einzigartige Ambiance der Seine-Stadt mit ihrem reichen kulturellen Leben nahm uns vom ersten Tag an gefangen. Die Bühnen, nicht nur die Comédie Française, sondern auch die Boulevard-Theater, boten ebenso Meisterhaftes wie Amüsantes; im Konzertleben fehlte kein großes Orchester, kein namhafter Solist. In kleineren und größeren Kreisen, den »Salons«, gab es ein reges gesellschaftliches Leben, das menschliche Kontakte über den Tag hinaus schuf. Der gesellschaftliche Stil – man traf sich bei Tee-Empfängen, Bällen oder Soupers nach dem Theater – entsprach der Welt des alten Europa.

Unter den deutschen Schriftstellern und Journalisten dominierte Friedrich Sieburg, der nicht nur die glänzendste Feder schrieb, sondern auch als Katalysator für Persönlichkeiten aus den verschiedensten Kreisen wirkte, von den Franzosen als homme de lettres anerkannt. Auf wirtschaftlichem und finanzpolitischem Gebiet wirkte Dr. Gerd Riedberg in seinem Kenntnisreichtum und seiner Menschlichkeit als hervorragender Vertreter bei der Internationalen Handelskammer.

So war und blieb Paris eine unvergeßliche Lehrzeit, die meine Frau und ich dankbar genossen haben – allerdings gegen Ende mit dem Vorgefühl von Laetitia Bonaparte: »pourvu que ça dure«. Ina hatte in einem französisch-deutschen Schulzirkel die ersten Grundlagen für die spätere Romanistin erworben.

Das Klima im Lande hatte sich in den zwei Jahren meiner Tätigkeit spürbar verbessert. 1933 war ich bei meiner Ankunft noch merklich zurückhaltend aufgenommen worden. Bei meinem Abschied von Paris im Herbst 1935 empfing ich von französischer Seite viele Zeichen echter Kameradschaft. Die Verbundenheit hat sich über den zweiten Weltkrieg und die bittere Nachkriegszeit hinaus bis heute gehalten.

Am 6. Oktober 1935 zogen wir in die alte Münsterstadt Ulm, in der ich einundzwanzig Jahre zuvor bei den Königsgrenadieren als Fahnenjunker eingetreten war und noch viele kameradschaftliche Bindungen mit den »Alten« hatte. Der Kontrast Paris–Ulm wurde aufgewogen durch die Aufnahme im heimatlichen Schwabenland. Unsere Eltern, die uns auch in Paris besucht hatten, lebten im nahen Stuttgart und freuten sich an den Enkelkindern. Der Skilauf im benachbarten Allgäu bot einen köstlichen Ausgleich zur harten Arbeit.

Die politische Lage brachte aber immer neue Beunruhigungen. Die Reaktion auf die Verkündigung der allgemeinen Wehrpflicht in Deutschland hatte ich noch in Paris erlebt, jetzt folgte am 7. März 1936 die Kündigung des Locarno-Vertrages mit der Begründung, die Ratifizierung des sowjetisch-französischen Bündnisses widerspreche dessen Geist und Buchstaben. Gleichzeitig ließ Hitler die entmilitarisierte Zone des Rheinlandes besetzen. Wir waren wie alle Truppenteile in Alarmbereitschaft. Ich sollte im Mobilmachungsfall als Ic zum Oberkommando der 1. Armee in Hechingen treten. Die Reaktion im Ausland, auch in Frankreich, war überraschend gering; es nahm diese Vertragsbrüche hin. In Deutschland wurde dieses Vorgehen fast einhellig begrüßt. Es steigerte das Prestige der Reichsregierung beträchtlich. Diesem Erfolg Hitlerscher Außenpolitik schlossen sich die glanzvollen olympischen Spiele in Garmisch-Partenkirchen und Berlin an, an denen sich die Staaten aller Welt beteiligten. Organisation und Art der Durchführung hoben das deutsche Ansehen in der Welt. Man darf diese Tatsachen bei der Beurteilung Hitlers durch das Ausland nicht vergessen.

Im dienstlichen Bereich ging es vor allem darum, trotz der erhöhten Truppenstärke eine gute Ausbildung der Soldaten zu gewährleisten. Die Probleme der Vergrößerung des Heeres, der Einführung der zweijährigen Dienstzeit als Antwort auf die französische Dienstzeiterhöhung mußten gemeistert werden. Dies stellte hohe Anforderungen an Offiziere und Unteroffiziere für Organisation und Ausbildung. Dennoch mußte der schnelle Aufbau des Heeres zwangsläufig zu einem Qualitätsverlust bei den einzelnen Dienstgraden führen.

In die Ulmer Zeit fiel eine Einladung meines alten Abteilungschefs im Generalstab, Generalmajor Fischer, nach Rom, wo er als Militärattaché unter Botschafter von Hassell wirkte, der wie so viele nach dem 20. Juli gehängt wurde. Wir erlebten den Jubel des italienischen Volkes über den »Sieg in Abessinien« bei der eindrucksvollen Siegesparade auf der Via del Impero. Sie wurde vom König, begleitet von Mussolini zu Pferde, abgenommen.

Nur ein Jahr dauerte die Ulmer Idylle, fern von politischem Donnergrollen. Das freie Leben in heimatlicher Landschaft unter verläßlichen Menschen ging zu Ende: Abschied von einer ausgezeichneten, treu ergebenen Truppe, meiner 8. Maschinengewehrkompanie und dem II. Bataillon des Infanterieregiments 56, das ich während des Sommers und in den großen Manövern auf unserer Schwäbischen Alb geführt hatte.

Berlin und Mannheim

Auf den 1. Oktober 1936 wurde ich zum Leiter der Abteilung Fremde Heere West im Generalstab des Heeres ernannt. Diese Abteilung hatte die westliche Hemisphäre, also Westeuropa, die USA, Mittel- und Südamerika, zu bearbeiten. Wir zogen wieder nach Berlin-Schmargendorf, unweit des »Wilden Eber« in eine schöne Wohnung; der nahe Grunewald lud zum erfrischenden Ausritt am Morgen.

Die überragende Persönlichkeit im Generalstab des Heeres war der Chef, General der Artillerie Ludwig Beck. Seine Erscheinung war eindrucksvoll: ein mittelgroßer, schlanker Mann mit einem schmalen Kopf, nach Eduard Spranger dem »eines Denkers, den sein Berufsweg auf den besonderen Zweig strategischen Denkens geführt hat«. Seine durchgeistigten Gesichtszüge verrieten Selbstbeherrschung und Disziplin. Die Lauterkeit seines Charakters vereinigte sich mit einem scharf geschliffenen Geist, der durch eine umfassende Bildung bereichert wurde. Von großer Bescheidenheit und Vornehmheit, von hoher Pflichtauffassung geprägt, lebte er nach der Moltkeschen Forderung »mehr sein als scheinen«. Wie sein großer Vorgänger Moltke verkörperte Beck den Typ des Generalstabschefs vollkommen. Er faßte die Aufgabe des Generalstabs nicht eng, sondern stellte sie in einen größeren Rahmen. Dabei betonte er vor allem die ethischen Grundlagen.

Wie einst Gneisenau suchte er durch Kriegsakademie und militärische Bildungsanstalten eine Verbindung der Armee mit dem deutschen Geistesleben zu schaffen; der Generalstab sollte unabhängig, innerlich frei zu einer typusbildenden Kraft werden. Beck wurde in seiner erzieherischen Aufgabe nicht müde, die Persönlichkeit zu bilden, den Funktionär auszuschalten. Doch seine Gedanken und Ideale konnte er bei der zunehmenden Amoralität des Regimes nicht durchsetzen.

Bei seinen Übungsreisen, den Kriegs- und Planspielen, waren Taktik und Strategie für Beck nie ein starres Dogma, sondern stets Bewegung, lebendige Kraft.

Im Frühjahr 1937 hatte ich eine Reise General Becks nach Paris vorzubereiten, die auf Anregung des Militärattaché, General Kühlenthal, und des Chefs des französischen Generalstabs, General Gamelin, zustande kam. Zur »Tarnung« wurde ein Besuch der Weltausstellung angegeben. Die Reise Becks nach Paris vom 16. bis 20. Juni 1937 sollte seinem Anliegen, ein besseres Verhältnis der beiden Nachbarnationen herzustellen, dienen. Ich begleitete ihn auf dieser Reise und bemerkte den tiefen Eindruck, den Beck auf die französischen Gesprächspartner, auch auf den Kriegsminister Daladier und Marschall Pétain machte. In diesem Zusammenhang möchte ich ein Urteil von Botschafter François-Poncet wiedergeben, der mir am 7. November 1955 zur Aufstellung der Bundeswehr schrieb: »Beck war der Typ eines echten Deutschen, ein vollkommener Edelmann, ein in jeder Hinsicht zu schätzender Offizier. Möge er den deutschen Offizieren von morgen ein Vorbild sein.«

Leider hat der Chef des französischen Generalstabs, General Gamelin, nach dem Kriege – wohl zu seiner eigenen Entlastung – in seinem Buch »Servir, le prologue du drame« einen Phantasiebericht über die Gespräche mit General Beck niedergelegt. Er schrieb dabei von deutschen Weltherrschaftsansprüchen, kolonialen Aspirationen und anderem. Ich war bei allen Unterhaltungen zwischen General Beck und General Gamelin zugegen. Der Satz »Au fond les armées française et allemande, si nous voulions nous unir, nous serions les maîtres du monde« ist nicht gefallen.

Er entspricht auch weder in der Diktion noch im Inhalt der Beckschen Gedankenwelt. Wohl aber erinnere ich mich einer Äußerung Becks Gamelin gegenüber, daß der Friede Europas, ja der Welt, garantiert sei, wenn Frankreich und Deutschland ihren alten Streit begraben würden und die deutsche und die französische Armee gemeinsam einen rocher de bronze für den Frieden darstellten.

Von einer Unterhaltung über Belgien ist mir ebenfalls nichts bekannt. General Beck, schon damals ein überzeugter Europäer, sah die Idee der Nationalstaaten für überholt an. Damals und später äußerten alle französischen Gesprächspartner – nicht zuletzt Marschall Pétain –, daß General Beck kein Vertreter eines »militaristischen oder revanchelustigen Deutschlands« sei, sondern beste deutsche militärische Tradition verkörpere. Bei meiner letzten Unterredung mit Marschall Pétain in Vichy 1941 kam der Marschall noch einmal auf diese Gespräche zurück und bedauerte das Ausscheiden von Generaloberst Beck aus dem aktiven Dienst. Er hatte in ihm einen Garanten des Friedens gesehen.

Vor der Reise hatte mich Beck beauftragt, für den Generalstab ein aide-mémoire über die »französische Sicherheitspolitik und die französische Führung« zu schreiben, das nach der Reise dann den höheren militärischen Führern als eine Art Leitfaden zur vertraulichen Unterrichtung in die Hand gegeben wurde.

Die Studie entwickelte ideengeschichtlich und völkerpsychologisch das französische Sicherheitsstreben, analysierte u. a. das cartesianische Streben nach Gewißheit und den Vorsatz, jedes Risiko zu kalkulieren. Die Auswirkung solcher Gedanken auf die operationellen Planungen wurde herausgearbeitet. Dabei wurden die von der Ratio geprägten Ideen – nicht aber solche, die auf napoleonische Expansionsvorstellungen zurückgehen – als geschichtsmächtig für die französische Militärpolitik herausgestellt. Für Frankreich wurde eine »defensive Einsatzbereit-

schaft«, eine »passive Defensive«, sowie das Festhalten am Gla-
cis-Gedanken als Möglichkeit vorausgesagt. Damit standen diese
Thesen im Widerspruch zu der nationalsozialistischen Auffassung von der kriegstreibenden französischen Außenpolitik, die
offensiv über die Grenzen hinausstrebe.

Der Schluß der Abhandlung lautete:

»Die Grundhaltung des Franzosen, insbesondere des ›français
moyen‹ in Fragen der Sicherheit hat sich nicht geändert. Die
französische Führung muß und wird dieser Haltung Rechnung
tragen. Alle politischen und militärischen Entschlüsse werden ›à
coup sûr‹ gehen wollen.

Eine Operation über die Landesgrenzen hinaus aufgrund von
Bündnisverpflichtungen kann durch das Fehlen eines wirklichen
Kriegsziels, einer zugkräftigen Parole gehemmt werden. Die Offensive, der Angriff ›à tout prix‹ erscheint unwahrscheinlich, als
›retour offensif‹ wird er seine Geltung behalten. Bei einer Verletzung eigenen Bodens durch eine fremde Macht wird das französische Volk und seine Führung zu jeder Leistung fähig sein.«

Die Arbeit im Generalstab unter dem klugen Abteilungschef
Generalmajor von Tippelskirch war im Menschlichen erfreulich,
im Politischen wurde sie durch die Außen- und Innenpolitik
schwieriger. Der Generalstab drängte auf Maß und Zurückhaltung. Die damals aufkommende politische und militärische Eu-
phorie und Überheblichkeit wurde auf Weisung Becks scharf
bekämpft. Klarheit und Wahrheit im Berichtswesen ließen jedoch mancherorts zu wünschen übrig.

Das Berliner Jahr endete mit zwei besonderen Akzenten: der
Einladung zu den Schweizer Manövern und dem Besuch Mussolinis vom 25. bis 28. September 1937 in Berlin, dem zwei Monate
später der Beitritt Italiens zum Anti-Kominternpakt zwischen
Deutschland und Japan folgte.

Anlage und Durchführung der Schweizer Manöver im Großraum Bern waren mustergültig. Beim Défilé führte der eidgenössische Bundesrat Minger, eine ursprüngliche Persönlichkeit, selbst zu Pferd die Übungstruppe an den Gästen vorbei. Die Aufnahme in der Schweiz, wo ich kurz zuvor zwei Vorträge gehalten hatte, war kameradschaftlich wie immer, obwohl mir zum ersten Mal die Schweizer Sorgen über die außen- und innenpolitische Entwicklung in Deutschland und in Europa nahegebracht wurden. Ich meldete diese Befürchtungen dem Chef des Generalstabs und hob Geist und Können des Schweizer Heeres hervor, die sich wieder beachtenswert gezeigt hatten.

Mussolini wurde bei seinem Staats- und Manöverbesuch von einer großen Militärdelegation unter Marschall Badoglio begleitet. Als Leiter der Abteilung Fremde Heere West zog mich General Beck zu Gesprächen mit Marschall Badoglio und seinen Begleitern hinzu. Sie behandelten eine militärische Zusammenarbeit im Frieden, aber auch in einer möglichen kriegerischen Auseinandersetzung. Badoglio machte einen menschlich vornehmen, gebildeten und militärisch geschulten Eindruck. Mussolini trat er sehr frei gegenüber.

Mussolini sprach mich auf den Paris-Besuch General Becks, insbesondere auf das Verhältnis Deutschland–Frankreich und den Ausbildungsstand des französischen Heeres an. Von außerordentlich starkem Willen geprägt, selbstbewußt, herrisch, zeigte er sich im persönlichen Gespräch von einer eindrucksvollen, sehr unmittelbaren Liebenswürdigkeit. Der große Zapfenstreich im Stadion, bei dem Mussolini kurz sprach, bildete den Abschluß des Besuches, der die mitreißende Wirkung der Diktatoren auf die Massen erneut zum Bewußtsein brachte.

Am 10. Oktober 1937 wurde ich erster Generalstabsoffizier der neu gebildeten 33. Division in Mannheim, deren Bereich Nordbaden, Hessen südlich des Mains und die Vorderpfalz umfaßte.

Die Aufnahme in Mannheim, das seit 1918 zum ersten Mal

wieder deutsche Soldaten in seinen Mauern beherbergte, war von einer Herzlichkeit und Großzügigkeit, wie wir sie selten erlebt hatten. Wir bekamen am oberen Luisenpark eine schöne Wohnung im Grünen zugewiesen; die kulturell besonders interessierten Bürger nahmen uns in ihre Kreise auf. Das Nationaltheater, in dem Schillers »Räuber« und »Kabale und Liebe« ihre Uraufführung erlebt hatten, an dessen Pult ein Wilhelm Furtwängler und Erich Kleiber gestanden hatten und nun Karl Elmendorff wirkte, bot einen hervorragenden Spielplan; die Sinfoniekonzerte in Mannheim und bei »IG-Farben« in Ludwigshafen unter der Ägide von Männern wie Dr. August von Knieriem und Dr. Karl Wurster suchten nach Programmen und Solisten zu wetteifern.

Kurz vor dem Kriege spielte noch Alfred Cortot das erste Chopin-Konzert. Es war Tradition, daß man sich nach den Konzerten im Hause von Mäzenen traf, so bei dem kunstsinnigen Präsidenten der Industrie- und Handelskammer, Dr. Fritz Reuther, oder bei Konsul Otto Boehringer, wo weiter musiziert wurde und die Gespräche manchmal bis zum Morgengrauen gingen.

Die nahe Universität Heidelberg gab wohl mancherlei Anregungen, doch machten sich dort schon Einbrüche nationalsozialistischer Unduldsamkeit bemerkbar. Ich erinnere mich noch an den früheren Kontakt mit der freien Alma mater. Mein Schulkamerad Arnold Bergstraesser hatte mich 1932 zu Kolloquien über militärische Probleme in sein Seminar gebeten, an denen unter anderen auch Alfred Weber teilnahm. Der Kontakt mit den Studenten war nicht nur auf die Exerzitien beschränkt, sondern setzte sich bei Wein und Sang in den alten Studentenlokalen fort. Es war das letzte Wirken Arnold Bergstraessers vor dem zweiten Weltkrieg in Deutschland. Im Dritten Reich wurde ihm, der im Herbst 1914 als Kriegsfreiwilliger ein Auge verloren hatte, die venia legendi entzogen, der Paß konfisziert – aus sogenannten »rassischen Gründen«. General Beck und Admiral Canaris ermöglichten ihm die Ausreise in die Vereinigten Staaten.

Der Herbst 1937 verlief ruhig. Die 33. Division, zu je einem Drittel aus hessischen, nordbadischen und pfälzischen Verbänden zusammengesetzt, konsolidierte sich trotz des scharfen Aufbautempos unter ihrem tatkräftigen, die Kleintaktik beherrschenden Divisionskommandeur, Generalleutnant Ritter von Schobert, der freilich zu den wenigen militanten Nationalsozialisten im Offizierskorps zählte und den Verkehr mit den drei Gauleitern allen anderen gesellschaftlichen Verpflichtungen vorzog. Doch war der Umgang mit den Gauleitern von Baden, Hessen und Pfalz konfliktreich, weil die »Prokonsuln« zerstritten waren und sich gegenseitig bekämpften. Ihre Parteidienststellen waren meist mißtrauisch und unterstützten – nicht nur in der Frage der Unterkünfte – die SS und SA.

Von dem politischen Ereignis des Spätherbstes, dem 5. November 1937, wurde bei uns nichts bekannt, nicht einmal Gerüchte sickerten durch. An diesem Tag hielt Hitler seine berüchtigte Ansprache vor den Spitzen der Wehrmacht und einigen Parteigrößen, in der er »größeren Lebensraum« forderte, was nur über den Weg der Gewalt ginge. Österreich und die Tschechoslowakei nannte er nur als Nahziele. Erst nach dem Kriege wurden uns durch das sogenannte Hossbach-Protokoll diese Pläne bekannt. In der Öffentlichkeit dagegen, vor dem Reichstag wie gegenüber Halifax betonte Hitler beschwichtigend, daß die Politik der Überraschungen zugunsten einer Entspannungs- und Friedenspolitik aufgegeben würde. Damals waren die mittlere und untere Führung sowie die Truppe in tiefer Überzeugung defensiv eingestellt. Der Bau des Westwalls schien nur der Verteidigung zu dienen, und auch die Einsatzübungen der Truppe im vorgesehenen Mobilmachungsabschnitt zwischen der Weißenburger Senke und dem Rhein ließen keine offensiven Absichten erkennen.

Der Beginn des Jahres 1938 brachte aber nicht nur für das Heer, sondern auch für die innenpolitische Entwicklung in Deutschland schwere Erschütterungen, in denen Opponenten zur Hitlerschen Expansionspolitik ausgeschaltet wurden: Nachdem Feldmarschall von Blomberg, dem Reichskriegsminister und Oberbefehlshaber der Wehrmacht, wegen »unehrenhafter Eheschließung« der Rücktritt nahegelegt wurde, folgte die Entlassung des Oberbefehlshabers des Heeres, des in der ganzen Armee verehrten Generalobersten Freiherr von Fritsch, wegen angeblicher »sittlicher Verfehlungen«. Der raffinierte Versuch der Diffamierung von Fritsch bedeutete den ersten Schritt Hitlers zur Gleichschaltung, ja zur Entmachtung des Heeres, das in Generaloberst von Brauchitsch keinen innerlich freien Nachfolger bekam. Hier wäre Beck der einzig mögliche und richtige Nachfolger gewesen, um den Frieden zu bewahren. Noch in der Nacht vom 4. auf den 5. Februar wurde Beck zu Hitler gerufen, bei dem er in aller Schärfe für Fritsch eintrat. Vier kommandierende Generale, gleich groß an Können wie an Charakter, wurden aus »Gründen der Verjüngung« verabschiedet, darunter die bedeutende Persönlichkeit Hermann Geyers in Stuttgart, den Ludendorff einst als besonders klaren Geist gerühmt hatte. Alle vier kommandierenden Generale galten als nicht zuverlässig im nationalsozialistischen Sinne. Hitler übernahm selbst den Oberbefehl über die Wehrmacht mit dem willfährigen General der Artillerie Wilhelm Keitel als Chef des Oberkommandos.

Auch innerhalb des Reichskabinetts hatte Hitler eine entscheidende Wendung vollzogen. Joachim von Ribbentrop, der Amateurpolitiker, wurde Außenminister; sein Vorgänger, Freiherr Konstantin von Neurath, der seit Juni 1932 das Auswärtige Amt geleitet hatte, übernahm leider die neu geschaffene Stelle eines »Präsidenten des Geheimen Kabinettsrats«, weil er nicht nein sagen wollte oder konnte. Der Rat trat nie zusammen.

Nach dem 4. Februar verstärkten sich in der Wehrmacht die Zweifel an der Führung, die freilich durch die sich überstürzenden Ereignisse der Jahre 1938/39 überdeckt wurden. Schon wenige Tage danach besuchte uns der Freund aus der Pariser Zeit,

Peter Pfeiffer, und berichtete von der Infamie Hitlers, Görings und Himmlers gegenüber dem Generalobersten Freiherr von Fritsch, von all den Gemeinheiten, die sich in Berlin abgespielt hatten. Leider wurde die Rehabilitierung Fritschs nur vom Chef des Generalstabs, General Beck, und von Admiral Canaris betrieben, aber nicht von Fritschs Nachfolger, Generaloberst von Brauchitsch, der sich mit der Ernennung Fritschs zum Chef des Artillerie-Regiments 12 zufriedengab. Die Spitzen des Heeres hatten eine nie wieder gutzumachende Schwäche bewiesen und eine entscheidende Gelegenheit zum Widerstand gegen Rechtsbruch und Perfidie versäumt. Freilich war die Truppe vielfach über die Lage im unklaren und im Glauben an die Staatsführung unerschüttert.

Beck äußerte bei einem Besuch bei uns in Mannheim: »Der Fall Fritsch hat zwischen Hitler und dem Offizierskorps der Wehrmacht eine Kluft gerissen, auch in bezug auf das Vertrauen, die nie wieder zu überbrücken ist.« Als Hitler nach dem Zusammenbruch der Intrige behauptete, die Ehre des Generalobersten Freiherr von Fritsch mit der Ernennung zum Chef des Artillerie-Regiments 12 wieder hergestellt zu haben, hatte ihm Beck erwidert: »Die Ehre ist etwas Unabdingbares und wird auch vor Ihrer Person nie Halt machen.«

Auch im engeren Kreise wirkte sich der 4. Februar aus. Der dezidierte Nationalsozialist General Ritter von Schobert wurde kommandierender General in München, während Generalleutnant Ritter von Speck die 33. Division übernahm. Damit führte eine geistig und sittlich hochstehende Persönlichkeit die Truppe. Er war nicht nur ein überdurchschnittlicher taktischer Führer und Mentor seiner Soldaten, der »innere Führung« wahrhaft praktizierte, sondern auch ein profunder Kenner der schöngeistigen Literatur der Zeit, vor allem Stefan Georges. Als kommandierender General fiel er 1940 in vorderster Linie im Frankreich-Feldzug an der Yonne.

Die tiefe Erregung im Heere über den »Fall Fritsch« begann sich zu legen, als Hitler am 13. März 1938 den »Anschluß« Österreichs verkündete, von der Mehrheit der Österreicher begeistert begrüßt.

Am 12. November 1918 hatte die deutsch-österreichische Nationalversammlung nach dem Thronverzicht Kaiser Karls einstimmig das Gesetz angenommen: »Deutsch-Österreich ist ein Bestandteil der deutschen Republik.« Der Friedensvertrag von St. Germain verbot aber den Anschluß und verweigerte den Österreichern das von Wilson proklamierte Selbstbestimmungsrecht der Völker. Viele sahen im »Anschluß« eine Revision der Pariser Vorortverträge, keine Expansion.

Besonders für Süddeutsche bedeutete, ihrem Geschichtsbewußtsein entsprechend, die Verbindung mit Österreich eine Erfüllung nationaler Wünsche und fand so breite Zustimmung. In diesem Falle wurde an Vertragsbruch, an Kriegsgefahr kaum gedacht. Wir waren in Mannheim in erhöhter Alarmbereitschaft; Vorbereitungen für eine Besetzung der Grenze und des Westwalls wurden getroffen.

Nachdem die Wogen der Erregung über den Anschluß Österreichs sich geglättet hatten, erhob die Sudetendeutsche Partei die »aus dem Selbstbestimmungsrecht der Völker resultierende Forderung nach autonomer Selbstverwaltung der sudetendeutschen Gebiete«. Sowohl Daladier wie Chamberlain rieten Eduard Benesch, dieser Forderung zu entsprechen. Da erfolgte völlig überraschend am 20. Mai 1938 die Erklärung der Mobilmachung in der Tschechoslowakei wegen angeblicher deutscher Truppenbewegungen, die in Wirklichkeit nicht stattgefunden hatten.

Der Chef des Generalstabs, Ludwig Beck, hatte seit langem schon die Auffassung vertreten, daß die vom Reich gestützten sudetendeutschen Forderungen zu einer kriegerischen Auseinandersetzung mit der Tschechoslowakei führen würden, aus denen sich ein neuer Weltkrieg entwickeln könne.

In drei Denkschriften vom 5. Mai, 3. Juni und 16. Juli hatte Beck in klarer, generalstabsmäßig fundierter, dramatisch sich steigernder Form gegen die Kriegspolitik Hitlers Stellung genommen. Auf Veranlassung und in Gegenwart des Oberbefehlshabers des Heeres, Generaloberst von Brauchitsch, hielt er vor den Oberbefehlshabern und kommandierenden Generalen eine Ansprache, die später als Denkschrift sein militärisches Testament werden sollte. Einen Augenblick sah es so aus, als ob das Heer in letzter Stunde eine Wendung der Politik Hitlers erzwingen würde. Beck empfahl dem Oberbefehlshaber des Heeres, Hitler die einmütig ablehnende Stellungnahme, ein »Veto« der verantwortlichen Generale, zu unterbreiten. Der Oberbefehlshaber des Heeres lehnte jedoch eine Demarche bei Hitler ab. So nahm das Schicksal seinen Lauf.

Beck verlangte seinen Abschied als Chef des Generalstabes, den er nach einer kurzen Verwendung als Oberbefehlshaber der 1. Armee während der Sudetenkrise im Oktober erhielt. Unter vier Augen sagte er mir, er glaube und fürchte, daß Hitler eine kriegerische Auseinandersetzung anstrebe, die seines Erachtens zu einem zweiten Weltkrieg führen müsse mit dem Ergebnis »finis Germaniae«.

Beck hat mit allen Versuchen zur Verhinderung einer solchen katastrophalen Entwicklung, mit Warnungen jeglicher Art keinen Erfolg gehabt, weil die maßgebenden politischen und militärischen Führer sich bis auf geringe Ausnahmen ihm versagt haben. Für Beck ging es um die Zukunft der Nation. Er war sich nicht nur der militärischen, vielmehr der politischen, der staatsbürgerlichen Verantwortung bewußt. Er handelte so, wie es Reinhold Schneider vom echten Feldherrn forderte: »Der Feldherr: das ist der des Befehls Mächtige, der fähig ist, zu tun, was er nicht will, aber nicht wieder unter Befehl, sondern in Freiheit, aus Einsicht und Verpflichtung; er ist weder König noch Diktator; er ist ein ritterlicher Mensch, der seinen Dienst erwählte und jeden

Augenblick bereit ist, ihn niederzulegen, wenn der Dienst fordern sollte, was wider seine Ehre und sein Gewissen ist.«

So blieb Beck, als er seinen Abschied nahm, frei im Geiste, sauber im Gewissen und fest im Charakter. Gegen die Dämonie der Macht setzte er das Daimonion des Gewissens. Kritiker mögen Beck und seinem Kreis vorhalten, daß ihr Ziel, die Wehrmacht vor der nationalsozialistischen Ansteckung zu bewahren, zu defensiv und daher kein ernsthafter Beitrag zur Überwindung der Gewaltherrschaft gewesen sei. Diese Kritik geht an der Tatsache vorbei, daß Hitler damals über eine breite Vertrauensbasis im Volke verfügte und das Heer nur eine geringe politische Erfahrung und kaum Kenntnis der wahren Lage hatte. Es konnte, wie Karl Jaspers mir später einmal schrieb, nicht »wölfischer als der Wolf« sein. Seiner Überlieferung stand ein Staatsstreich fern.

Beck war sich im klaren, daß das Heer während und unmittelbar nach der »Machtergreifung« die politische Lage noch nicht durch eine Aktion verändern konnte. Der Zeitpunkt schien ihm erst im Herbst 1938 gekommen. Der außenpolitische Expansionsdrang Hitlers hatte sich nun voll offenbart, das Mißtrauen des westlichen Auslandes wuchs. In dieser Lage hoffte Beck, durch den vereinigten Druck von innen und außen Hitler zur Aufgabe seiner außenpolitischen Abenteuer zwingen und den Frieden erhalten zu können. Die für Hitler damit verbundene Prestige-Einbuße sollte Ausgangspunkt einer Änderung des Regimes werden. Diesem Konzept blieb der Erfolg versagt. Eine tiefe Tragik!

Im September 1938 überstürzten sich die weltpolitischen Ereignisse. Vom 22. bis 24. September sprach der britische Premierminister Chamberlain in Bad Godesberg mit Hitler über die Sudetenkrise und die Aufrechterhaltung des Friedens. Am 29. September bestimmte das Münchener Abkommen – unterzeichnet von Chamberlain, Daladier, Mussolini und Hitler – die Abtretung der von zweieinhalb Millionen Deutschen besiedelten Randgebiete der Tschechoslowakei an Deutschland. Die Tschechoslowakei erhielt eine Garantie der Großmächte für den Fall eines unprovozierten Angriffs. Am selben Tag unterzeichneten Chamberlain und Hitler einen neuen Vertrag, den deutsch-britischen Nichtangriffspakt. Chamberlain glaubte, »peace for our time« erreicht zu haben. Die Westmächte haben jene Schicksalsstunden weder für sich selbst noch für uns genutzt.

Das Münchener Abkommen besiegelte nicht nur das Schicksal der Tschechoslowakei, sondern rettete auch Hitler. Für den September 1938 hatten nämlich die Generale von Witzleben und Halder einen militärischen Staatsstreich vorbereitet. Bei der Rückkehr von der Münchener Konferenz sollte Hitler von ausgesuchten Truppen verhaftet werden. Wir in der Provinz hatten freilich von solchen Vorbereitungen nichts erfahren. Nun kam Hitler als Triumphator in die Hauptstadt zurück – damals hätte keine Truppe Putschbefehlen gehorcht.

Frühlings- und Sommermonate in Mannheim vergingen mit Vorbereitungen für die Verteidigung des Westwalls, mit Übungsreisen und Geländebesprechungen, für die ich Leitsätze grundsätzlicher Art verfaßt hatte. – Während der Spannungszeit im September wurden die Verteidigungspläne ausgelöst: die 33. Division besetzte den Abschnitt zwischen Weißenburger Senke und Rhein.

Die Nachricht vom Münchener Abkommen erfuhr ich südwestlich des Weintores von Schweigen bei einem Inspektionsgang. Auf der Straße nach Weißenburg sah ich gegen Abend plötzlich Franzosen mit Tüchern winken, und ein französischer Offizier näherte sich mir, um mich im Grenzhäuschen zu einem Glas Burgunder einzuladen: Jetzt sei ja der Friede für immer gesichert, meinte er in euphorischer Stimmung. Alle seien glücklich über die Entschlüsse Daladiers und Hitlers. Dreizehn Jahre später brach die Jugend beider europäischer Länder an derselben

81

Stelle die Schlagbäume als Zeichen europäischer Verbrüderung, die freilich noch einen allzulangen Weg vor sich haben sollte.

Die Besetzung des Sudetenlandes hatte keine Rückwirkungen auf uns im Westen, die wir die deutsch-französische Nichtangriffserklärung vom 6. Dezember 1938 lebhaft begrüßten. Außenpolitisch schien der Friede gesichert, als uns im Inneren die »Kristallnacht« am 9. November 1938 tief erschütterte. Mein Divisionskommandeur wurde umgehend bei den Gau- und Kreisleitern vorstellig, aber vergebens. Allerdings wagten es die örtlichen zivilen Machthaber nicht, uns an der Hilfeleistung für alteingesessene Mannheimer Juden zu hindern.

In dieses letzte Friedensjahr fiel am 30. August die glückliche Geburt unseres Stammhalters Hans, den mein guter Vater noch Anfang Oktober über die Taufe halten konnte. Es war das letzte geschlossene Familienfest der Familien Speidel und Stahl vor Kriegsbeginn, dem Pfarrer Heidland, der jetzige badische Landesbischof, die kirchliche Weihe mit dem Taufspruch gab: »Es ist ein köstlich Ding, daß das Herz fest werde, welches geschiehet durch Gnade.«

Am 23. Dezember schloß mein Vater – vier Wochen vor seinem 80. Geburtstag – für immer die Augen. Nicht nur für uns Kinder war er ein Vorbild an Güte, Pflichtbewußtsein und Familiensinn gewesen. Sein Vermächtnis liegt in einem beispielhaften Leben beschlossen. An seinem 70. Geburtstag hatte er gesagt: »Wenn ich nun kurze Rückschau halte, so darf ich dankerfüllt und freudig sagen: ein heller Stern hat über meinem Dasein geleuchtet, wenn er auch hie und da hinter Wolken gestanden hat, die Schatten nicht gefehlt haben.«

Bis in seine letzten Tage hatte mein Vater die innen- und außenpolitische Entwicklung mit der größten Sorge verfolgt. Seine Ablehnung des Regimes verstand sich von selbst.

Das Jahr 1939 bestätigte diese Sorgen. Nach dem Entschluß Hitlers zur Zerschlagung der Tschechoslowakei und damit zum

Bruch des Münchener Abkommens marschierten deutsche Truppen am 15. März in Böhmen ein; das Reichsprotektorat Böhmen und Mähren wurde gebildet.

Wieder waren wir in Alarmbereitschaft, erneut wurden Vorbereitungen für die Abwehr im Westen getroffen. Während noch das im Münchener Abkommen von den Großmächten sanktionierte Recht auf Selbstbestimmung auch der Sudetendeutschen als gerecht empfunden worden war, hatte jetzt der »Mann auf der Straße«, nicht zuletzt der Soldat, ein dumpfes Gefühl des Unrechts. Nicht nur das internationale Vertrauen war zerstört, auch in der Heimat wuchsen Zweifel an unserer Vertragstreue, am Sinn für das Maß.

Nun überstürzten sich die Ereignisse: Dem erneuten Vorschlag an Polen am 21. 3. 1939, eine exterritoriale Auto- und Eisenbahn durch den in der Tat sinnwidrigen »Korridor« zu bauen und Danzig dem Reich wieder einzugliedern, folgte am 23. 3. der Einmarsch deutscher Truppen ins Memelgebiet. Die englisch-französische Garantieerklärung für Polen am 31. März und ein Militärbündnis Deutschlands mit Italien, der »Stahlpakt« vom 22. Mai, schlossen sich an.

Dies war die Lage, als mir im Juni mitgeteilt wurde, daß ich am 15. September mit meiner Versetzung als Militärattaché bei der Botschaft in Madrid und der Gesandtschaft in Lissabon zu rechnen habe. Die Ernennung erfolgte nicht zuletzt wegen meiner Bekanntschaft mit Marschall Pétain, dem Botschafter Frankreichs in Madrid.

Im Juli trat ich eine Instruktionsreise nach Spanien an. Auf der Durchreise in Paris empfing mich der Botschafter Graf Welczeck und machte seinen schweren Sorgen über die politische Lage Luft. Ganz offen erklärte er, daß bei einer Fortführung dieser Politik ein Krieg unvermeidlich sei. Frankreich werde seinen Verpflichtungen gegenüber Polen nicht nur theoretisch, sondern auch praktisch nachkommen. Kameraden im französischen Generalstab bestätigten solche Gedanken. Die Stimmung in Paris war sorgenvoll und gedrückt.

Die Eindrücke in Spanien, das heißt in San Sebastian, Bilbao, Burgos und endlich Madrid gaben ein Abbild der jüngsten blutigen Vergangenheit. Überall waren noch die Spuren des Bürgerkrieges zu sehen und zu fühlen. Bilder eines Goya stiegen in der Wirklichkeit auf. Die Bevölkerung, besonders in Madrid, litt noch schwer unter den Folgen der Kämpfe.

Die Regierung General Francos bemühte sich, die wirtschaftlichen und sozialen Verhältnisse zu stabilisieren. Die Versorgungslage war indes noch denkbar schlecht. Die allgemeine Stimmung im Lande war ausgesprochen deutschfreundlich, insbesondere von den Soldaten wurde ich kameradschaftlich aufgenommen und in mein künftiges Aufgabengebiet eingeführt.

Den Rückweg nahm ich über die Schweiz, um in Genf mit Ruth die Schätze des Prado anzusehen, die während des Bürgerkrieges in Sicherheit gebracht worden waren. Wir waren uns im klaren, daß diese Reise einen Abschied vom Frieden bedeuten könnte und genossen die Stunden, »als ob sie auf der Goldwaage zugezählt würden«. In Basel trafen wir den Chef des Generalstabs, General der Artillerie Franz Halder, der von den Manövern in Italien zurückkam. Auf der Fahrt bis Mannheim konnte ich ihm meine Erlebnisse und Erfahrungen in Paris, Madrid und Genf vortragen. Halder war von tiefem Pessimismus erfüllt und betonte nur immer erneut: »Hitler will den Krieg.«

In der Mobilmachungsnacht verstärkten persönliche Aufregungen die allgemeine Sorge. Im städtischen Krankenhaus Mannheim, das bereits in ein Lazarett umgewandelt wurde, lag unsere Christa nach einer Blinddarmoperation in bedenklichem Zustand. Nachts wurde ich vom Gefechtsstand der Division aus der Vorderpfalz ins Krankenhaus gerufen und war dabei, wie das Kind aus der Narkose ins Leben zurückgeholt wurde.

Den Aufmarsch der Truppen zur Grenzbesetzung erlebten wir

84

alle, Heimat und Heer, in tiefer Depression. Welch ein Gegensatz zu den Juli- und Augusttagen 1914! Keine Begeisterung, keine Zurufe, keine Blumen; überall ernste Gesichter, hier und da Tränen. Die Masse der Bevölkerung hatte ein sicheres Gefühl des Unrechts. Es herrschte der Eindruck, wir gingen einem unabwendbaren Fatum entgegen.

Zweiter Teil

Der zweite Weltkrieg

In Frankreich

Am frühen Morgen des 1. September 1939 überschritten deutsche Truppen die polnische Grenze. Durch das Stillhalten Rußlands aufgrund des Hitler–Stalinschen Nichtangriffspakts vom 23. August 1939 wurde dieser Feldzug erleichtert. Die Sowjetunion besetzte verabredungsgemäß Ostpolen. Großbritannien und Frankreich erklärten Deutschland entsprechend ihrer Bündnisverpflichtung mit Polen den Krieg, während Italien erst im Juni 1940 in den Krieg eintrat. Der Krieg hatte begonnen, der von 1941 an zum globalen Krieg werden sollte.

Die 33. Division hatte in den letzten Augusttagen ihren ebenso breiten wie wichtigen Abschnitt des Westwalls zwischen Pfälzer Wald und Rhein besetzt und sich zur Verteidigung gegliedert. In Herxheim hatten wir unseren Gefechtsstand; eine gastfreundliche Bevölkerung umsorgte die Soldaten. Trotz der Grenznähe und der Möglichkeit einer französischen Offensive verhielt sie sich gefaßt. Anders war es zum Teil bei der politischen Führung. Kurz nach der Mobilmachung berichtete uns der Beauftragte des Bischofs Sebastian von Speyer, Monsignore Wendel, von verschiedenen Schikanen der Gauleitung gegen den Bischof, das Domkapitel und verschiedene Pfarreien. Der Divisionskommandeur, Ritter von Speck, trat beim Gauleiter für notwendigen Schutz ein. Als ich im Winter 1955/56 Kardinal Wendel in seiner Eigenschaft als erster Bischof der Bundeswehr in Bonn empfangen durfte, sprach er mich dankbar auf jene Hilfe an.

Während deutsche Verbände immer weiter in Polen eindrangen, erwarteten wir im Westen eine Offensive der Franzosen und Engländer, nachdem Paris und London ihre Garantieerklärung eben erst bekräftigt hatten. Der noch nicht fertiggestellte Westwall von Maastricht bis Basel konnte mit nur 31 Divisionen besetzt werden; 110 Divisionen standen uns gegenüber.

Erst nach der Westoffensive 1940 erfuhren wir aus erbeuteten Akten, daß sich der französische Oberbefehlshaber, General Gamelin, für die Verteidigung der Maginotlinie entschieden hatte. Ende September, als Polen schon niedergeworfen war, ließ er Operationsentwürfe gegen einen möglichen deutschen Angriff durch Belgien und Holland mit der Bildung eines starken Nordflügels neu bearbeiten. So hatte die französische Führung den Deutschen einen »Liebesdienst« (Schlieffen) erwiesen, und ihr Garantieversprechen blieb ein theoretisches, auf jeden Fall mehr politisch als militärisch. Die polnischen Streitkräfte verbluteten.

Im Westen begann der »drôle de guerre«. Feind und Freund hofften und glaubten an ein Nichtübergreifen des Krieges auf den Westen, zumal keine deutschen Forderungen an Frankreich erhoben wurden und sich keine Gefühle von Feindschaft oder Haß, zumal hier in Grenznähe, bemerkbar machten. Eine Spähtrupptätigkeit setzte ein, um Angriffsvorbereitungen des Gegners rechtzeitig zu erkennen und die Zusammensetzung der gegenüberliegenden Verbände festzustellen. Um größere Zusammenstöße zu vermeiden, zogen die Franzosen bei stärkerer Spähtrupptätigkeit von unserer Seite ihre Postierungen bei Nacht zurück – auch die Artillerietätigkeit blieb auf nur vereinzeltes Einschießen beschränkt.

Trotz aller Sorgen genossen wir einen goldenen Herbst mit der Weinlese in dem geschichtsschweren Raum, aus dem am 4. August 1870 die Armee des Kronprinzen Friedrich Wilhelm von Preußen zum Angriff auf Weißenburg angetreten war. Nach Beendigung des Feldzuges in Polen wurde die Masse der deutschen Kräfte in den Westen verlegt. Dies wurde von beiden Seiten bald nicht mehr als bloße Verteidigungsmaßnahme angesehen. Die mittlere und untere Führung erfuhr jedoch nichts von dem von Hitler bereits für den 12. November 1939 vorgesehenen Angriff im Westen – ein Termin, der bis zum 10. Mai 1940 noch neunundzwanzigmal verschoben wurde –, auch nichts von den kraftlosen Einwendungen der höchsten militärischen Führung.

Am 6. Oktober mußte ich die mir ans Herz gewachsene 33. Division verlassen und wurde erster Generalstabsoffizier des IX. Korps, unserer vorgesetzten Kommandostelle, mit dem Gefechtsstand im Kurhaus Gleisweiler, wo schon Vauban nach 1699 während der Befestigung von Landau geweilt hatte. Ich hatte Glück: mein kommandierender General war mein alter Ludwigsburger Bataillonskommandeur, General der Infanterie Hermann Geyer, eine überragende Persönlichkeit, dem als Chef des Generalstabs der warmherzige Oberst Max Grimmeiß zur Seite stand.

Der Winter 1939/40 verlief ruhig, aber in zunehmender Spannung. Kurze Besuche zu Hause – Mannheim lag in unserem Operationsgebiet –, die Feier des 70. Geburtstages unserer guten Mutter in Stuttgart am 2. Dezember, Konzerte des Orchesters des ausgezeichneten Mannheimer Nationaltheaters unter Karl Elmendorff in Landau und Gleisweiler verschönten diese Monate, in denen wir immer noch eine friedliche Lösung des Konflikts erhofften.

Als aber Ende Februar der Verlegungsbefehl des Korps-Stabes nach Rheinberg am Niederrhein kam, wurde uns klar, daß mit einem baldigen Angriff auf Frankreich, ja vielleicht auch auf Belgien und Holland, gerechnet werden mußte. Einweisungen und Planspiele bei dem vorgesetzten Armeeoberkommando 6 – General von Reichenau als Oberbefehlshaber und Generalmajor Paulus als Chef des Stabes – in Düsseldorf brachten bald Klarheit.

In Rheinberg wohnte der kommandierende General beim Chef des Hauses Underberg. Während bisher nur der Chef des Stabes und der erste Generalstabsoffizier dem kommandierenden General regelmäßig vortrugen, wunderte sich letzterer über eine plötzliche Zunahme der Besucher. Der Grund war bald geklärt: der Gastgeber Underberg hatte im Vestibül an einen Pfeiler eine große Karaffe »Underberg« mit einem Gläserkranz angekettet; so setzte ein Zustrom der Durstigen bei dem wegen seines scharfen Geistes gefürchteten kommandierenden General ein.

Die in nur wenigen Tagen durchgeführten Operationen gegen Dänemark und Norwegen im April 1940 – rein militärisch eine eindrucksvolle Leistung der Wehrmacht – gaben das Vorgefühl, daß im Westen bald eine Operation erfolgen würde. Dies war auch der Anlaß für einen Besuch des Staatssekretärs im Auswärtigen Amt, Freiherrn Ernst von Weizsäcker, bei seinem Jugendfreund General Geyer. Beide Persönlichkeiten suchten zur Vermeidung einer kriegerischen Lösung noch nach einem politischen Ausweg aus der Krise, doch vergeblich. Skepsis und Resignation griffen angesichts der eklatanten Erfolge Hitlers überall um sich. Bei der Befehlsausgabe zum Angriff fühlten viele, daß ein »Zurückdrehen des Zeigers« nicht mehr möglich sein würde.

Am 10. Mai 1940, 5.35 Uhr, trat das IX. Korps – Gefechtsstand Kaldenkirchen – beiderseits Venlo zum Angriff über die Maas an, die schon um neun Uhr bei strahlender Sonne überwunden wurde, obwohl die Holländer die Eisenbahnbrücke rechtzeitig gesprengt hatten. Der überraschte Gegner wehrte sich tapfer, konnte aber der drückenden Übermacht nicht standhalten.

Am Pfingstsonntag verlegten wir den Korpsgefechtstand in das stille Wert – eine eigenartige Pfingstfahrt! Die Bevölkerung verhielt sich ruhig und blieb meist in den Häusern; der kommandierende General hatte jede eigenmächtige Requisition oder Belästigung der Zivilbevölkerung aufs schärfste verboten.

Am 13. Mai erfolgte bei Tournhout die erste Begegnung mit Franzosen, und zwar mit der 1. mechanisierten Division, die eine Bereitstellung unserer vorderen Divisionen zum planmäßigen Angriff erforderlich machte. In den nächsten Tagen ging es unter

Abschirmung der gefährdeten Südflanke von Antwerpen weiter nach Westen. Das alte schöne Mecheln mit seiner Kathedrale und Fort de Lierre wurden genommen. Über den Dendre-Abschnitt hinweg fiel am Fronleichnamstage Gent und wurde der Schelde-Übergang erzwungen. Der letzte schwere Kampf auf belgischem Boden war der Angriff über die Lys am 25. Mai, wo die tapferen belgischen Ardennen-Jäger, unterstützt von einer hervorragenden Artillerie, sich dem Korps vorgelegt hatten.

Am 28. Mai kapitulierte die belgische Armee auf Befehl von König Leopold III., in dessen Hauptquartier, Schloß Wijnendaele, wir wenige Stunden nach seinem Auszug den Korps-Gefechtsstand verlegten.

Von Franzosen und Engländern wurde die Kapitulation der belgischen Streitkräfte vielfach als »Verrat« bezeichnet. Die Wirklichkeit sah anders aus. Die belgische Armee war von ihren Alliierten, die die Überrumpelung nicht aufhalten konnten, weitgehend im Stich gelassen worden und befand sich in hoffnungsloser Unterlegenheit. Jede Verlängerung des Kampfes hätte unnützes Blut nicht nur von Soldaten gefordert, sondern auch von der Zivilbevölkerung, nicht zuletzt durch die Angriffe der damals überlegenen deutschen Luftwaffe. Durch den schweren Entschluß zur Kapitulation hat der belgische König in vollem Bewußtsein seines Opfers – er wurde in Schloß Laeken als Gefangener festgesetzt – seiner Heimat einen Dienst erwiesen. Im weiteren Verlauf der Ereignisse suchte sich ein ebenso kluger wie nobler Militärbefehlshaber, General von Falkenhausen, mit Leopold III. über die Verwaltung des Landes zu verständigen, und Jahre hindurch konnte er sich einer sinnlosen Ausbeutung entgegenstemmen, bis er selber von der Gestapo verhaftet wurde. Die Versuche der geflüchteten belgischen Regierung, von England aus Ratschläge zu erteilen und Aufrufe zu erlassen, widersprachen der tatsächlichen Lage und haben eher geschadet als genützt. König Leopold III. »a bien mérité de la patrie«.

Diese Auffassung habe ich später auch gegenüber Paul Henri Spaak, als er Generalsekretär der NATO war, vertreten. Dem belgischen Ministerpräsidenten von 1939 schien sie aber nicht in sein Geschichtsbild zu passen.

Achtzehn Jahre später lebten die Ereignisse des Mai 1940 wieder auf, als ich einer Einladung von König Baudouin in die Ardennen folgte und König Leopold, souverän über den Dingen stehend, traf.

Während der Vorbereitungen zum Angriff auf Dünkirchen lief am 31. Mai ein Fernschreiben ein, das meine Versetzung zum Stab der Heeresgruppe B enthielt. Als ehemaliger Gehilfe des Militärattaché in Paris sollte ich die Angriffsoperationen auf Paris mitbearbeiten.

Ich blieb jedoch beim Korps bis zur Einnahme von Dünkirchen und dem mißglückten Versuch, das britische Expeditionsheer am Einschiffen zu hindern. Mit der Vorausabteilung des IX. Korps, der weittragende Zehn-Zentimeter-Batterien beigegeben waren, erreichte ich nach einem Gefecht mit französischen Nachhutkräften die Dünen nördlich Dünkirchen und sah das erschütternde Bild, wie unsere Batterien im direkten Schuß »ohne jede Gegenwirkung« Schiffe der Engländer versenkten. Der Hauptteil des englischen Heeres – über 220 000 Mann – und Teile des französischen Heeres – etwa 125 000 Mann – konnten aber entkommen.

Dem IX. Korps waren nicht nur alle Luftstreitkräfte, sondern auch die weittragende Artillerie zu anderer Verwendung entzogen worden. Den beiden Panzerkorps Guderian und Reinhardt, die in zügigem Vorstoß dem Feind »an der Klinge bleiben« wollten, befahl Hitler das Anhalten in Flandern. Dieser Entschluß, das Panzerkorps Guderian und andere Kräfte vor Lösung der Aufgabe – Vernichtung des britischen Expeditionskorps – dann nach Süden abzudrehen und den Luftstreitkräften ebenfalls vorzeitig einen neuen Auftrag zu erteilen, bleibt eine der Schicksalsent-

scheidungen des zweiten Weltkrieges. Rundstedt, der die Heeresgruppe A führte, bekräftigte später, daß man die eine Operation
hätte zum Abschluß bringen müssen, ehe man die nächste in
Angriff nahm. Die Folgen dieses Führungsfehlers wirkten sich
nicht nur auf die Festigung des britisch-französischen Verhältnis-
ses, sondern auf den ganzen weiteren Kriegsverlauf aus. Zum
ersten Mal zeigte sich eine tiefe Resignation der deutschen obersten militärischen Führung gegenüber Hitler in der Frage der
Operationsführung. Sie fand aber nicht den Mut, dagegen aufzu-
treten. Auch in der Truppe machte sich eine Enttäuschung über
das Schwanken im Auftrag geltend, zumal sie erleben mußte, wie
ein Erfolg sich anbahnte und zerrann.

Nach der Eroberung von Dünkirchen am 4. Juni nahm ich
Abschied von meinem Korps und fuhr zum Hauptquartier in
Forges bei Chimay. Hier wies mich der Chef des Generalstabs des
Heeres, General Halder, in meine neue Aufgabe ein, die Angriffs-
operationen auf Paris zu bearbeiten, zumal ich ja mit Land und
Stadt vertraut sei.

Am 7. Juni meldete ich mich in Schloß Havrincourt bei Cambrai bei Generaloberst von Bock, dem Oberbefehlshaber der Heeresgruppe. Mein erster Besucher auf dem Gefechtsstand war mein
Bruder Helm, zu der Zeit Chef des Generalstabs der Luftflotte
Kesselring in Brüssel. Die nächsten Tage brachten Fühlungnahme und Aussprache mit den Armeen und ein bewegendes Wiedersehen mit den Kampfstätten der Jahre 1916/18. Für die deutsche
Führung stellte sich nach Erreichen der unteren Seine bei Rouen
am 9. Juni und der unteren Marne bei Château Thierry am 10. Juni
die Frage, ob der Feind Paris halten oder sich absetzen würde, sei
es hinter die Seine oder sofort hinter die Loire. Zunächst schien
der Gegner zu beabsichtigen, die »Paris-Schutzstellung« – Pon-
toise, Verlauf der Oise, Senlis, Baron, La-Ferté-Milon – aus operativen (er hatte hier noch alle Verschiebungsmöglichkeiten auf
Schiene und Straße) und psychologischen Gründen zu halten.

Der scharf zusammengefaßte Angriff der zwischen der 4. und 6. Armee neu eingeschobenen 18. Armee vereitelte aber die Absicht und brachte nach kurzen, heftigen Kämpfen die »Paris-Schutzstellung« am 13. Juni nachmittags zum Einsturz, nachdem sie schon in der Ostflanke geöffnet war. Creil, Senlis, Chantilly zeigten bei meiner Durchfahrt Spuren des Kampfes, vor allem aber auch der Sprengungen der Franzosen, die alle Brücken und Kunstbauten vernichtet hatten. Damit war Senlis – Marschall Fochs Gefechtsstand 1918 – zum zweiten Male innerhalb von 26 Jahren das Opfer schwerer Kämpfe. Es erschien unwirklich, am Südausgang in das ländliche Gasthaus »Gargantua« hineinzuschauen, in dem wir 1935 mit unserem Vater froh gesessen und getrunken hatten. Der einst so fröhliche Wirt begrüßte mich bedrückt, aber doch erleichtert, daß der Krieg über ihn ohne Schaden hinweggegangen war.

Nach dem Durchstoß durch die »Paris-Schutzstellung« wurde Paris, das sich als »offene Stadt« erklärt hatte, zur Übergabe aufgefordert. Zunächst erhielt unser Parlamentär bei Sarcelles Feuer, so daß eine direkte Verbindungsaufnahme mit den Franzosen nicht zustande kam. Generaloberst von Bock entsandte mich zum A. O. K. 18 nach Clermont. Um Mitternacht wurde ein offener deutscher Funkspruch an den Militärgouverneur nach Paris gerichtet, einen Parlamentär am 14. Juni, 5 Uhr, nach Sarcelles zu entsenden. Der Funkspruch wurde französischerseits bestätigt, und am 14. Juni, 6 Uhr, wurde Paris offiziell übergeben. Am Abend des 13. Juni und in den frühen Morgenstunden des 14. Juni hatten noch schwere Kämpfe stattgefunden. Vorausabteilungen mit Panzerspähwagen wurden mit dem Auftrag entsandt, die Südausgänge von Paris zu gewinnen und bis zum Chevreuse-Tal vorzustoßen.

Am 14. Juni fuhr ich um 5 Uhr – es war ein strahlender Frühsommermorgen – vom Gutshof Fitzjames, dessen Besitzer ein illegitimer Sohn König Eduards VII. von England war, über Chan-

93

tilly-Senlis in meinem Wagen nach Paris. Bei Le Bourget überholte ich die Infanteriespitze. Der Führer, ein frischer Leutnant, meldete mir, daß vor ihm kein deutscher Infanterist mehr sei. Nur einige Panzerspähwagen seien vorgefahren. In den Vorstädten staute sich die Bevölkerung und sah mit Erstaunen – ohne feindselige Haltung – zu, wie ich nur mit meinem Fahrer durch die Straßen fuhr. An der Place de la Concorde stand fröstelnd in seinem Cape ein »Flic«, der völlig überrascht war, als ich ihn fragte, ob noch französische Truppen in der Stadt seien. Er wies mich nach dem »Hôtel des Invalides«. Dort sei wohl noch ein Regiment.

Über die gespensterhaft leeren Plätze und Straßen fuhr ich in den Hof des »Hôtel des Invalides«, wo ein französischer gemischter Verband lagerte. Der Oberst empfing mich würdig; er machte keinen Versuch, mich festzunehmen. Ich empfahl ihm, im »Hôtel des Invalides« zu bleiben, bis er weitere Weisungen erhalten würde. Er folgte dieser Aufforderung. Ich aber fuhr erleichtert zurück, um Generaloberst von Bock das Erkundungsergebnis zu melden. Er nahm um 11 Uhr auf der Place de la Concorde gegenüber dem Obelisk von Luxor Aufstellung, um den Einzug seiner Verbände mitzuerleben. Der Truppe merkte man Größe und Ernst dieser geschichtlichen Stunde an; es war keine Parade, sondern nur ein Vorbeimarsch der vom Kampfe gezeichneten Regimenter, die in der Nacht noch Blutzoll zu diesem Erfolg hatten geben müssen. Während des Vorbeimarsches übergab ein Pionierleutnant die Trikolore vom Eiffelturm, an deren Stelle er die Reichskriegsflagge gehißt hatte.

Der Oberbefehlshaber des Heeres hatte die Weisung gegeben, die deutschen Fahnen des ersten Weltkrieges in Gewahrsam zu nehmen. Der erste Versuch, die sieben Feldzeichen, dabei die Fahnen des 3. Garde-Regts. zu Fuß und der 61er aus dem Kriege 1870/71 wiederzubekommen, schlug fehl. Es gelang aber am 12. Juli, als beim Räumen von Sandsackmauern österreichisches

Fahnentuch sichtbar wurde: fünfzig österreichische Fahnen von Austerlitz, die einst das Grabmal Napoleons I. umgeben hatten, und die gesuchten deutschen Fahnen konnten sichergestellt werden.

Im Hôtel Crillon an der Place de la Concorde richtete ich die Dienststelle des Militärbefehlshabers von Paris ein. Am Abend führte der vorläufige Militärbefehlshaber und Kommandeur der 87. Division, Generalmajor von Studnitz, mit dem politisch klarblickenden Rittmeister von Etzdorf als Vertreter des Auswärtigen Amtes und mir als künftigem Chef des Generalstabes die Übergabeverhandlungen mit dem ritterlichen General Dentz und seinem verschlossenen Chef des Stabes, Oberst Groussard. Dabei mußten beide deutlich darauf hingewiesen werden, den Status von Paris als »offene Stadt« strikt zu beachten und keinerlei Sprengungen oder sonstige Kampfhandlungen vorzunehmen. Die Sprengung der Brücke von Choisy-le-Roi nach dem Einmarsch der deutschen Truppen wie auch die Inbrandsetzung des großen Öllagers bei St. Germain machten eine solche Warnung an die französischen Verantwortlichen notwendig.

Am selben Tag noch wurden alle Sprengkammern der Seine-Brücken entladen und lebenswichtige Betriebe wieder in Gang gesetzt; die Untergrundbahn nahm ihren Betrieb wieder auf. Die Polizeistunde wurde auf 21 Uhr festgesetzt.

General Dentz war von seiner Regierung zurückgelassen worden mit dem Auftrag, in Paris weiterhin für Ruhe und Ordnung zu sorgen, notfalls die Stadt zu übergeben. Er und seine Offiziere hatten geglaubt, daß wir erst nach einer »huitaine de jours« den Mut haben würden, Paris zu besetzen; sie waren benommen von der Schnelligkeit der deutschen Operationen. Wir wiesen General Dentz, der sein Schicksal würdig trug, darauf hin, daß er keine Befehlsbefugnisse mehr habe; so übergab er uns den Befehl über mehr als 20 000 Mann »garde mobile« und über die französische Polizei. Zunächst konnten wir nur Teile einer deutschen Division in Paris zurückbehalten, da die Operationen nach Süden über die Loire weiterliefen.

Der amerikanische Botschafter, William C. Bullitt, war mit dem gesamten Botschaftspersonal in seiner Botschaft geblieben. Er teilte mir dies durch den Militärattaché mit. Ich stattete ihm im Auftrag von General von Studnitz einen Besuch in der amerikanischen Botschaft ab, bei dem er um die Übermittlung folgenden Telegramms nach Washington über Berlin bat: »The occupation of Paris took place entirely without disorder or loss of life. All members of this mission are in excellent health. Bullitt.« Anderntags machte Bullitt, begleitet von seinem Militärattaché, einen Gegenbesuch im Hôtel Crillon. Er lobte die Haltung der deutschen Truppe ohne Einschränkung und bewunderte die militärische Führung. Hitler hat uns die Kontaktaufnahme mit Bullitt und die Weitergabe seines Telegramms schwer verübelt, wie uns später sein Adjutant, Oberst i. G. Schmundt, übermittelte.

Am 15. Juni übernahm General der Artillerie von Vollard-Bockelberg die Stellung als Militärbefehlshaber von Paris mit den Departements Seine, Seine et Marne, Seine et Oise. Eine seiner ersten Maßnahmen war die Drosselung des deutschen Besucherstroms, der – während die Truppe am Feind gebunden war – von mehr oder weniger befugten Personen aus der Heimat einsetzte.

General von Bockelberg verbot Beschlagnahmungen und Requirierungen ohne schriftliche Genehmigung des Militärbefehlshabers und untersagte selbständige Quartierbeschaffung, die nur nach vorheriger Anmeldung zu erfolgen habe. Die Truppe hielt sich an diese Befehle. Dagegen versuchten hohe Parteifunktionäre, teilweise mit Ausweisen von Hitler, sich Kunstgegenstände, Rennpferde und anderes widerrechtlich anzueignen. Dabei antworteten sie auf unseren Einspruch ganz offen, man solle doch nicht so kleinlich sein, solche Dinge könnten ja im Kampf abhanden gekommen sein. General von Bockelberg wies alle Beschlagnahmeersuchen scharf zurück und sorgte für den Schutz des Kunstbesitzes. Diese Befehle werden zu seiner frühzeitigen Verabschiedung – schon am 1. August – beigetragen haben.

Ich selber hatte am 29. Juli im Hôtel Crillon eine sehr ernste Aussprache mit dem Reichsleiter Arthur Rosenberg, der einen ganzen Stab zur Beschlagnahmung von angeblich jüdischem Kunstbesitz in Frankreich einsetzen wollte. Ich wies alle Absichten solchen Kunstraubes zurück. Unterstützt wurde ich von Graf Wolff Metternich vom Verwaltungsstab des Militärbefehlshabers in Frankreich, der sich beim Schutz der Kunstwerke in Frankreich allen Schwierigkeiten zum Trotz bleibende Verdienste erworben hat.

Die Versorgung der Pariser Bevölkerung erforderte den unermüdlichen Einsatz aller verantwortlichen Persönlichkeiten, die vom Generalquartiermeister hervorragend unterstützt wurden. Nach wenigen Tagen und Nächten der Arbeit schien die zivile und militärische Versorgung im Bereich des Militärbefehlshabers Paris gesichert.

Nachdem weite Teile Frankreichs besetzt worden waren und Marschall Pétain durch Vermittlung der spanischen Regierung um Waffenstillstand gebeten hatte, kam am 20. Juni General von Tippelskirch, um Vorbereitungen für die Unterbringung der Waffenstillstandskommission zu treffen, wofür ich das Hôtel Royal-Monceau bestimmte.

Der Staatsakt für einen Waffenstillstand in Compiègne wurde auf den 21. Juni, 15.30 Uhr, festgelegt. Durch alte Freunde hörten wir unmittelbar über die Reaktion der Franzosen auf die Waffenstillstandsbedingungen.

General Huntziger, der Chef der französischen Waffenstillstandskommission, nannte bei den Verhandlungen im Salonwagen bei Compiègne die Bedingungen »durs«, aber nicht entehrend. Er erkannte die Überlegenheit der deutschen Armee an, sah aber keinen Grund zu einem Waffenstillstand mit Italien, denn

»l'Italie nous a déclaré la guerre, mais elle n'a pas fait la guerre«.

Am 22. Juni, 18.52 Uhr, wurde der Waffenstillstand unterzeichnet, der aber erst sechs Stunden nach Abschluß eines Waffenstillstandsvertrages auch mit Italien in Kraft treten sollte. Er wurde von Führung und Truppe begeistert begrüßt. Jeder hoffte auf den Frieden.

Am selben Abend, einem Samstag, erschien überraschend der Adjutant Hitlers, der freimütige Hauptmann Engel, mit der Weisung, ich solle einen Besuch Hitlers in Paris am Sonntag, dem 23. Juni, sechs Uhr früh, vorbereiten. Der Besuch müsse streng geheim gehalten werden, ich dürfe nicht einmal meinen Befehlshaber, General von Bockelberg, unterrichten. Ich solle Hitler, aufgrund meiner Kenntnisse von Paris, führen. Der Besuch gelte »den geschichtlichen und künstlerischen Interessen« Hitlers. Ich besprach den Zeitablauf mit Hauptmann Engel, auch die für mich nicht gerade einfache Weisung, der Inkognito-Besuch dürfe nicht auffallend gesichert werden, es dürfe aber auch nichts passieren. Mit Hauptmann Engel fuhr ich noch in der Abenddämmerung die gemeinsam vereinbarte Strecke ab: Rue de Flandre – Opéra – Madeleine – Place de la Concorde – Arc de Triomphe – Avenue Foch – Avenue Poincaré – Place Victor Hugo – Trocadéro – Eiffelturm – Ecole de Guerre – Invalidendom – Ehrenhof des Hôtel des Invalides – Quai d'Orsay – Deutsche Botschaft – Französisches Kriegsministerium – Palais Luxembourg – Panthéon – Sainte-Chapelle – Justizpalast – Notre-Dame – Hôtel de Ville – Place des Vosges – Musée Carnavalet (Haus der Madame de Sévigné) – Louvre – Tuilerien – Place Vendôme – Montmartre. Besonders schwierig gestaltete sich die Vorbereitung für die Öffnung der Oper, die zuerst besichtigt werden sollte. Schließlich fand ich einen in der Oper wohnenden Beamten, den ich unter entsprechender Tarnung bat, um fünf Uhr mit allen Schlüsseln für die Öffnung bereitzustehen.

Am 23. Juni, 5.45 Uhr, fuhr Hitler an der Kirche Sacré-Cœur

auf Montmartre vor, von seinen Architekten Speer und Giessler und dem Bildhauer Breker begleitet. Dem zweiten Wagen entstiegen Generaloberst Keitel, General Bodenschatz, Oberst Schmundt, der Reichspressechef Dietrich und Hauptmann Engel. Hitler erschien frisch und machte einen von Erfolg erfüllten Eindruck. Er begrüßte mich mit Handschlag: »Sie werden mich jetzt führen.«

Hitler kannte den Plan der Oper in allen Details. Er gab seinen Begleitern Anweisungen für eine spätere Auswertung in einer deutschen Nationaloper. Entschieden verlangte er, die Bühne zu sehen. Er schien begeistert von der seiner Ansicht nach unerreichten Schönheit der Außenfront und der Zweckmäßigkeit der Oper, bemängelte nur das Fehlen eines würdigen Gesellschaftsraumes für das Staatsoberhaupt. Der Hausmeister lehnte stolz jeden Dank in klingender Münze ab. In der Madeleine interessierte Hitler die Raumwirkung des klassizistischen Baues, an der Ecole Militaire die Inschrift am Reiterdenkmal Joffres, die ich übersetzen mußte. Zu Marschall Joffres Befehl für die Marne-Schlacht vom 6. September 1914 bemerkte Hitler, daß ein »retour offensif« auch die Absicht Weygands Anfang Juni 1940 gewesen sei, »die aber durch uns zuschanden wurde«. Auf der Fahrt zum Invalidendom befahl er Keitel die Entfernung des Denkmals des Generals Mangin, an dessen Fuß farbige Kolonialkrieger die Richtung nach Deutschland wiesen.

Vor dem Sarkophag Napoleons, den er schweigend betrachtete, schien er ergriffen. Beim Verlassen des Ehrenhofes des Invalidendoms befahl er die Rückführung aller deutschen Geschütze nach Deutschland – dies sei »eine Genugtuung, ja ein Triumph nach dem Schandvertrag von Versailles«.

Interessant war mir die Gleichgültigkeit Hitlers gegenüber so einzigartigen Bauwerken wie der Sainte-Chapelle, Notre-Dame oder dem Louvre, zum Teil auch den Platzgestaltungen, etwa der Place des Vosges und der Place Vendôme. Nicht das alte gewachsene Paris der bourbonischen Könige beeindruckte ihn, sondern neben dem städtebaulichen Aspekt vor allem die grandioseren Bauten der Revolutionszeit und der napoleonischen Ära. Seine Vorliebe zum Klassizistisch-Imperialen trat auch hier in der französischen Hauptstadt in Erscheinung.

Als wir gegen 8 Uhr nach Montmartre auf die Höhe von Sacré-Cœur kamen, lag Paris unter uns in einem silbrigen Morgenglanz da. Hitler war fasziniert von diesem Blick. Als ich ihm herausragende Bauwerke erklären wollte, stellte ich erneut fest, daß er die Stadt genau kannte, sogar die Namen einzelner Kirchen. Im ganzen schien Hitler tief beeindruckt zu sein.

Verschiedene Flics, aber auch Kirchgänger, die schon unterwegs waren, hatten Hitler erkannt. Teils wurde er scheu, ja ängstlich betrachtet, teils aber auch gegrüßt.

Erst hinterher wurde mir die unwirklich anmutende, ja gespenstische Situation voll bewußt, in der ich diesen Mann im Morgengrauen durch die menschenleeren Straßen der Seinestadt begleitet hatte. Unheimlich war es, Hitler in der Aura des Siegers heimlich die Kapitale des Gegners zu zeigen. Zum ersten Mal sah ich ihn aus der Nähe, der auf immer unheilvollere Weise unser Schicksal bestimmte, bemerkte aber auch die starke Faszination, die von ihm ausging.

8.15 Uhr war der erste und letzte Besuch Hitlers in Paris beendet; zum Abschluß gab er Generaloberst Keitel den Befehl, eine »Siegesparade« in Paris vorzubereiten. Sie wurde wenig später abgesagt, vielleicht weniger wegen möglicher englischer Luftangriffe, sondern weil wohl auch damals Hitler keinen Frieden wollte.

Der Juli brachte einen Zapfenstreich der Heeresgruppe des Generalobersten von Bock im Schloßhof von Versailles und ein Konzert von vier Musikkorps auf der Place de la Concorde. Das herbeigeströmte Publikum von Paris reagierte auf das Konzert als reines Schauspiel – nicht politisch – und klatschte größtenteils.

Der französische Nationalfeiertag am 14. Juli blieb ruhig, ohne Kundgebung. Dieser Tag erschien uns unwirklich: Kein Tanz auf den Straßen, keine Trikolore, keine Parade, eine stille Stadt.

Kurz danach waren fünfzig Militärattachés aus Berlin gekommen, um sich über den Feldzug in Frankreich unterrichten zu lassen. Der Unterschied zu meinem Dienstantritt 1933 in Paris, als ich als deutscher Offizier beim ersten Attaché-Abend vielfach gemieden wurde, nur der ungarische Attaché und die französischen Gastgeber sich mit mir unterhalten hatten, war bemerkenswert. Jetzt bemühte sich jeder Attaché, in mehr oder weniger fließendem Deutsch zu glänzen und Beflissenheit zu bekunden.

Am 1. August ging der Arbeitsbereich des Militärbefehlshabers Paris in den des Militärbefehlshabers in Frankreich über, dessen Chef des Generalstabs ich wurde. Der erste Militärbefehlshaber in Frankreich, General der Infanterie Streccius, war ein vornehmer und gebildeter Mann. Sein erklärtes Ziel war, die französische Regierung und die Bevölkerung zur Zusammenarbeit mit den deutschen Soldaten und Dienststellen zu bewegen und so einer deutsch-französischen Verständigung für die Zukunft Europas vorzuarbeiten.

Der Militärbefehlshaber übte im Auftrage des Oberbefehlshabers des Heeres, Generalfeldmarschall von Brauchitsch, die vollziehende Gewalt in Frankreich aus. Die Sicherung des besetzten Gebietes von der Nordsee bis zur Biskaya – auch als mögliche Operationsbasis gegen England –, die Steuerung der französischen Verwaltung und die wirtschaftliche Ausrichtung des Landes für die Erfordernisse der deutschen Kriegsführung waren die Hauptaufgaben.

Zur Erfüllung dieser Aufgaben waren ihm zwei Stäbe unterstellt: der Kommandostab zur Bearbeitung aller militärischen Belange des Militärbefehlshabers und der Verwaltungsstab, der sich aus zum Kriegsdienst einberufenen Verwaltungsbeamten zusammensetzte und dessen Chef der württembergische Innen- und Wirtschaftsminister Dr. Jonathan Schmid, ein integrer Mann von hohen Qualitäten, war. Dieser Stab sollte aber nicht anstelle der französischen Verwaltungsbehörden die Verwaltung selbst ausüben, sondern sich auf die im deutschen Interesse nötigen und mit den deutschen Kräften auch wirklich lösbaren Aufgaben beschränken. Die Militärverwaltung sollte die Wahrnehmung der deutschen Interessen übernehmen und nicht die Durchführung grundsätzlicher Reformen der französischen Verwaltung.

In der Wirtschaftsabteilung, die ebenfalls von einem ausgezeichneten Württemberger, Dr. Elmar Michel, geleitet wurde, sollte die französische Wirtschaft so gelenkt werden, daß sie auch deutschen Notwendigkeiten angeglichen werden konnte. Dr. Michel begnügte sich mit einer beaufsichtigenden Tätigkeit, welche die wirtschaftlichen Beziehungen zwischen den beiden Ländern im Interesse der Zukunft ausbauen sollte. In diesem Jahr, vor Beginn des Rußlandfeldzuges, entwickelte sich eine zunehmend gute Zusammenarbeit mit den französischen Behörden.

In der Nachkriegszeit wurde vielfach festgestellt, wie die Tätigkeit der Militärverwaltung auf verschiedenen Gebieten für die französische Wirtschaft auch vorteilhafte Auswirkungen hatte. Dies wurde mir von hohen politischen und militärischen Persönlichkeiten der Vierten Republik wiederholt gesagt, wenn es auch öffentlich nicht bestätigt werden konnte.

Die Eindrücke der ersten Wochen in Paris spiegelten die unterschiedlichen Reaktionen der französischen Bevölkerung auf die Tatsache der Niederlage und Besetzung wider. Der Mann auf der Straße war vielfach in Unkenntnis über Kriegsausbruch und Kriegsverlauf. Viele Franzosen waren der Auffassung, daß wir als die »envahisseurs« verpflichtet wären, das Wirtschaftsleben wieder in Gang zu bringen und die Wunden des Krieges zu heilen. Viele traten uns auch voller Sympathie entgegen und erhofften eine endgültige Beilegung der deutsch-französischen Gegensätze und eine europäische Lösung. Die Hoffnung Europas, so schrieb Jacques Maritain in einem damals weit verbreiteten Manifest, liegt nur in einer übernationalen Föderation.

Deutsche Dienststellen frönten freilich der Neigung, alles selbst machen zu wollen, anstatt den französischen Behörden die verantwortliche Arbeit zu überlassen. Diese Neigung gab vielfach Anlaß zu französischer Kritik. In Frankreich war zwangsläufig kein einheitlicher politischer Wille zu erkennen. Das Vertrauen in Marschall Pétain war aber nach dem Waffenstillstand groß. Unsere Sorge galt auch der möglichst umgehenden Weiterführung der kulturellen Einrichtungen. General Streccius sorgte für die Wiedereröffnung der Oper und mehrerer Boulevard-Theater, wobei Sacha Guitry, der große Komödiant, sich sofort zur Verfügung stellte. Er spielte in einem eigenen Theater seine Stücke und war auf eine enge Zusammenarbeit aus, zu der er in der Nachkriegszeit verständlicherweise nicht mehr stehen wollte. Aus Deutschland erbaten wir die Berliner Philharmoniker, die unter Hans Knappertsbusch mit Wilhelm Kempff als Solisten erstmals am 21. September 1940 spielten und mit Mozarts d-Moll-Klavierkonzert, »Till Eulenspiegel« von Richard Strauss und Beethovens Siebter von den französischen Zuhörern begeistert gefeiert wurden.

Auf Weisung von Streccius nahmen wir uns sofort nach der Besetzung von Paris der bedeutenden geistig und künstlerisch Schaffenden an und sorgten nach Möglichkeit für ihre gesicherte Lebensführung. Auch Picasso, Cocteau, Vlaminck und Despiau genossen unsere Hilfe. Mit André Derain, Pierre Bonnard, Alfred Cortot ergaben sich in diesem Zusammenhang fruchtbare Gespräche. Sie trugen die Not ihres Vaterlandes mit beispielhafter Würde. Anfang Juli fuhr ich nach Vézelay, um nach Romain Rolland zu sehen. Dreiunddreißig Jahre später besuchte uns Marie Romain Rolland in Honnef, die mir am 9. 7. 1973 dann schrieb:»Je ne possède pas beaucoup de vertus, mais j'en ai en tout cas deux: je paye mes dettes et je n'oublie pas le bien que l'on m'a fait! Je ne vous remercierai jamais assez de votre visite à RR au début de la guerre. Donc, si je pouvais un jour vous faire un plaisir quelconque ou vous rendre service, à vous-même ou l'un de ceux que vous aimez, je le ferai avec joie.«

Von französischer Seite war General de Fornel de la Laurencie zum Generalbevollmächtigten der französischen Regierung beim Militärbefehlshaber in Frankreich ernannt worden, eine besonders glückliche Wahl wegen seiner früheren Beziehungen zu Deutschland. Marschall Pétain hatte ihn auf Vorschlag von General Weygand, dem Minister für die Nationale Verteidigung, berufen. General de la Laurencie erhoffte eine deutsch-französische Annäherung und versuchte mit Erfolg, eine Atmosphäre gegenseitigen Vertrauens und Verständnisses, auch auf gesellschaftlicher Ebene, herzustellen. Er hat mir gegenüber bekannt, daß die französische Vorkriegspolitik Deutschland gegenüber an dem ständigen Dilemma zwischen Druck und Verständigung gekrankt habe. Unter Druck verstand er, daß Frankreich Deutschland zwingen wollte, den Vertrag von Versailles nach dem Buchstaben einzuhalten; unter Verständigung, eine friedliche Bereinigung der Vergangenheit auf diplomatischem Wege zustande zu bringen. General de la Laurencie hat die Auffassung der Notwendigkeit einer deutsch-französischen Annäherung bis zu Kriegsbeginn vertreten und pflegte Kameradschaft mit den deutschen Soldaten. Seine neue, schwierige Aufgabe versuchte er mit Takt und Festigkeit zu erfüllen. Über seinen Gegenpart hat er sich später freundlich geäußert und folgendes Urteil über den Militärbefehlshaber, General Streccius, abgegeben: »Der günstige Eindruck bestätigte sich in der Folge; meine Beziehungen mit General Streccius wurden nie durch den geringsten Zwischenfall getrübt. Stets handelten wir wie nach Übereinkunft mit der größten Offenheit. Wohl war er sich voll und ganz bewußt, Sieger zu sein, aber er war zugleich von den Grundsätzen durchdrungen, die in allen Heeren der Welt die Grundlage des militärischen Ehrbegriffs bilden. General Streccius behandelte mich stets mit Höflichkeit, die ich mit Vergnügen anerkenne; nie hat er die Form verlassen, die er einem unglücklichen Gegner schuldig war.«

Trotz massiver Einwände von General Streccius schwoll der Zustrom von Organisationen und sogenannten Dienststellen aus dem Reich weiter an. Jede verantwortliche Arbeit des Militärbefehlshabers wurde überwacht, paralysiert und sabotiert: Sicherheitsdienst, SS, Dienststellen von »Reichsleitern« wie Rosenberg und Ley, vom Vierjahresplan Görings, die sogenannte Deutsche Botschaft richteten sich in Paris ein. Die Kompetenzgrenzen schwammen, jeder Interpretation wurde Spielraum gelassen. Durch das Hitlersche »divide et impera« sollten auf deutscher wie französischer Seite verschiedene Zukunftsmöglichkeiten offengehalten werden. Schon im Oktober 1940 wurde Streccius abberufen mit dem Vorwurf, er sei gegenüber der französischen Regierung zu weich aufgetreten. Zu seinem Nachfolger wurde General Otto von Stülpnagel ernannt, der bisher Befehlshaber im Wehrbereich Wien gewesen war. Stülpnagel trat härter gegenüber den Franzosen auf. Aber auch er war von einem klaren Rechtsgefühl und von Ritterlichkeit erfüllt. Beiden Persönlichkeiten lag die ausreichende Lebensmöglichkeit des französischen Volkes im Blick auf die Zukunft am Herzen, während Reichsmarschall Göring eine der entscheidenden mehrstündigen Sitzungen in Paris über die Versorgung Frankreichs mit allen Berliner und Pariser Ressortchefs abbrach und trällerte: »Jetzt geh' ich ins Maxim.«

Während sich bisher die französische Bevölkerung ruhig verhalten und ihre Bereitschaft zur Mitarbeit zu erkennen gegeben hatte, kam es am 11. November 1940, dem Waffenstillstandstag von 1918, erstmals zu Studentenunruhen am Arc de Triomphe, welche die vorübergehende Schließung aller Hochschulen zur Folge hatten.

Am 24. Oktober 1940 fand auf dem Bahnhof von Montoire eine – von den Franzosen mit vielen Hoffnungen begleitete – Begegnung Hitlers mit Marschall Pétain statt. Hitler wünschte eine Kooperation Frankreichs mit den Achsenmächten gegen England, nachdem er am Vortag bei einer Begegnung mit Franco vergeblich versucht hatte, Spanien zum Kriegseintritt zu bewegen. Intensive Besprechungen mit Ministerpräsident Laval, General Huntziger und Comte de Brinon, der auf Drängen von Botschafter Abetz Nachfolger von Laurencie wurde, folgten, doch brachten sie nicht die erhofften Ergebnisse. Marschall Pétain betrachtete den Waffenstillstand als Weg zu einem ehrenvollen Frieden, Hitler nützte ihn als einen Schwebezustand, währenddessen er mit Frankreich spielen konnte. »Die Stunde des Sieges ist die Probe auf die Kunst des Staatsmannes.«

Die Zusammenarbeit mit den französischen Behörden sollte zunächst ohne Druck erfolgen. Als Zeichen des guten Willens, des Entgegenkommens und eines »Gefühls für die Ehre Frankreichs« wollte Hitler die Überführung der Gebeine des Herzogs von Reichstadt von Wien in den Invalidendom am 17. Dezember 1940 gewertet wissen. Die Masse der französischen Bevölkerung lehnte diese leere Geste ab, der keine politische Wirklichkeit entsprach.

Für uns Württemberger gab es am 30. November eine eindrucksvolle Gedenkstunde bei Champigny, wo vor siebzig Jahren die württembergische Felddivision den Ausbruchsversuch dreier französischer Armeekorps verhindert hatte. An dem schwäbischen Ehrenmal, das von den französischen Behörden gemeinsam mit den deutschen gepflegt worden war, hielt ich in Gegenwart von Generalfeldmarschall Sperrle und vielen aus der Heimat herbeigekommenen alten Soldaten die Gedenkrede, die auf Versöhnung mit Frankreich ausgerichtet war.

Für mich selber begann das Jahr 1941 mit der Beförderung zum

Oberst. Die Sorgen überschatteten aber immer mehr den militärischen Alltag. Noch immer habe ich den 5. Februar im Gedächtnis, an dem unter Leitung des Chefs des Generalstabs des Heeres, Generaloberst Halder, ein Planspiel in St. Germain stattfand, das einen Angriff auf die Sowjetunion als Spielgrundlage hatte. In meinen Notizen ist festgehalten, wie diese »Präventivkriegsabsichten« und damit die mögliche Ausweitung zu einem unübersehbaren zweiten Weltkrieg eine schwere Depression bei allen Teilnehmern hervorriefen, die auch offen zur Sprache gebracht wurde. Den Einwänden wurde damals mit dem Hinweis begegnet, daß es sich nur um eine Vorsichtsmaßnahme zur Abwehr handle, doch schenkte niemand dieser Deutung Glauben. Unsere Lage in einem Mehrfrontenkrieg wurde in Kreisen der Generalstabschefs bis in die späte Nacht diskutiert. Das Wissen um solche mögliche Absichten bedrückte uns schwer.

Im Februar trat in der französischen Regierung ein Wechsel ein. Der Oberbefehlshaber der französischen Seestreitkräfte, Admiral François Darlan, wurde Ministerpräsident. Wer hätte damals gedacht, daß er bereits am 24. 12. 1942 in Algier von einem Anhänger de Gaulles aus dem Wege geschafft werden würde!

Am 1. April 1941 hatte ich erstmals eine zweistündige Aussprache unter vier Augen mit dem Admiral, die sein kluger Adjutant, Kapitän Fatou, vermittelt hatte. Der Admiral wirkte durch seinen mächtigen Kopf und seine durchdringenden, klaren Augen, er schien die Weite des Seemanns mit der Erdgebundenheit des Bauern zu verbinden, ebenso diplomatische Fähigkeiten mit gesundem Menschenverstand, Humor und wohl auch einer gewissen Verschlagenheit. In unseren Aussprachen nahm er bedächtig auf, notierte sich mit klaren Zügen Stichworte und kam immer zuverlässig auf das Besprochene zurück.

Politische Geschäftemacher in ihrer meist unreellen Verschwommenheit waren ihm verhaßt. Er hatte erkannt, daß man nicht durch Proklamationen oder durch ideologische Steuerung

einen Umbruch im Volk erreichen kann, wenn hierzu die Voraussetzungen fehlen. So strebte Darlan nicht, wie Laval, nach neuen
politischen Ideen. Er ging den Weg des Möglichen. Durch persönliche Fühlungnahme – Besichtigungsreisen, Kontakte mit den
Präfekten – bemühte er sich, seinen Einfluß zu vertiefen und sich
umfassende Kenntnisse in allen Fragen der Politik und Wirtschaft, vor allem des besetzten Gebietes, zu erwerben. Er sah die
psychologischen Schwierigkeiten innerhalb des französischen
Volkes, hervorgerufen durch die Mentalität und Labilität eines
geschlagenen und der Feindpropaganda ausgesetzten Volkes.
Dem Entstehen einer »neuen Gesinnung gegenüber Deutschland«, sagte er mir, stünden die Auswirkungen einer jahrhunder-
tealten Gegnerschaft gegenüber. Deshalb aktivierte er zunächst
eine sich im Stillen vollziehende wirtschaftliche Zusammenarbeit mit Deutschland und hoffte, durch Erfolge auf wirtschaftlichem Gebiet das Vertrauen wiederherzustellen. Bedeutungsvoll
erschien seine ablehnende Haltung gegenüber den USA, die er bei
der Übernahme des Außenministeriums mit den Worten bekräftigt hatte: »England hat zwei Feinde: Hitler und Roosevelt.« –
Sicher besaß Darlan den Willen zur Macht. Er hatte nach seinem Vorbild Coligny das Ziel seiner Jugend erreicht, die neue
Flotte Frankreichs zu bauen und zu führen. So wollte er auch den
neuen Staat bauen und führen. Als »Dauphin« war er sich gegenüber Marschall Pétain seines Wertes am Dienst des Staates
bewußt.

In diese Zeit fiel der Flug des Stellvertreters von Hitler, Rudolf
Hess, nach Schottland. Darlan war besonders beeindruckt von der
»Friedensinitiative«, wie er sich mir gegenüber ausdrückte. Die
Auswirkungen auf das französische Volk, aber auch auf die deut-
schen Soldaten, waren trotz aller gegenteiligen Verlautbarungen
tiefgehend, weil diese Tat als ein Schritt zum Frieden verstanden
wurde. Man muß solche Ereignisse vor ihrem zeitgeschichtlichen
Hintergrund zu würdigen versuchen, wenn sie auch heute in

anderem Licht erscheinen mögen. Auch unsere Gegenwart wird auf die Gerechtigkeit des Urteils ihrer Nachwelt angewiesen sein.

Die zweite Hälfte des Mai 1941 brachte für mich die Begegnung mit zwei außergewöhnlichen Persönlichkeiten, mit denen ich heute noch verbunden bin. Mit auf Anregung des Militärbefehlshabers kam die Berliner Staatsoper mit je zwei Aufführungen der »Entführung aus dem Serail« und »Tristan und Isolde« und einem Konzert nach Paris. Ich erlebte zum ersten Mal Proben mit Herbert von Karajan. Die Aufführung von »Tristan und Isolde« an Richard Wagners Geburtstag am 22. Mai war ein großer Erfolg für die deutschen Bemühungen. Germaine Lubin und Max Lorenz, die vor Kriegsausbruch in Bayreuth gesungen hatten, waren die gefeierten Protagonisten des Abends, dem sich eine lange Nacht mit Winifred Wagner und den Künstlern anschloß. Auch Karajan, später allen gesellschaftlichen Veranstaltungen abhold, beteiligte sich mit Charme und sprühendem Geist an diesen festlichen Stunden. Ein zweiter »Tristan« und ein unvergeßliches Konzert schlossen sich an, in dem Karajan »Tod und Verklärung« von Richard Strauss und Beethovens Siebte zelebrierte. Er wurde auch von den Franzosen als geniale Musikerpersönlichkeit dankbar und begeistert gefeiert und stand selbst ganz unter dem Eindruck dieses unwirklich anmutenden Erlebnisses. Seinen außergewöhnlichen Lebensrhythmus, seinen »Gebrauch der Zeit«, seine Universalität lernte ich dabei zum ersten Mal kennen.

In diesen Tagen teilte mir der dem Stab zugeteilte Schriftsteller Dr. Clemens Graf Podewils mit, Ernst Jünger sei als Kompaniechef bei der Wachtruppe in Paris eingetroffen; sein Truppenteil solle nach Erfüllung dieser Aufgabe an die sowjetische Grenze verlegt werden.

Am 30. Mai, einem jener überwältigenden Frühlingstage, wie sie diese Weltstadt im Schoße der leuchtenden Ile-de-France kennt, kam Clemens Podewils mit Ernst Jünger zum Frühstück auf mein stilles Zimmer im Hotel Ritz, das den Blick in die verwunschenen Gärten voll erster blühender Rosen freigab.

Ernst Jünger trat verhalten, straff dienstlich, ein. Ein eigenes Fluidum spannte sich: Es war nicht nur der für alte Soldaten verständliche Nimbus des pour-le-mérite-Ritters, sondern die Achtung gebietende elastische Erscheinung, sein Blick, in dem sich stählerne Härte und männliche Anmut merkwürdig zu verschwistern schienen. Diese Wirkung seiner Persönlichkeit konnte ich später bei vielen Soldaten feststellen, wenn auch manche mitunter von einem kühlen, nur scheinbar überheblichen Ausdruck betroffen erschienen. »Alles was tief ist, trägt eine Maske«, sagt Nietzsche. Rasch stellte sich die ambiance eines guten Gesprächs ein. Ernst Jünger erzählte in seiner seismographischen Aufnahmefähigkeit für Makrokosmos und Mikrokosmos Traumbilder und Eindrücke des Feldzuges im Frühjahr 1940, die in den »Gärten und Straßen« niedergelegt sind. Bei der Klarheit seiner Beobachtungen, dem Erfassen der Welt in Farben schien ihm nur für eines das Organ zu fehlen: für die Musik.

Wir besprachen seine Versetzung in den Kommandostab des Militärbefehlshabers in Frankreich zu meiner besonderen Verwendung. Das Arbeitsgebiet sollte historiographische Aufgaben umfassen, ihm aber auch Zeit und Möglichkeit zu eigener Arbeit lassen.

Zu Beginn seiner Tätigkeit betraute ich Ernst Jünger mit der Aufgabe, den unterirdischen Kampf zwischen Partei und Wehrmacht zu untersuchen. Er sollte den Ein- und Übergriffen der Parteidienststellen, besonders der Geiselfrage und ihrer Auswirkung auf das politische Geschehen nachgehen. Schon damals im Frühjahr 1941 erschien es uns notwendig, die schweren menschlichen und sachlichen Differenzen zwischen der politischen Führung und den militärischen Befehlshabern, vor allem deren zunehmende Entmachtung, für die Geschichte festzulegen.

Ernst Jünger hat sich dieser Aufgabe mit politischem Blick,

souveräner Sachkenntnis und minuziöser Kleinarbeit unterzogen. Leider sind seine Aufzeichnungen nicht erhalten geblieben; sie wurden aus Sorge vor dem Zugriff der Gestapo im Herbst 1944 in Potsdam vernichtet.

Der Chef des Heerespersonalamtes hatte mir für den Fall der Versetzung Jüngers in meinen Stab Schwierigkeiten vorausgesagt, das Oberkommando der Wehrmacht hatte mir bedeutet: »Ernst Jünger ist ein gefährlicher Mann. Sie werden sich mit einer Versetzung in Ihren Stab schaden.«

Kurz nach dem Dienstantritt Jüngers suchte mich ein Vertreter des Propagandaministeriums im Auftrag von Goebbels auf und wünschte eine Weisung an den Hauptmann Jünger, aus den »Gärten und Straßen« einige Stellen, vor allem die Zitierung des 73. Psalms über die Gottlosen, die eine verschlüsselte Kritik am Regime bedeute, zu streichen. Ich lehnte dieses Ansuchen ab: »Ich befehle nicht dem Geist meiner Offiziere.« Der Parteifunktionär zog widerspruchslos, aber betreten ab. Weitere Einwirkungsversuche blieben aus, doch wurde der Verkauf des Werks verhindert.

Ernst Jünger arbeitete über drei Jahre in Paris. Frucht jener Jahre waren die »Strahlungen« – das Tagebuch ermöglicht »im totalen Staat die einzige Form des Gesprächs« – und »Der Friede«. Im Friedensmanifest, das schon im Winter 1941/42, also im Zenit der NS-Herrschaft, konzipiert wurde, hat Jünger gefordert: »Der Krieg muß von allen Völkern gewonnen werden.« Europa, das zum Vaterland der verschiedenen Mutterländer werden müsse, benötige eine ethisch-politische Friedensordnung.

Heute wissen wir, wie wichtig die Pariser Jahre für die Entfaltung Ernst Jüngers waren – trotz aller qualvollen Paradoxie der damaligen Epoche. Seine Wirkung in Frankreich wuchs nach Breite und Tiefe. Es bleibt mir unvergeßlich, wie Marschall Juin mir im Jahre 1960 freudig zusagte, ein Vorwort für die französische Neuausgabe der »Stahlgewitter« zu schreiben, achtete er

111

doch den Autor als beispielhaften, ritterlichen Soldaten und »promachos«.

Bis zu meiner Versetzung nach dem Osten hatte sich ein kleiner Kreis in meiner Unterkunft, dem Hotel »George V«, in das ich wegen der Nachbarschaft zu unseren Diensträumen im »Majestic« umgezogen war, zusammengefunden. Diese »Georgs-Runde« hatte ihren Namen nicht nur vom Ort unserer Pariser Begegnungen, sondern sollte auch symbolisch den Ritter St. Georg einschließen. Ernst Jünger schrieb später: »Unter seiner (Speidels) Ägide bilden wir hier im Innern der Militärmaschine eine Art von Farbzelle von geistiger Ritterschaft; wir tagen im Bauche des Leviathans und suchen noch den Blick, das Herz zu wahren für die Schwachen und Schutzlosen.«

Zu der Runde gehörten ständig meine vertrauten Begleitoffiziere Horst Grüninger und Rolf Pauls – vor seiner Versetzung an die Ostfront –, der große Frankreichkenner Friedrich Sieburg und als Gäste die Journalisten und Schriftsteller Nicky von Grote, Clemens Graf Podewils, Dolf Sternberger, Gerhard Nebel und andere. Gespräche über den Mißbrauch der Macht unter Kniébolo, wie Ernst Jüngers Deckbezeichnung für Hitler war, prägten die Abende ebenso wie andere über die Paarung von Macht und Anmut unter den großen Hohenstaufen, über Sulla, über Preußentum und Europäertum, über Tolstois »Krieg und Frieden«, über die französischen Moralisten und ihre Nachfahren oder über die Gefühle des schöpferischen Menschen beim Abschluß eines Werkes oder einer Konzeption.

Eines Abends brachte Ernst Jünger zur Georgs-Runde die »Maximen« von René Quinton mit und widmete sie mir mit dessen Worten: »La récompense des hommes c'est d'estimer leurs chefs.«

Vom 4. auf den 5. Juni 1941 war ich zu einer Besprechung ins Hauptquartier des OKH nach Zossen gerufen worden, wo Generaloberst Halder die Chefs der Generalstäbe der Heeresgruppen, Armeen und Korps über Hitlers festen Entschluß, die Sowjetunion anzugreifen, unterrichtete und kein Hehl aus seiner eigenen ablehnenden Auffassung machte. Einwände der Heeresführung habe Hitler in den Wind geschlagen. Dieser Angriffskrieg sei politisch, moralisch und militärisch die schwerstwiegende Entscheidung des Krieges. Halder vermied es, den an anderer Stelle üblichen und befohlenen Optimismus »auszustrahlen«. Die Wirkung auf alle anwesenden Chefs der Generalstäbe bis zur Korpsebene war fast durchweg deprimierend.

Bei der Rückkehr nach Paris meldeten der französische Staatssekretär Benoist-Méchin und die Kapitäne zur See Fontaine und Fatou im Auftrag von Admiral Darlan den Abfall Syriens vom Mutterland, gegen den Frankreich nichts unternehmen könne. Sie sprachen mich auch auf die Gerüchte über eine bevorstehende kriegerische Auseinandersetzung mit der Sowjetunion an. Ich mußte – im Innern voll Sorge – ausweichend antworten. Bald überstürzten sich die Ereignisse.

Am 22. Juni begann der deutsche Angriff auf die Sowjetunion, ausgelöst unter dem Stichwort »Barbarossa«. In Paris waren Deutsche und Franzosen gleichermaßen konsterniert, der Gedanke an ein »1812« für Deutschland stieg auf. Nach den ersten Siegesnachrichten erhielt ich die Mitteilung, daß mein ausgezeichneter, dynamischer Ordonnanzoffizier, Hauptmann Rolf Pauls, an der Spitze seiner Kompanie am ersten Angriffstag den linken Arm verloren hatte. Er kam 1943 als Generalstabsoffizier wieder in meinen Befehlsbereich und ist heute nach seiner Tätigkeit als Missionschef in Tel Aviv, Washington und Peking deutscher Botschafter bei der NATO in Brüssel.

Im besetzten Gebiet Frankreichs breitete sich mit Beginn des Rußlandfeldzuges knisternde Unruhe aus, die Kommunisten begannen sich zu regen. Ein schwerer Schock war für uns und die Pariser die Sprengung und Brandschatzung der Synagogen, wobei auch deutsche Soldaten verletzt wurden. Himmlers SD hatte dieses Verbrechen durchgeführt und die Täterschaft den französischen Kommunisten in die Schuhe geschoben. Stülpnagel verlangte sofort bei Keitel die Abberufung des Chefs des Pariser SD – ohne Erfolg. Viele Hoffnungen, welche die Franzosen den Deutschen entgegengebracht hatten, wichen durch diese Untat bitterer Enttäuschung.

Im Oktober mehrten sich Pistolenattentate gegen Offiziere. Persönlich befahl Hitler Repressalien, die in keinem Verhältnis zu den Vorfällen standen. Der Militärbefehlshaber, General von Stülpnagel, versuchte, die drakonischen Maßnahmen zu verhindern, beziehungsweise zu umgehen. Er sandte mich Anfang November 1941 in das Hauptquartier nach Ostpreußen; ich mußte Hitler im Rahmen der täglichen Lagebesprechung Vortrag über die Geiselfrage halten. Ehe ich den Bunkerraum betrat, wies mich Feldmarschall Keitel in scharfer Form darauf hin, daß ich Hitler nicht zu widersprechen, und daß die »Gefühlsduselei des Militärbefehlshabers« aufzuhören habe. Man sei in jeder Beziehung unzufrieden mit der »weichen Welle« des Militärbefehlshabers. Nach meinem Vortrag herrschte Hitler mich an, die Gegenmaßnahmen seien viel zu milde, die Franzosen selbst hätten zum Beispiel während der Kommune im Frühjahr 1871 viele hunderttausend Menschen umgebracht und kein Hahn habe danach gekräht. »Ich kann die französische Nation auslöschen, wenn ich will.«

Ich benutzte eine Pause des Redeschwalls und bemerkte, die genannte Zahl entspräche nicht den geschichtlichen Tatsachen; in der »Blutigen Woche« der Kommune seien nach historischen Forschungen etwa 20 000 Menschen auf beiden Seiten ums Leben gekommen; ein Vergleich mit der Geiselfrage scheine mir nicht stichhaltig. Aus dem Hintergrund drohte Feldmarschall Keitel mit der Faust.

Hitler war plötzlich außerordentlich interessiert und fragte, woher ich das wisse. Ich antwortete ihm, daß ich diese Epoche studiert und mich in Paris damit beschäftigt hätte. Darauf sagte er: »Mich interessiert diese Zeit besonders; essen Sie mit mir zu Mittag.« Die Folge war, daß ich von seiner Umgebung, auch von Keitel, außerordentlich freundlich behandelt wurde. Bei Tisch saß ich neben Hitler, hatte aber nur wenige Minuten Zeit zu einem offenen Gespräch über unsere Auffassungen zur Geiselfrage, weil Himmler sich bemüßigt fühlte, Hitler über die Berliner Unterwelt aufzuklären. Beide Gesprächspartner hatten eine erstaunliche Kenntnis der Sitten und Gebräuche dieser Verbrecherwelt. Bei der Abmeldung von Hitler bat ich noch einmal um Milderung der Geiselmaßnahmen und konnte auch mit einem Teilerfolg abreisen.

Zuvor meldete ich mich bei Generaloberst Halder ab. Der Chef des Generalstabes machte einen sorgenvollen, deprimierten Eindruck. Er sprach offen über das Scheitern der ursprünglichen Operationspläne im Osten – nicht zuletzt durch die Eingriffe Hitlers – und die Notwendigkeit, vor dem zu erwartenden Eintritt der USA in den Krieg zu einer baldigen, erträglichen Beendigung der schon weltweiten Auseinandersetzung zu kommen.

Ein gutes Verhältnis zu unserem Nachbarland Frankreich müsse für die Zukunft angestrebt werden. Dies zu ermöglichen, bleibe die Hauptaufgabe im Westen, und deshalb sei meine Tätigkeit in Paris wichtig, auch wenn Hitler eine Verbindung mit England auf Kosten Frankreichs vorschwebe. Freilich verstehe er, Halder, meinen Wunsch, aus der politisch so unerfreulichen Atmosphäre in Paris herauszukommen; er werde mich bei der Besetzung einer angemessenen Chefstellung im Osten nicht vergessen.

Gleich nach meiner Rückkehr nach Paris verunglückte am 12. November der französische Kriegsminister, General Huntziger, auf dem Rückflug von Algier nach Vichy infolge Vereisung und Nebel. General Huntziger hatte im Krieg die Ardennen-Armee geführt und mußte dann den Waffenstillstandsvertrag unter-

schreiben. Bis September 1940 war er Vorsitzender der Waffenstillstandskommission in Wiesbaden. Darauf übernahm er das
Amt des Kriegsministers. Innerhalb des Kabinetts nahm er eine
Mittelstellung zwischen »Kollaborationisten« und »Attentisten« ein.

Als Vertreter des Militärbefehlshabers hatte ich an dem Staatsakt für General Huntziger in Vichy teilzunehmen. Die Exequien
nahm der Primas von Gallien, Kardinal Gerlier-Lyon, persönlich
vor. Dieser Kirchenfürst machte in der Cappa Magna einen außergewöhnlichen Eindruck, wie man sich die Päpste und Kardinäle
des cinquecento vorstellt. Er hatte eine besondere Vergangenheit.
Als bekannter politischer Rechtsanwalt in Paris hatte er nach
dem ersten Weltkrieg die Weihen bekommen und war schon nach
fünf Jahren Bischof geworden.

Im Anschluß an die kirchliche Feier erfolgte der Vorbeimarsch
eines gemischten Verbandes, der schlecht vorbereitet schien; die
Vertreter des französischen Übergangsheers machten einen wenig vorteilhaften Eindruck. Marschall Pétain und Admiral Darlan
gaben ihren Unmut zu erkennen.

Danach empfing mich Marschall Pétain allein und sprach mich
auf unsere Begegnungen in den Jahren 1934 und 1937 mit Generaloberst Beck an. Sein Hauptanliegen war die Genehmigung
einer Reise in das besetzte Gebiet durch Hitler, die immer noch
ausstand. Das Verhalten General Weygands als Hochkommissar
in Syrien wurde von Hitler als Grund der Verzögerung beziehungsweise Ablehnung genannt. Der Marschall sprach gequält
von seiner Aufgabe als Staatschef, die ihm als altem Soldaten von
deutscher Seite so erschwert würde. Bewegend waren seine Erinnerungen an den ersten Weltkrieg. Er stand nach wie vor zu
seinem Waffenstillstandsentschluß von 1940, der Frankreich gerettet habe. Ernst Jünger hat den richtigen, historischen Vergleich
gezogen, wenn er schreibt: »Wäre ein Gambetta an seiner (Pétains) Stelle gewesen, so wäre Frankreich heute in derselben

Weise wie Deutschland ruiniert. Auch von Paris würde kaum mehr ein Stein auf dem anderen stehen.« Vichy bot damals das Bild eines heruntergekommenen Badeortes aus dem 19. Jahrhundert, ohne Charme, ohne gepflegte Parkanlagen, mit rostigen Geländern und bröckelndem Verputz.

Am 3. Dezember mußte ich Reichsmarschall Göring in Paris über die Lage und über die Wünsche von Marschall Pétain Vortrag halten. Diese Begegnung ist mir deshalb unvergeßlich, weil mich Göring in seinem großen Arbeitsraum im französischen Außenministerium am Quai d'Orsay um 11 Uhr in einem grünseidenen, fließenden Gewand mit einem edelsteingeschmückten Dolch begrüßte. Er zeigte Verständnis für die Lage Marschall Pétains und schien an dessen guten Willen zu glauben. Praktische Ergebnisse dieses Besuchs blieben aber aus, was zu Enttäuschung bei den Franzosen führte.

Als Anschläge und Gegenmaßnahmen weiter eskalierten, bat der Militärbefehlshaber, Otto von Stülpnagel, am 15. Februar um Abberufung; er wurde durch seinen Vetter, Karl Heinrich von Stülpnagel, ersetzt, der die treibende Kraft des Widerstands im Westen wurde. Bei aller nach außen gezeigten Härte war General Otto von Stülpnagel ein streng rechtlich denkender Mann, der für alles Lebensnotwendige der Besatzungsmacht sorgte, aber mutig und unerschrocken auch für die französische Bevölkerung sich einsetzte und jede Gewaltherrschaft ablehnte. In seinem Rücktrittsgesuch schrieb er an Keitel, daß er es nicht mit seinem Gewissen vereinbaren könne, wenn den Franzosen in allem brutal diktiert würde, ja Massenerschießungen als Sühnemaßnahmen angeordnet würden. Er war von europäischem Geist erfüllt, den er in seinen Gesprächen mit den französischen Partnern zu verwirklichen suchte. Ungeachtet dessen wurge er nach dem Krieg in Paris vor Gericht gestellt, wo er sich wegen der Behandlung im Cherche-Midi-Gefängnis das Leben nahm.

Am 15. Januar 1942 hatte ich weisungsgemäß an das Oberkommando des Heeres Gedanken zur Lage und zur französischen Haltung vorgelegt. Ich versuchte, aus der Fülle der Nachrichtenmeldungen und Meinungsäußerungen oft widersprechendster Art die Situation der Franzosen wiederzugeben; dabei wurden hauptsächlich französische Quellen ausgewertet, selbstverständlich aber auch die Aufzeichnungen der verschiedenen Dienststellen. Gespräche mit den führenden französischen Persönlichkeiten vervollständigten das Bild. In diesem Bericht machte ich auf die zunehmende Enttäuschung der Franzosen aufmerksam, daß es trotz ehrlicher Bemühungen Marschall Pétains nie zu einem verläßlichen Programm der Zusammenarbeit mit Deutschland gekommen sei. Auch sei enttäuschend, daß Deutschland in der Geiselfrage unnachgiebig bleibe.

Während man bisher Deutschland die größere Siegeschance gegeben habe, sähe man jetzt die Waage ins Gleichgewicht kommen, was den »Attentisme« verstärke. Angesichts des starken sowjetischen Widerstands im Osten, des Kriegseintritts Japans mit seinen Auswirkungen auf das französische Indochina und der »sentimentalen«, aber auch realen Freundschaft zu den USA – denen Deutschland im Dezember den Krieg erklärt hatte – scheine sich Marschall Pétain nunmehr die Aufgabe gestellt zu haben, Frankreich aus der Niederlage heraus an die Seite des schließlichen Siegers zu führen. So nähme die Bedeutung der aktiv deutschfreundlichen »Kollaborationisten«, die ohne wesentlichen Widerhall im Volke seien, zugunsten der »Attentisten« ab. Trotz der beginnenden Entwicklung von Widerstandsgruppen hielt ich eine klare deutsche Option Frankreich gegenüber für angebracht.

Im Anschluß an diese ausführliche Aufzeichnung, die wegen ihrer Offenheit Rückwirkungen und Verweise von höchsten Stellen zur Folge hatte, wurde auf die politische Aktion de Gaulles hingewiesen. Zuvor legte ich de Gaulles operative Anschauungen vom modernen Krieg dar, in dem »Stoßarmeen«, Panzerkräfte und Fliegerverbände, nicht aber Befestigungsfronten und Stellungskämpfe entscheidend seien, sodann berichtete ich, wie er sich zum Führer der »freien Franzosen« gemacht hatte, vom Aufbau seiner Widerstandsbewegung, seinem Appell an den Nationalstolz und seinem Versuch, den Krieg von England und vom französischen Kolonialreich aus fortzusetzen.

Die deutsche Führung war so Anfang des Jahres 1942 über die Lage in Frankreich und die de-Gaulle-Bewegung eingehend unterrichtet. Bei meinem Besuch im Hauptquartier im April 1942 auf dem Wege nach dem Osten habe ich diese Auffassungen noch mündlich bekräftigt. Bei dem Generalquartiermeister, Generalleutnant Wagner, und beim Chef des Generalstabs, Generaloberst Halder, fand ich ein offenes Ohr. Folgerungen, Frankreich entgegenzukommen, wurden von Hitler nicht gezogen, im Gegenteil, er versuchte, den Druck auf Frankreich sicherheitspolitisch und wirtschaftlich zu verstärken. Für die besetzten Gebiete galt jetzt und später die schmerzliche Feststellung: Wo Hoffnung aufgeblüht war, folgte bittere Enttäuschung. Wo wir als Helfer auftreten wollten, es auch verschiedentlich taten, wurden wir schließlich zu Unterdrückern. Eine Herrschaft der Minderwertigen setzte vielfach ein. Wo aber Gewalt angewandt wird, wird Gewalt erweckt.

Nachdem ich am 1. März an der Konfirmation unserer ältesten Tochter Ina in Mannheim hatte teilnehmen können, teilte mir Generaloberst Halder am 18. März die Ernennung zum Chef des Generalstabs des Stuttgarter V. Armeekorps mit, das zwischen Wjasma und Moskau seinen Verteidigungsabschnitt hatte. Am 31. März übergab ich die Geschäfte des Chefs des Generalstabes des Militärbefehlshabers Frankreich an Oberst i. G. Kossmann.

Am 4. April 1942 verließ ich Paris nach einem Abschiedsabend im Freundeskreis, bei dem die Bayreuther »Isolde« Germaine Lubin das Schubertlied sang: »Nun laßt uns Frieden schließen«. Ostern konnte ich dann glücklich im Kreis der Familie in Mann-

119

heim feiern. Am 9. April besuchte uns Ernst Jünger auf der Fahrt nach Kirchhorst, meditierte am Abend über Erfahrungen und Erlebnisse von Ostkämpfern, die uns vor allem Horst Grüninger übermittelt hatte. Er hatte Freude an den Kindern, besonders an unserem vergnügten Buben mit seiner »Désinvolture«. »Der kleine Hans, sehr angenehm – ein Künstler in der Art, wie er sich freut. Es ziehen solche Kinder wie Magneten die Liebe, die Geschenke an. Ferner ein Töchterchen, sehr zart; wenn in der Nacht ein Bombenangriff war, stellt es am nächsten Tag das Essen ein. Wer kennt die Last, die auf den Schultern der Frauen ruht?«

Nach einem erfüllten Urlaub ging es am 21. April nach Berlin, wo mir der bisherige Chef des Generalstabs des V. Armeekorps, Oberst i. G. Arthur Schmidt die Geschäfte übergab.

Zuvor war ich von Oberst i. G. Hans Oster auf Tarnwegen zu Generaloberst Ludwig Beck in die Goethestraße in Lichterfelde geführt worden. Beck war – unbeeindruckt von den siegreichen Kesselschlachten des zurückliegenden Jahres – zutiefst besorgt über die Lage im Osten und in Nordafrika, die sich verstärkende Ausweitung des Krieges und besonders über die Übergriffe des SD und der SS in der Heimat und in den besetzten Gebieten, wozu ich ihm weitere Berichte aus meinem Erfahrungsbereich geben konnte. Er beklagte die Untätigkeit der höchsten militärischen Führung gegenüber diesem Treiben, das ihr später einmal angelastet werden würde. Diesen Gedanken begegnete ich dann in seinen damals vorbereiteten Aufrufen für die Zeit nach einem geglückten Umsturz im Jahre 1944 wieder. In einer dieser Denkschriften beschwor er die Soldaten, daß jeder für sich selbst einzustehen habe, daß jeder sein eigenes, nicht übertragbares Gewissen habe. »Jeder ist mit seinem Gewissen für sein Land verantwortlich, so will es nicht etwa die Staatsräson, sondern Gottes Gebot und Ordnung. Wir müssen immer und überall zum Politischen, zum Menschlichen vorstoßen. Es besteht die Gefahr, daß dies in unserer Heimat verkümmert.«

An jenem Nachmittag sprach Beck von der Notwendigkeit einer Gemeinschaft Gleichgesinnter, um ein Ende der Gewaltherrschaft herbeizuführen. Wie gefährlich es beim damaligen Überwachungssystem war, eine solche Gemeinschaft zu bilden und zusammenzuhalten, ist heute schwer vorstellbar. Zum Abschied gleichsam fügte er hinzu, er wisse, daß er sich auf mich verlassen könne. Dann wünschte er mir das Allerbeste für den Osten. Fest drückte er mir beide Hände. In seinen klugen Augen leuchtete der alte Charme, die große menschliche Wärme.

Während der zwei Jahre bis zu dem gescheiterten Staatsstreich blieben wir in brieflicher Verbindung auf einem Kurierwege. Ich sollte Beck nicht mehr wiedersehen.

An der Ostfront

Am 22. April ging dann die Fahrt nach Ostpreußen über Danzig, wo ich den bewährten Freund des ersten Weltkrieges und damaligen Direktor der »Danziger Neuesten Nachrichten« Oscar Bechtle besuchte. Er gab mir ein ungeschminktes Bild der inneren Lage in West- und Ostpreußen. Der Blick aus seinem Fenster im Verlagshaus der »Danziger Neuesten Nachrichten« auf die Marienkirche bleibt mir unvergeßlich. Erst später wurde mir deutlich, wie diese Jahre voller Abschied waren – Abschiede von Menschen und Orten.

Im Hauptquartier des OKH wiesen mich Generaloberst Halder und die alten Kameraden Heusinger, Matzky und Ziehlberg in meine künftige Aufgabe ein. Am nächsten Morgen ging die Fahrt weiter ostwärts über Kowno und das geschichtlich und kunstgeschichtlich so reiche und bewegende Wilna nach Smolensk, wo ich am Abend beim Oberkommando der Heeresgruppe B bei Feldmarschall von Kluge zu Gast war. In kleinem Kreise äußerte er schwerste Bedenken über unsere Kriegsführung, besonders seit der Übernahme des Oberbefehls des Heeres durch Hitler. Kluge machte einen klaren und energischen Eindruck, der so ganz anders war, als er sich 1944 im Westen zeigen sollte.

Bei Wjasma erreichte ich den Gefechtsstand meines Korps, das von dem menschlich wertvollen und taktisch hervorragend gebildeten General der Infanterie Wetzel geführt wurde. Ein eigenartiges Gefühl war es, mir aus der Geschichte zu vergegenwärtigen, daß an der Kirche am Südrand von Wjasma einst der Traditionstruppenteil meines alten Regiments, die württembergischen Königsjäger, 1812 in der Nachhut des Marschalls Ney gefochten hatte.

Die Kampfhandlungen waren zu dieser Zeit gering. Man lag in den Stellungen, die im bitteren Winter 1941/42 nach dem Vorstoß auf Moskau in Schnee und Schlamm eingenommen werden mußten. Doch schon am letzten Apriltag gaben wir das Kommando an das XXXXVI. Korps ab, um mit dem Stab zu »Auffrischung« und Vorbereitung für ein bis dahin noch nicht bekanntes Angriffsunternehmen in den Raum nördlich Borissow an der Beresina verlegt zu werden.

Nicht weit von unserem Quartier war die Stelle, an der zwischen dem 26. und 28. November 1812 Napoleon auf dem Rückzug von Moskau mit den Resten der Großen Armee bei eisiger Kälte die Beresina überwunden hatte. Nach blutigen Kämpfen hatte nur ein Teil der erschöpften, zurückflutenden Soldaten das Westufer gewinnen können. Noch nach mehr als einem Jahrhundert waren die menschlichen Tragödien jenes Uferwechsels in der Überlieferung der Bevölkerung lebendig geblieben. Dem Korpsstab hielt ich am Ort des Geschehens einen Vortrag über die damaligen Vorgänge, die sich in ähnlicher Form 130 Jahre später wiederholen sollten.

Mitte Juni ging es in fünfeinhalbstündigem Flug nach Poltawa, wo sich Feldmarschall von Bock als Oberbefehlshaber der Heeresgruppe A befand. In dem festungsartigen schmucklosen Schloß wurde ich in die künftige Aufgabe des Korps eingeführt: Angriff zur Wiedergewinnung von Rostow und Stoß in den Kaukasus und zum Schwarzen Meer. Das Gesetz des Handelns sollte wiedergewonnen werden. Sowohl Feldmarschall von Bock wie General von Sodenstern als sein Chef des Stabes gaben sich über die Schwere der Operationen keiner Illusion hin. Bei dem abendlichen Gespräch wurden Befürchtungen laut angesichts dem von Hitler für den Rußlandfeldzug befohlenen schwerpunktlosen

Vordringen aller Heeresgruppen gegen Osten mit den drei Zielen: Ukraine mit den Industriebecken von Stalino und Charkow, Moskau und Leningrad. Der Angriff hatte sich festgelaufen, ohne in der Mitte oder im Norden sein Ziel zu erreichen. Die Folge war eine weitere Führungskrise und die Verabschiedung des Oberbefehlshabers des Heeres von Brauchitsch im Dezember 1941. Hitler übernahm nun selbst auch das Oberkommando des Heeres.

Aus den Fehlern wurde aber nichts gelernt. Sie wiederholten sich verstärkt 1942. Entgegen der Clausewitzschen Lehre wurde wiederum Raum gewonnen und besetzt, anstatt der Feind geschlagen. Mit ungenügenden Kräften wurde die exzentrische Operation auf und über den unteren Don und in den Kaukasus zur Inbesitznahme der Linie Poti-Baku und über den oberen Don auf die Wolga nach Stalingrad geführt. Die Hitler widersprechenden verantwortlichen Ratgeber wie der Chef des Generalstabs, Generaloberst Halder, und die Feldmarschälle List und von Bock wurden in der Folge verabschiedet.

Auf dem Fluge hatte ich mir einmal wieder Tolstois »Krieg und Frieden« vorgenommen und war tief betroffen von der Analogie zwischen 1812 und 1941/42. Die relativ ruhige Zeit am Ufer der Beresina, die wir auch zu Ritten in den von Akeleien übersäten Uferwiesen nutzten, ging in den ersten Julitagen zu Ende.

Wir marschierten quer durch Rußlands endlose Weiten und Wüsteneien über Borissow – Orscha – Mogilew – Gomel – Tschernigow, wo uns in der Kathedrale der Patriarch seinen Segen gab, nach Kiew. Hier war es das Lawra-Kloster, das uns mit seinem Zauber gefangennahm, während die Uspenskij-Kathedrale mit ihren sieben vergoldeten Kuppeln größtenteils zerstört war – ein Schicksal, das sie im Jahre 1240 schon einmal durch die Tataren erlitten hatte. Im 18. Jahrhundert wurde sie in der heiteren und lebensbejahenden Welt des Barock und Rokoko wieder aufgebaut und mit Werken der südrussischen Malerschule geschmückt. Der religiöse Kult war zeitweise von den Bolschewisten verboten und im Kloster ein Gottlosenmuseum eingerichtet. Wo nach den Erzählungen der Ukrainer Tag für Tag eine dicht gedrängte Menge kniend in tiefem Schweigen und Gebet verharrt hatte, standen nun in Gips die überlebensgroßen Büsten von Marx, Lenin und Kalinin.

Auf diesem langen Quermarsch durch Weißrußland und die Ukraine hatten wir unsere Quartiere häufig in Schulen, wo mir immer wieder die außergewöhnliche Ausstattung der Unterrichtssäle mit physikalischem, chemischem und geologischem Anschauungs- und Experimentiermaterial auffiel. Der moderne technologische Geist schien in der Sowjetunion noch schärfer ausgeprägt als in unserem Lande mit einer stärkeren humanistischen Tradition.

Die Bevölkerung in der Südukraine war im allgemeinen freundlich, umgänglich, für jede persönliche Hilfe dankbar. Vielfach wurden unsere Soldaten in den Dörfern mit Blumen begrüßt. Der Pope brachte Salz. Ungehindert konnten sich die Soldaten zwischen den hohen Sonnenblumenfeldern bewegen, die Gelegenheit zu Überfällen geboten hätten. Die Bemühungen der Truppe, mit der einheimischen Bevölkerung in ein gutes Verhältnis zu kommen, wurden aber durch das dann einsetzende Wirken von SS und SD zunichte.

Weiter ging der Marsch über Lubny, Poltawa nach Gorlowka zum Oberkommando der 17. Armee, wo das schwäbische Korps landsmannschaftlich aufgenommen wurde durch den Oberbefehlshaber, Generaloberst Ruoff, der kommandierender General des V. Korps gewesen war, und seinen Chef des Generalstabes, Oberst Vinzenz Müller. Letzterer hatte sich schon in unserer gemeinsamen Führergehilfenausbildung in Stuttgart durch durchdringenden Verstand und hervorragende militärische Führungsqualitäten ausgezeichnet. Damals, Anfang der zwanziger Jahre, organisierte er noch Gedenkfeiern für die Geburtstage von Kaiser und König. Nach seiner Gefangennahme durch die Sowjets

1944 verfiel er der kommunistischen Ideologie. In der Nachkriegszeit baute er in der Ostzone die Volksarmee auf; er nahm sich am 12. 5. 1961 in Ostberlin das Leben.

Wir wurden in unsere Aufgaben eingewiesen und lösten am 15. Juli in Marfinskaja General Kirchner ab. Der neue Abschnitt des Korps endete im Süden am Asowschen Meer bei Taganrog, wo 1825 Alexander I. gestorben ist, bzw. wie es noch in der Bevölkerung umging, verschwunden ist, um als der Einsiedler Feodor Kusmitsch 1846 im fernen Sibirien zu sterben. Wir besuchten sein einfaches Schloß oder besser Landhaus.

Am 20. Juli trat das V. Korps mit der slowakischen schnellen Division und der deutschen 9. Infanteriedivision aus Bereitstellungsräumen westlich des Mius zum Durchstoß auf Rostow und zur Bildung eines Brückenkopfes über den Don an. Die württembergische 198. Division unter General Buck und die erst in der Versammlung begriffene 2. rumänische Gebirgsdivision wurden nachgeführt. Obwohl der Gegner den Angriff erwartet und Räumungsbewegungen begonnen hatte, wurde er doch vom Zeitpunkt überrascht. Die Verteidigung von Rostow hatte er in dem von der Natur sehr begünstigten, durch breite Panzergräben, Hindernisse und Bunker befestigten Tusloff-Abschnitt führen wollen.

Nach Zurückwerfen feindlicher Vortruppen und Beseitigung der Minensperren durchbrach das Korps jedoch in zwei Stoßkeilen die stark ausgebauten Stellungen so tief, daß der Gegner sich in der zweiten und dritten Verteidigungslinie vor Rostow nicht mehr festsetzen konnte. Die Linien wurden gleichzeitig mit dem flüchtenden Feind überwunden; der Nordrand der Stadt wurde am 23. Juli abends erreicht.

Ich machte den Angriff an der Spitze der Vorausabteilung der slowakischen schnellen Division mit ihrem Führer, dem tapferen Generalmajor Turanek, mit, um gleich an Ort und Stelle den Übergang über den Don weisungsgemäß befehlen zu können.

Doch hielten harte Straßenkämpfe in der großen Stadt noch länger an, bis die Divisionen in Schlauchbooten und über die wenig beschädigte Brücke die Don-Insel erreichen und mit schwachen Kräften, zum Teil sogar schwimmend, das Südufer gewinnen konnten. Um einen ausreichenden Brückenkopf bilden zu können, war dann aber doch noch ein planmäßiger Angriff nötig. Der Blick von den Uferhöhen des Don nordostwärts von Rostow verlor sich nach Süden in endloser Steppe. Wieder ergriff uns eine Ahnung von der Aussichtslosigkeit, diese Räume wirklich in Besitz nehmen und halten zu können.

Auf den Gefechtsstand zurückgekehrt, erreichte mich die telefonische Aufforderung, die Ferntrauung einer Gefechtsordonanz vorzunehmen. So betätigte ich mich zwischen den Kämpfen auch einmal als Standesbeamter.

In diesen Tagen fanden wir bei Gefangenen den Befehl Stalins vom 31. Juli, daß jeder weitere Schritt rückwärts das Ende des Vaterlands bedeute. Bei Angriffsbeginn wurden wir aufs neue auf den Kommissarbefehl Hitlers hingewiesen, der die Liquidierung aller sowjetischen Partei-Funktionäre an der Front befahl. Der kommandierende General des V. Korps verbot die Weitergabe des Befehls und wies mündlich die Divisionskommandeure an, diesen Befehl nicht zu befolgen. Dies verlangte damals Mut und war nicht so selbstverständlich, wie es in der Nachkriegszeit von den »Neunmalweisen«, denen eine Beurteilung an Ort und Stelle versagt geblieben war, angesehen wurde.

Nach Überwindung des Don wurde uns die württembergische 125. Division unter meinem bewährten Freund und Regimentskameraden Willy Schneckenburger und die fränkische 73. Division unter meinem ehemaligen Ludwigsburger Kompaniechef, Rolf von Bünau, unterstellt. So war nicht nur die Grundlage für eine erfreuliche menschliche und dienstliche Zusammenarbeit gegeben, sondern auch ein täglicher heimatlicher Kontakt unter Freunden.

Die Kosakensteppe zwischen Don und Kuban hatte ein Viertel-jahrhundert zuvor den Kampf zwischen »Weiß und Rot« erlebt. Hier spielten sich die Kämpfe zwischen den Bolschewisten und den weißen Kosaken, den Truppen des Generals Denikin, ab. Die Engländer hatten damals einen Zerstörer mit Landungstruppen nach Noworossijsk gesandt, waren aber passiv geblieben und hatten nicht in den Kampf eingegriffen.

Nachdem rund 300 km Steppe überwunden waren – die zu Fuß marschierenden Truppen legten täglich im Durchschnitt 45 km zurück –, gelang es uns am 10. August, trotz zähem Feindwider-stand, unvorstellbarer Hitze bis über 50 Grad in der Sonne und schweren Sandstürmen, Krasnodar im Sturm zu nehmen. Wenige Tage später wurde der Kubanübergang von unseren vier Divisio-nen überfallartig gewonnen. Das Tor zum Kaukasus war aufge-stoßen, die Ölfelder von Maikop wurden in Besitz genommen.

Als besonders tragische Erinnerung bleibt mir die Übermitt-lung der Trauerbotschaft an meinen kommandierenden General Wetzel, daß sein einziger Sohn gefallen war. In einer beispielhaft würdigen, tief erschütternden Haltung meinte er: »Mein Vorge-fühl hat mich nicht getrogen. Nun müssen Sie mir wie ein älterer Sohn die nächste Zeit überwinden helfen.«

Nach der Eroberung von Krimskaja am 20. August wurde der Angriff auf Anapa und den Westkaukasus mit der Seefestung Noworossijsk vorbereitet. Nach der Steppe – nur durch den schmalen fruchtbaren Flußstreifen des Kuban unterbrochen – grüßte uns nun wieder eine, wenn auch bescheidene Vegetation. Bäume, in zum Teil prächtigen Einzelexemplaren, und grünes Buschwerk beglückten den Blick, der im Süden durch den Ge-birgszug des Kaukasus begrenzt wurde. Zwischen den Kosaken-dörfern im alten Kolchis überraschten uns türkische Dörfer, wo von den Minaretten der Gebetsruf am Morgen und Abend er-klang. In den Dörfern der verschiedensten Rassen- und Stammes-zugehörigkeit wurden wir als Befreier begrüßt. Der kommandierende General überwachte persönlich das gute Einvernehmen mit der Bevölkerung und die Hilfe für die Einwohner nach der grundlegenden Weisung des Korps: »Wir müssen für ein friedliches Miteinanderleben der europäischen Völker sorgen«.

Ein handstreichartiger Durchstoß auf Noworossijsk glückte trotz wiederholter Ansätze zunächst nicht. Nach Verlust des stärksten Kriegshafens der Sowjets, Sewastopol, blieb ihnen als letzter und bedeutsamster Kriegshafen Noworossijsk, denn Tuapse, Poti und Batum hatten in erster Linie wirtschaftliche Bedeutung.

Die sowjetische Land- und Seekriegsführung hatte auf dem Schwarzen Meer alle Vorbereitungen zum Schutz des Kriegshafens Noworossijsk getroffen. Sie hatte im Jahr zuvor einen Angriff nicht so sehr von der Landseite als von See her erwartet und hatte sich darauf verlassen, daß der natürliche Riegel des straßenarmen Westkaukasus mit seinen tief eingeschnittenen Tälern und Schluchten und seinen beinahe dschungelartigen Bergwäldern jedem Angreifer unüberwindliche Hindernisse bieten würde. Erst als wir den Don überwunden hatten, rechneten die Sowjets mit einer Bedrohung der Landfront von Noworossijsk und begannen mit der ihnen eigenen Fähigkeit, Befestigungsanlagen aller Art, Sperren, Minenfelder, Ast- und Drahtverhaue aus der Erde zu stampfen. In kürzester Zeit hatten sie eine Tiefenzone von rund fünfundzwanzig Kilometern mit Hunderten von Holzbunkern aller Größen neben den schon vorhandenen Anlagen geschaffen. Der Gegner führte von Land, das heißt von der Uferstraße der Taman-Halbinsel, und von See her neue Kräfte heran und setzte so unserem Angriff verbissenen Widerstand entgegen, ja, er wurde selbst aktiv und griff, durch die unübersichtlichen Schluchten vorgehend, die schwachen Stoßkeile der Divisionen umfassend an. Festungsartillerie mit hohem Munitionsaufwand, Salvengeschütze, Panzer und Panzerzüge stützten diesen Kampf. Während der Kampfhandlungen kreuzte die sowjetische Flotte, die nach dem Fall von Sewastopol Noworossijsk angelaufen hatte, auf der offenen See, um mit der Schiffsartillerie in den Kampf einzugreifen – nur wenig belästigt von unserer schwachen Luftwaffe.

Der Befehlshaber der sowjetischen Schwarzmeerflotte, Vizeadmiral Oktjabrski, sprach in einem Befehl aus, daß »Noworossijsk nicht ohne große Gefahr für die ganze russische Südfront und die Reste der Schwarzmeerflotte verlorengehen« würde, wie im Juli 1918 auch schon Stalin bei den Kämpfen der roten Kuban-Armee gegen die weißrussischen Kräfte an Lenin telegraphiert hatte: »Wenn nicht rechtzeitig Hilfe kommt, ist der ganze Nordkaukasus verloren«.

Die wenigen Straßen in den Tälern waren vermint und künstlich gesperrt. Ein Weiterstoß hätte hier zu viel Blut gekostet. So wurden von den Angriffsspitzen die Straßen gemieden; der Vormarsch vollzog sich auf den hohen Kämmen rittlings der Täler. Drückendes Wetter, Mangel an Wasser für Menschen und Tiere und die kaum befahrbaren Gebirgswege erschwerten die Kämpfe. In einer großen Umfassungsbewegung nach Westen ausholend und südlich eindrehend wurde schließlich der Gegner aus den Angeln gehoben und in überraschendem Zufassen der Berg Gudsewa von unseren Württembergern unter General Schneckenburger erstürmt; ich konnte es mit dem Freund erleben.

Das »Thalatta, Thalatta« des alten Xenophon aus der »Anabasis« wurde uns lebendig: Wir vergessen nie die leuchtenden Augen der schwäbischen Stürmer nach all den Strapazen beim Anblick des Meeres, auf dem die sowjetische Schwarzmeerflotte nunmehr nach Süden abdrehte.

Den Flankenschutz hatte das uns unterstellte rumänische Kavalleriekorps unter dem tüchtigen und loyalen General Racovitza zusammen mit kleineren deutschen Verbänden übernommen. Es setzte sich ohne schwere Kämpfe in den Besitz von Anapa, wo nach der Sage Jason auf dem Argonautenzug mit seinen Begleitern

Herakles und Orpheus zur Gewinnung des goldenen Vlieses gelandet war. Doch traf General Racovitza mit seinen Reitern keine »Saaten mit giftigen Schlangenzähnen« mehr an.

Am Abend des 6. September stieß überraschend der Ritterkreuzträger Oberleutnant Ziegler von der 73. Division mit seinem Bataillon ohne Rücksicht auf Flankenbedrohungen durch den Nordteil von Noworossijsk kämpfend zum Hafen durch. Vom kommandierenden General zur Koordinierung des Angriffs der Division vorgeschickt, traf ich Ziegler unter einem Bahndurchlaß beim Hafen, wie er seinen Erfolg zu sichern suchte. Mit rasch nachdrängenden Kräften nahm die Division den Stadtteil bis zum Hafen fest in die Hand. Nur von See her orgelten noch Schiffsgranaten auf die geschundene Stadt. Die Sicherung des Kriegshafens war die Aufgabe der nächsten Tage.

Am 15. September rief der Oberbefehlshaber der 17. Armee, Generaloberst Ruoff, an, um dem Korps seinen Dank auszusprechen und mir mitzuteilen, daß ich zum Chef des Generalstabs der 17. Armee ernannt sei, eine Stellung, die ich nie antreten sollte. Trotz all unserer Warnungen und Meldungen wurde »ohne Rücksicht auf Verluste« der Angriff durch den Westkaukasus auf Tuapse und weiter ostwärts befohlen. Ich vergesse nicht die Bedenken, die damals Hauptmann Johannes Steinhoff – später Inspekteur der Luftwaffe, danach Vorsitzender des Militärausschusses der NATO – wegen des Jagdschutzes über diesem Gelände und über See mir nahegebracht hatte. Diese Bedenken waren nur allzu berechtigt. Schon am 21. September brachen bei der 3. rumänischen Gebirgsdivision und der 19. Division durch Gegenangriffe der Sowjets panikartige Zustände aus.

Die rumänischen Infanteriedivisionen waren in ihrem Kampfwert verschieden: hervorragend die Siebenbürger Deutschen, mit denen die Verständigung naturgemäß auch einfach war, weniger gut die Rumänen aus den Niederungen. An Ort und Stelle mußten wir auch schwere Mängel der rumänischen Führung feststellen, der es nicht gelungen war, die Versorgung der Truppe sicherzustellen. Untersuchungen ergaben Unterschlagungen in der Etappe, die von uns abgestellt wurden. Wir halfen dann den Divisionen vor allem mit Verpflegung. Das rumänische Kavalleriekorps unter seinem energischen Führer bewährte sich weiterhin gut und blieb zuverlässig.

Inzwischen war eine einschneidende Veränderung eingetreten. Der Chef des Generalstabs, Generaloberst Halder, und der Oberbefehlshaber unserer Heeresgruppe A, Feldmarschall List, wurden von Hitler im September 1942 verabschiedet, nachdem sie sich erneut gegen die Fortführung der exzentrischen Stalingrad- und Kaukasus-Operationen gewandt hatten. Beide militärischen Führer hatten ihr Amt mit hohem fachlichen Können und letzter Einsatzbereitschaft geführt; sie waren den Generalstabsoffizieren noch Erzieher und Vorbild.

Ihr Ausscheiden beschleunigte den Niedergang des inneren Gefüges des Heeres, vor allem des Offizierskorps. General der Infanterie Zeitzler wurde als neuer Chef des Generalstabs beauftragt, »nationalsozialistische Haltung« in Führung und Truppe zu pflanzen. Das Können, die sachlich nüchterne Beurteilung der Lage wurde von der Spitze minder geachtet als die verlangte »Ausstrahlung nationalsozialistischen Glaubens« und »kriegerischen Optimismus«. Wo aber ein solcher »Glaube« befohlen wurde, hatte die Logik ausgespielt. Die Moral einer objektiven Berichterstattung wurde erschüttert, eine Tatsache, die sich in zunehmendem Maße vom kleinsten bis zum größten Bezirk in der Gesamtkriegführung auswirkte.

Am 20. Oktober galt es Abschied vom Heimatkorps zu nehmen. Der württembergische Oberst i. G. Voelter, der mein Ia in Paris gewesen war, wurde mein Nachfolger. Der Abschied von dem menschlich und dienstlich so bewährten Stab fiel mir besonders schwer. Der kommandierende General Wetzel war ein Vater seiner Soldaten, der alle Gefahren und Lasten mit ihnen teilte. Er versuchte, die notwendigen Aufgaben so zu lösen, daß kein Soldat unnötig geopfert wurde; so gab er seinen Untergebenen ein sicheres Gefühl und hatte ihr Vertrauen.

Als Ic – Berater der Feindlage – hatte ich mir vom Pariser Stab Oberleutnant Dr. Hans Roesch, vor Kriegsbeginn Landrat, einen angeheirateten Vetter, geholt. Er war nicht nur ein hervorragender Jurist und eine universell gebildete musische Persönlichkeit, sondern auch tapfer und erfindungsreich. Seine kaukasischen Sonette sind Meisterstücke einer tief bewegenden Gedankenlyrik vor dem düsteren Hintergrund des Krieges. Nach Krieg und Gefangenschaft hat er als Lektor mein erstes Buch »Invasion« betreut; ich verdanke dem allzufrüh verewigten Freunde viel.

An ruhigen Abenden in Steppe und Bergen hörten Roesch, andere musikhungrige Stabsangehörige und ich Sendungen klassischer Musik in meinem Befehlswagen, einem Omnibus aus Stuttgart, auf dem ich den Fahrtanzeiger »Von Stuttgart nach Tübingen durch den Schönbuch« zur Freude aller Stabsangehörigen stehen ließ. Nur Tschaikowski, der diese Landschaft in Tönen wiedergab, konnten wir nicht mehr hören. Goebbels hatte die Aufführung seiner Werke als »undeutsch« verboten. In Paris waren auf Veranlassung von General Otto von Stülpnagel, von Intendant Alfred Bofinger und mir noch seine sämtlichen Sinfonien unter Wilhelm Mengelberg aufgeführt worden.

Auf dem Flug zur Abmeldung bei Armee und Heeresgruppe machte ich eine Schleife um den majestätischen Elbrus, den oberbayerische Gebirgsjäger genommen hatten. Ich suchte den Felsen, von dem der Sage nach der angeschmiedete Feuerspender Prometheus von Herakles befreit worden sein soll! Als ich mich am 21. Oktober von Generaloberst Ruoff und seinem Chef, Vinzenz Müller, verabschiedete, kam eine erneute Weisung Hitlers, die sinnlose blutige Kaukasusoffensive mit unzulänglichen Kräften weiterzuführen: Durchstoß über den Hochkaukasus zur Ge-

133

winnung der Linie Tuapse, Sotschi, Batum, Tiflis. Die exzentrische Operation Stalingrad – Kaukasus sollte also noch im Scheitern fortgesetzt werden.

Nach der Abmeldung bei der Heeresgruppe A verbrachte ich den Abend mit unserem ehemaligen Militärattaché in Moskau, General Köstring, einem unserer besten Rußlandkenner und einem Weltmann von Format, der die kommende Tragödie vorausgesagt hatte. Mit seinem Adjutanten, Rittmeister von Herwarth, berichtete er von Hitlers völlig irriger Beurteilung der Lage vor Beginn des Rußlandfeldzuges, der er mit dem Botschafter Graf von der Schulenburg aufs schärfste entgegengetreten sei: Hitler habe mit einem kurzen Blitzkrieg zur Niederringung der Sowjetunion gerechnet. Schonungslos kritisierte er die Behandlung des russischen Volkes durch Hitler, Himmler und ihre Gefolgsleute.

Im Hauptquartier versuchte ich, dem neuen Chef des Generalstabs, General der Infanterie Zeitzler, meine schweren Bedenken über die Lage im Süden der Ostfront klarzumachen. Die erreichten Frontlinien könnten nicht gehalten werden aus Gründen der Flankenbedrohung, der Geländegestaltung, der fehlenden Reserven, der mangelnden Versorgung und Luftunterstützung. Dies sei alles eine Folge der exzentrischen Operation zum Kaukasus, zum Don und nach Stalingrad. Zeitzler wies meine Gedanken als »stark emotionell« zurück. Man müsse »Siegeszuversicht ausstrahlen«. Die Lage bei Stalingrad sei völlig gefestigt. Hitler selbst hatte in dieser Zeit zu Zeitzler gesagt, es sei seine alte Erfahrung, daß der Generalstab den Gegner grundsätzlich überschätze. Es war wieder einmal tief deprimierend festzustellen, wie vielfach wider besseres Wissen der Kriegführung Hitlers und seiner von Illusionen und Prestigedenken bestimmten Strategie Tribut gezollt wurde. Nur bei dem klarblickenden Generalquartiermeister General Wagner, einem Opfer des 20. Juli 1944, und beim Chef der Operationsabteilung Adolf Heusinger fand ich Verständnis.

An unserem 17. Hochzeitstag, dem 27. Oktober, kam ich in

Ludwigshafen an, von der Familie begeistert begrüßt. Der »Osturlaub« wurde freilich überschattet von den Ereignissen, über welche die alten Kameraden mich laufend unterrichteten. Der Ring um Stalingrad hatte sich erwartungsgemäß geschlossen, der befreiende Ausbruch wurde der 6. Armee unter Generaloberst Paulus versagt.

In diesen Tagen erhielt ich einen Anruf, ich sei als Chef des Generalstabs zur 9. Armee vor Leningrad versetzt; nach kurzer Zeit kam ein Widerruf. General Karl Heinrich von Stülpnagel bat mich telefonisch, am 7. und 8. Dezember zu einer Rücksprache an meine alte Wirkungsstätte zu kommen. In Paris stieß ich überall auf gedrückte Stimmung; die ganze Atmosphäre schien verändert. Stülpnagel berichtete von der wachsenden Gegnerschaft auch bisher freundlich gesinnter Franzosen, von der Zunahme der Attentate. Er hielt die Fortführung des Krieges für aussichtslos und besprach mit rückhaltloser Offenheit die Notwendigkeit, den Krieg zu beenden und zu einer Änderung des nationalsozialistischen Regimes zu kommen.

Sorgenvoll kam ich nach Mannheim zurück, wo die für die Familie so herrliche Urlaubszeit durch zwei musikalische Genüsse noch erhöht wurde: Enrico Meinardi, dem wir bei den Luzerner internationalen Musikfestwochen nach dem Kriege oft begegnen durften, spielte im Hause von Dr. Reuther die fünfte und sechste Bach-Suite und eigene Cello-Kompositionen, und am Christfest verabschiedete sich Karl Elmendorff vom Mannheimer Nationaltheater mit einer großartigen »Meistersinger«-Aufführung. Wir waren Karl Elmendorff nicht nur durch die akademischen Konzerte verbunden, sondern auch durch seine Bereitschaft, in Gleisweiler mit einem Konzert und in Paris mit der »Walküre« zu unseren Soldaten zu kommen.

Am Silvester-Morgen erhielt ich die Nachricht, daß ich mit Wirkung vom 1. Januar zum Generalmajor befördert sei; am Abend folgte ein Telegramm des Chefs des Generalstabs des

135

Heeres, daß ich mich zur Erfüllung eines Sonderauftrages beschleunigt im Hauptquartier zu melden hätte. »Sonderauftrag«? Wir rätselten, feierten aber den Altjahresabend dankbar beim Leuchten des Christbaums und hörten im Rundfunk die neunte Sinfonie mit den Berliner Philharmonikern unter Wilhelm Furtwängler.

Am 2. Januar fuhr ich nach Berlin, wo mich mein Freund Nicky Grote abholte und zum Flughafen brachte. In der völlig überfüllten »Führer-Condor« mit Hitlers Flugkapitän Baur am Steuer ging es in dichtem Schneegestöber nach Rastenburg. General Hube und Sepp Dietrich waren mit an Bord; ersterer auf dem Weg nach Stalingrad, letzterer zur Einweisung für neue Aufgaben im Osten. Die Stimmung war ernst, die Gespräche kreisten um den zu Ende gehenden Kampf um Stalingrad. Nach der Ankunft wurde mir meine neue Verwendung mitgeteilt: »Führungspotenz«, das heißt »taktische und organisatorische Stütze« bei der 8. italienischen Armee des Generalobersten Italo Gariboldi.

Am nächsten Tag klärte mich der Heeresadjutant Hitlers, Oberstleutnant i. G. Engel, in großer Offenheit über die Lage in und um Stalingrad auf, während der Beauftragte Hitlers für die Geschichtsschreibung, General Scherff, ein alter Regimentskamerad, noch vom Endsieg fantasierte. General Zeitzler und Adolf Heusinger wiesen mich realistisch in die Lage ein, nunmehr auch Zeitzler ernst und tief betroffen über die Entwicklung im Osten.

Am anderen Morgen flog ich mit den Generälen Hube, Breith, Recknagel und Oberstleutnant i. G. von Below nach Kalinowka. Da ein Weiterflug nach Rostow durch Schneestürme unmöglich wurde, landeten wir in Winniza. Dort lagen wir in tiefem Schnee bei brausenden Stürmen zwei Tage fest, bis wir am 8. Januar nach Nowotscherkassk starten konnten, um nach bewegtem Flug dort in der frühen Nachmittagsdämmerung zu landen. Da feindliche Panzer schon zum Flugplatz streiften, mußten wir nach nur kurzem Aufenthalt nach Rostow zurückfliegen. Noch war kein halbes Jahr vergangen, daß wir die beiden Städte im Sturm genommen hatten! Nach eisiger Nacht auf dem Flugplatz flog ich allein über das Kampfgelände von 1942 hinweg nach Charkow, wo in dickem Schneetreiben zwischen elenden Hütten die überdimensionalen Parteibauten im Stalinstil aufstiegen. Die Straßen quollen von Menschen über; das Flüchtlingselend deutete auf schwere Kampfhandlungen.

Ich meldete mich beim Oberbefehlshaber der Heeresgruppe B, Feldmarschall Freiherr von Weichs, und seinem Chef des Generalstabs, General von Sodenstern, der mich in herzlicher Kameradschaft empfing und mich zusammen mit meinem alten Hörsaalkameraden August Winter, dem Ia der Heeresgruppe, in die neue Aufgabe einwies. Freilich blieb diese Unterrichtung bruchstückhaft, weil die Nachrichten von der Front ständig wechselten.

Freiherr von Weichs war nicht nur in großer Sorge um das unzureichende Verhältnis von Kräften und Raum an seinem Frontabschnitt, vielmehr um das Schicksal der Nation. Dieser militärisch hochbegabte Edelmann suchte nach befreienden Auswegen, ohne einen Entschluß zu finden. Auch Sodenstern ließ keinen Zweifel an der verbrecherischen Führung Hitlers und sagte das Ende von Stalingrad noch für diesen Monat voraus, zumal eine ausreichende Luftversorgung, die Göring leichtfertig garantiert hatte, keineswegs möglich war.

Beide hatten im Anschluß an den Bericht des Oberbefehlshabers der 6. Armee, Generaloberst Paulus, bereits am 23. November 1942 gemeldet, daß die 6. Armee unter allen Umständen ausbrechen müsse, denn ihre Kampfkraft sei für den Aufbau einer neuen Front und für eine spätere Gegenoperation unabdingbar notwendig: »Die Opfer eines Ausbruchs werden aber immer hinter denen zurückbleiben, die bei dem unvermeidlichen Aushungern im Kessel gebracht werden müssen.« Obwohl so die verantwortlichen Führer klar die Aussichtslosigkeit, den Kessel

137

von Stalingrad zu halten, und die Notwendigkeit eines Ausbruchs dargelegt hatten, lehnte Hitler jede Alternative unnachgiebig ab, befahl das »Einigeln« und erklärte Stalingrad zur Festung.

Die 8. italienische Armee unter dem in Nordafrika bewährten Generaloberst Gariboldi hatte den Auftrag, nach dem Zusammenbruch der italienischen Verteidigung an der Nordfront des Don den russischen Vormarsch zwischen Kamensk, Millerowo und dem Don-Knie aufzuhalten und eine mögliche Umfassung der vom Kaukasus sich absetzenden Heeresgruppe A zu verhindern. An kampfkräftigen Verbänden standen Gariboldi nur das italienische Alpinikorps, das XXIV. Panzerkorps mit der 19. und 27. Panzerdivision und später noch die 320. Division zur Verfügung. Die Reste der übrigen italienischen Divisionen kamen für eine geordnete Kampfführung nicht mehr in Frage.

Ich sollte beim Oberkommando der 8. italienischen Armee, wo schon General der Infanterie Tippelskirch als deutscher General wirkte, als eine Art deutscher Chef des Generalstabes die Verteidigung koordinieren und Einfluß auf die operative und taktische Führung nehmen.

Am 10. Januar fuhr ich im «Kübel» durch tiefen Schnee und fast undurchdringlichen Nebel – den Kompaß in der Hand – über Kubjansk nach Starobjelsk, wo mich Generaloberst Gariboldi und General von Tippelskirch zusammen mit der ziemlich verzweifelten Lage vertraut machten und nach den neuesten Feindmeldungen von einer unmittelbar bevorstehenden Generaloffensive der sowjetischen Südwestfront sprachen.

Generaloberst Gariboldi war der italienische Typus des gebildeten Offiziers, der taktisch und operativ ein klares Urteil besaß. Im Gegensatz zu seinem undurchsichtigen Chef des Stabes, Generalleutnant Malagutti, war er bündnistreu, wie es seiner ritterlichen Gesinnung und seinem lauteren Charakter entsprach.

Bereits zwei Tage später, am 13. Januar, begann auf der nördli-

chen Nachbarfront der 2. ungarischen Armee der erwartete Großangriff, und am Abend überschlugen sich schon nüchterne Meldungen mit Tatarennachrichten. Der Gegner hatte tiefe Einbrüche erzielt, Reserven standen nicht mehr zur Verfügung. Am
anderen Morgen setzte der Sowjetangriff auf fünfzig Kilometer
Breite auch gegen die Front unserer 8. italienischen Armee ein
und führte beim 24. Panzerkorps, dessen Stab von allen Seiten
überfallen und vernichtet wurde, zu einem Durchbruch, der
sofortige grundlegende Entscheidungen notwendig machte. Der
Armeegefechtsstand in Starobjelsk war auf beiden Flanken um-
gangen, da die Sowjets durch die Lücke sofort Panzer- und Infan-
terieverbände zur Ausnützung ihres Anfangserfolges nachführten. Sowjetische Aufklärungsverbände schweiften im Rücken der
Armee. Im Norden hielt nur noch das unter General Eibl tapfer
kämpfende Alpinikorps mit den Südtirolern.

Inmitten dieses Kampfgeschehens gelang mir noch einmal eine
Funkverbindung mit Stalingrad, wo mein alter Freund und Ic,
Oberst i. G. Crome, auf verlorenem Posten kämpfte.

Es waren die letzten Tage des Opfergangs einer ganzen Armee.
Am 31. Januar kapitulierte Feldmarschall Paulus. Mit der Tragö-
die von Stalingrad erfüllte sich nicht nur das Schicksal von vielen
Tausenden der 6. Armee; sie war die entscheidende Wende im
Ostfeldzug. Stalingrad wurde nach El Alamein zur Peripetie des
Krieges überhaupt.

Um die Reste der 8. italienischen Armee zu retten, schlug ich
Generaloberst Gariboldi vor, die Front zur Verteidigung des Os-
kolabschnittes zurückzunehmen, obwohl nur noch ein schmaler
Schlauch für diese durchbruchartige Absatzbewegung zur Verfügung stand. Der Generaloberst entschied sich klar dafür. Bei über
25 Grad Kälte und einem unbarmherzigen Sturm, der alle Klei-
dung durchdrang, setzten wir uns in der Nacht ab, beziehungsweise schlugen uns nach Kubjansk durch, nur um dort zu erfahren, daß die ungarische Armee den Don schon aufgegeben habe

und in fluchtartigem Rückzug sei. Nun kämpfte das Alpinikorps im Norden ganz allein, während in der Mitte die 19. und 27. Panzerdivision und die 320. Division sich immer wieder den nachdrängenden Sowjets vorlegten. Alle diese Verbände schlugen sich schließlich mit beispielhafter Tapferkeit durch. Andere italienische Verbände waren längst dem Feind und der Kälte erlegen. Lethargie, mangelnder Lebenswille, Fatalismus gingen um; es zeigten sich Bilder, wie wir sie vom Feldzug 1812 auf den Aquarellen von Faber du Faur in der Stuttgarter Staatsgalerie einst als Kinder gesehen hatten.

Des Bleibens in Kubjansk war nicht lange, da der Gegner eine weiträumige Umfassungsbewegung zum Einsturz der Nordflanke angesetzt hatte. In einer klirrenden Frostnacht vom 19. auf den 20. Januar 1943 ging es durch rückwärts hastende Kolonnen im Schneetreiben nach Tschugujew, um eine neue Abwehrfront am Donez aufzubauen.

Starobjelsk war längst in den Händen der Sowjets, als am 23. Januar der Befehl kam, daß die 8. italienische Armee »zur Auffrischung« herausgezogen und die Front durch neu herangeführte deutsche Verbände unter einem neu zu bildenden deutschen Armee-Oberkommando geschlossen werden sollte.

Der Heeresgruppe B schilderte ich persönlich die katastrophale Lage, nicht minder die Erschütterung des Vertrauens in die oberste Führung, die auch von General von Sodenstern unmißverständlich Generaloberst Zeitzler in meiner Gegenwart telefonisch zur Kenntnis gebracht wurde. Am selben Tag gab Generaloberst Gariboldi das Kommando über den Abschnitt an die in Bildung begriffene Armee-Abteilung Lanz ab, deren Verbände noch nicht im Operationsraum eingetroffen waren und deren Stab sich auch erst in Aufstellung befand.

Vor seiner Abfahrt nach Italien bat mich Generaloberst Gariboldi noch einmal persönlich zu sich. Nach einem warmherzigen Dank eröffnete er mir in behutsamen, wohl überlegten Worten

140

folgendes: Er glaube nicht, daß Italien noch länger als ein halbes Jahr seinen Bündnisverpflichtungen treu bleiben könne und werde. Er fühle sich als »älterer Kamerad« verpflichtet, mir dies zu sagen. Dies ändere nichts an unserem gegenseitigen freundschaftlichen Verhältnis, das hoffentlich über den Krieg hinaus erhalten bleiben werde. Er hatte zu dieser Unterhaltung nur seinen italienischen Ordonnanzoffizier, Graf Piero Tagliavia, einen großen Herrn, der fließend deutsch sprach, zugezogen. Mit Generaloberst Gariboldi und Graf Tagliavia blieb ich bis an ihr Lebensende vor einigen Jahren verbunden.

Ich meldete pflichtgemäß und vertraulich den Inhalt dieser Unterredung, die offensichtlich nicht für mich persönlich gedacht war, dem Oberkommando der Wehrmacht, erhielt aber von Generalfeldmarschall Keitel eine scharfe telefonische Rüge, ich solle mich gefälligst nicht um Politik kümmern, sondern um das Halten der Front. Die Äußerungen von Generaloberst Gariboldi entbehrten jeder Grundlage. Das deutsch-italienische Bündnis sei fester denn je. Generaloberst Gariboldi hatte die Wendung Italiens beinahe auf den Tag vorausgesagt.

Am Nachmittag des 31. Januar kam der General der Gebirgstruppen Hubert Lanz als neuer Oberbefehlshaber der nach ihm benannten Armeegruppe auf unseren Gefechtsstand. Für mich war es ein freudiges Wiedersehen, nachdem wir uns zuletzt bei der Kaukasus-Offensive im Sommer 1942 – Lanz war damals Kommandeur der 1. Gebirgsdivision – gesehen hatten. Für uns als engere Landsleute und alte Regimentskameraden waren die Bande des Vertrauens vom ersten Augenblick an selbstverständlich. Lanz kam unmittelbar vom Führerhauptquartier in Ostpreußen, wo ihn Generaloberst Zeitzler und Hitler empfangen und ihm eine beschönigende, völlig diffuse Lagebeurteilung gegeben hatten. Er übermittelte die »Führerweisung«, daß die Armee-Abteilung die Nordflanke der Heeresgruppe Don schützen, den

141

Raum von Charkow und gegebenenfalls die Stadt selbst verteidigen solle. Auch über die vorhandenen Kräfte hatte Hitler ihn falsch unterrichtet. Von der 8. italienischen Armee wurden die zwar tapferen, aber schwer angeschlagenen deutschen Verbände übernommen, von dem neu unterstellten SS-Panzerkorps trafen jedoch erst die vordersten Teile ein.

Die Sowjets drängten scharf nach und versuchten, Charkow doppelt zu umfassen, um ein kleines Stalingrad zu erzwingen. Alle verfügbaren Kräfte und die herankommenden Teile des SS-Panzerkorps unter Obergruppenführer Paul Hausser mußten nach und nach in den Kampf geworfen werden. Die einzige Weisung, die von Hitler kam, war die Erklärung von Charkow zur Festung und ein utopischer Angriffsbefehl Richtung Kubjansk. Diese Weisung entsprach weder der Lage noch den Kräften. So trugen wir Feldmarschall von Weichs vor, daß Hitler zur Zurücknahme seiner sinnlosen Befehle bewogen, notfalls gezwungen werden müsse. Im Auftrag von Weichs flog Lanz zu Hitler, um Operationsfreiheit zu erhalten, da sonst die Vernichtung der Heeresgruppe im Bereich des Möglichen liege und die gesamte Südfront ins Wanken kommen könne.

Am Abend des 6. Februar rief mich Lanz vom Führerhauptquartier an, daß Hitler von seiner Entscheidung – Angriff des SS-Panzerkorps nach Osten und Erklärung Charkows als Festung – nicht abgehen werde: »Charkow bleibt Festung, die bis zum letzten Mann verteidigt werden muß.« Nach seiner Rückkehr unterrichtete sich Lanz über die neu eingetretene Lage, dann flog er umgehend zum Divisionskommandeur der SS-Division »Das Reich« und änderte selbständig den sinnlosen Angriffsbefehl.

Der SS-Divisionskommandeur wandte sich darauf direkt an Hitler, um zu melden, daß Lanz einen Führerbefehl nicht ausführen wolle. Generalfeldmarschall von Manstein, dem wir ab 13. Februar unterstellt waren, hatte diesen Meldeweg des SS-Führers vergeblich untersagt. Die Unklarheiten in der obersten Führung beherrschten die nächsten Tage, die für mich dadurch noch erschwert waren, daß ich auf dem Gefechtsstand Walki mit über 40 Grad Fieber und einer Bronchitis zu wirken hatte. Am 15. Februar wurde Charkow aufgegeben; überlegene Feindkräfte strömten in den Raum. Hitler forderte Rechenschaft von den beiden Feldmarschällen. Am 17. Februar kam er mit Generaloberst Zeitzler zu Feldmarschall von Manstein nach Saporoshje, wohin auch Lanz bestellt war, dem Hitler seine schärfste Mißbilligung aussprach. Die Bedenken von Manstein und Lanz schlug Hitler in den Wind und lehnte ihre Beurteilung der Gesamtlage nach dem Fall von Stalingrad schroff ab. Dafür sprach er in seiner Verblendung von neuen irrealen Verbänden.

Anderntags erschien der General der Panzertruppen Werner Kempf auf dem Gefechtsstand, um mitzuteilen, daß Lanz abberufen und er sein Nachfolger sei. Weder Hitler noch Zeitzler hatten den Mut, Lanz selbst die Abberufung mitzuteilen; vielmehr beachtete Hitler Lanz überhaupt nicht mehr. Lanz hatte mutig, der ernsten Lage entsprechend gehandelt und der Truppe sinnlose Opfer erspart. Ohne seinen unermüdlichen Einsatz und seine Entschlußkraft an Ort und Stelle wäre es damals im Charkower Raum zu einer unübersehbaren Krise, vielleicht zu einem sowjetischen Durchbruch gekommen.

Die erste Tat des neuen Oberbefehlshabers, General Kempf, war eine Ansprache an den Stab, in der er Einsatz und Wirken des Generals Lanz, seines Vorgängers, in eindeutiger Weise hervorhob. Mir fiel der Abschied von Hubert Lanz schwer.

General Kempf war im dritten Jahr der Führergehilfenausbildung mein Lehrer für Panzerverwendung gewesen. So war eine gute Verbindung gegeben. Ich trug ihm die Ereignisse der letzten Wochen vor. Als ersten Vorschlag erbat General Kempf vom Hauptquartier die Verkürzung der Ostfront nicht nur in unserem Abschnitt und dadurch die Bereitstellung einer Angriffsgruppe,

weil eine starre Verteidigung auf diesen Breiten mit den zwangsläufigen Lücken nicht mehr durchgeführt werden könnte. Am
1. März gingen eine Lagebeurteilung und ein Antrag auf eine
Umfassungsoperation gegen die 3. sowjetische Panzerarmee im
Raum Charkow-Bjelgorod an die Heeresgruppe ab, nachdem zuvor die Heeresgruppe von Manstein mit der 1. und 4. Panzerarmee
den Gegner zurückgedrängt hatte.

Der sorgsam vorbereitete Angriff hatte Erfolg. Am 14. März
wurde Charkow durch die 1. SS-Panzerdivision unter Sepp
Dietrich wieder genommen. Die Panzerdivision »Großdeutschland« unter Graf Hyazinth Strachwitz setzte sich in Besitz von
Bjelgorod und schoß in zwei Panzerschlachten über 70 sowjetische Panzer ab. Beide Divisionskommandeure führten beispielhaft von vorne. Auch die Anwesenheit des herbeigeeilten Stalin
konnte an der sowjetischen Schlappe nichts ändern.

Ende März erlahmten die Kämpfe unter dem Einfluß der
Schlammzeit. Die Gegenoperation hatte anstelle der »Verteidigung von jedem Fußbreit Boden« die Ostfront wieder geschlossen
und verkürzt, so daß schwache Reserven hinter der Front aufgefrischt werden konnten.

Der Versuch der Feldmarschälle von Kluge und von Manstein,
»Hitler im Interesse einer vernünftigen Führung des Krieges zu
einer Änderung in der Frage des militärischen Oberbefehls zu
bewegen«, scheiterte. Hitler wurde nur immer mißtrauischer
und änderte weder in der Führungsstruktur noch in den Führungszielen etwas. Der Versuch der Feldmarschälle schien nicht
mit der notwendigen Durchschlagskraft unternommen worden
zu sein. Der Generalinspekteur der Panzertruppe, Generaloberst
Guderian, bereiste in dieser Zeit die Oberkommandos der Heeresgruppen und Armeen und warb ebenfalls für den Gedanken einer
Neugliederung der militärischen Führung im Osten, doch vergeblich. Damals – also unmittelbar nach Stalingrad – hätte vielleicht
bei entsprechendem ultimativen Vorgehen der Oberbefehlshaber

der Ostfront eine andere Lösung bei Hitler erreicht werden können.

Das Oberkommando der Heeresgruppe B unter Feldmarschall Freiherr von Weichs war Mitte Februar aufgelöst und die Front einheitlich der Heeresgruppe Don unter Feldmarschall von Manstein unterstellt worden. Damit führte im Südteil der Ostfront die bedeutendste operative Persönlichkeit der deutschen Wehrmacht, die sich freilich nicht so auswirken konnte, wie es notwendig gewesen wäre. Manstein wäre der gegebene Führer für die gesamte Ostfront gewesen.

Unser Gefechtsstand lag in Poltawa in dem weiträumigen Schloß inmitten der Stadt, die damals noch verhältnismäßig unversehrt war und ein gewisses Leben zeigte, insbesondere an Markttagen und beim Kirchgang. Der Stab war gut zusammengesetzt. Nachdem ich meinen tüchtigen bisherigen Ia, Oberstleutnant Fellmer, zur anderweitigen Verwendung abgeben mußte, kam Oberst i. G. Estor zu mir, der sich nicht nur durch unermüdliche Arbeitskraft, sondern durch ein klares und nüchternes taktisches Urteil auszeichnete. Als Ordonnanzoffizier hatte ich mir Oberleutnant von Metzsch nachgezogen. In ruhigeren Stunden studierte ich an Ort und Stelle die Schlacht von Poltawa und die Operationen des genialen Karl XII. von Schweden, der einst auch durch Hybris und Starrsinn gescheitert war.

Am 4. April erhielt ich die Nachricht vom Heimgang des Schwiegervaters General Stahl und flog nach Stuttgart. Den Zauber seiner Persönlichkeit, vor allem seine Noblesse hob der alte General der Infanterie Freiherr von Soden in seiner Traueransprache hervor.

Auf dem Rückflug von der Trauerfeier machte ich kurz im Führerhauptquartier Station. Wieder klagten die Generäle Heusinger, Wagner und Stieff über Führungslosigkeit und verfehlte Spitzengliederung und sprachen von einer notwendigen grundlegenden Änderung der Führung.

145

Kurz nach der Rückkehr erhielt ich die Nachricht vom bisher größten Luftangriff mit über 600 Bombern auf Mannheim, so daß sich die Sorgen um Ruth und die Kinder mehrten.

In unmittelbarem Anschluß an den »Retour offensif« und die Wiedergewinnung des Raumes von Charkow wurde von uns ein Entwurf für die Operation »Zitadelle« angefordert. Unser Vorschlag war: Wiedergewinnung des Kursker Raumes, Vernichtung der im Bogen vor der 2. Armee stehenden Feindkräfte, vor allem aber eine Frontverkürzung von 270 Kilometern zur Kräfteersparnis. Die Wiedereinnahme von Bjelgorod hätte eine günstige Ausgangsbasis hierzu geschaffen, wenn man die Operation als schnelle Fortsetzung der erfolgreichen Vorfrühlingsschlacht der Armee-Abteilung Kempf und der 4. Panzerarmee benutzt hätte. Nach unserer Auffassung sollte der Angriff Mitte April beginnen. Die durch die Schlammperiode bedingte Kampfpause von etwa vier Wochen hatte sich für die Truppen zur Auffrischung günstig ausgewirkt, während sie für den angeschlagenen Feind zu kurz war, um ausreichende Vorbereitungen für die Abwehr zu treffen. Gegen eine längere Verschiebung der Operation hatte die Armee-Abteilung wiederholt ernste Bedenken hervorgebracht, weil der Feind sonst Gelegenheit fände, seine Verbände neu zu ordnen, sein Stellungssystem festungsartig und tief gegliedert auszubauen und operative Reserven zu versammeln, die nicht nur den Vorstoß abwehren, sondern darüber hinaus zu einer Entlastungsoperation oder planmäßigen Großoffensive antreten konnten.

Die Operation wurde jedoch trotz aller Warnung immer wieder verschoben mit der Begründung, die Ausstattung mit neuen Waffen – Hitler versprach sich von neuen Tiger- und Pantherabteilungen »eine Wende des Krieges im Osten« – werde die eigene Stoßkraft so verstärken, daß die zu erwartende vermehrte Abwehrkraft des Feindes in Kauf genommen werden könnte. Der Armee-Abteilung wurden aber keinerlei derartige Verbände oder

Waffen zugeführt. Die Zeit arbeitete eindeutig für den Feind, wie wir mündlich und schriftlich gemeldet haben.

Nach schönen österlichen Tagen, in denen ich an einem ergreifenden orthodoxen Gottesdienst in der Hauptkirche von Poltawa teilgenommen hatte, verlegten wir unseren Gefechtsstand wieder nach Novo-Bawaria bei Charkow in die alten Unterkünfte. Die zum Teil zermürbende Wartezeit wurde mit Übungen der zurückgezogenen Verbände genutzt. Wir besuchten möglichst alle Truppen in der vorderen Linie, um sie über die Lage zu unterrichten und zur Geduld zu mahnen. Dabei wurde ich einmal über der vorderen Linie bei Tschugujew mit dem Fieseler Storch angeschossen, kam aber glücklicherweise nach einer Bruchlandung in einem Granattrichter im Niemandsland zum Stehen. Der Storch hatte ein Bein gebrochen; mein tüchtiger Pilot und ich blieben unversehrt. Es war gerade noch möglich, springend und robbend die eigene Linie zu erreichen.

Am 4. Mai besuchte uns aus dem Führerhauptquartier der General der Nachrichtentruppe Fellgiebel, der aufgrund der politischen und militärischen Gesamtlage eine Katastrophe prophezeite, wenn der Führung Hitlers nicht Einhalt geboten werde. Nach dem 20. Juli 1944, an dem er führend beteiligt war, wurde er gehängt.

Anfang Juni löste Horst Grüninger den Ic, den tüchtigen, ehemals österreichischen Generalstabsoffizier Einmannberger, ab. Als Adjutanten hatte ich den weltbekannten Turnierreiter und menschlich liebenswerten Kurt Hasse bekommen, mit dem ich meine Morgenritte unternahm.

Horst Grüninger war eine außergewöhnliche Persönlichkeit. In den Jahren 1935/36 hatte ich ihn in Ulm zu mir gezogen. Die nächste Station war unser gemeinsames Wirken in Paris, wo er ein geistvolles Mitglied der Georgs-Runde war. Er hatte nach einem Theologiestudium die Offizierslaufbahn ergriffen. Von universeller Bildung, in philosophischen und geschichtlichen

Fragen ebenso bewandert wie in der Dichtung, war er ein innerlich froher Mensch mit bezwingender Ausstrahlungskraft auf seine Umwelt. Obwohl er Hasser des nationalsozialistischen Regimes und Mitwisser der Verschwörung war, blieb er am 20. Juli 1944 verschont, wenig später aber wurde er als Divisions-Ia in Ostpreußen vermißt. Ein unvergeßlicher Frühvollendeter.

Der verspätete Angriffsbeginn für die Operation »Zitadelle«, vor dem die maßgeblichen militärischen Führer an der Front gewarnt hatten, wurde schließlich auf den 5. Juli festgelegt. Wir richteten unseren Gefechtsstand in Eisenbahnwagen unmittelbar westlich von Bjelgorod ein, der engste Führungsstab im Salonwagen des ehemaligen polnischen Marschalls Pilsudski.

Der Aufmarsch in die Bereitstellungsräume bei Nacht konnte zwar der feindlichen Aufklärung weitgehend entzogen werden, der Angriffstermin selbst war aber dem Feind bekannt geworden. Der Armeeabteilung gelang schließlich in harten Kämpfen der Durchbruch in die Tiefe des Feindes, bei dem der tapfere Kommandeur der 6. Panzerdivision, General von Hünersdorff, fiel. Am 10. Juli waren die Feindstellungen in einer Tiefe von fast dreißig Kilometern aufgebrochen. Unser Flankenschutz wehrte jeden Gegensturm ab. Anders sah es bei den nördlichen Nachbarn aus. Am Südflügel der Heeresgruppe Mitte war der Angriff der 9. Armee gescheitert, der Feind seinerseits zum Angriff im Orelbogen angetreten. So mußte der Angriff der Heeresgruppe Süd abgebrochen werden. Das operative Ziel blieb trotz örtlicher Erfolge unerreicht.

Unser wiederholter Antrag, die Front auf die Ausgangsstellung zurückzunehmen, welche die Vorteile kürzerer Frontbreite und der guten und stark ausgebauten Donez-Stellung bot, wurde abgelehnt, die Ausweichbewegung dürfe »erst vor feindlichem Großangriff durchgeführt werden«. Die Krise der kommenden Wochen deutete sich in den wechselvollen, verlustreichen Kämpfen der folgenden Tage im erweiterten Brückenkopf Bjelgorod an:

Große Frontbreiten, schwindende Gefechtsstärken, abnehmende physische und psychische Kräfte der Truppen, keine Reserven, große personelle und materielle Überlegenheit des Gegners und kein Ausbau von Auffangstellungen. Im Süden war der Gegner inzwischen Richtung Donez-Becken angetreten, so daß am 22. Juli – zu spät – die Absatzbewegungen in Richtung Charkow begannen.

Am 26. Juli erreichte uns die Nachricht vom Sturze Mussolinis und der Übernahme der Regierung durch Marschall Badoglio; es war der Beginn des Übergangs Italiens zu den Alliierten. Ich wurde an die Aussprache mit Generaloberst Gariboldi am 31. Januar erinnert, der diese Entwicklung warnend vorausgesagt hatte. Jetzt war es für Gegenmaßnahmen zu spät. Gleichzeitig setzten pausenlose Angriffe der scharf nachdrängenden sowjetischen Verbände ein, alle Dienstgrade meldeten Erschöpfungszustand und Niedergeschlagenheit der Truppe. Sie rührten von den schweren Verlusten bei der Angriffsoperation und der folgenden Abwehr her. In den letzten Tagen des Juli gelang dem Gegner der Übergang über den Donez. Ich schrieb in diesen Tagen einen Brief an den Chef der Operationsabteilung, meinen Freund Heusinger, um über die Lage bei den versickernden Stärken und unsere Zukunftssorgen zu berichten.

In den ersten Augusttagen ging Bjelgorod verloren. Der Gegner drängte in die nördlichen Vorstädte von Charkow, so daß wir unseren Gefechtsstand am 8. August nach Karlowka verlegen mußten. Diese Maßnahme führte zu einer erheblichen Auseinandersetzung mit Feldmarschall von Manstein, der über die wahre Lage an der Front nicht unterrichtet war, sie auch nicht vom Augenschein her kannte. Er veranlaßte ohne jede vorherige Benachrichtigung die überraschende Abberufung des Oberbefehlshabers der seinen Namen tragenden Armeeabteilung, des Generals Kempf. Damit wurde nicht nur ein hochbewährter tapferer

Führer, sondern auch eine in sich ruhende und allen Widerwärtigkeiten zum Trotz humorvolle Persönlichkeit ihres Amtes enthoben. Er war mir ein väterlicher Freund gewesen. Er wurde durch den bisherigen kommandierenden General des I. Korps, General der Infanterie Otto Wöhler, ersetzt; die Armeeabteilung wurde in 8. Armee umbenannt. Der neue Oberbefehlshaber, eine kraftvolle militärische Persönlichkeit, meldete ohne jede Furcht gegenüber oben die von ihm befohlene Räumung von Charkow und nahm danach alle Vorwürfe und Verbalinjurien quieta mente entgegen.

Nach den Wehrmachtsberichten mehrten sich die Luftangriffe auf Mannheim in immer stärkerer Form. In der Nacht des 25. August bat ich Ruth telefonisch, mit den Kindern zu unseren Freunden Wilhelm und Gertrud Baessler ins Hotel Waldeck nach Freudenstadt zu gehen. Ruth befolgte den Rat. Kurz danach erhielt ich ein Telegramm des Kommandanten von Mannheim, daß unsere Wohnung in der Nacht vom 5. auf den 6. September durch Volltreffer zerstört worden war: Gottlob nur ein Abschied von materiellen Dingen. Nach zehn Tagen gelang es Ruth, unter den Trümmern einige Erinnerungswerte zu bergen.

Am 8. September kam die Nachricht von der Kapitulation Italiens, die im Führerhauptquartier »grenzenlose Überraschung« hervorgerufen hatte. Wir dachten unser Teil.

Der September war mit schweren Kämpfen ausgefüllt. Am 15. September erhielten wir Feldmarschall von Mansteins Befehl, uns so schnell wie möglich hinter den Dnjepr abzusetzen. Der Befehl kam spät, trotzdem glückte bei strömendem Regen die Absetzbewegung nach Süden, während die Masse der Sowjets nach Westen auf Kiew drängte.

In Onufrijewka richteten wir unseren Gefechtsstand ein. Während eines freien Augenblicks benutzte ich die Gelegenheit, das Haus Tolstois zu besuchen – und dachte an »Krieg und Frieden«.

150

Der Oktober brachte Versuche der Sowjets, mit wechselnden Stärken den Dnjepr zu forcieren und die Front von Osten beziehungsweise Südosten her aufzubrechen. Wir hatten inzwischen unseren Gefechtsstand nach Kirowograd verlegt, wo uns am 13. Oktober der Chef der Organisationsabteilung im Oberkommando des Heeres, General Stieff, zu Besprechungen über Umgliederungsmaßnahmen aufsuchte, begleitet von Oberst i. G. von Tresckow, der vorübergehend das zu unserer Armee gehörende Grenadierregiment 442 der 168. Division führte. Tresckow war 1. Generalstabsoffizier der Heeresgruppe Mitte gewesen, als Wöhler dort Generalstabschef war. Dieser ließ ihm Freiheit und Selbständigkeit in seiner Führungsabteilung, die Tresckow einmal als »ideal, menschlich und dienstlich« bezeichnet hat.

Stieff und Tresckow unterrichteten Wöhler und mich über die Kerne der Widerstandsbewegung gegen Hitler und über mißglückte Attentatsversuche. Tresckow appellierte temperamentvoll und eindringlich an Wöhler, daß eine »Reform der Spitzengliederung« nicht mehr genüge, sondern daß nun eine ganze Lösung erfolgen müsse: die Ausschaltung Hitlers.

Wöhler war tief beeindruckt von dem Gespräch und sagte Tresckow auf dessen Bitte »im Notfall« ein Flugzeug zu. Er verwies die beiden Offiziere an Feldmarschall von Manstein, sie sollten in der gleichen Offenheit ihre Beurteilung der Lage und die ihres Erachtens notwendigen Folgerungen vortragen. Tresckow folgte dieser Anregung, hatte aber bei Manstein, der ihm in vielem recht zu geben schien, keinen Erfolg für eine unmittelbare Aktion.

Noch oft sprachen Wöhler und ich von diesem Besuch, der mir später bei meinen Vernehmungen im Keller in der Prinz-Albrecht-Straße mit einem fingierten Bericht Stieffs vorgehalten wurde.

Als sich die Lage etwas beruhigt hatte, flog ich am 17. Oktober mit einer HE 111 über die Karpaten und Wien nach Hause. Einer gutgemeinten Einladung des Befehlshabers im Wehrkreis Wien zog ich die »Meistersinger« in der Staatsoper unter Karl Böhm vor, wo ich erstmals Irmgard Seefried als Evchen bewundern konnte.

Die Meinigen waren in Freudenstadt im Sommerhaus eines Gießener Universitätsprofessors gut untergebracht. Am nächsten Morgen besichtigten wir die Trümmer von Haus und Habe in Mannheim.

Schon nach wenigen Tagen aber erforderte die Wiederaufnahme der sowjetischen Großangriffe meine Rückkehr; ich konnte nur noch die beiden Mütter besuchen.

Bei meiner Rückkehr war westlich von uns Kiew gefallen, in unserem Abschnitt eine erste Krise bei Tscherkassy entstanden. Unser Gefechtsstand mußte nach Novo-Ukrainka verlegt werden. Ein feindlicher Großangriff begann am 20. November im Großraum Kirowograd; er führte zu einem Aufreißen der Front in einer Breite von rund zwanzig Kilometern.

Ein Durchbruch auf Kirowograd erschien wahrscheinlich. Truppen zur Abriegelung des sowjetischen Einbruchsraumes oder zur Schließung der Frontlücke fehlten. Es war fraglich, ob die eigenen Kräfte an der Ostfront der Armee ausreichen würden, den zu erwartenden Großangriff abzuwehren. Lage und Auftrag an anderen Frontteilen verboten ein Herausziehen von Kräften. Als operativ günstigste Lösung erschien das Absetzen der Armeefront, wodurch die Frontlücke von selbst geschlossen und etwa vier bis fünf Divisionen zu offensiver Kampfführung frei werden konnten. Das Führerhauptquartier lehnte jedoch diesen Vorschlag der Armee ab. So mußten die feindlichen Angriffe zunächst aufgefangen werden, um aus der erhofften abnehmenden Kraft des feindlichen Angriffs neue Möglichkeiten fur Schließung der Frontlücke und Bereinigung der Krise zu gewinnen. Die Armee konnte schließlich die Lücke durch Zuführung zusätzlicher Kräfte der benachbarten 1. Panzerarmee im Angriff schließen. Die Kameradschaft mit dem Nachbarn Generaloberst von Mackensen und seinem Chef, dem Freund in guten wie in bösen Tagen Walther Wenck, hatte sich wieder einmal bewährt.

Die Front der Armee wurde um rund fünfundfünfzig Kilometer verkürzt. Der Erfolg war der Überraschung zu verdanken, konnte aber nur örtlichen Charakter haben. So endete das Jahr zwar mit einem Abwehrerfolg und mit einer Schließung der Frontlücke, doch waren die Sorgen über die Weiterentwicklung der Lage nicht nur im Osten, sondern auch um Deutschland nur verstärkt, die Spannung immer belastender geworden.

Das Jahr 1943 hatte mit der Katastrophe von Stalingrad begonnen, mit dem Zusammenbruch der italienischen Front und der sowjetischen Großoffensive geschlossen. Eine militärische Lösung der Krise war nicht mehr denkbar, zu einer politischen war das Regime Hitlers unfähig. So blieb nur die Möglichkeit, Hitler auszuschalten. Nach Lage der Dinge konnte dies nur die Armee wagen. Die Rettung des Vaterlandes hing davon ab. Dies waren die Gedanken, die uns am letzten Tag des alten Jahres bewegten.

Nachdem die Gefahr eines Auseinanderbrechens der Front am Jahresende gerade noch gebannt war, begann das neue Jahr mit einer Großoffensive der ersten und zweiten sowjetisch-ukrainischen Front, die gegen den Südflügel der Heeresgruppe Süd angetreten war.

Die Front war zum Zerreißen gespannt, der 8. Armee standen für die Führung des Abwehrkampfes keine Reserven mehr zur Verfügung, nachdem sie zwei Panzerdivisionen hatte abgeben müssen.

Der auch jetzt erneut vorgebrachte Vorschlag, die Front zur Schaffung von Reserven zurückzunehmen, wurde wiederum abgelehnt. In dieser Lage setzte der sowjetische Großangriff am 5. Januar 1944 morgens um sechs Uhr ein und schlug durch halbstündiges vernichtendes Trommelfeuer aller Waffen einschließlich Fliegerkampfkräften eine Bresche, durch die dann der massierte Infanterieangriff unter Panzerschutz folgte.

Für die Armee kam es darauf an, den feindlichen Durchbruch aufzufangen, wo immer sich auch Gelegenheit bot, und die Front zu schließen. Zu einer einheitlichen Gegenoperation reichten die Kräfte längst nicht mehr aus, nur noch zu wechselnden Aushilfen. Es galt lediglich, durch hartnäckigen Widerstand an den Abriegelungsfronten starke Feindkräfte zu binden, den Feind durch Teilangriffe und örtliche Panzervorstöße zu schwächen und zu fesseln, so daß er nicht mit versammelter Kraft nach Westen durchbrechen konnte.

Am Abend des 17. Januar 1944 stand aber fest, daß die zweite Winteroffensive der Sowjets ihr Ziel nicht erreicht hatte. Der Angriff der zweiten Ukrainischen Front war nach zwölftägigem Ringen blutig zusammengebrochen. Der mißlungene Durchbruch und die hohen Verluste des Gegners stempelten die Schlacht von Kirowograd zu einem Abwehrerfolg der 8. Armee. Der Abwehrkampf war aber gekennzeichnet durch die geringen Gefechtsstärken und ihr erschreckendes weiteres Absinken, die schwachen Eingreifreserven, die den Feind wohl aufhalten, aber nicht schlagen konnten, das Fehlen jeglicher Reserven der höheren Führung, was zu einem aus der Not geborenen »System der Aushilfen« zwang.

Der Hitlerbefehl zum bedingungslosen Halten der Front verbot eine bewegliche Kampfführung. Der Oberbefehlshaber der 8. Armee hatte den Mut, trotz dieses Befehls die Abwehr zur Schonung der Truppe beweglich zu führen, wobei er das von Clausewitz geforderte »kühne, mutige Entgegentreten, sooft der Verfolgende seine Vorteile im Übermaß benutzen will«, durchführte. Es war der Truppe und nicht etwa der »absinkenden Kraft des Angriffs« des Gegners zu danken, daß die folgenden Durchbruchsarmeen aufgefangen und zerschlagen wurden. Ich mußte dabei selbst vorübergehend die Führung eines Panzerkorps übernehmen.

Es war deutlich, daß die gewonnene Abwehrschlacht nur Zeitgewinn gebracht, die Dinge aber nicht gewendet hatte. Mit jedem weiteren Monat mußte sich die Lage verschärfen. Und es gab keine Ruhe. Am 28. Januar hatte der Feind mit der Vereinigung seiner beiden Heeresgruppen die Abschnürung des Dnjepr-Bogens und damit die Einschließung des XI. und XXXXII. Armeekorps der 8. Armee im Raume von Tscherkassy vollzogen, was zum Kessel von Korssun führte. Die Armeeführung hatte die Einraffung dieser beiden westlichen Korps zum Beziehen einer Sehnenstellung und zur Wiederherstellung einer gesicherten Verbindung nach Westen beantragt, als die russische Stoßrichtung die Abschnürung erkennen ließ. Hitler lehnte persönlich den Vorschlag ab, auch auf die Gefahr einer Einschließung hin. Die Forderung nach Rücknahme der Division wurde daraufhin nochmals von der 8. Armee energisch wiederholt und seitens der Heeresgruppe von Manstein massiv unterstützt. Hitler bestand jedoch auf seinem operativ und taktisch sinnlosen Befehl.

Nach der gänzlich irrealen Auffassung des Oberkommandos der Wehrmacht kam es »für die Heeresgruppe Süd (Generalfeldmarschall von Manstein) darauf an, möglichst starke Panzerkräfte auf den inneren Flügeln der 8. und 1. Panzerarmee zu versammeln, um die durchgebrochenen Feindkräfte in konzentriertem Gegenangriff einzuschließen, sie zu vernichten, die Verbindung beider Armeen im Einschließungsraum herzustellen und aus der Schwächung des Gegners die Voraussetzung für weiträumige Operationen zu gewinnen.« Hitler fantasierte dabei von einem Angriff längs des Dnjepr von Süden nach Norden zum »Aufrollen der russischen Front«. Das hatte mit der Wirklichkeit nichts mehr zu tun. Die Führung der 8. Armee bereitete daraufhin selbständig den Ausbruch vor.

Ich flog damals mit einem Fieseler Storch in den Kessel, um persönlich mit den beiden Kommandierenden Generalen Stemmermann und Lieb sowie ihren ausgezeichneten Chefs des Gene-

155

ralstabes, den Obersten i. G. Franz und Gaedcke, den untersagten Ausbruch minuziös vorzubereiten.

Die Haltung der Truppe im »Kessel von Korssun« war trotz Feinddruck und Wechsel von Frost und Schlammwüstenei erstaunlich gut, die Ernährung trotz Nachschubschwierigkeiten ausreichend. Zum ersten Mal wurden vom Nationalkomitee »Freies Deutschland« Versuche unternommen, die eingeschlossenen Kommandeure zur Übergabe aufzufordern, wobei an frühere kameradschaftliche Bindungen erinnert wurde. Flugzettel ergänzten diese Versuche. Kriegsgefangene, Offiziere, Unteroffiziere und Mannschaften der Stalingradarmee hatten sich unter General von Seydlitz zusammengeschlossen, um eine Beendigung des Krieges so schnell wie möglich zu erreichen. Auf sowjetische Weisung versuchten sie, die Ostfront von innen her zu zersetzen und aufzubrechen. Neben der Tätigkeit dieses Komitees »Freies Deutschland«, das örtliche Fühlungnahmen versuchte, wurde ein offizielles Ultimatum des Marschalls Shukow durch einen sowjetrussischen Parlamentär überbracht; er war ordnungsgemäß mit Hornist und weißer Flagge vor der Hauptkampflinie erschienen. Der sowjetische Generalstabsoberst wurde von dem Führer der Korps-Abteilung B, Oberst Fouquet, der wenige Tage später beim Ausbruch fiel, empfangen. Fouquet hatte seine beste Uniform angezogen, den Parlamentär bewirtet, um so Ungebrochenheit von Führung und Truppe im Kessel zu dokumentieren.

Das sowjetische Ultimatum enthielt eine Aufforderung zur bedingungslosen Kapitulation; Garantien im Sinne der Haager Landkriegsordnung oder andere Zusicherungen enthielt das Dokument nicht. Die ultimative Forderung nach bedingungsloser Übergabe festigte den Willen, die feindliche Umklammerung zu sprengen. Der Aussicht, einem mitleidlosen Gegner rechtlos ausgeliefert zu sein, stand die generalstabsmäßig vorbereitete Möglichkeit des Ausbruchs aus dem Kessel gegenüber, der einen Kampf auf Leben und Tod bringen würde.

In solch tragischer Situation wurde das Ultimatum abgelehnt, der Parlamentär formgerecht über die Linien zurückgebracht. Hitler wütete über die korrekte Behandlung des Parlamentärs und verlangte Rechenschaft von der Führung der 8. Armee. General Wöhler deckte in jeder Beziehung das Verhalten unserer eingeschlossenen Kommandeure.

Die Entsatzoperation begann mit Teilen am 4. Februar, konnte sich aber witterungsbedingt erst am 11. Februar mit der Masse vollziehen; doch traf der Stoß auf starke gepanzerte Feindkräfte, die den Vorteil vollzogener Versammlung hatten. Die Wege waren grundlos, Regen und Schnee wechselten.

Der Gegenangriff schien sich festzufahren, Entsatz war mit Sicherheit nicht mehr zu erwarten. Das Aufbrechen des Einschließungsringes mußte also auch von innen erfolgen, so wie es mündlich durch mich vorbereitet und dann durch die ausgezeichnet arbeitenden Funkstellen übermittelt worden war.

Die Ausbruchsgruppe unter Führung von Generalleutnant Lieb sollte am 16. Februar, 23 Uhr, in drei Stoßkeilen tief gestaffelt ohne Feuervorbereitung antreten, lautlos sich vorarbeiten und den Gegner mit der blanken Waffe anfallen, um nach Aufbrechen der kesselseitigen Abwehrfront des Gegners sich mit den Aufnahmekräften zu vereinigen.

Die Divisionen hatten sich in drei Treffen gegliedert: das Bajonett-Treffen (Stoßkraft der Infanterie), schwere Waffen, Artillerie und Trosse. Die Nachhut mit Verbänden von zwei Divisionen sollte aus einem flachen Bogen den Rücken der Durchbruchsgruppe decken und sich auf ein Funkstichwort absetzen. Angesichts der unerbittlichen Lage mußte die Zurücklassung von etwa 1450 Schwerverwundeten mit Ärzten und erforderlichem Pflegepersonal befohlen werden. Der spätere Verlauf der Ausbruchskämpfe rechtfertigte diesen menschlich so schweren Entschluß.

Der Ausbruch erfolgte in zwei Phasen. Einmal waren es planmäßige und straff geleitete Kampfhandlungen, mit denen das erste Treffen des Angriffsstoßkeiles durchbrach. Die Nachhuten harrten unerschütterlich, vielfach auf verlorenem Posten, zur Sicherung der Operation aus. Diese trotz aller Friktionen und ständig zunehmender Feindeinwirkung mit Präzision verlaufenden Maßnahmen und Ereignisse bedeuteten ein Meisterwerk mittlerer und unterer Truppenführung. Bei allen den Erfolg bedrohenden Feindeinbrüchen waren es immer wieder die Kommandeure und Einheitsführer, die mit der Maschinenpistole oder dem Karabiner in der Hand mit wenigen Tapferen die Krisen meisterten. Generalleutnant Lieb führte zu Pferde den Durchbruchsstoßkeil, um die Schlammassen besser zu überwinden. Gefechtslärm drang kaum an die Ohren der gespannt lauschenden Kameraden der nachfolgenden Truppen. Der Kommandierende General des XI. Korps, General Stemmermann, fiel bei Beginn des Durchbruchs, und Generalleutnant Lieb übernahm die Gesamtführung.

Die andere Phase des Ausbruchs war gekennzeichnet durch das elementare und allen Führungsmaßnahmen entzogene Nachströmen der Einheiten hinter dem Durchbruchskeil. Das Antreten des zweiten und dritten Treffens aus dem Bereitstellungsraum war unter dem mitreißenden Eindruck des gelungenen Durchbruchs des ersten Treffens erfolgt. In wachsendem Strom traten nun rund 30 000 Mann in westlicher Richtung an. Nur wenige Kilometer waren zurückzulegen, dann sollte man auf die zum Entsatz herangeeilten Kameraden des III. Panzerkorps stoßen.

Wie groß aber war die Enttäuschung, als nach Überwinden des erwarteten feindlichen Feuergürtels bei Tagesanbruch längst jenseits der Einschließungsfront plötzlich mörderisches Panzer-, Pak- und Artilleriefeuer in die dicht geballten Menschenmassen schlug. Bis jetzt hatte die Truppe ihr schwerstes Gerät, sogar die Sturmgeschütze und Panzer, unter höchsten Anstrengungen durch das von tiefen, schneeverharschten Balkas (Geländeeinbrüche) durchschnittene Gelände mitgeführt, ein Beispiel für die ungebrochene Disziplin und das Verantwortungsgefühl jedes einzelnen. Nun mußten nach dem Verschießen der letzten Munition Geschütze, Panzer, Sturmgeschütze vernichtet oder zurückgelassen werden. Hier erfüllte sich auch das Schicksal der von der Truppe aus eigenem Antrieb mitgenommenen Verwundeten.

Nach diesem Aufprall erhoben sich die Kampfgruppen, ganz auf sich allein gestellt, und suchten mit dem Mut der Verzweiflung einen Ausweg aus dem Inferno. Pulks von Tausenden von Reitern und Soldaten zu Fuß strebten unter Führung des nächstbesten Offiziers, jeden Widerstand mit der blanken Waffe brechend, nach Westen. Auch der Gegner wurde vom Eindruck der mit der Gewalt einer Lawine ihn anrennenden Menschenmassen gepackt. Er warf Infanterie entgegen, sie wurde hinweggefegt, selbst Panzer drehten ab. Am Ufergelände des Gniloj Tikitsch, fünf Kilometer südostwärts Lissjanka, mußten die Kämpfer die feindliche Flußverteidigung von rückwärts durchbrechen. Sie stürzten sich schließlich in die eisigen Fluten, um schwimmend das andere Ufer zu erreichen. Aber nur die Männer konnten sich gerettet fühlen, die Fluß und Höhenzug südostwärts Lissjanka hinter sich hatten.

Die Nachhut, fest in der Hand ihrer Führer, schlug sich nach dem Abzug der Masse ihrer Kameraden nach Westen durch. Diese Truppe hatte ihre Aufgabe vorbildlich erfüllt und ein lebendiges Beispiel des von Clausewitz geforderten »Abzugs des verwundeten Löwen« gegeben. Der Kampf der beiden deutschen Armeekorps hatte seinen Abschluß gefunden. 30 000 Soldaten hatten sich aus der Umklammerung befreit, nachdem sie ihre Stellungen gegen einen weit überlegenen Feind, auch im Kampf gegen Winter und Schlamm gehalten hatten. Sie hatten in der »Hölle von Tscherkassy« vieles verloren, nicht aber die soldatische Haltung.

Die Front war trotz schmerzlicher Verluste wieder geschlossen worden, aber der tiefe Durchbruch der Sowjets südlich Kiew forderte doch eine entschiedene Zurücknahme der Front, zunächst auf den Bug beiderseits Perwomaisk, dann auf den Dnjestr beiderseits Tiraspol, also in das rumänische Grenzgebiet. Eine solche Frontbegradigung war ein blutiges Zurückkämpfen gegen den übermächtigen Gegner, der überall durchzusickern versuchte. Mit schmerzlichen Gefühlen räumten wir die Dörfer der Rußlanddeutschen, die nicht nur die Bauweise ihrer Heimat, sondern auch ihre Sprache beibehalten hatten. Wie merkwürdig heimatlich mutete es an, daß nach rund 125 Jahren noch schwäbische Laute zu hören waren. Es waren die Nachkommen jener Schwaben, die unter König Wilhelm I. von Württemberg in den Hungerjahren von seinem Schwager, dem russischen Zaren Alexander I., aufgenommen worden waren.

Nach nahezu zwei Jahren Ostfront erreichte mich am Dnjestr die Nachricht von meiner Ernennung zum Chef des Generalstabs der Heeresgruppe B im Westen. Generalfeldmarschall Rommel persönlich hatte mich als alten Brigade- und Regimentskameraden angefordert.

Nun galt es, Abschied zu nehmen von einem ritterlichen Oberbefehlshaber, der in allen Lagen sicher führte und ohne Furcht nach oben für seine Truppe sorgte, von einem Stab mit hervorragenden Mitarbeitern wie den Obersten Estor und Auer, den ich beinahe eineinviertel Jahre als Chef führen durfte. Besonders der Abschied von meinem Ic, Horst Grüninger, der mir in den schweren Tagen und Nächten zum Freund geworden war und den ich nicht mehr wiedersehen sollte, fiel schwer. Ihm vor allem war auch die Unterbindung jeder falschen Propaganda im Bereich der 8. Armee zu danken. Das Oberkommando der Wehrmacht bemängelte, daß die Frontzeitung der 8. Armee ihre Aufgabe nicht erfülle, weil sie sich weder mit der kompromißlosen Vergeltung noch mit der Propaganda gegen die Juden, noch mit den aktuellen Fragen der Partei befasse. Dies wurde mir wenige Monate später bei den Vernehmungen nach meiner Verhaftung nach dem 20. Juli vorgehalten.

Beinahe zwei Jahre Kämpfe an der Ostfront lagen hinter mir. Als starker Eindruck blieb der Russe als Kämpfer, der die unverbrauchte Naturkraft dieses Volkes zeigte, wie sie das Abendland vielfach verloren hat. Sie befähigte ihn zum Kampf unter besonderen Verhältnissen, in Wäldern, Gebirgen, bei Nacht, in Winterstürmen, in zähem Schlamm. Während der westliche Soldat Berge und Wälder gerne meidet, benutzt der Russe Wälder, Sümpfe, menschliche Siedlungen zum Untertauchen, Vorpirschen, zu Überraschungen.

Dazu kam die Dynamik des politischen Systems, wobei dahingestellt bleiben soll, ob es zu einem Handeln aus Überzeugung oder unter Druck führte. So viele Handlungen werden in totalitären Staaten ja von der Furcht diktiert; auch wir haben dies zur Genüge erlebt. Der politische und militärische Führer der Sowjets zeigte vielfach Züge kalter Sachlichkeit. In entscheidenden Situationen war oft die Nichtachtung von Verlusten Prinzip. So verwirklichte der Sowjetrusse den totalen Krieg, den andere gelehrt und versucht haben.

Aufschlußreich war die Truppenvorschrift »Die politische Erziehung in der Sowjetarmee« mit dem Tenor: Weltrevolution, Kampf gegen Faschismus, Bürgertum und Kapitalismus, Erziehung zur »absoluten Härte«, Kampf bis aufs Messer, auch in aussichtsloser Lage, Einsatz bis zum letzten im »vaterländischen Krieg«.

Zahllos waren auch die Beispiele, in denen junge Mädchen und Frauen in der Hölle der modernen Schlacht und unter primitivsten Lebensbedingungen sich mit der Waffe in der Hand schlugen. Entgegen der unsinnigen nationalsozialistischen Propaganda, die nur vom »Untermenschen« sprach, stellte der Sowjetsoldat als Kämpfer einen außerordentlichen Faktor dar, der psychologisch in jede Berechnung mit einbezogen werden mußte: Ein Faktor, mit dem die europäische Kriegführung vergangener Jahrhunderte nicht in diesem Sinne zu rechnen brauchte.

Am 30. März konnte ich das Flugzeug mitbenutzen, das die Feldmarschälle von Kleist und von Manstein nach dem Obersalzberg bringen sollte. Die beiden Oberbefehlshaber der südlichen Heeresgruppen sollten als Sündenböcke für die sowjetischen Erfolge, für das »Versagen der Ostfront« und wegen ihrer »mangelnden Siegeszuversicht« abgelöst werden. Beide wollten Hitler schonungslos über die Lage unterrichten und ihn zur Aufgabe des Oberbefehls veranlassen, wie es schon ein Jahr zuvor besprochen worden war. Wieder blieben ihre Vorstellungen ergebnislos.

In Berchtesgaden wurde ich zunächst von den Generalobersten Zeitzler und Jodl empfangen. Ersterer hörte meinen Lagevortrag ruhig an, auch meine Zukunftsbeurteilung, wonach auch die Krim nicht mehr länger gehalten werden könne und eine sofortige Räumung notwendig sei. Ohne jede Beschönigung instruierte Zeitzler mich über mein neues Arbeitsgebiet. Er war ein anderer Mann geworden. Er sah das Unausweichliche der Lage. Aus dem »Kugelblitz« – so sein Spitzname – war in einem Jahr ein kritischer, von der Lage gezeichneter Generalstabschef geworden.

Anders war der Vortrag bei Generaloberst Jodl, der gleich zu Beginn meinen künftigen Oberbefehlshaber, Generalfeldmarschall Rommel, als »Defaitisten« bezeichnete, den ich als ein »Lossberg der Ostfront« (General von Lossberg, bekannter Generalstabschef in Entscheidungsschlachten des ersten Weltkrieges) stützen und aufrichten müsse.

Meine Beurteilung der Lage an der Ostfront lehnte er ab, obwohl sie aus unmittelbarem Erleben heraus vorgetragen war. Ich war betroffen, wie weit diese hochintelligente, operativ besonders befähigte Persönlichkeit sich von klarem, militärischem Urteil entfernt hatte und der Faszination Hitlerscher Wunschträume erlegen war.

Mit solcher »Vorbereitung« kam ich auf den Obersalzberg. Im

Vorzimmer Hitlers waren viele Würdenträger von Partei und Wehrmacht wie Keitel, Schörner, Himmler versammelt und sprachen eifrig scharfen Getränken zu.

Bei meinem Vortrag vor Hitler berichtete ich zunächst von der Lage im Süden der Ostfront, insbesondere bei der 8. Armee, von den Leistungen, aber auch von dem Zustand der überforderten Truppe. Ich schlug Freigabe der operativen Führung an die an Ort und Stelle führenden höchsten militärischen Führer vor, machte auch aus meinen Sorgen wegen der Krim kein Hehl.

Hitler – leichenhaft blaß – fuhr mich scharf an und belehrte mich mit unstillbarem Wortschwall über die Lage an der Ostfront, wie sie seinen Phantasien entsprach, in einem blinden Optimismus, der durch nichts begründet war. Das erinnerte mich an Caulaincourts Aufzeichnungen über Napoleon in Rußland: »Er fiel in seine alten Illusionen zurück und gab sich wieder seinen gigantischen Entwürfen hin. Das kleinste Scharmützel, das Eintreffen einiger Verstärkungen, einiger Munitionswagen, ein Bericht des Königs von Neapel oder einige Rufe: Vive l'empereur! bei der Parade genügten, um ihm wieder jede Überlegung zu rauben.«

Hitler wies mich in meine zukünftigen Aufgaben im Westen ein. Rommel erwähnte er nur einmal mit der Bemerkung, daß er mich als Chef gewünscht habe.

Hitler hatte ich seit dem 5. November 1941 nicht mehr gesehen und war überrascht, einen vorzeitig stark gealterten Mann mit glanzlosen Augen und zitternden Händen wiederzufinden. Kurze Zeit nach dem über einstündigen Lagevortrag wurde ich erneut ins Arbeitszimmer befohlen. Hitler schien wieder ruhiger und überreichte mir in Gegenwart von Keitel und Himmler das Ritterkreuz. Er dankte mit anerkennenden Worten für mein Wirken, besonders für den persönlichen Einsatz bei der Rettung eines Panzerkorps.

Nach der Verleihung versuchte Himmler, mich zum Essen einzuladen. Ich lehnte ab und fuhr allein nach Salzburg, um meinen Gedanken über das so zwiespältige Erleben nachzuhängen und die Meinen anzurufen.

Ein vierzehntägiger Urlaub in Freudenstadt brachte das glückliche Wiedersehen mit Ruth, den Kindern und den beiden Müttern.

Am 14. April gab mir die Stadt Freudenstadt einen festlichen Empfang auf dem Rathaus, »um das Ritterkreuz zu feiern«. Der ebenso gescheite wie originelle Stadtschultheiß Dr. Blaicher hielt eine warmherzige und feinsinnige Rede fern aller Parteiemphase. Meine Antwort schloß ich mit dem Wort Friedrichs des Großen: »Rüstet Euch, wenn möglich mit Frohsinn in unserem üblen Schicksal. Je freier der Geist ist, desto besser wirkt man.«

Der Kreisleiter schien über den Sinn meiner Ausführungen nachdenklich geworden zu sein.

Zu der Feier war auch der Stuttgarter Oberbürgermeister Dr. Karl Strölin, ein alter Regimentskamerad vom ersten Weltkrieg, nach Freudenstadt gekommen und unterrichtete mich von seiner Aussprache mit Feldmarschall Rommel Anfang Februar 1944 in Herrlingen und von der veränderten Einstellung des Feldmarschalls zu Hitler. Abends saßen wir noch lange im Hotel Waldeck zusammen, und Strölin bat mich, Feldmarschall Rommel den Wunsch zu einem Treffen mit dem früheren Reichsaußenminister Dr. Konstantin Freiherrn von Neurath und ihm zu übermitteln. Dies entspräche auch einem Anliegen des früheren Leipziger Oberbürgermeisters Dr. Goerdeler.

Die Invasion

Am 15. April flog ich nach Versailles, zweimal von feindlichen Jägern verfolgt, die uns zum Tarnflug dicht über dem Boden zwangen. Im Schloß von La Roche-Guyon wurde ich als Landsmann und alter Kamerad von meinem neuen Oberbefehlshaber, Generalfeldmarschall Erwin Rommel, freudig begrüßt.

Schon am ersten Abend konnte ich Rommel das vertrauliche Ersuchen Strölins übermitteln. Meine erste Abgrenzung politischer Gedanken mit Rommel ergab völlige Übereinstimmung, wobei er in der ihm eigenen temperamentvollen Weise über die Maßlosigkeit Hitlers im menschlichen, militärischen und staatlichen Bereich und dessen Verachtung europäischer Gedanken sprach.

Der Gefechtsstand der Heeresgruppe B war frontnah im Schloß La Roche-Guyon eingerichtet, das am Westrand der gottgesegneten Ile-de-France an einer großen Nordschleife der Seine zwischen Mantes und Vernon, sechzig Kilometer stromabwärts von Paris, liegt. Das Schloß der Herzöge de la Rochefoucauld war ein auf das 11. Jahrhundert zurückgehender normannischer Herrensitz, dessen Rückwand an die Felsen gebaut ist. Die Burgruine mit dem weithin sichtbaren Donjon krönte malerisch den Schloßberg. Nur der engste Gefechtsstab war im Schloß untergebracht, da der Feldmarschall es nicht räumen, sondern die herzogliche Familie darin wohnen ließ. In der salle des gardes hing das Bild des berühmten Herzogs de la Rochefoucauld, des Marschalls und Verfassers der »Maximen«, der hier aber nicht gewirkt hatte.

165

Dagegen wurde der Philanthrop und Politiker Duc de la Roche-foucauld-Liancourt in dem Schlosse geboren.

Der Feldmarschall wohnte in einem bescheidenen Appartement, das zu ebener Erde auf eine Rosenterrasse mündete. Das repräsentative Arbeitszimmer mit meisterhaften Gobelins und dem eingelegten Renaissance-Schreibtisch, an dem Louvois 1685 den Widerruf des Edikts von Nantes geschrieben hatte, atmete alte französische Kultur. Als nach Invasionsbeginn die feindlichen Luftangriffe zunahmen, ordnete Rommel im Einvernehmen mit dem Herzog die Bergung und Aufbewahrung dieser Kunstschätze in der Felsenkapelle an. Sie sind dort unversehrt geblieben. Meine persönliche Verbindung mit der herzoglichen Familie blieb bis heute erhalten.

Die Arbeit im Stabe Rommels war von sachlicher Übereinstimmung und persönlicher Sympathie, von Harmonie und Gemeinschaftssinn erfüllt; den Mitarbeitern wurde soviel Initiative wie möglich belassen. Der Tagesverlauf des Feldmarschalls in den »ruhigen« Wochen vor der Invasion war erfüllt von rastloser Arbeit. Er fuhr beinahe täglich zur Truppe, ohne großes Gefolge, meist nur von seinem Ordonnanzoffizier, Hauptmann Lang, vielfach auch von Vizeadmiral Ruge begleitet, den er als aufrechte Persönlichkeit besonders schätzte und dessen praktischer Verstand und Interesse für technische Fragen sich mit dem seinen berührte. Zwischen fünf und sechs Uhr morgens brach Rommel auf, nachdem er allein mit mir gefrühstückt und sich über die wichtigsten Fragen ausgesprochen hatte. Mit kurzer Mittagsunterbrechung bei einem Truppenteil blieb er dann bis abends unterwegs. Nach seiner Rückkehr begannen die Vorträge bis zum einfachen Abendbrot, das gleicherweise alle Stabsangehörigen erhielten. Der Feldmarschall aß im Kreise seiner engsten Mitarbeiter, meist zehn bis zwölf Offizieren, wozu täglich Gäste kamen. Er war sehr genügsam, trank wenig und rauchte nie. Bei Tisch war er für jede Unterhaltung aufgeschlossen. Nach Tisch machte er seinen Abendgang, vielfach mit Admiral Ruge und mir, in den romantischen Schloßpark und genoß unter zwei mächtigen Zedern seinen Lieblingsblick auf das friedvolle Seinetal und in den westlichen Himmel. Nach weiteren Vorträgen ging er frühzeitig zur Ruhe.

Eines Tages rief der Oberbefehlshaber der 15. Armee an, zwei britische Offiziere seien nach Fallschirmabsprung hinter der Front gefangengenommen worden; zur Erkundung landeten damals immer wieder einzelne Alliierte im Sturmboot oder mit dem Fallschirm. Er bat um Weisung, da ja der Führerbefehl existiere, solche Offiziere nicht als Gefangene zu behandeln, sondern dem SD zu übergeben, das heißt zur »Liquidation«. Ich bat, die Offiziere uns zu überstellen.

Als der Feldmarschall von einem Frontbesuch zurückkam, fragte er nach Neuigkeiten. Ich antwortete »außer zwei britischen Offizieren als Gästen nichts Neues«. Rommel sprach mit beiden Offizieren und sorgte persönlich dafür, daß die britischen Offiziere in ein sicheres Offiziersgefangenenlager überführt wurden.

Bei seinen Frontbesuchen erläuterte er Offizieren und Mannschaften die Lage und die verschiedenen Möglichkeiten, wie eine bevorstehende Landung der Alliierten abgewehrt werden könne. Stets wußte er bei diesen Inspektionen die richtige Mitte zwischen Lob und Tadel zu halten. Eine besondere Bedeutung maß er dem Verhalten der Truppe gegenüber den Landeseinwohnern zu. Er wies wiederholt auf die Gesetze der Menschlichkeit hin und trat für die genaue Einhaltung der völkerrechtlichen Bindungen und für eine Ritterlichkeit ein, die unserer Zeit teilweise fremd geworden sei, ja bei der vorherrschenden Mentalität als Schwäche ausgelegt würde.

Grund zu Sorge und Erbitterung war für Rommel das Mißverhältnis der Stärken der einzelnen Wehrmachtsteile im Bereich des Oberbefehlshabers West. Im Mai 1944 ergab sich folgendes

167

Bild: die Verpflegungsstärke im Westen betrug 1,2 Millionen Mann, davon gehörten zur Luftwaffe 450 000 Mann – 17 000 Mann in Paris – bei lediglich 520 einsatzbereiten Maschinen. Die Kriegsmarine hatte die Stärke von 47 000 Mann – davon 7000 Mann in Paris! In der Heimat wurden zu derselben Zeit die letzten Spezialarbeiter in den Betrieben »ausgekämmt«, Frauen und Kinder in der Rüstung oder als Nachrichten- und Luftwaffenhelfer eingesetzt.

Die Ereignisse des Sommers 1944, die Invasion, den Zusammenbruch der Verteidigung in der Normandie und ihre Folgen im Westen habe ich in meinem Bericht »Invasion 1944« geschildert. Ich kann mich daher hier auf die Hauptlinien des Geschehens beschränken.

Das Kriegsjahr 1943 hatte in Deutschland, nachdem der militärische Kulminationspunkt längst überschritten war und erkennbar die Kräfte des Reiches überspannt waren, eine immer stärkere Auflösung der militärpolitischen Führungsverhältnisse gebracht: zunehmend wurde die Verantwortlichkeit und Entschlußfreiheit der Oberbefehlshaber eingeschränkt, zahlreiche Befehlsinstanzen mit sich überschneidenden Kompetenzen wurden geschaffen, häufig erfolgten Kommandowechsel – allein der Oberbefehl West wechselte von Juni bis September 1944 dreimal. Dagegen gewannen die Alliierten gerade jetzt nach anfänglichen Koordinierungsschwierigkeiten zwischen dem britischen und amerikanischen Generalstab effektive Straffung und Einheitlichkeit in der Kriegsführung und politischen Zielsetzung. Die politische Lage ließ keine Aussicht mehr auf einen siegreichen Ausgang des Krieges. Auch wurde immer deutlicher, daß selbst eine Remis-Entscheidung unter der Führung Adolf Hitlers nicht mehr zu erreichen war.

Der düsteren politischen Lage entsprach die militärische. Im Westen war die Invasion mit Sicherheit zu erwarten, ihre Abwehr mit den gegebenen Kräften fraglich. Im Osten mußte mit einer Generaloffensive der Roten Armee gerechnet werden. Auch in Italien gewann der Angriff der Alliierten langsam, aber ständig nach Norden Boden. Italien selber war zum Gegner geworden. Die Scheinherrschaft Mussolinis in Oberitalien hatte im Lande kein Gewicht. Auch aus Finnland, Rumänien und Bulgarien kamen Meldungen über die undurchsichtige und schwankende Haltung von Regierung und Volk. In der Heimat hatte der alliierte Luftkrieg Großstädte und Industriezentren getroffen. Deutschlands Außenpolitik war seit langem genau so phantasie- und bewegungslos wie die militärische oberste Führung.

Im Hinblick auf diese Gesamtsituation kreisten die Besprechungen mit Feldmarschall Rommel auch um die Notwendigkeit einer baldmöglichen Beendigung des Krieges. Durch den Stuttgarter Oberbürgermeister Dr. Strölin hatte Dr. Goerdeler, wie schon erwähnt, bereits versucht, auf Feldmarschall Rommel einzuwirken, daß Hitler und sein Regime zur Rettung Deutschlands und Europas beseitigt werden müßten. In der ersten Besprechung Rommels und Strölins über einen Umschwung waren damals eher legale Möglichkeiten – Festsetzung Hitlers und Aburteilung durch ein deutsches Gericht – erörtert worden, was auch mit Stülpnagel bedacht wurde. Die damit zusammenhängenden Überlegungen zur Beendigung des Krieges wurden durch außenpolitische Vorstellungen Neuraths ergänzt.

Rommel schätzte Baron von Neurath als Diplomaten alter Schule, der dem Nationalsozialismus schon aus seiner aristokratischen Gesinnung heraus ablehnend gegenüberstand; zudem fühlte er sich dem schwäbischen Landsmann verbunden. Der Sohn Neuraths war längere Zeit im Stabe Rommels in Afrika gewesen.

Eine Fahrt Rommels zu Neurath und Strölin wäre der Geheimen Staatspolizei nicht verborgen geblieben. Deshalb bevollmächtigte Rommel mich, die Aussprache mit Freiherrn von

Neurath, mit dem ich weitläufig verwandt bin, und Dr. Strölin zu führen. Sie fand am 27. Mai 1944 in unserer Wohnung in Freudenstadt statt. Ich sprach zunächst über die militärische Lage vor der Invasion. Namens des Feldmarschalls stellte ich die Frage, welche Gedanken man sich in der Heimat zur Rettung des deutschen Volkes vor dem Untergang mache. Neurath gab ein Bild der außenpolitischen Lage seit dem 4. Februar 1938, dem Tage seiner Amtsenthebung und derjenigen des Generalobersten Freiherrn von Fritsch, und sprach von seinen vergeblichen Warnungen gegenüber Hitler. Er wie auch Oberbürgermeister Dr. Strölin wies vor allem auf das zentrale Problem der Person Adolf Hitlers hin, mit dem das Ausland keine politischen Abmachungen treffen würde. Nur seine Beseitigung ermögliche eine neue schöpferische Politik. Es müsse aber schnell – noch vor der Invasion – gehandelt werden. Denn das Halten der Front war Vorbedingung für alle Pläne. Für die militärische Gesamtführung käme seiner Auffassung nach nur Feldmarschall Rommel in Frage, der als lautere Persönlichkeit und großer Soldat nicht nur in Deutschland populär, sondern auch im Ausland als ritterlicher militärischer Führer geachtet sei.

Beide Männer baten, dem Feldmarschall den dringenden Appell zu übermitteln, sich für die Rettung des Reiches zur Verfügung zu halten, sei es als Oberbefehlshaber der Wehrmacht, sei es als interimistisches Staatsoberhaupt. Wenn auch in Generaloberst Beck und Oberbürgermeister Dr. Goerdeler bedeutende Persönlichkeiten für die Neugestaltung des Reiches und die Durchführung der Umwälzung zur Verfügung stünden, so sei für den schweren Anfang eine Volk und Heer mitreißende und auch gegenüber dem Ausland verhandlungsfähige Persönlichkeit wie Feldmarschall Rommel nötig. Beide stimmten darin überein, daß unverzüglich Mittel und Wege zur Beendigung des Krieges gefunden werden sollten, ehe die unausbleibliche Katastrophe jede Verhandlungsmöglichkeit abschneiden würde.

Ernst Jünger überbrachte mir Anfang Mai seine Friedensschrift, deren Ideen mir schon vom Winter 1941/1942 bekannt waren. Feldmarschall Rommel war von Jüngers Gedanken, insbesondere den konstruktiven Aufbauplänen, der Forderung nach Vereinigten Staaten von Europa im Geiste christlicher Humanität tief beeindruckt. Er dachte an eine Veröffentlichung auf breiter Basis zu gegebener Stunde. Der Jüngersche Aufruf hat mit einer fast mythischen Gewalt gewirkt.

So bewegten sich in den Wochen vor der Invasion alle Gedanken um die Rettung des Reiches. Nur wer in den rasch entfliehenden Augenblicken einer Schicksals- und Zeitenwende selbst um Entschlüsse ringen mußte, um menschliche, politische und militärische Entscheidungen von weit über das eigene Volk hinausreichender geschichtlicher Tragweite, kann die durch solche Gedankengänge ausgelösten Nöte im Gewissen soldatischer Führer voll nachempfinden. Probleme eines Prinzen von Homburg, eines Louis Ferdinand und eines Yorck stiegen vor uns auf. Feldmarschall Rommel bejahte die Forderung an den Feldherrn, daß in entscheidenden Augenblicken der Geschichte nicht dem militärischen Denken, sondern dem staatsmännischen der Vorrang gebühre. Der Feldmarschall war kein »Philistergeneral mit subalternem Gehorsam« (Schlieffen), kein »Spezial«, dem Hitler wie einst Robespierre oder Saint-Just ihren Revolutionsgeneralen befehlen konnte, nur vor sich den Feind und hinter sich den Strang. Für Rommel war das Moltkesche Ethos verbindlich, welches das Menschentum in letzter Instanz über das Soldatsein setzte, den Menschen über das Prinzip. Mit bitterer Ironie zitierte der Feldmarschall in den abendlichen Parkgesprächen diejenigen Sätze aus Hitlers »Mein Kampf«, zu denen sich der Diktator im Laufe seiner Entwicklung in den schärfsten Widerspruch gesetzt hatte: »Wenn durch die Hilfsmittel der Regierungsgewalt ein Volkstum dem Untergang entgegengeführt wird, dann ist die Rebellion eines jeden Angehörigen eines solchen Volkes nicht nur Recht, sondern

Pflicht. Staatsautorität als Selbstzweck kann es nicht geben, da in diesem Falle jede Tyrannei auf dieser Welt unangreifbar und geheiligt wäre. Menschenrecht bricht Staatsrecht.« Und: »Eine Diplomatie hat dafür zu sorgen, daß ein Volk nicht heroisch zugrunde geht, sondern praktisch erhalten wird. Jeder Weg, der hierzu führt, ist dann zweckmäßig und sein Nichtbegehen muß als pflichtvergessenes Verbrechen bezeichnet werden.«

Rommel rang um die Erkenntnis, daß der Gehorsam auch und gerade für den Feldherrn seine Grenzen finden muß in dem Gefühl der Verantwortung für das Schicksal der Nation und dort, wo das Gewissen den Aufstand befiehlt. Er wußte wohl um den Unterschied des Gehorsams gegenüber Gott und den Menschen. Der Feldherr müsse, so sagte er oft in jenen abendlichen Gesprächen des Frühjahrs 1944, um des Volkes willen außergewöhnliche Entscheidungen fällen, wenn alle anderen Mittel erschöpft seien. Er wollte jedoch noch einmal in einem mündlichen Vortrag Hitler zu überzeugen versuchen, um ihm die Möglichkeit zur Umkehr zu geben. Dann aber, wenn auch diese Warnung wie alle vorhergehenden ungehört verhallen sollte, sei er seines Eides ledig. Dann sei die Pflicht zur Tat gegeben, die eine Pflicht gegenüber dem Vaterland bedeute. Er legte jedoch Wert auf die Unterscheidung, daß zu einer solchen Tat – und zur metaphysischen Verantwortung – nur oberste militärische Führer befähigt, berechtigt und verpflichtet sein können, nicht der einzelne Soldat oder Offizier, die Einsicht und Überblick nicht besitzen könnten. Rommel übernahm allein die persönliche Entscheidungsverantwortung und lehnte die von Hitler geforderte bloße Ausführungsverantwortung ab. Er wollte seinem Vaterland und der Welt weitere Blutopfer ersparen, die Heimat selbst aber vor dem Verlust des Ostens und der weiteren Zerstörung ihrer Städte bewahren. »Gesegnet das Volk, das einen Mann findet, der Frieden machen kann, wenn sein Führer nicht einmal als Träger einer weißen Fahne annehmbar ist«, hatte einst Talleyrand gesagt.

172

Offen haben Rommel, die Generale von Falkenhausen und von Stülpnagel den Oberbefehlshaber West, Generalfeldmarschall von Rundstedt, über ihre Besprechungen und Gedanken zur Änderung des Regimes in St. Germain und in La Roche-Guyon unterrichtet.

Das Verhältnis Rommels zu Rundstedt und zu dessen Generalstabschef, General der Infanterie Blumentritt, war vertrauensvoll. Rommel verehrte in Rundstedt den erfahrenen Soldaten alter Schule, den bedeutenden Schlieffen-Schüler. In der Beurteilung der Gesamtkriegsführung und der politischen Lage herrschte Übereinstimmung. Rundstedt war ein ausgesprochen »operativer Kopf«, der das militärische Handwerk überlegen beherrschte. Es fehlten aber dem fast Siebzigjährigen der schöpferische Schwung und die Klarheit der Verantwortung gegenüber seinem Volke. Pessimistische Teilnahmslosigkeit und sarkastischer Fatalismus machten sich zunehmend bemerkbar. Wohl verachtete er Hitler, den er bei allen vertraulichen Besprechungen nach dem Beispiel Hindenburgs nur den »böhmischen Gefreiten« nannte, schien aber »Vorstellungen« und »ernste Berichte« als der Weisheit letzten Schluß zu betrachten. Anderen überließ er die Tat. Bei einer Besprechung, welche die Formulierung der gemeinsamen Forderungen an Hitler zum Gegenstand hatte, äußerte er zu Rommel: »Sie sind jung, Sie kennt und liebt das Volk, Sie müssen es machen!«

Rundstedt resignierte so nicht nur als Feldherr, sondern auch als Persönlichkeit in einem Augenblick, der den letzten Einsatz gefordert hätte. Infolge zunehmender Unbeweglichkeit blieb er an der Front im wesentlichen unbekannt, während Rommel mit seinem Charisma ohne Unterlaß persönlich auf die Soldaten einwirkte und sich schonungslos einsetzte.

Generalfeldmarschall von Rundstedt hat am 4. Juli 1944 Rommel gegenüber geäußert, er werde nie mehr ein Kommando übernehmen. So bleibt sein späteres Verhalten schwer zu erklären: der Eintritt in den sogenannten Ehrenhof nach dem 20. Juli, die Wiederübernahme des Oberbefehls am 5. September 1944, endlich die Vertretung Hitlers bei dem »Staatsakt« für den ermordeten Erwin Rommel am 18. Oktober in Ulm, wo ihm das Schicksal die einmalige Möglichkeit gab, Marc Anton gleich zu reden. Er war in der »moralischen Passivität« geblieben.

Über die militärpolitische Lage und etwa notwendig werdende Folgerungen sprach sich Rommel nicht nur mit dem Militärbefehlshaber von Frankreich, General der Infanterie Karl Heinrich von Stülpnagel, und dem Militärbefehlshaber von Belgien, General der Infanterie Alexander von Falkenhausen aus, sondern auch mit dem Generalquartiermeister, General der Artillerie Eduard Wagner, dem Reichsverkehrsminister Dr. Dorpmüller und dem Hamburger Gauleiter Kaufmann. Auch Oberstgruppenführer Sepp Dietrich, der aus seinen Bedenken gegenüber Hitler kein Hehl machte, und der versicherte, daß die SS-Verbände fest in seiner Hand seien, war zu einer offenen Aussprache zugezogen worden.

Im Auftrag Stülpnagels war Oberstleutnant der Reserve Dr. Caesar von Hofacker, ein Vetter des Grafen Stauffenberg, am 9. Juli nach La Roche-Guyon gekommen, um namens der Widerstandskräfte in Deutschland an den Feldmarschall zu appellieren, den Krieg im Westen möglichst bald selbständig zu beenden. Hofacker, ein Sohn des ehemaligen württembergischen Kommandierenden Generals im ersten Weltkrieg, in dessen Abschnitt Rommel im Oktober 1917 für die Erstürmung des Monte Matajur den Pour-le-mérite erhalten hatte, war ein ausgesprochen politischer Kopf, eine schwungvolle Persönlichkeit von starker Überzeugungskraft.

Als Ergebnis aller Beratungen wurden unter Federführung Karl Heinrich von Stülpnagels folgende Gedanken festgelegt: Westen: Festlegung der Voraussetzungen für einen Waffenstillstand mit den Generalen Eisenhower und Montgomery ohne Beteiligung

174

Hitlers. Räumung der besetzten Westgebiete, Rückführung des Westheeres hinter den Westwall, Übergabe der Verwaltung der besetzten Westgebiete an die Alliierten. Sofortige Einstellung des feindlichen Bombenkrieges gegen die Heimat. Dem Waffenstillstand – keiner bedingungslosen Kapitulation – sollten Verhandlungen für einen Frieden folgen, der den Weg zur Ordnung und nicht zum Chaos zu weisen hätte. Feldmarschall Rommel erwartete, daß die Alliierten trotz der Forderungen von Casablanca vom Januar 1943 eine solche Chance geben würden. Eden hatte ja im März 1943 vor dem Oberhaus erklärt, Ziel des Krieges sei nicht die Vernichtung des deutschen Volkes, sondern die Zerstörung des Hitlerstaates.

Die Vorbereitungen sollten so beschleunigt werden, daß vor dem Beginn der Invasion gehandelt werden konnte. Für die notwendig werdenden Verhandlungen schien eine festgefügte Westfront Vorbedingung. Die unablässige Sorge galt daher der Festigung des sogenannten Atlantikwalls. Aber die Wochen vergingen.

Am 6. Juni in der ersten Morgenfrühe begann die Invasion, und am Abend dieses entscheidenden Tags hatte der Gegner bei uneingeschränkter See- und Luftherrschaft zwischen der Orne und der Gegend nördlich Ryes trotz erbitterter Gegenwehr bereits einen Brückenkopf von fünfundzwanzig Kilometer Breite und bis zehn Kilometer Tiefe gebildet, in der Südostecke des Cotentin einen zweiten in fünfzehn Kilometer Breite und vier Kilometer Tiefe.

Die Feuerglocke schwerer und schwerster Kaliber der vereinigten britischen und amerikanischen Armada schirmte den Raum gegen Innerfrankreich ab. Die alliierte Luftwaffe flog rund 25 000 Einsätze während der Landungsoperation am 6. Juni. Nur wer selbst dieses Feuer der alliierten Streitkräfte auf der Erde, von See und aus der Luft erlebt hat, kann die verheerende Wirkung

175

beurteilen, die Hitler allen mündlichen und schriftlichen Meldungen zum Trotz nicht anerkennen wollte.

In der sich sprunghaft entwickelnden Lage vom 6. bis 8. Juni wurden von der Heeresgruppe B beim Oberbefehlshaber West und beim Oberkommando der Wehrmacht folgende dringende Anträge gestellt:

Am 7. Juni nachmittags sollten die sofort verfügbaren Kräfte der 15. Armee, die im Raum zwischen Le Havre und Lille standen, über die Seine nach Süden gezogen werden. Dem Oberbefehlshaber der Heeresgruppe B war aber vom Führerhauptquartier jede selbständige Verlegung auch nur einer einzigen Division innerhalb seines eigenen Befehlsbereichs ausdrücklich verboten worden.

Weiterhin wurde vorgeschlagen: Dünnere Besetzung der Kanalfront und Abziehen der in der Tiefenzone der 15. Armee eingesetzten acht Infanteriedivisionen. Sie sollten in Nachtmärschen – das Bahnsystem war durch Luftangriffe der Alliierten schon Wochen vor der Invasion weitgehend zerstört, Kraftwagentransportkolonnen waren nicht verfügbar – der Invasionsfront zugeführt werden, um die eingesetzten Panzer-Divisionen zu beweglicher Verwendung herauslösen zu können. Alle diese Anträge wurden zunächst abgelehnt. Erst wesentlich später – zu spät – erfolgte zögernd und »tropfenweise« die Genehmigung. Der Grund der Ablehnung war, daß Hitler und das Oberkommando der Wehrmacht weiterhin eine zweite Landung des Gegners an der Kanalküste, vor allem an der für die Alliierten naheliegenden „Vordertür", an der Straße von Dover, erwarteten. Noch über fünf Wochen lang wurde die – von uns nicht nachprüfbare – Bereitstellung von dreißig bis fünfzig Verbänden in Divisionsstärke auf der britischen Insel gemeldet, was in die allgemeine Lagebeurteilung einbezogen werden mußte. Diese Frage einer zweiten Landung sollte in den ersten sechs Invasionswochen eine bedeutende Rolle spielen.

176

Falls es zu einer solchen zweiten Landung kommen sollte, bezeichnete Rommel entsprechend seiner früheren Beurteilung als möglichen Einsatzraum die Küstenstrecke zwischen Somme und Seine. Eine weitere Landung an der stärker befestigten Kanalfront war deshalb nicht zu vermuten, weil der Gegner bald ausreichende Landeköpfe zwischen Orne und Vire und an der Ostküste des Cotentin, die vor ihrer Vereinigung standen, im Besitz hatte.

Die Ablehnung des Oberkommandos der Wehrmacht, die Divisionen der 15. Armee heranzuziehen, hat Generaloberst Jodl in Nürnberg selbst als Fehler bezeichnet. Erst in der zweiten Hälfte Juli wurde vom Oberkommando der Wehrmacht die Verlegung der brachliegenden Divisionen der 15. Armee von der Kanalfront in die Normandie befohlen. Zu diesem Zeitpunkt war aber bereits zu erwägen, ob diese Kräfte, anstatt sie für eine brüchige Küstenverteidigung zu verwenden, nicht inzwischen zweckmäßiger für den Aufbau einer Seine-Verteidigung hätten eingesetzt werden müssen, wenn man schon auf die Operationsfreiheit im Westen weiterhin verzichten wollte.

Feldmarschall Rommel forderte außerdem, die Masse der Divisionen aus der Bretagne und von den Kanalinseln abzuziehen und der Normandiefront zuzuführen. In der Bretagne konnte man sich auf die Sicherung der Küsten beschränken, die Halbinsel war operativ doch nicht zu halten, die U-Bootbasis angesichts von noch 37 einsatzbereiten Booten bedeutungslos geworden. Die Ereignisse gaben dieser Beurteilung recht.

So endete der erste Abschnitt der Invasion mit deutlichen militärischen, politischen und psychologischen Erfolgen der Alliierten. Sie hatten die ersten Krisentage dank der präzisen Zusammenarbeit ihrer Heere, Marinen und Luftwaffen und dank der großen Wirkung ihrer neuen technischen Hilfsmittel ohne größere Schwierigkeiten und Rückschläge überstanden. Ihre Lage war gefestigt. Dem Verteidiger war erneut klar geworden, daß die alliierten Streitkräfte nur dann wieder ins Meer geworfen, beziehungsweise längere Zeit in ihren Brückenköpfen gehalten werden konnten, wenn eine starke deutsche Luftwaffe und entsprechende Seestreitkräfte zum Einsatz kommen könnten und wenn von einer statischen Verteidigung abgegangen würde. Der taktische Mißerfolg der zum Gegenangriff angetretenen Verbände war nicht in der örtlichen Truppenführung oder etwa in mangelnder Einsatzbereitschaft der Truppe begründet, sondern vor allem durch die ungeheure Wirkung der gegnerischen Luft- und Seestreitkräfte. Diese hatten sogar schon in den ersten Tagen einen empfindlichen Brennstoff- und Munitionsmangel auf deutscher Seite verursacht.

Von nun an wurde das Gesetz des Handelns allein von den Alliierten bestimmt.

Dem ununterbrochenen Drängen der Feldmarschälle von Rundstedt und Rommel gab Hitler endlich nach und kam am 17. Juni in den Westen auf »seinen« Gefechtsstand bei Margival nördlich Soissons, einer Bunkergruppe vor einem Eisenbahntunnel. Rommel mußte 200 Kilometer ins rückwärtige Gebiet fahren, nachdem er um drei Uhr morgens von einer einundzwanzigstündigen Frontfahrt aus dem Cotentin zurückgekehrt war. Besondere Vorbereitungen für diese entscheidende Begegnung konnten wegen der Kürze der Zeit nicht getroffen werden.

Hitler war mit Feldmarschall Keitel und Generaloberst Jodl am frühen Morgen des 17. Juni von Metz, das er auf dem Luftwege von Berchtesgaden erreicht hatte, im Kraftwagen angekommen. Er sah fahl und übernächtig aus. Nervös spielte er mit seiner Brille und mit Bleistiften aller Farben. Er saß als einziger, gebeugt auf einem Hocker, während die Feldmarschälle und wir standen. Seine Suggestivkraft war geschwunden. Nach kurzer, frostiger Begrüßung sprach Hitler mit erhobener Stimme bitter sein Mißfallen über die geglückte Landung der Alliierten aus und suchte die Fehler bei den örtlichen Kommandeuren. Er befahl das Halten der »Festung Cherbourg« um jeden Preis. So zeigte sich auch hier, wie im Osten, der Starrsinn Hitlers, der monoman Wunschvorstellungen nachhing und nicht mehr fähig war, einer veränderten Situation durch neue Entschlüsse Herr zu werden.

Feldmarschall von Rundstedt gab nach kurzer Einleitung Rommel als dem an der Invasionsfront führenden Oberbefehlshaber das Wort. Rommel wies in schonungsloser Offenheit auf den Kardinalpunkt der Invasionsabwehr hin: Nach Versagen unserer Luft- und Seeaufklärung sei dem Feind an den schwach ausgebauten und dünn besetzten Küsten des Calvados und der Halbinsel Cotentin die Landung unter überlegenem Feuerschutz der feindlichen Luft- und Seestreitkräfte geglückt. Die an der Küste eingesetzten Divisionen seien entgegen einer feindlichen, vom eigenen Oberkommando der Wehrmacht für bare Münze aufgenommenen Falschmeldung nicht »im Schlafe überrascht« worden, sondern hätten in ihren wenig befestigten Stützpunkten bis zum letzten Atemzug gekämpft; Führung und Truppe hätten in dem ungleichen Kampf Übermenschliches geleistet. Nach Beurteilung der taktischen Lage auf dem Cotentin und bei einem Kräftevergleich mit dem Angreifer sagte Rommel den Fall von Cherbourg nahezu auf den Tag voraus und forderte die sofortige Räumung der Stadt und eine der Lage entsprechende Kampfführung im Großen. Anschließend legte Rommel die nach seiner Auffassung zu erwartenden feindlichen Operationsabsichten klar: Durchbruch aus den Räumen von Caen-Bayeux und aus der Halbinsel Cotentin nach Süden in Richtung Paris, verbunden mit einer Nebenoperation über Avranches zur Abtrennung der Bretagne.

Rommel machte deutlich, daß er nicht mehr an eine zweite Großlandung nördlich der Seine glaube, und stellte dann erneut die Forderung nach uneingeschränkter Operationsfreiheit im Westen und nach Zuführung von Panzerverbänden erster Ordnung, sowie von Luft- und Seestreitkräften. Als taktisch für den Augenblick Dringendstes erbat er eine Weisung für den zu erwartenden Durchbruch der 1. amerikanischen Armee zur Westküste des Cotentin und die Zurücknahme der Caenfront hinter die Orne. Feldmarschall von Rundstedt unterstützte überzeugend diese Forderungen. Hitler sah aber trotz dieser Beurteilung der Feindlage und der täglich absinkenden Kampfkraft nicht die Wirklichkeit und prophezeite in einer seltsamen Mischung von Zynismus und falscher Intuition in endlosem autosuggestivem Redefluß »die kriegsentscheidende Wirkung der V-Waffe«, deren Einsatz gegen den Großraum London am Vortag begonnen hatte. Er unterbrach die Besprechung und diktierte in Anwesenheit der verblüfften militärischen Umgebung dem Vertreter des Reichspressechefs persönlich den Wortlaut für die Bekanntgabe des ersten V-Einsatzes in Presse und Rundfunk. Das von beiden Feldmarschällen mit so großen Erwartungen begonnene Gespräch erstickte in einem abseitigen Monolog Hitlers.

Nach den erneuten Hinweisen der Marschälle auf die unzulängliche eigene Luftwaffe erklärte Hitler bitter, daß er von Führung und Technikern der Luftwaffe »betrogen« worden sei. Man habe die verschiedensten Typen nebeneinander entwickelt, ohne zu einem praktischen Ergebnis zu kommen.

Als Hitler den Darlegungen Rommels und Rundstedts über die erschütternde Wirkung der feindlichen Waffen bis zum Ende der Auseinandersetzung keinen Glauben schenkte, warf Rommel ihm aufgebracht vor, daß bisher noch keine maßgebliche Persönlichkeit von der Umgebung des Führers oder von den Oberkommandos der Wehrmacht, der Luftwaffe oder der Kriegsmarine an die Front gekommen sei, um sich selbst ein Urteil über Lage und feindliche Waffenwirkung zu bilden. Es werde am grünen Tisch befohlen, die frontnahe Beurteilung aller Dinge fehle. »Sie verlangen, wir sollen Vertrauen haben, und man traut uns selber nicht!« Hitler verfärbte sich auf diesen Vorwurf, blieb aber stumm.

In diesem Augenblick wurde die Annäherung feindlicher Flie-

180

gerverbände gemeldet; das machte die Verlegung der Abschluß-
besprechung in den Luftschutzraum des Führerbunkers notwendig. In dem engen Raum waren nur Hitler, die beiden Feldmarschälle, General Blumentritt, General Schmundt und ich anwesend. Rommel benutzte die Gelegenheit, seine Auffassung der
Lage, auch an den anderen Fronten, zusammenzufassen. Er sagte
den Zusammenbruch der Invasionsfront, den nicht zu hemmen-
den Durchbruch nach Deutschland, den Zerfall der italienischen
Front – Rom war am 4. Juni verlorengegangen – voraus und
bezweifelte auch das Halten der Ostfront. Außenpolitisch wies er
auf die Isolierung Deutschlands hin. Er schloß die Lagebeurteilung mit der dringenden Forderung, möglichst umgehend zu einer
Beendigung des Krieges zu kommen. Nach wiederholtem Rede-
wechsel brach Hitler das Gespräch kalt mit den Worten ab:
»Kümmern Sie sich nicht um den Weitergang des Krieges, sondern um Ihre Invasionsfront!«

Zwei Jahre später sagte Generaloberst Jodl vor dem Nürnberger
Gerichtshof: »Mehrere Generale, darunter Rommel und Rundstedt, haben immer wieder versucht, Hitler die kritische Lage
Deutschlands klar zu machen, aber er schenkte ihren Vorstellungen keinerlei Gehör.«

Die Kluft zwischen Feldmarschall Rommel und Hitler hatte
sich vertieft, aus dem Mißtrauen Hitlers schien Haß geworden zu
sein. Hitler mußte erkennen, daß hier nicht nur seine Autorität in
Frage gestellt wurde, sondern daß ihm in der starken unbeugsa-
men Persönlichkeit Rommels ein Widersacher erwachsen war,
der um so gefährlicher sein mußte, als der beliebte Heerführer
sich auf eine echte Popularität stützen konnte.

Die Unterredung hatte von 9 bis 16 Uhr gedauert. Sie wurde
nur durch ein wortkarges Eintopfessen im engsten Kreise unterbrochen, bei dem Hitler einen vorgekosteten, gehäuften Teller
mit Reis und Gemüse verschlang. Vor seinem Platz waren Pillen
und Likörgläser mit verschiedenen Medikamenten aufgereiht,

die er abwechselnd nahm. Hinter seinem Stuhl wachten zwei bewaffnete SS-Männer.

In den nächsten Tagen schon überstürzten sich die militärischen Ereignisse: Während die Alliierten ständig weitere frische Kräfte nachführten, trafen die von Hitler zugesagten Verstärkungen nicht ein. Die »Wunderwaffe« – von den Soldaten ohnehin skeptisch beurteilt – brachte keinen Erfolg.

Am 28. Juni fuhren Rommel und Rundstedt auf kurzfristigen Befehl erneut zum Vortrag bei Hitler, der noch immer auf seinem Berghof residierte, nach Berchtesgaden. Sie mußten aber Stunden warten, bis sie endlich empfangen wurden. Die Besprechung fand in großem Kreis statt, vor dem Rommel noch einmal seine Auffassung von der Notwendigkeit einer Beendigung des Krieges vortrug. Da sich Hitler von den Feldmarschällen nicht allein sprechen ließ, wiederholte Rommel bei Keitel, daß bei der rapiden Verschlechterung der Lage ein totaler Sieg, von dem Hitler soeben noch gesprochen habe, absurd sei, vielmehr sei die totale Niederlage zu erwarten. Es sei daher anzustreben – unter Verzicht auf das bisher Erreichte –, den Krieg zunächst im Westen unverzüglich zu beenden. Das sei die einzige Chance, die Front im Osten zu halten und Deutschland damit vor dem Chaos und zugleich vor der völligen Zertrümmerung durch den feindlichen Luftkrieg zu bewahren.

Nach diesem schonungslosen Bericht versprach Keitel, in diesem Sinne Hitler vorzutragen; er schien sich selber keinen Illusionen mehr hinzugeben. Resigniert erklärte er zum Schluß: »Auch ich weiß, daß nichts mehr zu machen ist!«

Trotzdem übernahm Keitel nach dem 20. Juli bei der Aburteilung und Ausstoßung seiner alten Kameraden aus dem Heer im sogenannten »Ehrenhof der deutschen Wehrmacht« eine verhängnisvolle Rolle. Hatte Hitlers Magie ihn wieder einmal bezwungen? War es jene Loyalität, ja sogar Sympathie Hitler gegenüber, dem er nach dem Bombenanschlag aus dem Staube half?

182

Oder war es Charakterschwäche? Es wird wohl eine Mischung mehrerer Momente gewesen sein, und zudem Reste jenes Festhaltens am Eid, das viele Soldaten lähmte.

Die Feldmarschälle fuhren unverrichteter Dinge mit schweren Sorgen auf ihre Gefechtsstände zurück. Sie fühlten ihre Ohnmacht und die Ausweglosigkeit ihres Bemühens. Während sich bei Rommel der Entschluß zu selbständigem Handeln festigte, zeigte sich bei Rundstedt tiefe Niedergeschlagenheit, die sich in Verbalinjurien entlud. Unmittelbar nach seiner Rückkehr auf den Gefechtsstand erfuhr Feldmarschall von Rundstedt seine sofortige Abberufung. Hitler hatte ihm nichts gesagt und seine Abwesenheit abgewartet, wie er es auch 1943 bei meinem alten Oberbefehlshaber Lanz getan hatte. Rommel abzulösen, wagte Hitler nicht; das hätte das Eingeständnis der Niederlage im Westen bedeutet.

Der Nachfolger des Oberbefehlshabers West wurde nicht Rommel, wie es Führung und Truppe im Westen erwarteten, sondern Generalfeldmarschall Günther von Kluge, der die Heeresgruppe Mitte im Osten geführt hatte. Auf diese Heeresgruppe, die danach von Generalfeldmarschall Busch und Generalfeldmarschall Model befehligt wurde, brach am 22. Juni 1944 die sowjetische Großoffensive ein, die die Rote Armee fast in einem Zug von der Beresina bis zur Weichsel brachte.

Feldmarschall von Kluge übernahm aufgrund völlig falscher militärischer Vorstellungen den Oberbefehl. Eisig warf er Rommel vor, er lege täglich Proben seiner Eigenwilligkeit ab und führe Hitlers Befehle nicht mit ganzem Herzen aus. Kluge schloß wörtlich: »Sie, Generalfeldmarschall Rommel, müssen von nun an auch bedingungslos gehorchen! Ich rate Ihnen gut!« Dieser Vorwurf führte zu einer scharfen Auseinandersetzung beider Feldmarschälle, bei der Rommel wiederholt und eindringlich auf die Gesamtlage und die sich aus ihr ergebende Notwendigkeit hinwies, Folgerungen zu ziehen. Rommel verwahrte sich laut gegen die ungerechtfertigten Angriffe Hitlers und des Oberkommandos der Wehrmacht. Die Auseinandersetzung wurde so heftig, daß Kluge mich und den Ia der Heeresgruppe, Oberst i. G. von Tempelhoff, aufforderte, das Zimmer zu verlassen.

Rommel verlangte vom neuen Oberbefehlshaber West mündlich und schriftlich die Zurücknahme seiner Vorwürfe und setzte ihm dazu eine Frist. Er empfahl, Werturteile über die Lage, die Führer und die Truppe erst nach Rücksprache mit den Armeeoberbefehlshabern, Frontkommandeuren und nach Sammlung persönlicher Erfahrungen und Eindrücke an der Front zu fällen.

Nach dieser Aussprache, in der Kluge auf die katastrophale Lage an allen Fronten überhaupt nicht eingegangen war, herrschte eine tiefe Verstimmung. Rommel war äußerst enttäuscht und verbittert, da er nach vertraulichen Unterrichtungen der berechtigten Auffassung gewesen war, daß Kluge – seit Jahren mit den Widerstandskräften in Deutschland wie Beck, Goerdeler, Canaris in Verbindung – den Fragen der Rettung des Reiches aufgeschlossen sei. Jetzt war er als Sprecher Hitlers erschienen und hatte sich ohne örtliche Frontkenntnisse im besten »Berchtesgadener Stil« geäußert.

Nach einem Reiseplan, den die Heeresgruppe ausgearbeitet hatte, begab sich Kluge am 6. Juli für zwei Tage an die Front, um mit allen erreichbaren Kommandeuren und Truppen zu sprechen. Aus dem Saulus wurde ein Paulus. Er hatte sich nach der vorübergehenden Betäubung durch die Phrasen Hitlers der erdrückenden Beweiskraft der Tatsachen, der einhelligen Auffassung aller militärischen Führer nicht entziehen können. In aller Form nahm er Rommel gegenüber seine Vorwürfe zurück und entschuldigte sein Verhalten mit der falschen Unterrichtung durch Hitler und Keitel.

Bei diesem nunmehr vertrauensvollen Gespräch beurteilte Rommel die Lage so, daß die Front nur noch vierzehn Tage bis drei Wochen zu halten und dann mit einem Durchbruch zu rechnen sei, dem man nichts mehr entgegenstellen könne. Eine weitere Aussprache am 12. Juli führte zur völligen Übereinstimmung der beiden Oberbefehlshaber über die operativen und taktischen Gegebenheiten.

Die immer erneuten, vergeblichen Versuche, Hitler zu einer realistischen Beurteilung der Lage zu bringen, die Aussichtslosigkeit, seinen Starrsinn zu überwinden, führte bei vielen hohen militärischen Führern zu Resignation und lähmte ihre Kraft zu eigener Entscheidungsverantwortung.

Rommel dagegen blieb unerschrocken. Nach täglich ungeschminkten Lagemeldungen sandte er am 15. Juli eine drei Schreibmaschinenseiten umfassende Denkschrift als KR-Blitzfernschreiben an den Oberbefehlshaber West zur Weiterleitung an Hitler. Kluge fügte diesem Memorandum einen Begleitbrief bei, wie aus seinem Abschiedsschreiben vom 18. August 1944 an Hitler hervorgeht. Rommel führte aus:

»Die Lage an der Front in der Normandie wird von Tag zu Tag schwieriger und nähert sich einer starken Krise. Die eigenen Verluste sind bei der Härte der Kämpfe, dem außergewöhnlich starken Materialeinsatz des Gegners, vor allem an Artillerie und Panzern, und der Wirkung der den Kampfraum unumschränkt beherrschenden feindlichen Luftwaffe derart hoch, daß die Kampfkraft der Divisionen sehr rasch absinkt. Ersatz aus der Heimat kommt nur sehr spärlich und erreicht bei der schwierigen Transportlage die Front erst nach Wochen. Rund 97 000 Mann (darunter 2360 Offiziere) an Verlusten – also durchschnittlich pro Tag 2500 bis 3000 Mann – stehen bis jetzt 10 000 Mann Ersatz gegenüber (davon rund 6000 eingetroffen).

Auch die materiellen Verluste der eingesetzten Truppen sind außergewöhnlich hoch und konnten bisher in nur ganz geringem Umfange ersetzt werden, z. B. von rund 225 Panzern bisher 17. Die neu zugeführten Infanterie-Divisionen sind kampfungewohnt und bei der geringen Ausstattung an Artillerie, panzerbrechenden Waffen und Panzernahbekämpfungsmitteln nicht im Stande, feindliche Großangriffe nach mehrstündigem Trommelfeuer und starken Bombenangriffen auf die Dauer erfolgreich abzuwehren. Wie die Kämpfe gezeigt haben, wird bei dem feindlichen Materialeinsatz auch die tapferste Truppe Stück für Stück zerschlagen und verliert damit Menschen, Waffen und Kampfgelände.

Die Nachschubverhältnisse sind durch Zerstörung des Bahnnetzes, die starke Gefährdung der Straßen und Wege bis 150 km hinter die Front durch die feindliche Luftwaffe derart schwierig, daß nur das Allernötigste herangebracht werden kann und vor allem mit Artillerie- und Werfermunition überall äußerst gespart werden muß. Diese Verhältnisse werden sich voraussichtlich nicht bessern, da der Kolonnenraum durch Feindeinwirkung immer mehr absinkt und die feindliche Lufttätigkeit bei Inbetriebnahme der zahlreichen Flugplätze im Landekopf voraussichtlich noch wirkungsvoller wird.

Neue nennenswerte Kräfte können der Front in der Normandie ohne Schwächung der Front der 15. Armee am Kanal oder der Mittelmeerfront in Südfrankreich nicht zugeführt werden. Allein die Front der 7. Armee benötigt aber dringend 2 frische Divisionen, da die dort befindlichen Kräfte abgekämpft sind.

Auf der Feindseite fließen Tag für Tag neue Kräfte und Mengen von Kriegsmaterial der Front zu. Der feindliche Nachschub wird von der eigenen Luftwaffe nicht gestört.

Der feindliche Druck wird immer stärker.

Unter diesen Umständen muß damit gerechnet werden, daß dem Feind in absehbarer Zeit gelingt, die dünne eigene Front, vor allem bei der 7. Armee, zu durchbrechen und in die Weite des französischen Raumes zu stoßen. Auf anliegende Meldungen der 7. Armee und des II. Fallsch. Jg. Korps darf ich hinweisen. Abgesehen von örtlichen Reserven der Panzergruppe West, die zunächst

186

durch die Kämpfe an der Front der Panzergruppe gebunden sind und bei der feindlichen Luftherrschaft nur nachts marschieren können, stehen keine beweglichen Reserven für die Abwehr eines derartigen Durchbruchs bei der 7. Armee zur Verfügung. Der Einsatz der eigenen Luftwaffe fällt wie bisher nur ganz wenig ins Gewicht.

Die Truppe kämpft allerorts heldenmütig, jedoch der ungleiche Kampf neigt dem Ende entgegen. Es ist m. E. nötig, die Folgerungen aus dieser Lage zu ziehen. Ich fühle mich verpflichtet, als Oberbefehlshaber der Heeresgruppe dies klar auszusprechen.

Rommel«

Die ursprüngliche Fassung des Schlusses lautete:

»Unter diesen Umständen muß damit gerechnet werden, daß es dem Feind in absehbarer Zeit – 14 Tage bis drei Wochen – gelingt, die dünne eigene Front, vor allem bei der 7. Armee, zu durchbrechen und in die Weite des französischen Raumes zu stoßen. Die Folgen werden unübersehbar sein.

Die Truppe kämpft allerorts heldenmütig, jedoch der ungleiche Kampf neigt dem Ende entgegen. Ich muß Sie bitten, die politischen Folgerungen aus dieser Lage unverzüglich zu ziehen. Ich fühle mich verpflichtet als Oberbefehlshaber der Heeresgruppe, dies klar auszusprechen. Rommel, Feldmarschall.«

Um Hitler nicht unnötig zu provozieren, war die Zeitangabe »14 Tage bis drei Wochen« und die Worte »die politischen Folgerungen« entfallen.

Zum letzten Male hatte der Feldmarschall warnend seine Stimme erhoben und äußerte nach Absendung des ultimativen Fernschreibens Vizeadmiral Ruge und mir gegenüber: »Ich habe ihm jetzt die letzte Chance gegeben. Wenn er keine Konsequenzen zieht, werden wir handeln.«

Noch standen die schönsten deutschen Städte, die vom Feldmarschall so sehr geliebte Heimat war noch nahezu unversehrt, der Großteil deutschen Landes vom Orkan der Vernichtung verschont. Die Heere der Sowjets waren noch genügend weit von der Ostgrenze entfernt. Unnötige und nicht zu verantwortende Opfer, der Tod von Abertausenden aus allen Nationen, das Grauen des letzten Todeskampfes auf deutschem Boden waren noch zu vermeiden.

Erwin Rommel war sich über die letzten Konsequenzen seines Entschlusses zu selbständiger Tat völlig im klaren und gab sich auch über die schonungslose Härte der zu erwartenden Friedensbedingungen keinen Illusionen hin. Er hoffte aber auf ein bescheidenes Maß staatsmännischer Einsicht, psychologischer Klugheit und politischer Planung in den alliierten Überlegungen. Mit Mitleid oder Milde rechnete er nicht. Er vertraute jedoch auf den kühlen Verstand der Großmächte, die kein Interesse daran haben könnten, ganz Europa und das deutsche Reich der Sowjetunion zu überantworten.

Wie kaum je in jenen schwerbelasteten Wochen war er an diesem Abend von einer tröstlichen Zuversicht bewegt, die ihre Bestätigung auch im Aufblick zur Bahn der ewigen Gestirne fand.

Allen durch solche Gedanken Verbundenen sollte aber in diesen Tagen sichtbar werden, daß die unerforschliche höhere Macht, in deren geheimnisvollen Händen der Menschen Schicksal liegt, ihre eigenen Wege geht.

Am 17. Juli erspähten feindliche Jagdbomber den allein fahrenden Kraftwagen des Feldmarschalls und jagten ihn. In der Nähe eines Weilers, der den Namen seines großen Gegners trug, Sainte-Foy de Montgomery, spritzte kurz vor der rettenden Deckung, einem Pappelknick, die Geschoßgarbe von Tieffliegern auf den Wagen. Der Fahrer wurde tödlich getroffen, der Feldmarschall so schwer verwundet, daß man zunächst an seinen Tod glaubte. Er hatte neben zahlreichen Splitterverletzungen am Kopf und einer Verletzung des linken Auges einen schweren Schädelbasisbruch und Brüche an Schläfe und Backenknochen erlitten. Infolge dieser

Verwundungen und einer schweren Gehirnerschütterung lag er längere Zeit bewußtlos. Als ich ihn am 22. Juli vormittags im Luftwaffenlazarett Bernay besuchte, war er jedoch bei klarem Bewußtsein.

Rommel war in der Stunde ausgeschaltet, in der ihn Heer und Volk am wenigsten entbehren konnten.

Als Nachfolger schlug Hitler den SS-Obergruppenführer Hausser vor, was aber Feldmarschall von Kluge entschieden ablehnte; er übernahm selbst in Personalunion am 19. Juli abends die Führung der Heeresgruppe B. Er bezog auch unseren Gefechtsstand von La Roche-Guyon, während der Chef des Generalstabs OB West, General Blumentritt, die außerhalb des Bereiches der Heeresgruppe B liegenden Aufgaben in St. Germain weiterführte.

Am 20. Juli früh fuhr Generalfeldmarschall von Kluge auf den Gefechtsstand der 5. Panzer-Armee, wohin er die Oberbefehlshaber und Kommandierenden Generale der Normandiefront befohlen hatte. Er gab Anweisungen für die Kampfführung, hauptsächlich an den beiden Schwerpunkten Caen und St. Lô; politische Fragen wurden nicht erörtert. Um 17 Uhr riefen General Blumentritt und Oberst i. G. Finckh mich an und teilten mit, daß Hitler tot sei. Als Kluge zwischen 18 und 19 Uhr zurückkam, lag aber die Rundfunknachricht vom Mißlingen des Anschlags von Graf Stauffenberg auf Hitler bereits vor. Um diese Zeit rief Generaloberst Beck aus der Bendlerstraße Kluge an und forderte ihn auf, selbsttätig zu handeln. Kluge zögerte und versuchte, sich durch einen Rückruf bei General Stieff im OKH über die Lage zu vergewissern. Stieff bestätigte den Fehlschlag.

Eine Stunde später, zwischen 19 und 20 Uhr, kamen Generalfeldmarschall Sperrle, die Generale von Stülpnagel und Blumentritt auf den Gefechtsstand Kluges. General von Stülpnagel und der ihn begleitende Oberstleutnant Dr. von Hofacker versuchten in eindringlichen Vorstellungen, Kluge zum Eingreifen in die schicksalhaften Ereignisse zu bewegen. Wohl sei das Attentat mißglückt, aber in Berlin sei die Führung in die Hände von Generaloberst Beck übergegangen. Nur durch eine sofortige Beendigung des Krieges im Westen – ja eine Kapitulation – könnten vollendete Tatsachen geschaffen und doch noch ein Erfolg der bisher mißglückten Erhebung erreicht werden.

General von Stülpnagel hatte vor seiner Abfahrt dem Kommandanten von Paris, Generalleutnant Freiherrn von Boineburg, die Weisung erteilt, den höheren SS- und Polizeiführer Frankreichs, Obergruppenführer Oberg, mit seinem Stab und mit dem gesamten SD – etwa 1200 Mann – festnehmen und in Gewahrsam bringen zu lassen. Diese Aktion, die an den Pariser Umsturzversuch von General Malet gegen Napoleon während des Rußlandfeldzugs erinnerte, ging noch in den Abendstunden durch Sicherheitsverbände des Heeres unter dem Obersten von Kraewel vor sich, ohne daß ein Schuß fiel. Der Truppe wurde die Aktion gegen den SD mit der Begründung erklärt, daß Hitler durch SS-Verbände beseitigt worden und eine Gewaltherrschaft der SS zu befürchten sei.

Feldmarschall von Kluge konnte sich aber auch nach weiteren Ferngesprächen mit den Generalobersten Beck, Hoepner und Fromm in der Bendlerstraße, mit den Generälen Warlimont und Stieff im Hauptquartier nicht entschließen, eine Erhebung im Westen in die Hand zu nehmen. Jede selbständige Maßnahme im Westen hielt er nach dem Scheitern des Aufstandsversuchs in Berlin und im Führerhauptquartier nicht mehr für durchführbar, vor allem glaubte er sich der Führung und der Truppe nicht mehr sicher, da Hitler nicht ausgeschaltet war. Schließlich gab Kluge dem Militärbefehlshaber die Weisung, den SD frei zu lassen. Das Schicksal General von Stülpnagels war damit besiegelt.

In diesen dramatischen Abendstunden standen die Fronten bei Caen und St. Lô in einer Abwehrkrise. Oberbefehlshaber und Chefs riefen an, erbaten Reserven und verlangten zugleich Klarheit über die Ereignisse im Führerhauptquartier und in Berlin, die sie aus dem Rundfunk erfahren hatten. Da Kluge durch seine Ferngespräche und Besucher gebunden war, hatte ich diese Fragen zu beantworten und die notwendigen Entscheidungen allein zu treffen, damit die Front wenigstens noch ein paar Tage oder Wochen gehalten würde. Es waren einige meiner schwersten Stunden.

Kluge behielt noch General von Stülpnagel und seine Begleiter, Oberstleutnant Dr. Caesar von Hofacker und Militärverwaltungsrat Dr. Max Horst, meinen Schwager, zum Abendessen im engsten Kreise bei sich. Bei Kerzenschimmer wurde das Mahl wortlos wie in einem Totenhaus eingenommen, die Atmosphäre dieser gespenstischen Stunde bleibt den überlebenden Teilnehmern unvergessen. Stülpnagel fuhr spät nach Paris zurück. Noch in der Nacht wurde er seiner Stellung enthoben und interimistisch durch General der Infanterie Blumentritt ersetzt. Hitler verkündete über den Rundfunk: »Diesmal wird mit dem Offizierskomplott so abgerechnet, wie wir das als Nationalsozialisten gewohnt sind.« Generalfeldmarschall Keitel befahl Stülpnagel fernmündlich »zur Berichterstattung« nach Berlin. Ohne vorherige Benachrichtigung Kluges fuhr er am 21. Juli früh von Paris ab und versuchte in der Nähe von Verdun, wo er im Weltkrieg gefochten hatte, seinem Leben mit der Pistole ein Ende zu machen. Mit einer schweren Schußverletzung, die ihn nicht das Leben, sondern das Augenlicht gekostet hatte, wurde er in das Kriegslazarett Verdun eingeliefert und sofort als Gestapo-Häftling behandelt. Als er nach einem operativen Eingriff aus der Bewußtlosigkeit erwachte, sprach er von Rommel. Wenige Wochen später wurde der General in Berlin vor den Volksgerichtshof gestellt, zum Tode durch den Strang verurteilt und am 30. August mit seinen Verschworenen, den Obersten i. G. Finckh und von Linstow, hingerichtet. Oberstleutnant von Hofacker erlitt am 20. Dezember das gleiche Schicksal; in ungebeugter Haltung begegnete er mir das letzte Mal am 19. Dezember auf dem Flur des Gestapo-Kellers der Prinz-Albrecht-Straße in Berlin. Nur mit den Augen konnten wir uns grüßen.

Feldmarschall von Kluge hatte erstmals im April 1942 Oberbürgermeister Dr. Goerdeler in seinem Hauptquartier bei Smolensk empfangen; ein Gedankenaustausch mit Generaloberst Beck, Botschafter von Hassell und anderen Gleichgesinnten hatte sich angeschlossen. 1943 soll sich Kluge nach allen Berichten unter zwei Voraussetzungen für eine Beteiligung am Sturz der Gewaltherrschaft bereit erklärt haben: Tod Hitlers und Übertragung des Oberbefehls über eine der Gesamtfronten im Osten oder Westen. Während die zweite Voraussetzung seit dem 4. Juli erfüllt war, blieb die entscheidende erste aus. Bei Übernahme des Oberbefehls im Westen wurde ihm auf Veranlassung des allerdings ahnungslosen Chef-Adjutanten Hitlers, des Generalleutnants Schmundt, sein langjähriger Ia bei der Heeresgruppe Mitte, Generalmajor von Tresckow, als Chef des Generalstabes zugeteilt. Kluge lehnte aber diesen Chefwechsel, wohl aus Sorge vor der revolutionären Dynamik Tresckows ab. So kam Tresckow, einer der leidenschaftlichsten und reinsten Kämpfer gegen Hitler, ein überragender Geist und Charakter, nicht nach dem Westen, wo er in entscheidender Stunde seinen Oberbefehlshaber hätte beeinflussen können. Als Generalstabschef der 2. Armee im Osten setzte er seinem Leben am 21. Juli ein Ende, um den Henkern zu entgehen. Er schien keinen Zweifel zu haben, daß sein Name bei den Verhören der Verhafteten fallen würde. Und er mag auch bezweifelt haben, ob er selbst der Folter standhalten würde.

Am 21. Juli vormittags erschien auf Weisung von Goebbels und Keitel der nationalsozialistische Führungsoffizier des Oberbefehlshabers West mit Vertretern der Propagandaabteilung Frankreich in La Roche-Guyon, um von Feldmarschall von Kluge nicht nur ein Ergebenheitstelegramm an Hitler, dessen Fassung sie vorlegten, zu erzwingen, sondern auch eine Rundfunkansprache über alle deutschen Sender zu fordern. Ein »Glückwunschtelegramm« zur Errettung Hitlers ging in abgemilderter Form ab, die Rundfunkrede konnten wir verhindern.

Trotzdem wurde Günther von Kluge in den Todesstrudel des 20. Juli gerissen. Das Schicksal machte vor einem Manne nicht halt, dessen Einsicht im Widerspruch zu seiner inneren Bereitschaft, sie zu verwirklichen, zu stehen schien.

Der bisherige Chef des Generalstabes des Heeres, Generaloberst Zeitzler, war kurz zuvor abgelöst und durch Generaloberst Guderian ersetzt worden, der bis dahin Generalinspekteur der Panzertruppe war, seit er nach den Winteroperationen vor Moskau bei Hitler in Ungnade gefallen war. In den zurückliegenden Jahren hatte er selbst für einen Wechsel im Oberbefehl plädiert. Mitte Mai 1944 besprach er auf unserem Gefechtsstand in La Roche-Guyon mit Feldmarschall Rommel den möglichen Einsatz der Panzerverbände und die Abwehrmaßnahmen für die bevorstehende Invasion. Bei dieser Gelegenheit erörterte er auch mit dem Feldmarschall in meiner Gegenwart die Notwendigkeit, den Krieg so schnell wie möglich zu beenden, und erwog wiederum Möglichkeiten für eine Änderung der Führung.

Zu unser aller Überraschung erließ Guderian am Abend des 20. Juli 1944 einen Tagesbefehl über die Schuld des Generalstabes an der Vorbereitung und Durchführung des Attentatsversuches. Im Einverständnis mit Kluge wurde dieses Fernschreiben von uns an die nachgeordneten Dienststellen nicht weitergegeben.

Wie schwer es war, sich dieser Situation im Widerstreit zwischen Ablehnung und Anpassung, zwischen Auflehnung und Gehorsam gewachsen zu zeigen, läßt sich am Verhalten nicht nur Guderians erkennen.

Gleich darauf wurde die militärische Ehrenbezeigung durch den »Deutschen Gruß« der NSDAP ersetzt. Er wurde der Wehrmacht in einem Augenblick aufgezwungen, wo jeder Soldat den nahen Zusammenbruch des Systems, den dieser Gruß symbolisierte, ahnte; diese Farce war ein weiterer Akt der »Gleichschaltung«.

Die Kampfereignisse nahmen jetzt einen immer reißenderen Verlauf. Am 24. Juli warnte das Oberkommando der Wehrmacht, von der Abwehr des Feinddurchbruchs auf dem Cotentin hänge die Entscheidung im Westen ab. Zugleich wurde aber das Verbot freier Operationen erneuert. General Patton jedoch, der temperamentvolle Oberbefehlshaber der neu nach dem Cotentin überführten 3. amerikanischen Armee, deren Landung das Oberkommando der Wehrmacht immer noch an anderer Stelle erwartet hatte, strebte rücksichtslos in den freien Raum.

Bei dem Fehlen jeglicher Reserven, vor allem der Luftwaffe, waren Befehle, »jeden Fußbreit Boden unter allen Umständen zu verteidigen« und den Gegner am Durchbruch zu hindern, nichts anderes als Hitlersche Phrasen.

Der Schwerpunkt an der Invasionsfront hatte sich auf den Westflügel zu den beiden amerikanischen Armeen verlagert; hier war der Durchbruch nach Süden und Südosten unter Abschnürung der Bretagne in den nächsten Tagen zu erwarten. Damit war nicht nur eine Westumfassung der 7. und der 5. Panzerarmee in der Normandie angebahnt, sondern auch die entscheidende Operation in den Großraum Paris und darüber hinaus nach Deutschland hinein: der Anfang vom Ende. Jetzt konnten nur noch ganze Maßnahmen helfen, das heißt Aufgabe der Mittelmeerfront, Rückführung der Armeegruppe G nach Norden, Ausscheidung aller beweglichen Reserven zur operativen Verwendung, Einrichtung der Seinelinie zur Verteidigung.

Wenn uns auch klar war, daß mit den vorgeschlagenen großräumigen Entscheidungen am Ausgang des Kampfes im Westen nichts mehr zu ändern war, so konnten doch sinnlose Opfer vermieden werden und die Grundlage für mögliche Verhandlungen blieb gewahrt.

Hitler und das Oberkommando der Wehrmacht waren aber zu keinem solchen Entschluß zu bewegen.

Wir hatten alle Reserven der 7. Armee an die Cotentinfront

gezogen, die vom Oberkommando der Wehrmacht zugesagten Panzerabwehrkräfte blieben aber aus. Die erneut beantragte Heranziehung des XXV. Armeekorps aus der Bretagne mit fünf Divisionen wurde vom Oberkommando der Wehrmacht abgelehnt. Auch die Front zwischen Caen und St. Lô war bis zu einem kaum noch tragbaren Maße entblößt.

In der Nacht vom 30. auf 31. Juli 1944 nahmen Panzerkräfte der Armee Patton Avranches in Besitz. Der Durchbruch des Feindes stand jetzt greifbar bevor, der Höhepunkt der Krise war erreicht. Zwischen dem Raum von St. Lô und der Bucht von St. Malo war der Zusammenhang der Front zerrissen. Kampfgruppen unter tapferen Männern hielten noch als Wellenbrecher, deren Überspülung nur noch eine Frage von Tagen oder gar Stunden war. Kluge wies auf diesen entscheidenden Wendepunkt in einem persönlich geführten Ferngespräch mit Generaloberst Jodl hin. Er erinnerte dabei an die Peripetie des Geschehens in der Marneschlacht 1914. Vergeblich! Statt dessen befahl Hitler am 1. August 1944 der Heeresgruppe B: »Der Feind darf unter keinen Umständen zur Operation ins Freie gelangen. Heeresgruppe B bereitet mit sämtlichen Panzerverbänden einen Gegenangriff vor, um bis Avranches durchzustoßen, den durchgebrochenen Feind abzuschneiden und zu vernichten. Alle verfügbaren Panzerverbände sind dazu ohne Ersatz aus dem augenblicklichen Einsatz zu lösen und unter General der Panzertruppe Eberbach anzusetzen. Die Entscheidung des Feldzuges in Frankreich hängt von diesem Angriff ab.«

Kluge verwahrte sich sofort gegen diesen Befehl, der den Zusammenbruch der Normandiefront von der Orne bis südlich St. Lô zur sicheren Folge haben und die Katastrophe noch beschleunigen mußte. Er verlangte die sofortige Meldung seiner Auffassung an Hitler, der mitteilen ließ, daß er auf der Durchführung seines Befehls bestehe. Kluge machte nochmals pflichtgemäß auf die mit Wahrscheinlichkeit eintretenden Folgen dieses

Befehls aufmerksam, vor allem auf den sicheren Zusammenbruch der Normandiefront gegenüber der 2. britischen Armee, wenn die Panzer als Rückgrat der Verteidigung aus der Front herausgezogen werden müßten. Er schlug erneut operative Entschlüsse vor, vor allem Absetzen und Verteidigung hinter der Seine, Aufgabe von Süd- und Mittelfrankreich. Generaloberst Jodl lehnte die operativen Ideen der Heeresgruppe B mir gegenüber nochmals in scharfer Form ab und sprach im Stile seines Herrn von einer »Vernichtung des Gegners in der Normandie durch den vorgesehenen Panzerangriff« und von der damit verbundenen Wende an der Invasionsfront.

Unter Führung von General Eberbach mußte eine Angriffstruppe gebildet werden, die auf das rund fünfundzwanzig Kilometer entfernte Ziel Avranches durchbrechen sollte. Der Angriff scheiterte nach Anfangserfolgen am 7. August. Im vernichtenden feindlichen Feuer hatten die spärlichen deutschen Kräfte mehr als die Hälfte ihrer Panzer eingebüßt. Hitler verkannte immer noch völlig die Lage, denn er befahl am 8. August im Anschluß an den Angriff der Gruppe Eberbach »die alliierte Invasionsfront von Westen nach Osten aufzurollen«.

Nach dem Scheitern des Gegenangriffs beantragte Kluge erneut die Aufgabe von Südfrankreich und schlug vor, die Armeegruppe G sofort in die Linie Seine-Loing-Loire von Gien-Nevers bis zur Schweizer Grenze bei Gex zurückzunehmen. Für die untere Seine waren Verteidigungsmaßnahmen seit Mitte Juli erkundet und befohlen worden. Das Oberkommando der Wehrmacht verschob die Entscheidung.

Der von Hitler befohlene Gegenangriff aus dem Raum Mortain in Richtung Avranches legte die deutschen Panzerverbände des Westens südlich der Seine fest und verbrauchte sie. Dieser Befehl widersprach nicht nur den Gesetzen der Strategie, sondern auch der reinen Vernunft. Dem Feind wurde dadurch ein entscheidender und unverhoffter Vorteil geschenkt.

Ein Beispiel für zügige Panzerführung gab der Oberbefehlshaber der 3. amerikanischen Armee, General Patton, der vom 9. auf den 10. August über Laval und die Linie Alençon – Le Mans in Richtung Paris vorstieß. Die trotz des ausdrücklichen Verbots von Hitler in den Raum südlich Alençon geworfene 9. Panzer-Division verzögerte wenigstens den stürmischen Vormarsch der 3. amerikanischen Armee nach Osten und band Kräfte. Nun fehlte das XXV. Armeekorps, das in der Bretagne noch immer nutzlos bataillierte. Immer neue amerikanische Kräfte strömten nach, überlegen in Bewaffnung und Beweglichkeit. Die Heeresgruppe meldete als vermutliche Feindabsicht die Einkesselung der 5. Panzerarmee und der 7. Armee westlich der unteren Seine und verlangte ein sofortiges Absetzen hinter die Seine sowie die Zurücknahme der Armeegruppe G zum Anschluß nach Osten.

Auch die Beurteilung der Feindstärken durch Kluge wurde von Hitler nicht geteilt. Das Führerhauptquartier kannte nur »feindliche Panzerspitzen«, die durch »improvisierte Jagdkommandos« außer Gefecht gesetzt werden sollten. In Wirklichkeit handelte es sich um kampfkräftige Panzerdivisionen.

Dagegen verlangte Hitler von der hart mitgenommenen Panzergruppe Eberbach eine Wiederholung des Angriffs zur Küste; Feindstärke und unzureichende eigene Kampfkraft ließen ihn bereits im Ansatz zusammenbrechen.

Kluge hatte seit den Ereignissen des 20. Juli an Spannkraft verloren und sah gedrückt dem unabwendbaren Zusammenbruch entgegen. Verzweifelt suchte er nach Auswegen, nachdem er am 20. Juli nicht zur Tat gefunden hatte. Trotz wiederholter Anregung konnte er sich nicht entschließen, selbständig und rechtzeitig die Front südlich der Seine aufzugeben, die Armeegruppe G zurückzuführen und eine neue Operation zu beginnen, welche die noch erhaltenen Kräfte sparsam zur Wirkung gebracht hätte. Als starke Feindkräfte über die Linie Domfront – Alençon nach

Norden Richtung Falaise zur Umklammerung der beiden Nor-
mandie-Armeen einschwenkten, andere Feindverbände Richtung Paris weiterstießen, fuhr er am 12. August in den Raum
südlich Falaise zur Aussprache mit den Armeeführern und Kommandierenden Generalen. Die ihn begleitende Funkstelle fiel an
diesem Vormittag durch einen Volltreffer aus. Damit riß die
Verbindung mit Hitlers Hauptquartier ab. Vom Mittag an rief
mich Jodl wiederholt an, um im Auftrage Hitlers zu fragen, was
ich von der Möglichkeit hielte, daß Generalfeldmarschall von
Kluge zum Feind gefahren sein könnte. Als Kluge schließlich
zurückkehrte, war folgendes Fernschreiben Hitlers eingelaufen:
»Feldmarschall von Kluge hat sich aus dem Kessel von Falaise
herauszubegeben und die Schlacht in der Normandie vom Gefechtsstand der 5. Panzer-Armee aus zu leiten.« Dieser Befehl
zeigte erneut, in welchem Maße Hitler von Mißtrauen und Nervosität beherrscht war.

Das Vertrauen von Führung und Truppe war angesichts der
widersprüchlichen Befehle und der daraus erkennbaren vollkom-
menen Unsicherheit Hitlers zerstört. Wenn Kluge auch tatsächlich im Kessel die Gesamtfront nicht führen konnte, so war doch
sein Erscheinen an der Front für die Stimmung der Truppe von
hohem Wert, ganz abgesehen davon, daß eine Aussprache mit den
örtlichen Kommandeuren für seine Lagebeurteilung wichtig war.

Am 13. August liefen erste Meldungen von Truppenverschif-
fungen in Algier ein. An der französischen Mittelmeerküste
erfolgte zwei Tage darauf als Nebeninvasion die Landung der
7. US-Armee, die dreizehn Jahre danach meinem NATO-Kom-
mando unterstehen sollte. Hitler und das Oberkommando der
Wehrmacht lehnten ein Absetzen der Armeegruppe G mit ihren
neun Divisionen, die allerdings in ihrer Unbeweglichkeit von nur
geringem Kampfwert waren, ab. Sie wollten noch nicht an diese
Landung und den Zusammenhang mit den alliierten Operationen
zwischen Seine und Loire glauben.

Der Ausbruch der 5. Panzer-Armee und der 7. Armee aus dem immer enger sich schließenden Ring von Falaise wurde von Hitler am 15. August entgegen einem erneuten Antrag der Heeresgruppe B verboten. Da entschloß sich Generalfeldmarschall von Kluge, ihn in eigener Verantwortung zu befehlen.

Am 16. August nachmittags erschien ohne vorherige Ankündigung Generalfeldmarschall Model auf dem Gefechtsstand La Roche-Guyon. Er hatte den Oberbefehl über die Heeresgruppe Mitte im Osten innegehabt, nachdem deren Gesamtfront durch die sowjetische Großoffensive in Weißrußland vom 22. Juni zusammengebrochen und zum Rückzug auf Ostpreußen gezwungen gewesen war.

Model übergab ein Handschreiben Hitlers, in dem dieser aufführte, daß er sich entschlossen habe, Generalfeldmarschall Model zum Oberbefehlshaber West und Oberbefehlshaber der Heeresgruppe B zu ernennen. Er habe den Eindruck, daß Generalfeldmarschall von Kluge infolge der Belastung in den vorhergegangenen Wochen den Anforderungen der Führung gesundheitlich nicht mehr gewachsen sei. Model trug die Brillanten zum Ritterkreuz des Eisernen Kreuzes, die Hitler ihm überraschenderweise zugleich mit der Mitteilung seiner neuen Verwendung verliehen hatte.

Kluge trat Model souverän gegenüber; er wies auf die nun notwendig gewordene Eigenverantwortlichkeit des OB West hin, auch gegenüber der Obersten Führung. Schmerzlich sei für ihn, seine Truppe, die im Kessel von Falaise auf Hitlers Befehl sinnlos verblute und mit der er sich bis zum letzten Atemzuge verbunden fühle, verlassen zu müssen.

Am 18. August, 5 Uhr, fuhr Kluge nach bewegendem Abschied von unserem Gefechtsstab von La Roche-Guyon ab, das schon unter Artillerie- und Granatwerferfeuer der Spitzen der 1. amerikanischen Armee lag. Zwischen Verdun und Metz ließ Kluge den Wagen halten; er schied durch Gift freiwillig aus dem Leben. Nur vier Wochen zuvor hatte Stülpnagel nach den dramatischen Stunden in La Roche-Guyon seinem Leben unweit dieser Stelle ein Ende zu setzen versucht. Kluges Tod wurde in der Öffentlichkeit verschwiegen.

Kluge hat noch einen Brief an Hitler hinterlassen, den er in den Stunden nach Mitternacht diktiert haben muß; er ist vom 18. August datiert. Noch einmal faßte er die Gründe und die Zwangsläufigkeit des Zusammenbruchs der Invasionsfront zusammen. Dann machte er deutlich, daß bei der Überlegenheit der gegnerischen Kräfte eine Verhinderung des Durchbruchs von Avranches unmöglich gewesen war, nachdem die zugesagten Hilfen nie eingetroffen und alle seine operativen Vorschläge abgelehnt worden seien. Der von Hitler entgegen seinen Anträgen befohlene Gegenangriff von Mortain habe die Lage der Heeresgruppe ausschlaggebend verschlechtert. Kluge schloß beschwörend: »Wenn Ihre neuen Waffen keinen Erfolg haben sollten, hauptsächlich in der Luft, müssen Sie den Krieg beenden . . . Das deutsche Volk hat so unsagbar gelitten, daß es höchste Zeit ist, diesem Schrecken ein Ende zu bereiten.«

Inzwischen spitzte sich die Lage um Paris zu. Am 14. August hatte Kluge noch die Oberbefehlshaber der Marinegruppe West und der Luftflotte drei, den neuen Militärbefehlshaber in Frankreich, General der Flieger Kitzinger, und den neu ernannten »Kommandanten von Groß-Paris«, General der Infanterie von Choltitz in St. Germain zu einer Besprechung versammelt, auf der die Verteidigung von Paris besprochen werden sollte. Hitler hatte wieder einmal die Verteidigung bis zum letzten Mann und Vorbereitungen zur Sprengung der 67 Seinebrücken befohlen.

Kampfkräftige Truppen zur Verteidigung der Millionenstadt waren aber überhaupt nicht vorhanden, nur eine ad hoc zusammengestellte Brigade ohne schwere Waffen, die lediglich sichern und aufklären konnte. Auch war jedem Einsichtigen klar, daß ein

200

längeres Halten von Paris schon aus Versorgungsgründen unmöglich war. Dieselben Gründe hatten ja auch 1940 die Franzosen zur Übergabe von Paris veranlaßt.

Ehe noch die 1. Armee mit ihren Alarmeinheiten und rückwärtigen Diensten, denen an Kampftruppen nur die 48. Division, Teile der 338. Division und das Sturmbataillon einen Rückhalt gaben, ihre weit gespannte Front auch nur notdürftig sichern konnte, hatte die Armee Patton zwischen Melun und Fontainebleau die Seine überwunden; ihre gepanzerten Spähtrupps stießen bereits bis Troyes vor. Stromabwärts von Paris schob der Gegner Kräfte beiderseits von Mantes auf das Nordufer der Seine und fühlte in Richtung Beauvais vor.

Am 23. August erhielt die Heeresgruppe B von Hitler erneut den Zerstörungsbefehl für alle Seine-Brücken und andere wichtige Objekte in Paris, »auch wenn Wohnviertel und Kunstdenkmäler dadurch vernichtet« würden.

Ich gab den Befehl in Abwesenheit des an der Front befindlichen Oberbefehlshabers an den Kommandanten von Groß-Paris, General von Choltitz, nicht weiter. Er hatte ihn aber unmittelbar vom Oberkommando der Wehrmacht über den Oberbefehlshaber West erhalten. General von Choltitz rief mich an und bat um Weisung. Mit Rücksicht auf die Abhörgefahr gab ich ihm die Antwort, er möge der Lage und der Entwicklung der Dinge entsprechend handeln, die Heeresgruppe B habe den Zerstörungsbefehl jedenfalls nicht weitergegeben. Im übrigen werde auf die vorangegangenen mündlichen Unterredungen verwiesen. General von Choltitz ließ die Sprengungen nicht durchführen, so daß unersetzliche Baudenkmäler der herrlichen Stadt vor der Vernichtung bewahrt blieben.

Am 24. August drang die 2. französische Panzer-Division des Generals Leclerc von Süden her in Paris ein. Der Widerstand einzelner schwacher Stützpunkte dauerte nur kurz. Noch am Nachmittag desselben Tages übergab General von Choltitz die

Stadt und ging in Gefangenschaft. Vielleicht wäre eine frühere Räumung der Stadt und der Abzug aller in ihr befindlichen Kräfte nach Norden eine zweckmäßige taktische Lösung gewesen. Sie hätte freilich dem Kommandierenden General wie zuvor dem General Graf Sponeck das Todesurteil bringen können. Model leitete ohnedies nach Übergabe der Stadt gegen General von Choltitz ein »Feigheitsverfahren« in absentia ein. Wenige Wochen später wurde ich in der Gestapohaft zu dem Verhalten von Choltitz in den kritischen Stunden vernommen.

Sobald der Verlust von Paris dem Oberkommando der Wehrmacht bekannt geworden war, befahl Adolf Hitler jeden zu dieser Zeit noch möglichen Einsatz der Fernartillerie, der V-Waffe und aller erreichbaren Fliegerverbände auf Paris. Der Zerstörungsbefehl war als »moralisches Kampfmittel« gedacht. Dem Gegner wie dem eigenen Volk sollte die Entschlossenheit gezeigt werden, Frankreich nicht kampflos zu räumen. Zugleich wollte er Rache für die im Bombenkrieg zerstörten deutschen Städte nehmen.

Strategisch war ein solcher Befehl nicht zu verantworten, von moralischen Bedenken ganz zu schweigen. Schon die Verteidigung der militärisch wertlosen Stadt war weder taktisch noch operativ gerechtfertigt, nachdem die Seine, ober- und unterhalb von Paris, von stärkeren Feindkräften längst überschritten worden war.

Auch diesen Befehl gab ich nicht weiter. So blieb Paris in letzter Stunde – auch nach der Räumung – vor der Zerstörung bewahrt.

Die Ereignisse der letzten Augustwoche glichen einem reißenden Strom, der durch keinen Damm mehr aufzuhalten war. Die 15. Armee übernahm die westliche Front zwischen Küste und Amiens; die 7. Armee versuchte nach Sammlung ihrer Reste nördlich der Seine mit der von der 15. Armee zugeführten 275. Infanterie-Division eine Widerstandslinie zwischen Somme und Oise aufzubauen; die 5. Panzer-Armee deckte den Abzug zwischen Seine und Somme.

Die Lawine rollte weiter und riß alles mit sich. Im Raum Compiègne-Soissons hatten sich noch Teile der Heeresgruppe gehalten. Am 28. August gelang auch hier dem Gegner der Durchbruch, der Gefechtsstand der Heeresgruppe wurde unter feindlichem Panzer- und Artilleriefeuer nach Schloß Havrincourt westlich Cambrai verlegt. Der Gegner stand jetzt an Somme, Aisne und an der Marne bei Châlons; die »Festungen« an der Küste wurden nacheinander eingeschlossen.

Nach der Ankunft des Heeresgruppenstabes auf dem neuen Gefechtsstand ging eine Weisung des Oberkommandos der Wehrmacht für die weitere Kampfführung ein, die endlich das Prinzip der Verteidigung eines »jeden Fußbreits Boden« aufgab und befahl, den Widerstand nicht bis zur Einschließung fortzusetzen, um die Kampfkraft zu erhalten. Die Armeen sollten sich »zurückkämpfen«.

Eine geordnete Rückführung war aber inzwischen unmöglich geworden. Die motorisierten alliierten Armeen überrundeten die unbeweglichen und erschöpften Fuß-Divisionen in ihren einzelnen zerrissenen Kampfgruppen und zersprengten sie. Daß überhaupt noch Widerstand geleistet wurde, ist der Truppe und der Energie aller Führungsstäbe zuzuschreiben, die von der Heeresgruppe an abwärts hart am Feind geblieben waren und mit allen Mitteln der Improvisation dem Feinde einen, wenn auch nur kurzen, Aufenthalt aufzwangen.

Das Oberkommando der Wehrmacht verlangte Kampf um Zeitgewinn, um die Armierung des Westwalls durchzuführen. Als »endgültige« Verteidigungslinie sollte dann »bis zum letzten Mann« gehalten werden: Holländische Küste mit Scheldemündung – Westwall bis Luxemburg – Westgrenzen von Lothringen und dem Elsaß.

In dieser verzweifelten Lage trat etwas Unerwartetes ein, eine deutsche Variation des »Marnewunders« der Franzosen von

1914: das stürmische Nachdrängen der Alliierten ließ plötzlich nach. Versorgungsgründe konnten bei den guten, ungestörten Nachschubmöglichkeiten nicht ausschlaggebend gewesen sein, auch nicht »die abnehmende Kraft des Angriffes«, da immer neue vollwertige Kampfverbände nachgeschoben wurden. Die Methodik der obersten alliierten Führung und die politische Zielsetzung sind die einzig erkennbaren Gründe. Vielleicht wirkte auch die imaginäre Wucht des »Westwalls« von einst noch einmal auf den Gegner. Er hielt jedenfalls im Vorwärtsdrängen an, schloß auf und stellte große Verbände bereit, um diese vermutete Festungsfront zu überwinden. Wären die britisch-amerikanischen Verbände am Gegner geblieben, so hätten sie eine Verfolgung »bis zum letzten Hauch von Roß und Mann« durchführen und den Krieg ein halbes Jahr früher beenden können. Keinerlei nennenswerte deutsche Verbände hatten die alten Verteidigungsanlagen besetzt; Abschnitte, die einst, 1940, von Divisionen eingenommen worden waren, wurden jetzt von einem Bruchteil ad hoc zusammengestellter Verbände gehalten. Auch war die Schlacht in Ostpreußen und in Ungarn auf dem Höhepunkt angelangt und ließ keine Kräfte frei.

Die westlichen Alliierten haben die Invasion von den ersten Anfängen ihrer Vorbereitungen der Operation »Overlord«, die auf die Mitte des Jahres 1942 zurückgingen, als kriegsentscheidend angesehen. Sie haben wirklich »mathematisch genau berechnet, welche Rolle man dem Zufall überlassen soll«. Erfinder und Techniker zweier Weltteile haben Leistungen vollbracht, die bisher für unwahrscheinlich gehalten worden waren. Seetüchtige Landungsschiffe, Schleppflugzeuge, Lastensegler, schwimmende Panzer wurden konstruiert. Die Einrichtung künstlicher Häfen sollte Landungsoperation und Nachschub unabhängig von der Einnahme der Festlandhäfen machen. Durch die künstlichen Rollfelder auf den improvisierten Flugplätzen in den Landeköpfen wurde die Luftwaffe mit den Heeres- und Marineverbänden

im Raum verbunden. Die Pipeline »Pluto« über den Kanal ermöglichte eine Brennstoffversorgung, wie sie nicht günstiger gedacht
werden konnte: der verschwenderische Reichtum einer ganzen
Welt konnte für den Erfolg genutzt werden.

Amerikaner, Engländer und Kanadier traten auf dem Lande, zur
See und in der Luft mit erdrückender Überlegenheit an. Insbesondere der Einsatz ihrer technisch hoch entwickelten, gut geschulten und geführten Luftwaffe hat sich als entscheidend für die
Invasion und die anschließenden Operationen erwiesen. Die Zusammenarbeit, besonders von Heer und Luftwaffe, war bis in die
Einzelheiten vorgeübt und hat die Bewährungsprobe bestanden.
Hinzu kam, daß die Heeresverbände hervorragend ausgerüstet,
mustergültig versorgt und in hohem Maß beweglich waren. Auch
traten die Divisionen Großbritanniens und der USA in Friedens-
besetzung mit ausgeruhten Kräften an, welche die Erfahrungen
eines nahezu fünfjährigen Krieges in der Ausbildung genutzt
hatten. Das deutsche Heer hatte dagegen die Feldzüge in Polen,
Norwegen, Frankreich, Afrika, Italien, dem Balkan und Rußland
hinter sich, war ausgeblutet und ermattet. Ernährung und Versorgung waren unzureichend. Der Stalingrad-Winter hatte das Rückgrat des deutschen Heeres gebrochen. Die unwiederbringlichen
Menschenverluste der Fronttruppen betrugen inzwischen rund
eine halbe Million. Die Luftwaffe aber war schon seit der
»Schlacht um England« vom Herbst 1940 verbraucht. Technisch
hatte ihre Weiterentwicklung den modernen Erfordernissen
nicht mehr Rechnung getragen.

Auch das Wort von Clausewitz über die moralischen Größen
im Kriege sprach für die Alliierten: »Die physischen Kräfte scheinen fast nur wie das hölzerne Heft, während die moralischen das
edle Metall, die eigentlich blank geschliffene Waffe sind.« Die
ethischen Kräfte auf der Gegenseite waren stärker als auf der
deutschen, wo durch Hitlers Gewaltherrschaft ein moralisches
Vakuum entstanden war.

Hinter den hohen technischen Vorbereitungen und Leistungen der Alliierten trat die eigentlich militärische Führung zurück. Sie hatte sich vor allem bei der Organisation und Koordination bewährt. Kaum jemals in der Geschichte scheinen sich die unvermeidlichen Reibungen und Spannungen zwischen Alliierten eines Koalitionsheeres so wenig in der militärischen Führung ausgewirkt zu haben wie bei der Invasion.

Nach der Landung war die Führung taktisch und operativ methodisch. Sie war von der Forderung des Marschalls Foch, der »sûreté de la manœuvre«, getragen, sie versuchte jedes Wagnis auszuschalten, die Verluste auf einem Mindestmaß zu halten, den Angriff »à coup sûr« in die Praxis umzusetzen. So glichen die alliierten Invasionskräfte zunächst einem starren Lineal, das den Gegner zurückschob, ja einer Dampfwalze, die ihn langsam, aber sicher zermalmen sollte.

Wie schon 1942 in Nordafrika hat die alliierte Führung die ihr gebotenen großen operativen Möglichkeiten nicht erschöpfend genutzt. Nur General Patton versuchte im Verband der Heeresgruppe Bradley, mit seiner Armee die Schranke der Sicherheit zugunsten großzügiger Operation zu durchbrechen, konnte aber der Gesamtführung seinen Führungsschwung nicht übermitteln. Er hat wenig Dank für seine kühne Führung geerntet.

An Beispielen versäumter Gelegenheiten seien nur das Unterlassen der Aufrollung der Seinefront nach dem »Kessel von Falaise« und das Absehen von der Durchbrechung des Westwalls zum Stoß über den Rhein nach Innerdeutschland im September 1944 erwähnt. Auch ist die Notwendigkeit einer Landung in Südfrankreich zu einem Zeitpunkt, als die Hauptinvasion schon erfolgreich war, anzuzweifeln, zumal dieses Unternehmen auf Kosten von operativen Möglichkeiten an der Italienfront ging.

Diese Feststellungen ändern nichts an der Bedeutung der Invasion, die systematisch den Westen aufbrach und aufrollte. In der Kriegsgeschichte wird die Invasion immer ein Ereignis erster

Ordnung bleiben, vor allem durch die voll gelungene Zusammenfassung und Führung der Kräfte aller drei Waffengattungen auf ein operatives Ziel.

Gegenüber der erdrückenden Überlegenheit an Menschen und Material, gegenüber einer bis ins letzte durchkalkulierten Planung war auf deutscher Seite auch durch die geniale Gestalt eines Rommel nichts mehr auszurichten gewesen. Was sich im ersten Weltkrieg, in den ersten Materialschlachten der Geschichte schon abgezeichnet hatte, daß die führende Einzelpersönlichkeit durch die schrankenlosen Vernichtungstechniken an Bedeutung verlor, bestätigte sich im zweiten Weltkrieg.

Eigenschaften, die den großen Feldherrn von Alexander bis Napoleon ausgezeichnet haben, wie Charisma, Konsequenz, Blick für Zusammenhänge, den legendären »Coup d'œuil« konnten vielleicht noch einzelne Schlachten, aber nicht mehr den Sieg gewinnen – die Kriegsmaschinerie, die Technik bekam die Oberhand.

Rommel war ein Meister der Improvisation dank seiner Divinationsgabe und Entschlußkraft; seine Phantasie floß auf praktischen und technischen Gebieten von Einfällen über. Er besaß das Führercharisma, die Gabe, die Truppe mit sich zu reißen, die verstandesmäßig nicht mehr erklärbare Wirkung auf die Soldaten. Bei Rommel ergänzten sich, wie Moltke gefordert hat, »Autorität und Vertrauen«. In der Fülle seiner männlichen Eigenschaften fühlten alle Soldaten das Herz, das für sie schlug.

Das war schon 1915 so, in den Argonnen. Wenn der Leutnant Rommel im Nachbarabschnitt die Anschlußkompanie führte, fühlte man sich sicher. »Wo Rommel ist, ist vorne«, rief die Truppe. Er war überall zu finden, wo eine Einwirkung auf die Soldaten, wo seine suggestive Kraft notwendig war. Rommel hatte jene Kunst der Menschenbehandlung und die Kraft der Truppenführung, die Schillers Max Piccolomini an Wallenstein preist:

»Jedwedem zieht er seine Kraft hervor,
die eigentümliche, und zieht sie groß,
läßt jeden ganz das bleiben, was er ist;
er wacht nur drüber, daß er's immer sei
am rechten Ort; so weiß er aller Menschen
Vermögen zu dem Seinigen zu machen.«

Lauter und klar, offen in Freund- und Gegnerschaft, war er ein innerlich freier Mann, – ein Soldat mit hoher Zivilcourage. Sein bei aller Energie und Kühnheit menschlich warmes Gesicht mit den klaren blauen Augen ließ Vertrauen entstehen. Hart gegen sich, von spartanischer Lebensweise, verachtete er doch die Freuden des Lebens nicht. Er war nicht musisch veranlagt und stieß spät zu den letzten Dingen vor. Konnte er manchmal auch nüchtern und verschlossen wirken, so war er doch im vertrauten Kreise gerne Kamerad unter Kameraden, mit einem glücklichen Sinn für Humor.

Stark trat auch seine soziale Gesinnung hervor – ein Erbteil seiner schwäbischen Herkunft. Seine Ritterlichkeit war sprichwörtlich; sie ist in vielen Erzählungen lebendig. Der Gegner zollte dem »dashing general« Achtung.

Erwin Rommel – ein miles fati – bleibt eine Verkörperung guten deutschen Soldatentums. Leben und Wirken bis zu seinem Opfer sind ein zeitloses Vermächtnis für unser Land.

Nach dem 20. Juli

Am 4. September 1944 wurde ich ohne weitere Erklärung zur Führerreserve versetzt. Gleichzeitig erhielt ich die Weisung, mich im Führerhauptquartier bei Generaloberst Guderian zu melden. Auf dem Gefechtsstand in La Chaudefontaine ostwärts Lüttich übergab ich die Geschäfte als Chef des Generalstabs der Heeresgruppe B meinem alten Kameraden, General der Infanterie Hans Krebs, der – vom Führerhauptquartier gekommen – mir trotz eindringlichen Insistierens keine Aufklärung über meine Abberufung gab und sich in Schweigen hüllte. Wenige Monate später sollte er der letzte Chef des Generalstabs des Heeres – Nachfolger von Generaloberst Guderian – sein. Nach Hitlers Selbstmord versuchte er bei den Sowjets eine bedingte Kapitulation der Reichshauptstadt zu erreichen. Ob er kurz danach fiel oder sich das Leben nahm, steht dahin.

Am Tage meiner Dienstenthebung traf eine Bombe die Pferdestaffel der Heeresgruppe, in ihr meine einzig schöne Araber-Vollblut-Stute »Selia«. Feldmarschall Rommel hatte sie von den Italienern als Geschenk erhalten und mir weitergegeben, da er sich selbst aus gesundheitlichen Gründen das Reiten versagen mußte.

Am 5. September fuhr ich mit meinem Ordonnanzoffizier, Oberleutnant Thuisko von Metzsch, nach Freudenstadt, wo mich die Meinen überrascht empfingen.

Gleich am nächsten Tag suchte ich Rommel in Herrlingen auf. An diesem 6. September empfing mich der Feldmarschall zwar freudig und dankbar, aber aufs tiefste betroffen über meine Ablösung als Chef des Generalstabes. Er saß in seinem Schreibtischstuhl, wir begannen das Gespräch in der alten vertrauten Weise. Ich fand ihn äußerlich frisch und lebendig, das bisher geschlossene linke Auge war wieder halb geöffnet. Er hoffte, in vier Wochen wiederhergestellt, zum mindesten aktionsfähig zu sein. Ich berichtete über die Lage an der Front, über meine Ablösung und warnte den Feldmarschall vor dem Verfolgungswahn Hitlers.

Empört äußerte sich Rommel darüber, daß das Oberkommando der Wehrmacht trotz genauen Berichten keine Mitteilung über seine Verwundung veröffentlicht hatte. Es war drei Wochen danach lediglich eine Notiz über einen »Autounfall«, nichts aber über die vielfache Verwundung durch einen Luftangriff bei einem Frontbesuch erschienen. Wir deuteten dies als schlechtes Omen. Das Prestige des Feldmarschalls sollte offensichtlich nicht weiter gestärkt werden.

Eingehend erörterten wir dann die Ereignisse nach dem 20. Juli und die Schicksale unserer Kameraden, wobei der Feldmarschall über Hitler sagte: »Dieser pathologische Lügner ist nunmehr völlig wahnsinnig geworden! Seinen wahren Sadismus hat er gegen die Männer des 20. Juli gerichtet. Und wir sind noch nicht am Ende!«

Rommel zermarterte sich in Überlegungen, wie aus der sich täglich katastrophaler entwickelnden Lage überhaupt noch ein Ausweg gefunden werden könnte. Seit dem Scheitern des Attentats am 20. Juli und dem Zusammenbruch der Invasionsfront gab es kaum mehr Hoffnung auf ein einigermaßen erträgliches Ende des Krieges. Rommel beauftragte mich, bei meiner für den 8. September vorgesehenen Meldung im Führerhauptquartier Generaloberst Guderian folgende Gedanken vorzutragen: Der Krieg im Westen müsse unter jeder nur einigermaßen erträglichen Bedingung beendet werden, solange noch Westwall und Rhein in deutscher Hand seien.

Alle Kräfte sollten nach dem Osten geworfen werden, wo der für die Rote Armee günstige Winter vor der Türe stehe und nach den bisherigen Erfahrungen zu schweren Befürchtungen Anlaß gebe. Die Ausschaltung Hitlers sei notwendiger denn je. Er, Rommel, sei nach seiner Genesung bereit, ohne jede Rücksicht in die Bresche zu springen und Verantwortungen jeglicher Art zu übernehmen. So endete meine letzte Begegnung mit dem Feldmarschall. Beim Morgengrauen des nächsten Tages wurde ich verhaftet.

Der Feldmarschall hatte seit Jahresfrist Nachrichten und Anzeichen, daß er vom Sicherheitsdienst, insbesondere auch während seiner Aufenthalte in Herrlingen, überwacht wurde. Bereits im Frühjahr 1944 soll der Sicherheitsdienst Himmler gemeldet haben, Rommel sei Defaitist.

Am 13. Oktober besuchte er seinen alten Freund und Regimentskameraden, Oberstleutnant der Reserve Oskar Farny – den späteren württembergischen Staatsminister –, in Dürren bei Wangen im Allgäu. Bei dieser Begegnung äußerte er: »Es droht mir Gefahr. Hitler will mich beseitigen. Die Gründe sind mein Ultimatum vom 15. Juli, meine offene Sprache überhaupt, die Vorgänge des 20. Juli und die Meldungen von Partei und Sicherheitsdienst. Wenn mir etwas passieren sollte, nimm dich bitte meines Buben an.«

Auf Farnys Einwand, daß es Hitler aus psychologischen Gründen unmöglich sei, seinem populärsten Heerführer den Prozeß zu machen, antwortete Rommel: »Doch, du wirst sehen, er läßt mich umbringen. Du als Politiker solltest diesen Verbrecher besser kennen als ich. Er wird auch davor nicht zurückschrecken.«

Ein Absetzen in die Schweiz, das Farny ihm vorschlug, lehnte Rommel ab.

Am 14. Oktober 1944 kamen im Auftrag Hitlers die Generale

Burgdorf und Maisel nach Herrlingen. Sie stellten Rommel vor die Wahl, entweder Gift zu nehmen oder vor dem Volksgerichtshof abgeurteilt zu werden. General Burgdorf erklärte, daß Rommel durch Aussagen verhafteter und verurteilter Männer belastet sei, Mitwisser des Attentats gewesen und von den Verschwörern sogar als Staatsoberhaupt vorgesehen worden zu sein.

Nach der Besprechung mit Burgdorf und Maisel nahm Rommel Abschied von seiner Frau und seinem einzigen Sohn Manfred. Ihm übergab er – schon am Wagen – die Hausschlüssel, bevor er mit den beiden Generalen wegfuhr. Im Wald auf der Wippinger Steige ließ Burgdorf den Wagen halten, schickte General Maisel an den Südausgang des Waldes, den Fahrer an den Nordausgang und blieb mit Rommel allein im Wagen. Als die beiden wieder zurückkamen, fanden sie den Feldmarschall tot im Wagen. General Burgdorf untersagte dem Chefarzt des Reservelazaretts Wagnerschule in Ulm, Dr. Mayer, eine Autopsie mit den Worten: »Berühren Sie den Leichnam nicht, alles ist von Berlin aus bereits geregelt.«

Frau Rommel erklärte man den Tod als Folge einer Embolie. Das Gesicht Rommels – er war in Herrlingen aufgebahrt – soll einen Ausdruck ungeheurer Verachtung getragen haben. Im Anblick des Toten teilte Frau Rommel meiner Frau das gewaltsame Ende mit und bat sie, mit ihr gemeinsam dem toten Feldmarschall den Pour-le-mérite und das Ritterkreuz abzunehmen; es sollten ihn »keine schmutzigen Hände« mehr berühren. Meine Frau war auf die furchtbare Nachricht nach Herrlingen gefahren. Sie hoffte, auch etwas über mein Schicksal zu hören.

Auf welche Art auch dieses Shakespearesche Ende herbeigeführt wurde, es steht nach den Aussagen Keitels in Nürnberg fest, daß der Befehl, den Burgdorf erhielt, von Hitler persönlich stammte, der groteskerweise die Fiktion einer Embolie auch seiner nächsten Umgebung, sogar Göring, Dönitz, Jodl und Speer gegenüber aufrechterhielt.

Der Mord sollte dem Volke verschleiert werden. Durch einen Staatsakt für den Feldmarschall am 18. Oktober im Rathaus von Ulm sollte die Beseitigung des populären Heerführers getarnt werden, dem eigenen Volk wie dem Ausland gegenüber. Der ehemalige französische Botschafter André François-Poncet hat später über den Staatsakt geschrieben: »Hitler a toujours soigné particulièrement les obsèques de ses victimes.« Aber weder Hitler noch ein anderer maßgebender Mann der nationalsozialistischen Führung war zur Trauerfeier erschienen; nur der Chef des Reichssicherheitshauptamtes, Dr. Kaltenbrunner, überwachte den Staatsakt. Überraschenderweise sagte Ministerialdirektor Dr. Berndt vom Reichspropagandaministerium Frau Rommel nach der Trauerfeier vertraulich: »Der Reichsführer SS ist nicht beteiligt, er ist aufs tiefste erschüttert!« Generalfeldmarschall von Rundstedt war mit der Vertretung Hitlers beauftragt und las im Rathaus eine Rede ab. Sie endete mit dem pathetischen Satz: »Sein Herz gehörte dem Führer.«

Rundstedt hat das Trauerhaus in Herrlingen nicht betreten. Der alte Soldat erschien den Anwesenden gebrochen und verstört. Meine Frau sprach er auf ihre Situation nach meiner Verhaftung nicht an – Albert Speer dagegen und Sepp Dietrich versicherten ihr, daß sie alles in ihrer Macht Stehende für mich tun würden. Am gleichen Tag hatte meine Frau durch meinen treuen Burschen Karl Kost erfahren, daß ich aus der Wehrmacht ausgestoßen worden sei. Erst nach dem Kriege erfuhr ich, daß der »Ehrenhof« meiner Ausstoßung nicht zugestimmt hatte.

Am 7. September wollte ich befehlsgemäß in das Hauptquartier nach Ostpreußen fahren, um mich bei Generaloberst Guderian zu melden und die Gedanken Rommels vorzutragen. Dazu kam es aber nicht. Früh um 6 Uhr wurden wir aus dem Schlaf geklingelt. Zwei Stabsoffiziere standen vor der Tür und verlangten, daß ich sofort mit ihnen komme. Ich sei verhaftet. Ein schriftlicher

Befehl nannte keine Gründe. Sie verboten mir, Uniform anzulegen, und ließen mir keine Zeit, mich zu waschen. Auch das Rasieren wurde mir untersagt. Ohne auch nur das Geringste einpacken oder mit den Meinen einige persönliche Worte wechseln zu können, wurde ich weggeführt.

Im Auto ging es in überhasteter Fahrt nach Stuttgart, von dort aus in einem Sonderabteil des D-Zuges nach Berlin, wo ich von einem Aufgebot der Heeresstreife empfangen und in die Wehrmachtarrestanstalt in der Lehrterstraße geführt wurde.

Am nächsten Morgen holte mich ein Vertreter der Gestapo in eine SD-Dienststelle, wo mich zwei höhere Gestapo-Beamte mit der hämischen Bemerkung begrüßten: »Sie werden schon wissen, warum Sie hier sind.« Als ich verneinte, fragten sie ironisch, ob ich noch nie etwas vom 20. Juli gehört habe. Ich erhob formell Protest gegen die Verhaftung und verlangte, der Wehrmacht überstellt zu werden. Statt einer Antwort wurde ich in das Hausgefängnis des Reichssicherheitshauptamtes in der Prinz-Albrecht-Straße, also den berüchtigten Gestapo-Keller eingeliefert. Weder ein Offizier des Heeres noch ein Heeresrichter kümmerten sich trotz meiner immer wiederholten Forderung um mich. Im »Empfangsraum« des Kellers nahm man mir meine Habseligkeiten ab, einschließlich Uhr, Bleistift, Papier und Hosenträger. Dann wurde ich in eine Zelle 1,75 m × 5,00 m geführt, in die aus einem kleinen, mit dem Schemel erreichbaren vergitterten Fenster nur trübes Licht drang. Es gab keinerlei Bewegung im Freien, keinen – sonst in jedem Gefängnis üblichen – täglichen Rundgang im Hof. Um wenigstens etwas die Muskelkraft zu erhalten, machte ich Freiübungen. In den gemeinsamen Waschraum und zur Toilette wurde man unter Aufsicht geführt; das zweimalige wöchentliche Rasieren überwachten drei Gestapoleute pro Häftling. Draußen an der Front fehlten die Menschen. In den Nächten wurde das elektrische Licht grell auf die Augen gerichtet, die besonders litten.

Bei den nahezu täglichen Luftangriffen wurden wir in einen Kellerraum geführt. Dabei und bei den notwendigen Gängen sah ich viele bekannte Gesichter: Reichsminister Dr. Schacht, Hitlers ersten Wirtschaftsminister, Dr. Popitz, den preußischen Finanzminister, Oberbürgermeister Dr. Goerdeler, den einstigen Botschafter in Moskau von der Schulenburg, unseren ehemaligen Generalstabschef, Generaloberst Halder, der Hitler schon 1938 hatte verhaften lassen wollen, Generaloberst Fromm, der am 20. Juli, um seine Mitwisserschaft zu verschleiern, Stauffenberg und seine Freunde hatte erschießen lassen, den Abwehrchef Admiral Canaris, die Generäle Schaal, Thomas, Oster, ferner Fabian von Schlabrendorff und den jungen Herzog Ernst August von Braunschweig. Viele waren an Händen, einige auch an den Füßen gefesselt, wie Admiral Canaris, der dann kurz vor dem Einmarsch der Amerikaner mit General Oster in Flossenbürg gehängt wurde. Ein Teil der Wachtposten weidete sich an der Erniedrigung der einst führenden Häftlinge, die ihrer Willkür preisgegeben waren. Szenen aus der Geschichte des Temple der französischen Revolution stiegen vor mir auf, die mir früher immer wie Vorgänge aus einer vergangenen unmenschlichen Zeit vorgekommen waren. Eine Ausnahme machten alte Kriminalbeamte und einzelne Zwangsrekrutierte, die sich korrekt, taktvoll, ja hilfsbereit benahmen, wie der Balte Wilhelm Brandenburg. Nachts schütteten sie verstohlen ihr Herz über das Gestapo-System aus, dem sie dienen mußten.

Die ersten Vernehmungen durch die Gestapo-Beamten dauerten mit kurzen Unterbrechungen drei Tage und Nächte an. Nur stundenweise wurde man in die Zelle zurückgeführt. Ich hatte bald den Eindruck, daß keine Beweise für meine Teilnahme an der Verschwörung vorlagen. Immer wieder nämlich versuchte man, mich durch fingierte Schriftstücke und angebliche Äußerungen zu düpieren und mürbe zu machen, um einen Zusammenhang mit den Männern des 20. Juli herzustellen. Schließlich

215

erhob ein höherer SD-Führer die Stimme mit der Absicht, ein Geständnis zu erpressen: »Nun, wenn Sie nicht wollen und weiter lügen, werden wir uns jetzt an Ihre Frau und Ihre Kinder in Freudenstadt halten.« Es bedurfte guter Nerven und eines unbeirrbaren Gottvertrauens, solcher Lage zu begegnen, zumal die Gefängniskost und die Schlaflosigkeit zur Entkräftung beitrugen. Mit einer mehrstündigen Gegenüberstellung mit dem schon zum Tode verurteilten und gefesselten Oberstleutnant Dr. von Hofakker schloß die Kette der ersten Vernehmungen.

Dr. von Hofacker, der einstige Vertraute Stülpnagels, hatte sich völlig in der Hand, obwohl er Spuren von Mißhandlungen aufwies. In souveräner Weise stellte er sich vor mich. Ehe er abgeholt wurde, bat er – offensichtlich zum wiederholten Male – um eine Bibel, was mit den Worten abgelehnt wurde: »So etwas führen wir nicht! Sie hätten längst Zeit in Ihrem Leben gehabt, darin zu lesen.« Auch ich wurde ins Gefängnis zurückgebracht, und es geschah lange nichts. Ab und zu wurde in den Morgenstunden ein Nachbar klirrend abgeführt, um nie wiederzukehren. Ein Gestapomann bemerkte einmal zynisch: »Er hat die seidene Schnur!«

Ein Sonnenstrahl in diese dumpfe Welt fiel durch den ersten Brief meiner Frau, die mit den Kindern trotz aller Ungewißheit unerschüttert in Glauben und Vertrauen blieb. Ein Kriminalbeamter besorgte mir aus der Gefängnisbibliothek Goethes Gedichte und den »Faust«, die mancher bitteren Stunde ihre Befreiung gaben. Eine große innere Hilfe schenkte mir mein Gedächtnis durch die einst auswendig gelernte Gedichte, Partien aus Dramen, von lateinischen und griechischen Schriftstellern. Beim »Zellenmarsch« trug ich sie mir immer wieder vor. Hölderlin wurde mahnend gegenwärtig: »Wer auf sein Elend tritt, steht höher«. Während dieser langen Wochen erfuhr man kaum etwas von der Außenwelt, von der politischen und militärischen Lage. Zeitungen gab es nicht. Nur ab und zu flüsterten einem nachts Wachtposten bruchstückhaft die letzten Meldungen zu.

Am 11. Oktober kündigte der Oberaufseher für den nächsten Tag meine Verlegung an, ohne zu sagen, wohin ich gebracht würde.

Am 12. Oktober mittags ging es in einem Pkw unter doppelter Bedeckung zu der Sicherheitspolizeischule Fürstenberg in Mecklenburg, die mit dem Konzentrationslager Ravensbrück zusammenhing. Hier kam ich in einen Raum mit Feldbett, Tisch, Stuhl und einem Fenster mit Blick in den Himmel und die Weite, die allerdings erst hinter Stacheldraht und Wachttürmen aufging. Dies ließ aufatmen, obwohl die Bewachung besonders scharf war. Trotz strengen Sprechverbots konnte man bei einem täglichen kurzen Gang um das Haus herum – unter Bewachung – mit den Mitgefangenen Worte oder Zeichen austauschen. Ich traf auf diese Weise den ehemaligen Reichswehrminister und Oberpräsidenten Noske, General von Falkenhausen, den einstigen Militärbefehlshaber von Belgien und Nordfrankreich, die Generale Siegfried von Stülpnagel, Schaal, Sinzinger und Ministerialdirigent Dr. Barth, den Schwager des Generals von Seydlitz.

Im Vergleich zum Albrecht-Keller, in den ich noch zweimal zurückgebracht wurde, da mich SS-Gruppenführer Müller und SS-Obergruppenführer Dr. Kaltenbrunner persönlich verhören wollten, bedeutete der Aufenthalt in Fürstenberg eine Erleichterung. Ende Oktober kam sogar Ruth zur »Nachfeier« unseres Hochzeits- und meines Geburtstages. Sie hatte überraschend Sprecherlaubnis von einer halben Stunde erhalten; ein SD-Führer sollte der Begegnung beiwohnen. Ein verständnisvoller SD-Anwärter dehnte den Besuch auf über eine Stunde aus und blieb im Vorraum.

Von Freudenstadt war meine Frau nach vielen Umleitungen – das Streckennetz der Bahn war weitgehend zerstört – in zweitägiger Fahrt nach Mecklenburg gekommen. Die innere Beglückung durch das Zusammensein werde ich nie vergessen. Doch brachte Ruth auch die schmerzliche Kunde vom Tode Feldmarschall Rommels mit, jedoch ohne Erwähnung des gewaltsamen Endes, um mich nicht noch mehr zu beschweren.

Die Haltung unserer Frauen und Kinder in dieser furchtbaren, unsicheren und entwürdigenden Lage bleibt ein leuchtendes Beispiel hohen Menschentums und Familiensinns.

Die Wachmannschaften in Fürstenberg wurden größtenteils von jungen SD-Anwärtern aus Süddeutschland und Österreich gestellt. Sie waren zwangsrekrutiert und ahnten das System der Gestapo. So machten sie damals schon Pläne, wohin sie beim Herannahen des Feindes verschwinden konnten. Mitunter mußten wir sie bei ihren Überlegungen beraten.

Während draußen der Mann an der Front einen aussichtslosen Kampf durchstehen mußte, wurden hier Hunderte von jungen Männern für den niederträchtigsten inneren Kampf geschult und dabei systematisch gegen das Heer aufgehetzt.

Am 19. Dezember wurde ich nach Berlin transportiert, wo mich SS-Obergruppenführer Dr. Kaltenbrunner in seinem Arbeitszimmer in Berlin empfing; teilweise war der berüchtigte SS-Gruppenführer Müller dabei. Der Österreicher Kaltenbrunner war ein hochgewachsener Mann mit betont gepflegtem Äußerem und mehreren Schmissen im Gesicht. Er machte in der Unterhaltung einen gebildeten Eindruck. Vor der einstündigen Aussprache bot er mir französischen Cognac an; ich verweigerte ihn mit der Bemerkung, ich nähme keine Drogen zu mir. Kaltenbrunner lächelte, gab mir sein Glas und trank das meinige. Er fragte interessiert nach der Kriegslage zur Zeit der Invasion und nach meiner Beurteilung der Ardennenoffensive. Ich antwortete ihm, daß ich darüber kein Urteil habe, da ich seit Monaten keine Nachrichten oder Zeitungen bekommen hätte. Über den Verlauf der Invasion erstattete ich ihm schonungslos Bericht. Kaltenbrunner gab sich erstaunlich aufgeschlossen und bedankte sich ausdrücklich für die unverblümte Aussage. Sonderbarerweise fragte er, ob das Hauptquartier denn jemals über die wahre Situation aufgeklärt worden sei. Ich zitierte aus dem Kopf aus unseren wiederholten Meldungen und aus dem Fernschreiben Feldmarschall Rommels vom 15. Juli. Völlig überraschend sagte Kaltenbrunner zum Abschluß, daß ich Weihnachten zu Hause feiern könne. Ich sei vorläufig frei.

Mit einem unvorstellbaren Gefühl der Erleichterung verließ ich diese unheilvolle Stätte in der Prinz-Albrecht-Straße, ein danteskes Inferno. Man übergab mir meine wenigen Habseligkeiten und eine Fahrkahrte nach Freudenstadt – nicht jedoch ein Entlassungspapier –, und so eilte ich, immer noch in Zivil, zum Anhalter Bahnhof, um mit dem nächsten Zug abzufahren. Nach mühsamer Fahrt durch viele zerstörte Städte, auch durch die Trümmer des geliebten Stuttgart, überraschte ich am 22. Dezember abends meine Familie in Freudenstadt, und trotz der Ungewißheit über mein weiteres Schicksal verbrachte ich dankerfüllt unvergeßliche Weihnachtstage.

Am 6. Januar brachte ein Polizeibeamter ein Fernschreiben mit dem Befehl, mich umgehend wieder bei SS-Gruppenführer Müller zu melden. Das quälende Mißtrauen fand erneut Bestätigung: Der Teufelskreis sollte also wieder beginnen. Meine Frau und die Kinder waren beim Abschied so beispielhaft in der Haltung wie immer. Auf der Fahrt machte sich die zunehmende Desorganisation des Verkehrswesens bemerkbar. Immer wieder kam der Zug in Angriffe, wurde er auf Nebengeleise geschoben, mußten Gleisanlagen ausgebessert werden. Mit fünfzehnstündiger Verspätung kam ich in Berlin an. Während der Fahrt hatte ich zum ersten Mal erlebt, daß offen über Krieg und System geschimpft wurde, ohne daß auch nur ein Mitreisender eingriff oder widersprach.

Am 9. Januar eröffnete mir Müller nach mehrstündigem Warten, daß mir bis auf weiteres die Festung Küstrin als »Zwangsaufenthalt« zugewiesen sei. Müller behauptete, die Entscheidung entspräche nicht seinem Vorschlag, ich könne ja vorstellig werden.

219

Erst später erfuhr ich von der Verhandlung des sogenannten »Ehrenhofs« nach dem 20. Juli gegen mich mit Generalfeldmarschall Keitel als Vorsitzendem, Generaloberst Guderian, den Generälen Kirchheim, Kriebel und Specht. Keitel sei hereingekommen und habe die Sitzung eröffnet mit der bindenden Weisung, der Führer verlange meine Aburteilung durch den Volksgerichtshof, mit hoher Wahrscheinlichkeit also Tod durch den Strang. Generaloberst Guderian habe aber für mich gebürgt und sei für mich eingetreten. Bei der dann notwendigen Abstimmung habe nur der ehrgeizige Specht für den Antrag Keitels gestimmt, Guderian, Kirchheim und Kriebel jedoch dagegen. Daraufhin wurde die Sitzung bis auf weiteres vertagt.

Als ich 1954 durch General Gehlen von der Erkrankung Guderians hörte, besuchte ich den legendären Panzerführer im Krankenhaus in München, um ihm für sein mutiges Eintreten zu danken.

Ein Major der Heeresstreife brachte mich nach Küstrin in das alte, schwergefügte Renaissance-Schloß, wo einst Kronprinz Friedrich die Erziehungsmethoden seines starrköpfigen Vaters genoß. Zuletzt hatte das Schloß als Kaserne gedient, jetzt wurden die fünf Meter hohen eiskalten Innenräume für die Unterbringung von Festungshäftlingen verwandt. Die Aufnahme durch den Kommandanten der Wehrmachtshaftanstalt, Major der Reserve Leussing, war taktvoll und entbehrte nicht eines warmen menschlichen Untertons. Er war im Zivilberuf Privatdetektiv und wußte um unsere Lage.

Dort traf ich den ehemaligen Oberbefehlshaber der königlich-niederländischen Armee, Generalleutnant Jonkher van Roëll, dessen Todesstrafe seit drei Jahren aufgeschoben war, den slowakischen Militärattaché in Berlin, zwei norwegische Offiziere und von den Kameraden die Generäle Schaal, Freiherr von Esebeck, Groppe – wie Rommel Pour-le-mérite-Ritter des ersten Weltkrieges –, Sinzinger, Rieger, von Hollwede, den Obersten von Canstein und die »Sippenhäftlinge« – Mitglieder der Familien der Hingerichteten oder freiwillig aus dem Leben Geschiedenen – Fellgiebel, von Kluge, von Hassell, Hoepner, Wirmer und Oberkriegsgerichtsrat Kaiser wie auch den Sohn von Feldmarschall Paulus.

Die Räume waren spartanisch eingerichtet, wir froren. Ich saß in dem Raum, aus dessen Fenster der junge Friedrich im Jahre 1730 der Enthauptung seines Freundes von Katte hatte zusehen müssen. In den ersten Tagen durften wir noch zwei Stunden unter der Aufsicht von Offizieren, die selber Festungsstrafen verbüßten, im verschneiten Oderbruch spazierengehen – dieses tückische quiproquo, bei dem einige Inhaftierte untergeordnete Aufseherfunktionen innehatten, war in den Haftanstalten nicht selten. Dann kamen neue Bestimmungen von Himmler persönlich, die jede Möglichkeit einer Berührung mit der Zivilbevölkerung unterbinden sollten. Es wurde uns deutlich, daß die Wehrmacht in ihrer eigenen »Haftanstalt« nichts mehr zu sagen hatte. Die Oberkommandos der Wehrmacht und des Heeres brachten nicht den Mut auf, sich auch nur einmal nach uns zu erkundigen oder sich um uns zu kümmern.

Von nun an mußten wir in dem sorgsam eingedrahteten kleinen Schloßhof, rund um Kattes Todesstätte, die ein Stein kennzeichnete, die Gefängnisrunde machen. Dank des Kommandanten gab es hier nicht die mir aus dem Prinz-Albrecht-Keller bekannten Praktiken des SD, obwohl Leussing seines eigenen Personals nicht sicher sein konnte. Wir planten Fluchtmöglichkeiten bei Skatrunden, die der Kommandant gelegentlich zuließ.

Inzwischen rückte durch die am 12. Januar losgebrochene Offensive der Sowjets aus dem Brückenkopf Baranow heraus die Front immer näher. Der nahende Zusammenbruch der Front beherrschte alle Gedanken. Nur hin und wieder wurden wir abgelenkt durch das Hören klassischer Musik am Radio, die sich wieder als eine Quelle der Kraft und des inneren Aufschwungs bewährte. Es war vor allem Anton Bruckner, zu dem ich in diesen Wochen einen Zugang fand, der mir geblieben ist.

Durch die Fenster der Festung sahen wir Flüchtlingszüge voll namenlosen Elends aus dem Osten kommen. Auch stellten wir Überlegungen an, was aus uns werden würde, wenn die sowjetischen Panzer Küstrin erreichten. Der Halt an der Obra-Stellung erwies sich als Phantom, längst gab es keine Reserven mehr. Ende Januar zogen wir den Kommandanten ins Vertrauen, der schließlich Wittenberg an der Elbe als nächsten Aufenthaltsort bestimmte. Als die russischen Panzerspitzen am 30. Januar fünfzehn Kilometer vor Küstrin standen, fuhren wir in der Nacht noch in einem verschlossenen Möbelwagen Richtung Wittenberg. In knirschender Winternacht hörten wir das Getöse des Rückzugs, standen stundenlang auf der Straße, bis wir am Morgen Wittenberg erreichten. Im »Goldenen Adler« wurde Quartier gemacht, wo ich 1936 auf der Fahrt von Ulm nach Berlin mit Frau und Kindern übernachtet hatte. Am selben Nachmittag rollten die Sowjet-Panzer in Küstrin ein.

Nach wenigen Stunden Ruhe kam aus Berlin der Befehl, daß ein Teil der Häftlinge, darunter ich, sich beim Personalamt »zu neuer Verwendung« melden sollte. Die deutsche Offiziersgruppe unter uns Gefangenen überlegte, ob wir in irgendeiner Form wieder aktiv in den Gang der Ereignisse eingeschaltet werden sollten. Das Heerespersonalamt schickte uns aber zu SS-Gruppenführer Müller. Kalt ließ er uns in eine Zelle im oberen Stockwerk des Hausgefängnisses führen, wo die alten SD-Wachtmeister und Kalfaktoren uns teils neugierig, teils hämisch das Gefängnisessen hereinschoben: »Neue Verwendung?« Wir warteten Tag und Nacht in der verschlossenen Zelle und versuchten, uns auf alle mögliche Weise mit den Nachbarn zu verständigen, die wir zum Teil noch von unserem früheren Aufenthalt her kannten. Die Kameradschaft half über die Schwere der Stunden hinweg.

Am 3. Februar setzte um 11 Uhr der bisher schwerste Luftangriff auf Berlin ein. Wir wurden einen Stock tiefer in einen abgestützten engen Raum geworfen, der keinem schweren Treffer standhalten konnte. Nach ununterbrochenem Bombenhagel von 55 Minuten und Einschlägen in unmittelbarer Nähe wurden wir über Trichter voll von Stein, Holz und Glas in unsere Zellen zurückgejagt.

Das Gebäude war mehrfach getroffen worden. Wir hörten von Verwundeten und Toten; der berüchtigte Präsident des Volksgerichtshofes Freisler war im Luftschutzraum von Balken erschlagen worden. Noch immer dehnten sich Brände aus, die Hitze stieg, und bald machte sich Sauerstoffmangel bemerkbar. Um Luft zu bekommen, stieg ich auf Schemel und Tisch und beobachtete durch die zersplitterte Scheibe das Flammenmeer draußen. Die Wasserleitungen waren geborsten, Wasser drang ein. Das Zellenlicht versagte. Die Zelle aber blieb weiterhin verschlossen. Am Abend schließlich wurden wir nach Potsdam verlegt, stiegen über Trümmer, wateten durch Wasser, um einen Gefängniswagen zu erreichen, aus dem Frauenstimmen drangen. In einem eng vergitterten Sonderraum kauerten drei »Sippenhäftlinge«, Gräfin Plettenberg, Fräulein Sarré und Vermehren, die vom Konzentrationslager Ravensbrück kamen. Wieder begegneten wir Schacht, Staatssekretär Pünder und den Generälen von Falkenhausen, Schaal, Kennes. Neu war als Häftling der schlesische Gauleiter Josef Wagner. Wir tauschten kurz unsere Erlebnisse aus.

Schacht hatte sich erstaunlich frisch gehalten und stand souverän über den Dingen. Auch der den Pour-le-mérite tragende General von Falkenhausen, dem die Spuren seiner Haft im Gesicht zu lesen waren, blieb gelassen und ganz Grandseigneur. Die Fahrt durch das brennende Berlin war erschütternd; Stunden brauchte der Wagen für Wege, die sonst nur Minuten dauerten. Dennoch waren alle erleichtert, für den Augenblick wenigstens der Hölle entronnen zu sein. Der SD-Transportführer untersagte jedes Wort, aufgeregt fuchtelte er mit der Pistole. Schacht antwortete kühl, er habe in der Einzelzelle so lange schweigen müssen, jetzt wolle und werde er sich mit uns unterhalten. Auf erneute Drohungen des SD-Mannes meinte Schacht nur: »Dann sind Sie doch bitte so freundlich und erschießen Sie mich!« Im Potsdamer Polizeigefängnis wurden wir zu sechst in zwei miteinander verbundenen Einzelzellen untergebracht, die nur einen kleinen Tisch, eine Holzbank und zwei Hocker hatten. Das Essen spottete jeder Beschreibung, morgens, nachmittags und abends gab es nichts als eine Kohlrübensuppe und ein wenig schlechtes Brot. Durch die Vermittlung eines mutigen Oberinspektors erreichten wir die Verbindung mit der in Postdam wohnenden Familie des verhafteten Generals Kennes, die uns im Rahmen des Möglichen rührend versorgte.

Nachdem wir uns die ersten Tage im kleinen, von hohen Mauern und Stacheldraht umgebenen Hof, aus dem man die Spitze der alten Garnisonskirche sehen und ihr Stundenspiel »Üb' immer Treu' und Redlichkeit« hören konnte, je eine halbe Stunde unter scharfer Bewachung bewegen durften, wurde uns auf unsere Beschwerde ein einstündiger Spaziergang mit dem Oberinspektor genehmigt. Der Kommandeur der Schutzpolizei von Potsdam, der die Behandlung nicht mit ansehen konnte, wies uns selbständig einen Kasinoraum zum Aufenthalt an.

Am 13. Februar wurden meine Mithäftlinge von Küstrin und ich nach Wittenberg zurücktransportiert, Schacht, Pünder und Falkenhausen waren schon davor in eine andere Haftanstalt überführt worden. Nur Gauleiter Josef Wagner blieb zurück. Wir werden nie seinen Gesichtsausdruck vergessen, wie ihn dieser Schlag, die sichere Aussicht auf ein furchtbares Los, traf. Kurz darauf wurde er gehängt, ein Mann, der aus seiner religiösen Überzeugung heraus Unrecht nicht hingenommen hatte.

In Wittenberg hatte sich das Flüchtlingselend vervielfacht. Bilder aus Küstrin wiederholten sich. Die Sowjets standen bereits tief in Schlesien und schienen die Elbe forcieren zu wollen.

Unvergeßlich bleibt das Donnergrollen und flammende Rot im Südosten, als der Bombenangriff der Alliierten Dresden auslöschte.

Der Kampfkommandant von Wittenberg – ein alter Bekannter aus der Reichswehr – wollte schließlich die Verantwortung für unseren Verbleib nicht mehr übernehmen. Ich drängte ihn, eine Verlegung nach Süddeutschland vorzubereiten. Am 27. Februar, einem strahlenden Vorfrühlingstag, stiegen wir in den Zug. Gegen Abend, wenige Kilometer hinter dem gerade zerstörten Würzburg, wurde er von drei Jagdbombern angegriffen. Die Garben der Bordwaffen peitschten in die Abteile. Der schwerverwundete Lokführer konnte den Zug noch zum Stehen bringen. Später legten wir – Bewacher und Bewachte nebeneinander – die Toten und Verwundeten auf eine Wiese neben dem Bahngleis. Nach Stunden erst ging die Fahrt weiter. In der Nacht kam das erschütternde Wiedersehen mit der engeren Heimat; gespenstisch ragten die Trümmer des jüngst zerstörten Heilbronn im Vollmond. Ich schlug dem Kommandanten vor, uns in die Nähe von Stuttgart fahren zu lassen, um dort Lage und Möglichkeiten zu klären.

Nach zweiundneunzigstündiger Fahrt kamen wir in meiner alten Garnison Ludwigsburg im Bahnhotel unter. Mit Major Leussing fuhr ich erst zum Wehrkreiskommando V, dann zum württembergischen Staatsministerium, wo mein alter Bekannter aus Pariser Tagen, Innenminister Dr. Jonathan Schmid, mutig unser Schicksal in die Hand nahm und uns das alte Stift Oberstenfeld im Bottwartal als »Haftanstalt« zuwies. Wer immer hier mit uns in Berührung kam, nahm sich teilnehmend unser an, alte Freunde erschienen und suchten Hilfe jeglicher Art zu geben. Schmid selber ermöglichte einen Besuch meiner Frau, die mir als wichtigstes Requisit meinen Revolver durchschmuggelte. Einigen Mithäftlingen gelang es ebenfalls, sich Schußwaffen zu beschaffen.

Wie die Bevölkerung in Ludwigsburg, so war man auch in

Oberstenfeld in dieser Endphase des Krieges, obwohl oft unbehol-
fen in der Verstellung und Tarnung, von zunehmender Sympathie: Es wurden Lebensmittel gebracht, bald auch köstlicher
Bottwartäler, der erste Wein seit Monaten. Von Oberstenfeld aus
konnte ich im Fußmarsch nach meiner Mutter im Schloß Talheim sehen und eine Stunde mit ihr und den Geschwistern
verbringen.

Die Offensive der 6. amerikanischen Heeresgruppe beendete
den Aufenthalt; wieder wurden wir abtransportiert, diesmal nach
Gönningen am Albtrauf. Auch dort sorgte die Bevölkerung, obwohl sie sich damit exponierte, für unser Wohlergehen, nicht
zuletzt der mutige Fabrikant Heinrich Prechtl im nahen Bronn-
weiler. Noch immer gab es nämlich gefährliche Situationen, auch
für unseren Kommandanten, dem unterstellte Gestapo-Leute mit
seiner Absetzung drohten, weil nach einem neuen Erlaß Himmlers jeder Untergebene bei Unzuverlässigkeit des Vorgesetzten
diesen anzeigen konnte. Schatten anderer Revolutionen stiegen
auf.

Das Telefon funktionierte trotz der näherrückenden Front.
Ruth teilte mir mit, daß Freudenstadt entgegen aller Zusicherungen nicht zur Lazarettstadt erklärt worden sei. Am 16. April hatte
ich ein letztes Ferngespräch mit ihr, die mir von Artilleriefeuer
auf die Stadt und von anrückenden französischen Kolonnen
durch das Murgtal und über Besenfeld berichtete. Dann blieben
alle Nachrichten aus: vom Hang des Roßbergs sah ich in weiter
Ferne den Feuerschein von Bränden in Richtung Freudenstadt.

Am 14. April kam ein Erlaß Himmlers, wonach politische
Häftlinge nicht lebend in die Hände der Feinde fallen dürften. Der
Gegner aber, in diesem Fall die Franzosen, rückte näher. Rotten-
burg war schon in ihren Händen, Tübingen bedroht. Der Kampfkommandant von Tübingen verlangte unsere Verlegung von
Gönningen weg, da der Albrand verteidigt werden sollte. So
fuhren wir auf einem offenen Lkw nach Gammertingen, um dort

226

als groteskes Satyrspiel eine Feier von Hitlers Geburtstag mit Flaggenhissung und Kinderchören mitzuerleben.

Am Abend des 20. April ging es über Pfullendorf nach dem Kloster Hersberg bei Immenstaad, wo uns der Rektor, Pallotinerpater Kruck aufnahm. Wie er uns mit Rat und Tat geholfen hat, praktisches Christentum im tiefsten Sinn übte, bleibt unvergessen. Das Kloster war von einer Umsiedlungskommission von Slowenen belegt, die aber nach wenigen Tagen unter Mitnahme alles irgendwie beweglichen Gutes, vor allem auch des letzten Schweins, flüchteten.

Wir beschlossen gemeinsam mit unserem Kommandanten, unser Schicksal selbst in die Hand zu nehmen, und trafen alle Vorkehrungen für eine schlagartige Auflösung der »Haftanstalt«. Der Kommandant gab jedem seine eigene Entscheidung frei. Einige österreichische Kameraden zogen ins Ungewisse los. Die meisten aber blieben, um das Herannahen der Franzosen zu erwarten. Am 25. April nachmittags sahen wir einige SD-Leute in Tarnanzügen das Haus umstreifen, glaubten aber noch an keine ernste Gefahr, bis unsere »Wache« uns meldete: »SD im Anrollen, das Haus ist umstellt.« Als ich das Zimmer verließ, um Major Leussing zu verständigen, drang schon ein schwerbewaffneter Haufen unter einem SD-Führer ein, den ich zu Leussing führte. Dieser hatte gerade noch Zeit, sich wieder in Uniform zu werfen, und präsentierte unser vorbereitetes fingiertes Telegramm, wonach wir auf persönlichen Befehl Himmlers, der gegen Ende des Kriegs eine undurchsichtige Rolle spielte, als Faustpfand festzuhalten seien. Wir seien als bedeutende Persönlichkeiten für den Reichsführer SS politisch von außerordentlichem Wert für Friedensverhandlungen. Der SD-Führer war schließlich von unserer Bedeutung so überzeugt, daß er mit seinen etwa fünfzig Mann abzog.

Nach dieser Finte aber waren wir entdeckt und des Lebens nicht mehr sicher; noch galten Himmlers Mordbefehle. Den SD-

und Parteidienststellen ging es selbst in dieser ausweglosen Endphase des Krieges um die Vernichtung der politischen Gegner.
Aber wieder wußte Pater Kruck Rat und brachte uns in dem
achtzehn Kilometer landeinwärts liegenden Urnau unter, wo der
geistliche Rat Pfarrer Schmieder und Bürgermeister Alfons Rist
die Sorge für uns übernahmen. Es war höchste Zeit, denn am 27.
früh umstellte ein noch stärkeres SD- und Polizeiaufgebot das
Schloß Hersberg, um uns festzunehmen und wahrscheinlich zu
liquidieren. Als ich mit meiner Frau Pater Kruck ein paar Jahre
später besuchte, erzählte er uns, wie der SD-Führer von ihm hatte
wissen wollen, wohin wir gefahren seien. Pater Kruck gab die
klassische Antwort: »Mir haben die Herren nicht gesagt, wohin
sie fahren wollen.« Kruck meinte, »damit habe ich ja die volle
Wahrheit gesagt, denn Sie haben mir ja nicht gesagt, wohin Sie
fahren wollen, sondern ich habe Ihnen gesagt, wohin Sie fahren
sollen. Als Ordensgeistlicher darf ich doch nicht lügen.« Pater
Kruck leitete später Kaffeeplantagen seines Ordens in Brasilien.

Am 29. April näherte sich eine französische Aufklärungseska-
dron mit Panzerspähwagen der zweiten Spahis Urnau, wo wir
zuvor die Panzersperren entfernen ließen. Der niederländische
Generalleutnant van Roëll und ich forderten in Zivil von dem
verdutzten Unteroffizier des ersten Panzerwagens ein Gespräch
mit dem Schwadronschef, wobei van Roëll auf sein Großkreuz
der Ehrenlegion wies. Der Schwadronschef schien aufs höchste
überrascht und wußte offenkundig nicht, woran er war. Wir baten
ihn um Benachrichtigung des kommandierenden Generals des
I. französischen Armeekorps, General Béthouart, den ich von
meiner Pariser Zeit her kannte. Unsere ausländischen Kameraden wurden daraufhin schon am Nachmittag des 29. April abgeholt. General Béthouart kam am 30. April nach Urnau und sagte
uns in ritterlicher Weise seinen Schutz zu. Ich blieb bei den
Verhandlungen zunächst zurückhaltend, bis General Béthouart
sagte: »Wir kennen uns doch aus Paris; ich werde für Sie tun, was

in meiner Macht steht.« Als erstes ließ er meiner Frau in Freudenstadt mitteilen, daß ich lebe.

Nach all den Fährnissen und Nöten der Haft bedeutete es für mich eine Genugtuung, als sieben Jahre später ein Mithäftling von den Küstriner Zeiten, Ministerialdirektor Ernst Wirmer, bei einem Zusammensein der Delegation für die Europäische Verteidigungsgemeinschaft in einer Ansprache feststellte, »daß er sein Leben dem entschlossenen Eingreifen von Herrn Dr. Speidel in der Zeit der politischen Verfolgung zu verdanken habe und mit ihm alle diejenigen, die zusammen mit Dr. Speidel als Häftlinge in einer Strafanstalt hingerichtet werden sollten«.

In Urnau, einem herrlichen Fleck Erde, richteten wir uns in der von den Franzosen bestimmten »résidence surveillée« ein. Die Bevölkerung sorgte hilfsbereit für uns, vor allem auch durch Lebensmittel.

Am 1. Mai abends erreichte uns die Rundfunkmeldung über den Tod Hitlers durch einen befremdenden Tagesbefehl von Großadmiral Dönitz über den »Heldentod« Hitlers »an der Spitze der Verteidiger der Reichshauptstadt«. So war auch der Untergang des Dritten Reiches von einer Lüge begleitet.

Der makabre Abgang dieser furchtbaren Schicksalsgestalt nicht nur für Deutschland, sondern für die Welt erinnerte mich an Goethes Ausspruch aus »Dichtung und Wahrheit« über das Dämonische als eine die moralische Weltordnung durchkreuzende Macht:

»Am furchtbarsten erscheint das Dämonische, wenn es in irgend einem Menschen überwiegend hervortritt. Es sind nicht immer die vorzüglichsten Menschen, weder an Geist noch an Talenten, selten durch Herzensgüte sich empfehlend, aber eine ungeheure Kraft geht von ihnen aus, und sie üben eine unglaubliche Gewalt über alle Geschöpfe, ja sogar über die Elemente, und wer kann sagen, wie weit sich eine solche Wirkung erstrecken wird? Alle vereinten sittlichen Kräfte vermögen nichts gegen sie;

229

vergebens, daß der hellere Teil der Menschen sie als Betrogene oder als Betrüger verdächtig machen will, die Masse wird von ihnen angezogen. Selten oder nie finden sich Gleichzeitige ihresgleichen, und sie sind durch nichts zu überwinden, als durch das Universum selbst, mit dem sie den Kampf begonnen.«

Nun war das Ende Hitlers, dieses unheilvollen Verführers, zugleich mit dem Ende des von ihm zugrundegerichteten Landes gekommen. Er hat eine Welt aus den Angeln gehoben, Europa zerrüttet, Deutschland zerstört.

Das »tausendjährige Reich« war nach zwölf Jahren zugrunde gegangen. Eine Herrschaft der Gewalt, des Unrechts und der Lüge war vorbei; ein Grund für uns alle, befreit aufzuatmen. Doch wollte sich trotz der Beendigung der Diktatur kein ungeteiltes Gefühl der Erleichterung einstellen: mit dem Ende des Dritten Reiches war zugleich das Ende des Deutschen Reiches eingetreten. Es gab keinen deutschen Staat mehr. Was Jahrhunderte lang ein – wenn auch oft loses – Band gewesen war, das die einzelnen deutschen Länder zusammenhielt, schien unwiederbringlich gelöst. Deutschland, dem vom Heiligen Römischen Reich Deutscher Nation übers Bismarckreich bis zur Weimarer Republik trotz allem Auf und Ab eine für Europa entscheidende Bedeutung zugekommen war, war nun nach dem Zusammenbruch zerschlagen und in vier Besatzungszonen fremder Mächte aufgeteilt.

Was dieser Untergang des Reiches für die Einheit der Nation an unglückseligen Folgen zeitigen sollte, war damals nur zu ahnen. Allen aber war klar, daß die Siegermächte mit der Vernichtung des Deutschen Reiches mehr zerstört hatten als nur das nationalsozialistische System. Nun wurde ja Deutschland mit dem verbrecherischen Regime identifiziert. So wurde auch das ganze deutsche Volk für alle von Hitler und seinen Organen begangenen Untaten zur Rechenschaft gezogen. Daß es einen deutschen Widerstand gegen Hitler, daß es den 20. Juli 1944 gegeben hatte, wurde von den Siegern bewußt ignoriert. Erst 1946/47 wies

Winston Churchill auf die ethische Bedeutung des deutschen Widerstandes hin, erst 1948 erregte das Buch von Hans Rothfels »The German Opposition to Hitler« wachsendes Aufsehen in der angelsächsischen Welt.

Die Bedeutung der Stunde ging jedoch über die nationale Katastrophe hinaus. Wir empfanden, daß wir in einem Einschnitt weltgeschichtlichen Ausmaßes standen. Im europäischen Kräfteverhältnis hatte sich Grundsätzliches verändert: Osteuropa vom Baltikum über Ostpolen bis zur Dobrudscha war der Sowjetunion einverleibt; die osteuropäischen Länder wurden in ein System von Satrapenstaaten verwandelt; sowjetische Truppen standen im Herzen Europas.

Ernst Jünger hatte 1943 in Paris, als Franzosen an Häuserwände das Wort »Stalingrad« malten, notiert: »Wer weiß, ob sie dort nicht mit besiegt werden?« 1945 bekamen wir eine Vorstellung davon, daß mit der Vorverlagerung der sowjetischen Macht nach Westen die abendländische Welt entscheidend geschwächt wurde.

Die Bilanz des Zusammenbruchs war furchtbar: Millionen von Toten und Verwundeten, zerstörte Städte und Dörfer, wohin man sah. Es war das Ende – aber auch die Stunde Null.

Die totale Niederlage gab die Chance eines totalen Neuanfangs. Kein anderer Staat Europas hatte einen solchen Bruch seiner Geschichte erlebt. Die Kontinuität unserer Geschichte war unterbrochen. Um so mehr empfanden wir es als Aufgabe, aus den Trümmern zu retten, was möglich und nötig war, und Bewährtes zu bewahren. So ging es darum, das Vaterland, ein einigendes Band, nach wie vor als geistigen Auftrag und geschichtlichen Wert zu begreifen und an gute Traditionen anzuknüpfen.

Dritter Teil

Jahre des Neubeginns

Zunächst blieb uns wenig Zeit zum Überdenken der Stunde. Kolonialtruppen der französischen Armee trieben ihr Unwesen in Urnau, und immer wieder mußten wir, unterstützt von französischen Offizieren, die Bevölkerung schützen. Nach der Unterzeichnung der bedingungslosen Kapitulation setzte am 8. Mai Waffenruhe ein. Alle waren wie von einem ungeheuren Alpdruck befreit.

Wir ehemaligen Häftlinge warteten nun erneut Wochen und Monate auf eine Entscheidung über unser Schicksal; immer wieder aber wurden wir von französischen Behörden vertröstet. Wir konnten uns zwar frei bewegen, durften aber den Ort nicht verlassen. Die Bevölkerung in Urnau sorgte weiterhin für uns und behandelte uns wie wirkliche Mitbürger.

Tief bewegend war der Besuch von Frau Lucie M. Rommel mit Oskar Farny am 19. Juni, bei dem sie von den erschütternden letzten Augenblicken des Feldmarschalls berichtete. Das Wiedersehen erschien nach den furchtbaren Ereignissen und unter den augenblicklichen Umständen fast unwirklich und bekräftigte die Schicksalsverbundenheit.

Erst nach zwei Monaten, am 27. Juni erhielt ich die Nachricht, daß Ruth und die Kinder lebten. Dies gab wieder Auftrieb, für den auch Pater Kruck, Markgraf Berthold von Baden und der alte Freund Oskar Farny durch mehrere Besuche sorgten. Als wir befreiten Häftlinge am 20. Juli 1945, dem ersten Jahrestag des Erhebungsversuches, in der Mühle zu Urnau zusammensaßen,

rief Alfons Rist mir plötzlich zu, ich solle zum Fenster hinausse-
hen: Auf dem Bock eines Pferdefuhrwerks saß unsere zwölfjährige Christa.

Ruth glaubte mich ohne Lebenszeichen. Da sie selber aber
ebensowenig wie die siebzehnjährige Ina bei der Unsicherheit
durch die buntgewürfelten französischen Verbände den kleinen
Hansi und die Wohnung verlassen konnte, das Fernsprech- und
Eisenbahnnetz jedoch seit Monaten weitgehend zerstört waren,
hatte sie Christa entsandt. Auf einem Holzvergaser-Auto, das auf
der Suche nach Lebensmitteln ins schwäbische Oberland fuhr,
hatte die Zwölfjährige sich dann zwei Tage allein zu mir durchge-
schlagen, unterstützt von der damals beispielhaften Hilfsbereitschaft vieler Landsleute. Die Bereitwilligkeit, einander beizuste-
hen, war in dieser Zeit oft beeindruckend. Rührte dies wohl
daher, daß man gemeinsam hungerte, daß man unterschiedslos
Not litt? Wie aber manchmal bedeutungsvolle Ereignisse zeitlich
zusammenfallen: An diesem Abend des 20. Juli traf auch die
befreiende Nachricht ein, daß ich zu meiner Familie nach Freudenstadt als neuer »résidence surveillée« übersiedeln könne.

Doch noch eine Woche dauerten die Verhandlungen wegen der
Papiere, des Betriebsstoffs für ein Vehikel und die Erledigung
anderer Formalitäten, bis Christele und ich am 27. Juli früh
starten konnten und wir nach ein paar Stunden alle glücklich
wieder in Freudenstadt vereint waren.

In Freudenstadt ging es nun darum, neue Lebensbedingungen
zu schaffen, vor allem für eine einigermaßen ausreichende Ernährung für die Familie zu sorgen. Ärztlicherseits wurden damals
1100 bis 1200 Kalorien als lebensnotwendig bezeichnet, in Freudenstadt wurden jedoch nur 600 bis 700 Kalorien täglich zugewiesen. So dienten die ersten Ausflüge dem »Hamstern«, der
Sorge um das nackte Leben. Dies war besonders schwierig in einer
zerstörten Stadt, die keinerlei Bahnverbindung mehr hatte, da
alle Brücken gesprengt waren. Auch hier bewährten sich wieder

alte Freunde und Kameraden. Zeiten der Not sind Proben auf die Freundschaft. Mein langjähriger Bursche, der heutige Kreisobstbauoberamtmann Karl Kost, und sein Bruder Hermann sorgten für zusätzliche Nahrung; auch durch meine Gefechtsordonnanz aus dem ersten Weltkrieg, den Obermeister der Bäckerinnung Gottlieb Leeger in Stuttgart, kamen wir zu so manchem Laib Brot. Schließlich lebten wir auch von dem, was die weiten Wälder uns boten. Groß und klein zog im Sommer oft Tag für Tag zum Sammeln von Heidelbeeren, Himbeeren und Pilzen in den Wald. Für die Wohnung wurde in den Trümmern ein eiserner Ofen gefunden; das Holz mußten wir uns aus dem Wald »besorgen« und zubereiten.

Im übrigen war man im wesentlichen auf Tauschhandel angewiesen. Es gab weder Gehalt noch Pension; die Konten der ehemaligen Angehörigen der Wehrmacht waren von der Besatzungsmacht gesperrt.

Die erste Bestandsaufnahme galt der Familie. Unsere damals sechsundsiebzigjährige Mutter war bei meiner Schwester Lotte in Schloß Talheim, deren Mann in ein Lager nach Kornwestheim abgeholt worden war. Am 2. September konnte ich nach ihnen sehen, wie auch nach Ruths Mutter und Geschwistern in Gaildorf, wo gerade die Nachricht eingetroffen war, daß mein Schwager Max Horst, der nach dem 20. Juli ebenfalls eingekerkert worden war, lebt. Von meiner Schwägerin Inge, der Frau meines Bruders Helm, in Mecklenburg fehlte jedoch jede Nachricht. Sie hatte am 25. April Hans-Werner geboren. Von Helm selbst kam nur ein kurzes Lebenszeichen aus einem Gefangenenlager in Bayern.

Das Leben in Freudenstadt unter der französischen Besatzung wechselte je nach der Haltung des Kommandanten und der Disziplin der Truppe. Einmal wurde ich verhaftet, weil ich eine französische Fahne – einem Geßlerhut gleich – nicht gegrüßt hatte; dem Kommandanten war der Vorfall jedoch peinlich.

234

Die weitere Sorge galt der Suche nach einer Arbeit, die ein Existenzminimum für die engere und weitere Familie ermöglichen sollte. Aufgrund bescheidener schriftstellerischer Tätigkeit wies mir der Chef der provisorischen württembergisch-hohenzollernschen Regierung in Tübingen, Staatsrat Professor Dr. Carlo Schmid, Sonderaufgaben für die württembergische Regierung zu. Er dachte zunächst an den Vorsitz in einem zu gründenden Hilfskomitee für die deutschen Kriegsgefangenen in Frankreich und deren Familien. Dann erwog er eine Lehrtätigkeit an der dank des einsichtigen französischen Gouverneurs, General Guillaume Widmer, schon im Oktober 1945 wiedereröffneten Universität Tübingen. Als Carlo Schmid einige Monate darauf bei General Widmer einen Antrag auf einen Lehrauftrag für neuere Geschichte an der philosophischen Fakultät einreichte, antwortete ihm Widmer: »Vor General Speidel ziehen wir den Hut.«

Die Leistung von Carlo Schmid und seinen Kabinettsmitgliedern in Tübingen muß hoch gewertet werden. In einem grausam zerstörten Land, dem Hilfsquellen jeglicher Art fehlten, dessen Straßen und Bahnverbindungen vielfach unterbrochen waren, wurde ein Gemeinwesen geschaffen, das seinen Bürgern ein bescheidenes Leben möglich machte. Diese Arbeit wurde anfangs durch die französische Besatzungsmacht erschwert, die von zum Teil verständlichen Vorbehalten erfüllt war und durch Verordnungen der Militärregierung zu Demontagemaßnahmen, zur Abholzung von Wäldern und zu Lebensmittelentnahmen schritt. Auch betrieb die französische Militärregierung eine gewisse Abkapselungspolitik für ihre Zone. Carlo Schmid trat den Franzosen mit Würde, Festigkeit und Umsicht entgegen; seine souveräne Kenntnis der französischen Sprache, die Verwurzelung in der französischen Kultur waren dabei von Nutzen.

Ebenso hatte ich mit dem württembergischen Landesbischof D. Theophil Wurm, der im Dritten Reich wie in der Besatzungszeit Mannesmut zeigte, wiederholt Aussprachen über die Lage und die Zukunftsmöglichkeiten. Nachdem die französische Militärregierung den Geschichtsunterricht verboten hatte, ordnete Wurm vertraulich an, daß die evangelischen Pfarrer im Religionsunterricht auch Kirchengeschichte zu lehren und dabei die allgemeine Geschichte zu berücksichtigen hätten. Gemeinsam stellten wir Ausführungsrichtlinien auf.

Mit Frau Rommel, Oskar Farny und alten Freunden traf ich mich am ersten Todestag des Feldmarschalls, dem 14. Oktober, auf dem Friedhof in Herrlingen, doch untersagte mir die amerikanische Militärregierung, das Wort zu ergreifen.

Im Herbst und Winter arbeitete ich auf Weisung der württembergischen Landesregierung und auf Anregung von Bischof Wurm als Sachverständiger Gutachten für die Kriegsverbrecherprozesse in Nürnberg aus, vor allem über das Berufssoldatentum und den Generalstab, der dort später zu meiner Genugtuung als »nicht verbrecherische Organisation« erklärt wurde.

Vorträge, meist auf Einladung der Landräte und Bürgermeister, in Bad Boll, Tübingen, Reutlingen, Freudenstadt und Baden-Baden brachten mich in willkommene Berührung mit aufgeschlossenen Landsleuten, die nach authentischen Berichten über die jüngste Vergangenheit verlangten.

In dieser Zeit suchte uns mein alter Kommandierender General Hermann Geyer auf. Er konnte den Zusammenbruch nicht verwinden und zermürbte sich in dem Gedanken, daß er nicht entschlossen genug für den Widerstand gewirkt habe. Am 11. April 1946 ging er in den Wildsee.

Besonders belastend war die Lage der Familie meines Bruders Helm. Meine Schwägerin war nach abenteuerlicher Flucht aus Mecklenburg völlig entkräftet mit dem kleinen Hans-Werner in Talheim bei Mutter und Lotte angekommen, wo wir dann am 10. Juni 1946 Taufe hielten.

Im Sommer 1946 unternahm ich mit dem Kameraden von der 8. Armee Franz Stecher eine erste Reise durch das Nachkriegsdeutschland bis nach Hamburg. Stecher verfügte über ein – damals Seltenheitswert besitzendes – Auto mit Holzvergaser. So beglückend das erste Wiedersehen nach dem Krieg mit den alten Freunden Hans Schwarz, Ernst Jünger und Voit Maltzan für mich war, so erschütternd waren die Eindrücke, die wir auf dieser Fahrt empfingen. Auf den ersten Blick schienen manche Dörfer und Städte wie ausgelöscht, ganze Landstriche wie unwirklich. Anklagend starrten Trümmer, ausgehöhlte Behausungen uns an. Man hätte fast glauben können, daß sich in diesen Bezirken des Grauens kein Leben mehr regt. Doch gerade dies war beeindruckend: wohin man kam, wurde gearbeitet. Die Niederlage mit all ihren Zerstörungen hatte nicht zu Lethargie, zu tatenloser Verzweiflung geführt, sondern unverhoffte Kräfte hervorgerufen. Überall war der Wille zur Bewältigung der Not und zum Wiederaufbau spürbar. Stadt- und Landgemeinden hatten sich im Rückgriff auf alte kommunale Traditionen vielfach selbständig ans Werk gemacht und Grundlagen zum Neubeginn geschaffen. Hier zeigte sich ein Vorteil des alten deutschen Föderalismus.

In Hamburg verhandelte ich mit Generaldirektor Nordhoff wegen eines eventuellen Eintritts in sein Arbeitsgebiet und mit dem Chefredakteur der »Zeit«, Dr. Lorenz, wegen einer Mitarbeit in dieser Wochenzeitung. Noch war mir über dem allgemeinen Zusammenbruch nicht klar, wohin mich mein eigener Weg führen würde. Die Sorgen um das Land standen im Vordergrund.

Im August hatten politisch und geistig interessierte Persönlichkeiten in Aulendorf einen Oberschwäbischen Kulturkreis gegründet, der Männer wie Carlo Schmid, den ehemaligen Reichswehrminister Dr. Gessler, den Fürsten von Waldburg-Zeil, die Freiherren von Stauffenberg, Oskar Farny und Paul Binder vereinte und Fragen des Neuaufbaus behandelte. Bei der ersten Sitzung trug Carlo Schmid den neuen Verfassungsentwurf für Württemberg-Hohenzollern vor, der lebhaft diskutiert wurde.

Am 6. September 1946 hielt der amerikanische Außenminister

Byrnes in Stuttgart eine programmatische Rede, die als ein Wendepunkt in der Nachkriegsgeschichte anzusehen ist. Zum ersten Mal wurde Deutschland wieder als politische Kraft gewertet, was das weithin verlorengegangene Selbstbewußtsein der Deutschen festigte. Byrnes wandte sich gegen die Bevormundung des alliierten Kontrollrats, der bei der Behebung der wirtschaftlichen Not versagt habe, und bekräftigte den Wunsch der amerikanischen Regierung, den Deutschen die Hauptverantwortung für ihre eigenen Angelegenheiten zu übertragen. »Große Armeen von fremden Soldaten und fremden Bürokraten sind auf die Dauer nicht die verläßlichsten Hüter der Demokratie eines anderen Landes«, sagte Byrnes wörtlich. Was die Gebietsforderungen der Siegermächte in Ost und West angehe, so betonte Byrnes, daß die deutschen Ostgebiete nur provisorisch der Sowjetunion und Polen zur Verwaltung überlassen, aber nicht endgültig abgetreten seien.

Vor allem aber wurde uns durch diese Rede der Einschnitt im Verhältnis der USA zur UdSSR deutlich; Byrnes sprach ausdrücklich von einem »Machtkampf zwischen dem Osten und dem Westen«. Nachdem die beiden Weltmächte trotz entgegengesetzter Weltanschauungen durch den gemeinsamen Kampf gegen Deutschland geeint gewesen waren, rückten sie jetzt auseinander. Ein Polarisierungsvorgang setzte von nun an ein, der machtpolitische wie ideologische Gründe hatte – das freiheitliche System des Westens wurde mit dem Totalitarismus des Ostens als unvereinbar empfunden.

Die Rede, deren Inhalt mir Voit Maltzan gleich telefonisch nach Freudenstadt übermittelte, hinterließ nicht nur einen tiefen Eindruck, sie weckte auch bei vielen Deutschen erstmals wieder Interesse an den lebenswichtigen Fragen der Nation, wie kurz darauf die Züricher Rede Churchills dies für ein vereintes Europa tat. Um so größer war die Enttäuschung, als Byrnes am 8. Januar 1947 zurücktrat. Sein Nachfolger, der frühere Vorsitzende der vereinigten Generalstabschefs, General Marshall, verwirklichte aber den nach ihm benannten Plan zur Rettung aus wirtschaftlicher Not und zur Konsolidierung Europas. Seine Erfahrungen als Sonderbotschafter in China verstärkten die Entschlossenheit, den kommunistischen Expansionsdrang einzudämmen.

Das Jahr 1947 war für mich gekennzeichnet durch Vorbereitungen für die Verteidigung meines Bruders Helm in Nürnberg, der wegen seiner Stellung als Befehlshaber in Südgriechenland im »Südostprozeß« unter Anklage stand, durch Gespräche mit Minister Eberhard Wildermuth über einen Schutz der westlichen Welt und durch Begegnungen mit den alten, in Gefangenschaft gehaltenen Kameraden in Hoechst und Allendorf, die von der Historical Division der US-Streitkräfte zu kriegsgeschichtlichen Ausarbeitungen herangezogen wurden. Die Historical Division entsprach der kriegsgeschichtlichen 7. Abteilung des ehemaligen deutschen Generalstabs. Meine eigenen Arbeiten für sie machten solche Besuche in den Gefangenenlagern möglich.

Ein großer Teil der gefangenen Generale und Generalstabsoffiziere hatte sich bereit erklärt, ihre Kampferfahrungen mit allen operativen und organisatorischen Aspekten dem einstigen Gegner zur Verfügung zu stellen. Dabei spielte der Gedanke eine Rolle, auf diese Weise zu einer authentischen, der Wahrheit verpflichteten Geschichtsschreibung des zweiten Weltkriegs beitragen zu können. Es war eine Gelegenheit, vieles ins rechte Licht rücken zu können, was vorher oft verzerrt wiedergegeben war. Entscheidend für den Entschluß, dem ehemaligen Gegner die Erfahrungen des deutschen Generalstabs zu übergeben, war aber auch, daß zu dieser Zeit die Gemeinsamkeit mit geistigen und politischen Werten des Westens zunehmend erkannt wurde und daher eine Zusammenarbeit mit der führenden und uns schützenden Macht des Westens, Amerika, bejaht wurde.

In diesem Zusammenhang verdient eine Kontroverse mit amerikanischen Generalstabsoffizieren und Historikern, aber auch

239

mit der deutschen Geschichtsschreibung Erwähnung: Sie hatten Kriegstagebücher deutscher Kommandostellen im zweiten Weltkrieg ausgewertet und vielfach unterschiedliche Angaben über den Verlauf von Kampfhandlungen und Absichten für die weitere Kampfführung gefunden und als den Tatsachen entsprechend publiziert. Zur Rettung der Truppe und Deckung der Führung mußten leider – ganz im Gegensatz zur sauberen Kriegstagebuchführung im ersten Weltkrieg – Meldungen und Berichte häufig ad usum delphini, d. h. für Hitler und die nationalsozialistische Führung stilisiert werden. Sie geben daher des öfteren keinen sicheren Anhalt über den Verlauf von Kämpfen, über Führungsentscheidungen und ihre Gründe. Ein Mann wie Feldmarschall Rommel war sich dessen bewußt; er stellte oftmals die Frage nach der Zweckmäßigkeit einer Meldung nach oben. Am 16. Juni 1944 hatte er Hitler ganz offen vorgeworfen, »anscheinend traut sich niemand mehr, die Wahrheit an die höchste Stelle zu bringen«.

Zum Jahresabschluß kam die erforderliche Zustimmung der französischen Militärregierung wie auch des württembergisch-hohenzollernschen Staatspräsidenten Lorenz Bock für eine Lehrermächtigung an der Philosophischen Fakultät der Eberhard-Karls-Universität in Tübingen und am Leibniz-Kolleg. Zugleich wurde ich als Vertreter von Württemberg-Hohenzollern zum Mitglied des wissenschaftlichen Beirats des neugegründeten Münchener Instituts zur Erforschung der Geschichte des Dritten Reiches ernannt. Die Erteilung eines Forschungsauftrages für Geschichte durch die württembergisch-hohenzollernsche Regierung brachte endlich eine regelmäßige Vergütung. Nun konnten wir freier atmen. Bis dahin hatte ich lediglich durch schriftstellerische Arbeiten, die zum Teil in der von Benno Reifenberg herausgegebenen »Gegenwart« erschienen, und durch Beratung der Regierung ein bescheidenes Auskommen gehabt.

Die Arbeit für die in Nürnberg Inhaftierten, insbesondere für Helm, belastete am meisten. Ehe ich zum ersten Mal Ende Mai

1947 nach Nürnberg fuhr, hatte ich ein Gutachten für die »Generalsprozesse« abzugeben. In der simplifizierenden Anklagebegründung stand: »Beck, von Fritsch, Rundstedt und andere militärische Musterexemplare beherrschten die militärische Clique; auf diese Gruppe gestützt, schwang Hitler sich zur Macht empor, und im Besitz der Macht, schritt er zur Eroberung.« Dies entsprach durchaus der Auffassung des amerikanischen Hauptanklägers General Telford Taylor, der einmal in einer Rede die Deutschen als niemals menschlich und selten klug bezeichnet hatte.

Ich widerlegte die Anklagepunkte durch ein ausführliches Gutachten über Generaloberst Beck und Generaloberst Freiherr von Fritsch. Bei Beck konnte ich vor allem seine Bemühungen zur Erhaltung des Friedens und seine Ansicht hervorheben, daß jeder an verantwortlicher Stelle stehende Soldat es als seine vornehmste Aufgabe betrachten müsse, einen Krieg zu vermeiden.

Die Atmosphäre im Nürnberger Gefängnis, die Behandlung, die ständigen Kontrollen, die Bedingungen für eine Sprecherlaubnis waren denkbar unerquicklich. Vielfach war man den Launen amerikanischer Sergeants ausgesetzt. Zur Sprecherlaubnis wurde ich in einen kahlen Raum geführt, in dem ich meistens lange warten mußte, bis Helm hinter einer vergitterten Scheibe erschien. Helm behielt seine feste Haltung.

Am 19. Februar 1948 wurde das Urteil verkündet. Helm wurde zu zwanzig Jahren Haft verurteilt. Bei den Urteilen des Nürnberger Militärtribunals, das »zum Fortschritt der Menschheit« Völkerrecht setzen wollte, aber nicht frei von Vergeltungsdenken war, richtete sich das Strafmaß auch nach der Dienststellung des Angeklagten. – In Nürnberg konnte ich um dieselbe Zeit auch für meinen alten Oberbefehlshaber, General der Infanterie Wöhler, Zeugnis ablegen, der in bester Stimmung mit mir mehr gemeinsame Erinnerungen weckte, als von seinen Anklagepunkten sprach. Er erhielt acht Jahre Haft, die er freilich ebenfalls nicht abzusitzen brauchte.

Für die Verteidigung des früheren Staatssekretärs des Auswärtigen Amtes und Botschafters am Vatikan, Freiherrn Ernst von Weizsäcker, konnte ich ein »Affidavit« geben in Erinnerung an die Gespräche, die General Geyer und ich mit ihm vor dem Westfeldzug im Mai 1940 in Rheinberg geführt hatten. Freiherr von Weizsäcker war bei allem sokratischen Gleichmut über seine Lage tief verbittert über die amerikanischen Gerichtsbehörden, die ihn bei einer Vorladung in Nürnberg verhafteten. Er war im August 1946 aus der Vatikanstadt nach Deutschland zurückgekehrt, nachdem ihm »freier Aufenthalt« garantiert worden war.

Die Verhältnisse in dem völlig zerstörten Nürnberg waren um diese Zeit trostlos. Da ich es bewußt abgelehnt hatte, im amerikanischen Zeugenflügel des Gerichts zu wohnen, verbrachte ich die Nächte bei meinen ersten Besuchen im Freien, später in einer Bunkerunterkunft gegenüber dem Hauptbahnhof, wo ich allerdings einmal einen anregenden und trotz aller Belastung vergnügten geistvollen Abend mit Carlo Schmid und Werner Finck erlebt habe.

Ende Mai 1947 erhielt ich von meinem alten Freund Dirk Forster, dem früheren Botschaftsrat in Paris, einen Brief aus Ruit bei Stuttgart. Er war Stellvertreter des württembergischen Staatssekretärs Dr. Eberhard, des Leiters des »Deutschen Büros für Friedensfragen«. Das Büro hatte die Aufgabe, Material für eventuelle Friedensverhandlungen und für die Beantwortung von Anfragen der Siegermächte zu sammeln und vorzubereiten. Es arbeitete zunächst nur für die Länder der amerikanischen Zone, befaßte sich aber mit dem gesamten Komplex der mit einem Frieden zusammenhängenden Fragen. Es kam darauf an, hinsichtlich der von den Alliierten geforderten »Entmilitarisierung« nicht einfach Forderungen der Siegermächte entgegenzunehmen, sondern eigene Vorschläge auszuarbeiten. Dabei galt es auch zu untersuchen, welcher Schutz dem entblößten Torso Deutschlands geboten werden konnte. Nach mündlicher Rücksprache mit Staatssekretär Eberhard gab ich die Zusage, an den Problemen des internationalen Schutzes von Deutschland und damit seiner Sicherheit mitzuarbeiten. Durch historische Untersuchungen sollte auch dem Vorwurf entgegengetreten werden, die Entwicklung der deutschen Geschichte weise kontinuierlich seit Friedrich dem Großen eine nationalistisch-militaristische Tendenz zur Aggression auf.

Diese Aufgaben führten zu dem Auftrag, für die vom 6. bis 8. Juni in München tagenden Ministerpräsidenten der deutschen Länder Unterlagen für eine Resolution über einen Beitrag zur Verwirklichung des Weltfriedens zu erarbeiten. Dem entwaffneten Deutschland sollte internationaler Schutz gewährt werden, der ihm »die Möglichkeit gewährleiste, innerhalb seiner Grenzen in Sicherheit zu leben«. Trotz mancher Bedenken dachte man dabei auch an eine Streitmacht der Vereinten Nationen. Ähnliche Gedanken hatte mit mir der württembergisch-hohenzollernsche Staatsminister Dr. Eberhard Wildermuth wiederholt besprochen und mich gebeten, im Rahmen des Forschungsauftrages der württembergischen Regierung darüber zu arbeiten.

Angesichts der überschnellen Demobilisierung der Westmächte nach dem Krieg – die USA verringerten in Europa die Armeestärke von 3,5 Millionen auf 400 000 Mann, Großbritannien von 1,3 Millionen auf 500 000 Mann – und der verstärkten Stationierung sowjetischer Truppen in Mittel- und Osteuropa – allein vierzig Sowjetdivisionen standen 1946 in der sowjetischen Zone Deutschlands – war politisch und militärisch eine grundlegend neue Situation entstanden, deren bedrohliche Aspekte für unser Land unverkennbar waren. So wuchs die Besorgnis über die schutzlose Lage Deutschlands, über den horror vacui im Herzen Europas, der einen Anreiz für Stalins Hegemonialpläne darstellen mußte. Die Furcht fraß um sich, daß wir, selbst wehrlos und von den Besatzungsmächten kampflos preisgegeben, einer Aggression der Sowjets ausgeliefert sein würden, zumal nach Auffassung der

Westmächte erst am Rhein eine Verteidigungslinie aufgebaut werden sollte. In dieser Atmosphäre der Unsicherheit kursierten damals Pläne, wie bei einem möglichen Einfall der Russen eine Widerstandsbewegung mit kleinen Kommandotrupps geschaffen werden könnte, ein Gedanke, der später gelegentlich auflebte, um ein frontales Aufeinanderprallen zu vermeiden.

Um diese Zeit kamen die ersten Besuche aus der Neuen Welt. Besonders erfreulich war der von Anne Lindbergh, die uns Grüße von ihrem Mann und von Colonel Truman Smith, dem früheren amerikanischen Militärattaché in Berlin, überbrachte. Ein Jahr später habe ich General Charles Lindbergh zu einer Diskussion an der Universität Tübingen eingeladen, die allen Teilnehmern unvergeßlich geblieben ist. Charles Lindbergh stand den Studenten Rede und Antwort über das Verhältnis Amerikas zu Deutschland, über Fragen der Demontage und des Flüchtlingsproblems. Er kam gerade von Besprechungen mit General Bradley. Als ich ihm die Äußerung Bradleys über die »Verteidigung Europas am Rhein« vorhielt, antwortete Lindbergh, Omar Bradley habe wiederholt in seiner Gegenwart betont, daß mit den augenblicklich verfügbaren Landstreitkräften – lediglich eine einsatzbereite US-Felddivision befand sich 1948 in Deutschland – nur die Rheinlinie als Widerstandszone vorbereitet werden könne. Es werde aber angestrebt, diese Verteidigung weiter nach Osten »bis zur Elbe« zu verlegen. Dies sei vielleicht in Jahresfrist möglich.

Lindbergh war nicht nur der legendäre Flieger, sondern eine ritterliche Persönlichkeit mit tiefem menschlichen Verständnis für die Lage Deutschlands. Durch seine strahlende Offenheit und Überzeugungskraft wirkte er stark auf die Studenten.

Dem »Oberschwäbischen Kulturkreis« war kein größerer Widerhall beschieden, wohl aber dem in seiner Nachfolge entstandenen »Heiligenberger« beziehungsweise »Laupheimer Kreis«, so genannt nach den Wohnorten seiner Mentoren Prinz Max zu Fürstenberg und Dr. Ulrich Steiner. Diesem Gremium gehörten

244

unter anderen Carlo Schmid, Theodor Heuss, Theodor Eschenburg, Gebhard Müller, Paul Binder, Freiherr von Stauffenberg, Hans Heinrich Dieckhoff, Klaus Mehnert, Markgraf Berthold von Baden, Gerhard Ritter, der ehemalige preußische Finanzminister Klepper, Rudolf Stadelmann, Benno Reifenberg, Friedrich Sieburg, Otto Lenz und Theodor Pfizer an. Nachdem am 18. März Ulrich Steiner über die außenpolitische Lage noch im kleinen Kreis in Tübingen gesprochen hatte, vollzog sich die eigentliche Konstituierung am 23. Mai 1948 auf Schloß Heiligenberg, wo Prinz Max ein wahrhaft fürstlicher Gastgeber war.

Mehrere Treffen befaßten sich mit Sicherheitsfragen und mit dem Problem Berlin. Auch die Frage einer Ost- oder Westorientierung Deutschlands wurde eingehend erörtert. An eine dauernde Teilung unserer Heimat dachte damals niemand; wir alle glaubten, daß die Aufhebung der Besatzungszonen eine Frage von Monaten, höchstens Jahren sein würde.

In diesen Jahren 1947 und 1948 begann sich in Freudenstadt das Leben zu normalisieren, wenn auch die Sorgen um den Lebensunterhalt, vor allem die mangelhafte Ernährung, blieben. Mit der Wiederaufnahme des Post- und Bahnverkehrs meldeten sich in zunehmendem Maße Verwandte und Bekannte, berichteten von ihren mitunter apokalyptischen Erlebnissen. Wo man, wenn auch nur im bescheidensten Maße, helfen konnte, wurde es mit Freude getan. Der völlig verarmten und einsamen Witwe des Generalobersten Hans von Seeckt konnten wir im Sommer 1947 in der »Waldlust« in Freudenstadt Unterkunft verschaffen; sie war für jeden Beistand besonders dankbar.

Seit 1946 war ich auch in der Nothilfe für die ehemaligen Berufssoldaten, ihre Witwen und Waisen tätig; hier war aus menschlichen, rechtlichen und sozialen, aber auch aus politischen Gründen schnelle Hilfe dringend notwendig. In der Versorgungsfrage für die ehemaligen Berufssoldaten war das Land Württemberg-Hohenzollern wie in so vielem beispielgebend. Die Not war groß, wenn sie auch von den alten Soldaten und ihren Angehörigen schweigend getragen wurde. Die Reste der Ersparnisse waren meist verbraucht, Wertobjekte oft schon gegen Lebensmittel eingetauscht.

Erst am 23. Mai 1948 konnte in Tübingen eine Notgemeinschaft der ehemaligen Berufssoldaten offiziell gegründet werden, die ich fünf Jahre lang betreute, bis ich sie Generaloberst Ruoff übergab, da es mir wegen meiner Lehrtätigkeit an der Universität und am Leibniz-Kolleg neben anderen Aufgaben nicht mehr möglich war, in der bisherigen Weise für diese wichtige Sache zu wirken.

Einmal mußte ich auch in der US-Zone tätig werden. Die amerikanischen Dienststellen verweigerten Frau Lucie-Marie Rommel, der Witwe des Feldmarschalls, jede Zahlung, obwohl ihr einziger Sohn Manfred am Studienbeginn stand. Ich suchte den Ministerpräsidenten Dr. Reinhold Maier in Stuttgart auf, der eine gewisse Abhilfe möglich machte.

Beispielgebend setzte sich damals der unerschrockene Konsistorialrat im Widerstand gegen Hitler, Eugen Gerstenmaier, durch die Gründung des Evangelischen Hilfswerks ein, um die allgemeine Not zu lindern. Ich sollte ihm später in Bonn oft begegnen, wo er mit seiner politischen Leidenschaft für die Gestaltung unseres Staates, für den europäischen Zusammenschluß und für den Stil des Bundestags Unverwechselbares geleistet hat.

Trotz aller Existenz- und Zukunftssorgen gab es Tage und Stunden der Ruhe, der Besinnlichkeit, die ich zum Lesen, immer wieder zum Lesen benutzte, oft wie ein Verdurstender, zum Aufzeichnen von Erinnerungen, die die Grundlage für mein Buch »Invasion« bilden sollten, von Denkschriften, zum Hören ewiger Musik.

Charakteristisch für diese Nachkriegszeit war, daß allgemein eine Rückbesinnung auf das persönliche Leben einsetzte. Dies erklärt sich zweifellos durch die in den vergangenen Jahren im Übermaß geforderte und mißbrauchte Einsatzbereitschaft für den

Staat. Auch war jeder auf sich selbst gestellt; bei der Not und dem Mangel an fast allen lebensnotwendigen Gütern ging es oft nur darum, das nackte Dasein zu bewahren. Trotz dieser materiellen Notlage, trotz einer heute kaum mehr vorstellbaren Kargheit der äußeren Lebensumstände wuchs aber durch die Rückführung auf das Wesentliche, durch Selbstbesinnung die Kraft im Innern: ein geistiger Neuaufbruch setzte ein. Aufgeschlossenheit gegenüber geistigen Werten, Aufnahmebereitschaft für neue Gedanken bestimmte die »Davongekommenen«. Versuche eines Neubeginns im Politischen wie im Philosophischen und Religiösen bewegten uns alle.

Um so merkwürdiger erscheint es daher heute im Rückblick, daß dieser geistige Aufschwung nicht anhielt. Beanspruchte der wirtschaftliche Wiederaufbau alle Kräfte der Nation? Machte sich das Fehlen so vieler bemerkbar, die gefallen waren oder ins Ausland emigrieren mußten? Oder gehört zur Konstellation einer gedeihlichen Kulturentwicklung eine Metropole? Schließlich mag auch der Materialismus eines im bald einsetzenden Wohlstand befangenen Volkes zu dieser Entwicklung beigetragen haben.

Ernst Jünger sandte mir den Entwurf seiner »Strahlungen«, das Tagebuch, von dem er mir so oft berichtet hatte, wobei er sich auf Blaise Pascal bezog: »Jeder Autor hat einen Sinn, in welchem alle entgegengesetzten Stellen sich vertragen, oder er hat überhaupt keinen Sinn.« Nicht nur die Erinnerungen an gemeinsam Erlebtes, die in gültiger Gestalt so vieles wieder lebendig werden ließen, faszinierten mich, sondern auch die Tagebuchform, durch die kaleidoskopartig das Verschiedene und Vielfältige – vom persönlichen und politischen Tageserleben bis zu philosophischen Überlegungen und religiösen Betrachtungen – geordnet und einander zugeordnet wurde.

Zwei Theaterereignisse innerhalb eines Monats wühlten uns auf: der »Faust« mit Mathias Wieman in Stuttgart und »Des

Teufels General« von Carl Zuckmayer in München mit Paul Dahlke als Harras. Die tiefe Erschütterung der Zuschauer läßt sich heute schwer nachvollziehen. Alle fühlten sich mitgerissen, einbezogen, jeder im Bewußtsein oder Unterbewußtsein seines eigenen Erlebens. Für uns war es das erste Wiederfinden mit Carl Zuckmayer nach jener dithyrambischen Nacht an Gerhart Hauptmanns Siebzigstem im »Adlon« in Berlin. »Zuck« war derselbe geblieben, ein Stück von uns.

Als Entlastungszeuge zur Spruchkammerverhandlung meines Freundes, Generalkonsul Peter Pfeiffer, gerufen, war ich vom 4. bis 6. Mai 1948 zum ersten Mal in dem noch weitgehend zerstörten München. Am 5. Mai lud mich der bayerische Ministerpräsident Dr. Ehard ein und führte mit mir ein eingehendes Gespräch über die Sicherheit Deutschlands; er erbat abschließend eine Aufzeichnung über meine Einschätzung der militärpolitischen Situation.

Zwei Tage danach erging eine Einladung Ehards zur ersten und letzten Konferenz der Ministerpräsidenten aller deutscher Länder, auf der dann durch den Auszug der mitteldeutschen Ministerpräsidenten der Ost-West-Gegensatz manifest wurde.

In meiner Aufzeichnung gab ich einen Überblick über das Gesamtpotential der Sowjetunion und der USA und die Möglichkeiten der Abwehr einer Aggression, wobei ich besonderes Gewicht auf die bewegliche Kampfführung an der bayerischen Grenze legte. Darüber hinaus machte ich Vorschläge für eine deutsche Beteiligung an der Verteidigung Mitteleuropas. Die wichtigsten Gesichtspunkte waren: völlige Gleichberechtigung, politische Zielsetzung unter leitender europäischer Idee, europäisches Oberkommando mit gleicher Beteiligung aller Mächte und möglichst US-Oberbefehlshaber; Einbeziehung nicht nur der Besatzungsstreitkräfte, sondern auch der Besatzungsgebiete, die sonst vogelfrei wären.

Einige Wochen zuvor schon hatten sowohl die württembergisch-hohenzollernsche Regierung unter Carlo Schmid, Eberhard Wildermuth und Gebhard Müller als auch das Büro für Friedensfragen in Stuttgart mich gebeten, ein Memorandum über die »Sicherheit Westeuropas« auszuarbeiten. Der Chef der württembergisch-hohenzollernschen Regierung ging ebenso wie der bayerische Ministerpräsident davon aus, daß das Recht auf Sicherheit auch dem Besiegten zustehe.

Ich verwies bei solchen Gedanken auf die im März veröffentlichte Deklaration des Dichters, Botschafters und Mitglieds der Académie Française Paul Claudel: »Jetzt sind die Feindseligkeiten vorüber, und damit ist eine kühle Betrachtung der Tatsachen möglich. Von den Tatsachen springt zunächst die ins Auge, daß Deutschland für das westliche Europa, für seinen Schutzwall, dessen Hauptwerk Frankreich ist, eine Notwendigkeit darstellt, eine wesentliche und organische Notwendigkeit. Das westliche Europa entsteht heute aus der Gefahr, der furchtbaren sowjetischen Gefahr. Gegen diese Gefahr, ob uns das angenehm ist oder nicht, ist Deutschland unser Schutz und Schild. Ein Schild darf nicht schwach sein. Die Nation, die unser Schild ist, darf nicht im Zustand einer formlosen Masse gelassen werden. Sie muß belebt werden mit dem Willen zum Widerstand, dessen erste Voraussetzung der Wille zur Existenz ist.«

Mein Memorandum »Die Sicherheit Westeuropas« vom Juni 1948 begann mit dem Satz: »Ein Hauptziel der Sowjetunion ist die Erringung der Vorherrschaft in Deutschland als entscheidender Schritt zur Gewinnung des Primats über ganz Europa. Die Wege zur Verwirklichung sind verschieden.« Die Bedrohung Europas durch Sowjetrußland schien mir wie anderen militärischen Beobachtern eine unleugbare Tatsache. Gestützt auf zuverlässiges Zahlenmaterial, das der mir aus Friedens- und Kriegszeiten gut bekannte Generalmajor Reinhard Gehlen zur Verfügung gestellt hatte, wies ich das Übergewicht nach, das damals die Rote Armee mit ihren Landstreitkräften besaß. Für den Fall eines militärischen Konflikts der Sowjetunion mit den USA würde nach meiner Auffassung der zentrale Kriegsschauplatz nicht das kontinentale Europa, sondern das Mittelmeer und der Nahe Osten sein; Europa würde die Nordflanke bilden und Nebenkriegsschauplatz sein. Hier hielt ich drei verschiedene Offensivoperationen der Sowjetunion für möglich: einen Vorstoß zur Nordsee- und Kanalküste mit den Zielen Hamburg, Bremen und Antwerpen, wobei auch das Ruhrgebiet besetzt werden könnte; eine Offensive in Richtung Triest, die einen Ausgangspunkt für weiteres Vorgehen auf dem Balkan und in Italien eröffnen würde, und schließlich – allerdings wegen des erforderlichen Kräfteaufwands als weniger wahrscheinlich anzunehmen – einen breitangelegten Vormarsch zu den Pyrenäen und zur Atlantikküste.

Die Sicherheit Deutschlands erschien vor dem Hintergrund solcher Überlegungen als Zentralproblem der Sicherheit Europas. Eine Neutralität Deutschlands nach Schweizer Vorbild schloß ich nicht nur aus Gründen des Machtgleichgewichts aus, sondern auch deshalb, weil dafür die völkerrechtlichen Voraussetzungen fehlten. Eine Sicherheitsgarantie der USA, wie sie durch den »Prokonsul« General MacArthur Japan gegeben wurde, wäre in der damaligen Lage Deutschlands schwierig gewesen, auch weil die Grenzen des Territoriums nicht festlagen wie die Japans.

Sorgfältig war die Frage zu prüfen, ob die UNO in der Lage sein würde, wie manche hofften, künftige Kriege zu verhindern und damit auch den Schutz Deutschlands vor einem unprovozierten Angriff zu garantieren. Da aber über die Bildung und Verwendung von UN-Streitkräften keine Einigung erzielt werden konnte, mußte die Wirksamkeit der Vereinten Nationen skeptisch beurteilt werden, zumal angesichts der Vorgänge in Palästina, wo der Krieg zwischen Arabern und Israelis nicht hatte verhindert werden können und noch nicht einmal ein Waffenstillstand durch die UNO zustande kam.

Den Gedanken eines deutschen Beitrags für die Verteidigung

Westeuropas brachte ich nur in der Form eines Zitats des amerikanischen Publizisten Robert Ingrim ins Spiel. Er hatte im Hinblick auf ein drohendes sowjetisches Vordringen ein starkes Landheer gefordert, das den Vereinigten Staaten fehle und das die Deutschen stellen müßten. Um so deutlicher arbeitete ich die Voraussetzungen für eine aussichtsreiche militärische Verteidigung heraus:

»1. Festlegung und Sicherung der deutschen Grenzen.

2. Koordinierung der Verteidigungssysteme der westeuropäischen Mächte.

3. Einheit des Oberbefehls. Operative Vorbereitungen.

4. Unterbringung von mindestens 20 Panzerverbänden in Divisionsstärke anstelle der Besatzungstruppen aller drei Zonen. In diesen Verbänden würden nationale Einheiten (Engländer, Franzosen usw.) unter einheitlicher Führung enthalten sein.

5. Errichtung und Sicherung von Basen für die Luftstreitkräfte, die nötigenfalls nach Deutschland verlegt werden.

6. Aktiver Luftschutz. Garantie der ›Freiheit der Luft‹.

7. Sicherung der Küstengewässer.«

Ich betrachtete es als unverzichtbare Aufgabe der Politiker, bei den Verhandlungen mit den Alliierten um die Gestaltung der deutschen Zukunft in diesem Sinne auch das Problem der Sicherheit Deutschlands zur Sprache zu bringen.

Dieses Memorandum trug ich auf einer Tagung des »Heiligenberger Kreises« vor. Bei späteren Tagungen dieses Gremiums, das damals auch andere politische Vorschläge für den Parlamentarischen Rat und die Regierungen der Länder ausarbeitete, wurden Ergänzungen zu meiner Sicherheitsdenkschrift diskutiert. Bei dieser Besprechung auf Schloß Werenwag am 18. und 19. Juni 1948 berichtete Carlo Schmid, der gerade von General Koenig in Baden-Baden zurückkam, über die am 20. Juni in Kraft tretende Währungsreform, die eine gewaltige Zäsur, aber auch die Grundlage für den wirtschaftlichen Wiederaufbau im Rahmen der sozialen Marktwirtschaft bedeutete. Sie erfolgte im Verhältnis 1:10, die Bankguthaben wurden auf 6,5 Prozent abgewertet. Was diese Maßnahmen zunächst an Existenzsorgen für so viele, die damals auf ihre Ersparnisse angewiesen waren, mit sich brachten, wird heute kaum mehr verstanden werden.

In den darauffolgenden Tagen schloß unser Freund Dr. Hans Roesch als Lektor des Rainer-Wunderlich-Verlags Tübingen die Durchsicht meines Buches »Invasion 1944. Ein Beitrag zu Rommels und des Reiches Schicksal« mit mir ab. Ernst Jünger hatte sich zu meiner Freude bereit erklärt, das Geleitwort zu schreiben und mein Manuskript durchzusehen. Dies war mir besonders wertvoll, nicht nur seines kritischen Geistes wegen, sondern weil er den Sommer 1944 aus nächster Nähe miterlebt hatte. Mit seinem Rat stellte sich auch Vizeadmiral Friedrich Ruge zur Verfügung, der als beratender Admiral bei Rommel die ganze schwere Invasionszeit mit uns geteilt hatte. 1955 übernahm er als erster Inspekteur den Aufbau der Bundesmarine.

Ende Juli besuchte mich Dr. Alexander Böker, ein Mitarbeiter Konrad Adenauers, der inzwischen Präsident des Parlamentarischen Rates geworden war. Mein alter Freund Colonel Truman Smith hatte ihm empfohlen, sich mit mir über die Weltlage, die Absichten der Vereinigten Staaten, vor allem aber über die Sicherheit Westeuropas auszusprechen. Ich gab ihm mein Memorandum zu lesen, ebenso eine Arbeit über die Normandieschlacht, welche die »Historical Division« von mir erbeten hatte.

Völlig unerwartet erhielt ich am 7. Dezember 1948 einen Anruf meines alten Ordonnanzoffiziers Dr. Rolf Pauls aus Bonn; er war damals Mitarbeiter von Ministerialdirigent Herbert Blankenhorn bei Adenauer. Adenauer hatte an ihn die Frage gerichtet, ob er einen für die Problematik der Sicherheit kompetenten ehemaligen General wisse. Pauls hatte meinen Namen genannt und fragte mich nun, ob ich bereit sei, am 14. Dezember Adenauer und Blankenhorn über meine Auffassung der Dinge zu berichten.

Wenige Tage später trat ich erstmals dem künftigen Bundeskanzler gegenüber. Er empfing mich in elastischer Haltung stehend, wesentlich jünger als seine 73 Jahre wirkend, kühl in Blick und Wort. Die Aussprache war streng sachlich. Adenauer hatte kein Verhältnis zum Soldaten, auch nicht zu militärischen Problemen. Einige herabsetzende Bemerkungen über die Soldaten wies ich damit zurück, daß er ja selbst weder Soldat noch in der Widerstandsbewegung gewesen sei. Gegen Ende der Unterredung schien er außerordentlich interessiert und bat mich, die vorgetragenen Gedanken in einem Aide-Memoire niederzulegen, was ich an Ort und Stelle mit Herbert Blankenhorn zusammen ausführte.

Blankenhorn war ein Mann mit überragender politischer Begabung. Seit einiger Zeit schon gehörte er zu den engsten Vertrauten und Beratern Adenauers; sein Einfluß auf außenpolitischem Gebiet war ähnlich dem Erhards auf wirtschaftspolitischem. Er kam aus der Berufsdiplomatie, und so verfügte er nicht nur über außenpolitische Sachkenntnis, sondern auch über personal-politisches Wissen, was für den in den äußeren Angelegenheiten noch nicht so erfahrenen Adenauer von großem Nutzen war.

Wie Adenauer es aber verstand, sich der Fähigkeiten seiner Mitarbeiter zu bedienen, so konnte er sie auch, wenn sie ihm entbehrlich geworden waren, kühl fallenlassen. Dieses Schicksal sollte Blankenhorn später mit manchen anderen wie Dr. Otto Lenz, Graf Schwerin und Theodor Blank teilen.

Damals aber, als die Bundesrepublik noch nicht institutionalisiert war, hatte Blankenhorns Urteil großes Gewicht; von verschiedenen Seiten hörte ich bald, daß Blankenhorn bei Adenauer das Memorandum entschieden vertrat, das im wesentlichen die Gedanken vom Juni 1948 auf den neuesten Stand gebracht hatte.

Diesmal ging ich jedoch stärker auf die Bedrohung speziell Westdeutschlands ein. Ich machte darauf aufmerksam, daß nach neueren Berichten von alliierter Seite zwar nicht mehr die Pyrenäen, aber der Rhein als tatsächliche Verteidigungslinie vorgesehen sei, und wies auf die Gefahren hin, die daraus nicht nur für unser Land, sondern für den gesamten Westen entstehen. Obendrein sei, so führte ich aus, angesichts der Kräfteverhältnisse Frankreichs, der Beneluxstaaten und Englands nicht einmal eine ausreichende Verteidigung der Rheinlinie gewährleistet. So kam ich auf einen möglichen deutschen Verteidigungsbeitrag zu sprechen:

»Wird ein deutscher Beitrag im Rahmen einer europäischen Gesamtkonzeption für wünschenswert erachtet, so wird es sich nicht um Eingliederung kleinerer deutscher Einheiten in nationale Kontingente der anderen westeuropäischen Staaten handeln können. Es erscheint vielmehr zweckmäßig, einheitliche deutsche Sicherungsverbände im Rahmen einer europäischen Armee aufzustellen. Es würde sich hierbei um modern bewaffnete und ausgerüstete motorisierte Einheiten mit panzerbrechenden Waffen und mit Panzern handeln (Stärke eines solchen Sicherungsverbandes etwa der französischen Panzerdivision oder britischen Panzerbrigade entsprechend).

Durch die Mitwirkung in einer europäischen Streitmacht scheidet auch eine Wiedererweckung jeden ›nazistischen Militarismus‹ von vornherein aus. Bei der Organisation solcher Sicherungsverbände könnte das Milizsystem nach Schweizer Art zum Muster genommen werden.

Die großen Anstrengungen der Vereinigten Staaten, Europa wirtschaftlich und politisch wieder aufzubauen, könnten eine sinnvolle Ergänzung in solchen europäischen Streitkräften finden, die als Zukunftsziel aus eigener Kraft Europa zu schützen vermögen und damit einen wertvollen Beitrag zum Schutze der atlantischen Welt leisten können.«

Ich überreichte diese Denkschrift Adenauer, der sich bedankte, aber kein Wort über einen künftigen Beitrag zur Sicherung des Westens sagte.

Nicht lange danach erhob die Sowjetunion die Forderung nach

einer Räumung Gesamtdeutschlands von allen Besatzungstruppen. Eine solche Räumung hätte die Gefahr eines Bürgerkriegs heraufbeschworen. Kurz zuvor hatten Pieck und Ulbricht erklärt, Westdeutschland »befreien« zu wollen. Die Länderpolizeien Westdeutschlands hätten es mit den nicht nur der Zahl, sondern auch der Ausrüstung nach überlegenen Polizeiverbänden der sowjetischen Besatzungszone nicht aufnehmen können. Diese neue politische Lage trug das ihrige dazu bei, daß die Frage nach westdeutschen Sicherungsverbänden aktuell blieb.

Gespräche mit Persönlichkeiten aus den USA und aus Frankreich wurden häufiger. Als wichtiger Schritt auf dem Weg zu einem Zusammengehen der westlichen Welt wurde der Abschluß des Nordatlantikpakts am 4. April 1949 empfunden. Er sollte ein Verteidigungsinstrument sein, das jede weitere Expansion der Sowjetunion nach Westen verhindert. In seiner Verteidigungskonzeption wurde er aber nicht nur von uns, sondern auch in der Schweiz als unzureichend angesehen. Mit diesen Plänen – Rheinlinie; das Gebiet östlich des Rheins Niemandsland – war nicht nur das ganze westdeutsche Gebiet aufgegeben, sondern auch die Schweiz, Österreich und Holland nördlich des Rheins bedroht. Damit war die Sicherheit Westeuropas ernstlich gefährdet.

Eine Zwischenbilanz über die neue Lage zogen Adolf Heusinger und ich mit Rolf Pauls, der uns nach Unkel gebeten hatte und meine ausführlichere Denkschrift vom 5. 4. 1949 mit nach Bonn nahm.

Diese Aufzeichnung ging detaillierter als die vorangegangenen Denkschriften auf wahrscheinliche militärische Maßnahmen der Sowjetunion und die Möglichkeiten ihrer Abwehr ein. Da eine starre Verteidigungsfront über 800 Kilometer Länge kaum zu halten war, empfahl ich für die notwendige bewegliche Kampfführung den Aufbau schneller Panzerverbände, die mit entsprechender Luftunterstützung stark genug sein sollten, angreifende russische Stoßkeile einzeln anzufallen und zu schlagen. Eine von der westlichen Allianz eventuell gewünschte deutsche Beteiligung sollte von folgenden Bedingungen abhängig gemacht werden:

»Politische Bedingungen:

a) Völlige Gleichberechtigung. Beendigung des ›Kriegszustandes‹. Aufnahme von Westdeutschland und Österreich in den Atlantikpakt mit gleichen Rechten und Pflichten.

b) Klare politische Zielsetzung unter der leitenden europäischen Idee.

Anmerkung: Die Rückgabe der entrissenen Ostgebiete ist unabdingbare Notwendigkeit für die Existenz des deutschen Volkes. (Moralische Bedeutung für die vielen Millionen von Flüchtlingen aus den Ostgebieten.)

Militärische Bedingungen:

a) Oberkommando europäisch-amerikanisch unter Beteiligung aller Mächte. Wünschenswert Stellung des Oberbefehlshabers durch die USA wegen der Schwierigkeiten in den Westunionstaaten.

b) Deutsche Führung bis Division einschließlich, die im übrigen ›homogen‹ sein muß. Korps können gemischt sein, aber mit deutscher Beteiligung bei den Stäben.

c) Modernste Waffenausstattung (Panzer-, mech., mot. Divisionen). ›Kanonenfutter‹ kann nicht gestellt werden.

d) Bildung von Abwehrdivisionen für den Einsatz in den Verteidigungsräumen (›Eckpfeilern‹). Moderne und ausreichende Ausstattung mit Panzerabwehrwaffen. Organische Zuteilung von Luftwaffenverbänden unter einheitlicher Führung.

e) Sorge für ausreichenden aktiven und passiven Luftschutz.«

Als ich dies schrieb, wußte ich wohl, daß viele meiner Landsleute im Rückblick auf die Schrecken des Kriegs, den sie gerade überstanden hatten, oder im Hinblick auf das Unrecht, das vielen pflichttreuen Soldaten in den letzten Jahren widerfahren war,

2. Die Eltern Speidel im Sommer 1916 mit ihren Kindern

3. Im Ersten Weltkrieg, Dezember 1914, in der Uniform des Grenadierregiments König Karl

Schützengraben in Flandern

Rückkehr aus dem Kampfgebiet südlich Lange-
rck (Leutnant Speidel rechts auf dem Bild)

Besuch des Königs Wilhelm II. von Württemberg
der Front, 1917

eldgottesdienst

Rückkehr aus dem Feld nach dem
Waffenstillstand 1918

9. Nach dem Kapp-Putsch 1920: Der preußische
Kriegsminister General Walther Reinhardt, Reichs-
präsident Ebert, Dr. Otto Meissner, Reichswehrmi-
nister Gessler, Major Wilhelm Baeßler, Oberst i. G.
Muff und Gesandter Hildenbrand vor dem Hotel
Waldeck in Freudenstadt

10. u. 11. Mit Gerhart Hauptmann in Santa Margherita, 1924

12. Manöver der Reichswehr an der Oder (Hindenburg-Manöver), September 1932. Speidel mit dem stellvertretenden amerikanischen Militärattaché John H. Hinemon

13. Begrüßung Reichspräsident von Hindenburgs

14. Die ausländischen Militärbeobachter, unter der sowjetischen Abordnung Marschall Tuchatschewski

15. Trauergottesdienst für Hindenburg am
7. August 1934 in Paris; von links Marschall
Pétain, Marineminister Piétri, Speidel

. Hitler bei Manövern 1935 auf der
hwäbischen Alb

17. Speidel mit Major Kinzel, 1935

. Die großen französischen Heeresmanöver
i Mailly, September 1935. Speidel unter den
anövergästen

Parade der 8. Maschinengewehrkompanie des
Infanterieregiments 56 in Ulm, Frühjahr 1936

1936 in Ulm auf dem Kasernenhof mit Generalleutnant Hahn

21. Mit Frau und Tochter Christa

22. Urlaub in Freudenstadt

23. Hans Speidels Vater mit den Enkeltöchtern

24. u. 25. Besuch bei Marschall Pétain in Paris, Ju[ni]
1937. Oben v. l.: Generalleutnant Kühlenthal,
General Ludwig Beck und Major i. G. Speidel

26. Nach dem Sieg über Frankreich. Deutsche Infanterie auf der Place de la Concorde in Paris,
14. Juni 1940

27. Hitlers Besuch in Paris. Links: Generalfeldmar[-]
schall Keitel

28. Mit Generalfeldmarschall von Witzleben,
März 1941

29. Generalfeldmarschall von Brauchitsch
in Paris, 1940

. Der Militärbefehlshaber in Frankreich, General
to von Stülpnagel, Minister Jonathan Schmid (r.)
d Oberst i. G. Speidel am 16. Juni 1941

. Im Gespräch mit der Sängerin Germaine Lubin
der Deutschen Botschaft in Paris, 1941

32. Rußlandfeldzug. Als Chef des Generalstabes des
V. Armeekorps im Kaukasus, Sommer 1942

33. u. 34. Befehlswagen

35. An der Beresina, Mai/Juni 1942

36. Bei Generaloberst Ruoff in Gorlowka, 14. Juli 1942. V. l.: Generalmajor Vinzenz Müller, General-oberst Ruoff, General Wetzel und Speidel

37. Rostow. Ponton-Brücke über den Don, Ende Juli 1942

38. Mit Generaloberst Kempf, Februar 1943

39. General Wöhler, Speidel und Hauptmann i. G
Grüninger, 1943

40. Beim Panzerkorps Raus, 12. Mai 1943. V. l.:
Generalfeldmarschall von Manstein, Speidel und
die Generale Raus und Kempf

1. Charkow. Luftaufnahme aus dem »Fieseler
Storch«

2. Auf »Tell«, Mai 1943

50. Mit Charles Lindbergh in Freudenstadt, 1946

51. Verhandlungen über einen deutschen Verteidigungsbeitrag innerhalb des atlantischen Bündnisses auf dem Petersberg bei Bonn. Die deutschen Generale Speidel und Heusinger verlassen den Konferenzsaal

52. Empfang des amerikanischen Hohen Kommissars McCloy zu Ehren Eisenhowers. Speidel, Heusinger und Theodor Blank (Mitte) bei ihrer Ankunft in Bad Homburg, Januar 1951

8. Theodor Heuss und Speidel in Tübingen, 1948

54. Mit General Ganeval 1951 auf dem Petersberg

55. Theodor Blank, der spätere erste Verteidigung
minister der Bundesrepublik, auf dem Petersberg

56. Mit General Eisenhower auf dem Flughafen
Orly bei Paris, März 1952

57. Dr. Gebhard Müller, Staatspräsident von Süd-
württemberg-Hohenzollern, und Hans Speidel,
1952

58. Mit Frank Thieß in Darmstadt, 1962

. Besuch General Gruenthers beim Bundespräsi-
nten Heuss. Rechts Verteidigungsminister
ank, 1954

60. Die Flagge der Bundesrepublik Deutschland
wird über dem Alliierten Hauptquartier Europa auf-
gezogen, 9. Mai 1955. Von links: Speidel, Norstad,
Gruenther, Wessel, Lehr

61. Mit Ernst Jünger in Wilflingen auf der Schwäbischen Alb, 1955

62. Als Gast bei der Vorführung neuer britischer
Infanterie- und Panzerwaffen in Lulworth Cove,
Mai 1955

63. Stabsübung des europäischen NATO-Haupt-
quartieres SHAPE in der Nähe von Paris. Admiral
Grantham, Generalleutnant Speidel und Konter-
admiral Pirie, April 1956

64. Gratulationscour im Palais Schaumburg aus Anlaß des 80. Geburtstages von Bundeskanzler Adenauer. Rechts von Speidel Generalmajor Laegeler, Fregattenkapitän Zenker und Oberstleutnant Panitzki, 6. Januar 1956

65. Erster Besuch von Marschall Juin in Bonn, 27. Januar 1956

Mit Marschall Juin und Theodor Blank

Mit den Generalen Schuyler und Heusinger,
6

To: General Dr. Hans Speidel
With my warm regards,
high esteem and best wishes
L. L. Lemnitzer
General, U.S. Army
Supreme Allied Commander Europe

Als Oberbefehlshaber der alliierten Landstreit-
ifte Mitteleuropa in Fontainebleau

General Valluy, Theodor Heuss und Speidel in
ntainebleau, 1960

ke Seite:
u. 69 Mit den Generalen Norstad (oben) und
nnitzer (unten)

72. Besuch von Bundespräsident Lübke in
Fontainebleau, 1961

73. 60. Geburtstag von Frau Speidel in Fontainebleau, 1963

Mit General Maxwell Taylor

General Weygand zu Besuch in Fontainebleau,
:hts General Valluy

Mit Feldmarschall Montgomery, General Val-
y und Admiral Bos (ganz links), Mai 1958

77. Audienz bei Papst Pius XII.

78. u. 79. Mit Peter Bamm (links) und Hans Schwa

80. Herzog Philipp von Württemberg in Fontainebleau, 1962

81. Besuch Bundeskanzler Adenauers bei SHAPE,
1961. Rechts Bundesaußenminister Heinrich von
Brentano und General Moore

82. Übernahme der 9. Division in die NATO. Verteidigungsminister Strauß und General Speidel, Ol-
denburg 1962

3. Abschiedsparade in Fontainebleau. Vorbeimarsch einer holländischen Kompanie, 1963

4. Verabschiedung durch Bundesverteidigungs-
minister von Hassel in Bonn, 31. 3. 1964

85. Mit Gustav Sellner, Carl Orff und Wolfgang
Schadewaldt in der Pause bei Wagners »Götterdäm-
merung«, Bayreuth, August 1965

86. Bei Wolfgang Windgassen in der Garderobe in
Bayreuth, 1970

7. Carl Zuckmayer in Bad Honnef, 1972

88. Mit Carlo Schmid und Ernst Jünger, 1972

89. Im Gespräch mit Werner Heisenberg

90. Feldmarschall von Manstein und die Generale
Busse und Wenck in Bad Honnef

jeden Gedanken an eine neue deutsche Armee, auch in europäischer Gemeinschaft, empört von sich wiesen. Trotzdem ist mir klar gewesen, daß ein deutscher Verteidigungsbeitrag nicht nur eine militärische Notwendigkeit darstellte, sondern auch zur Selbstbestimmung des neuen deutschen Staates dienen konnte. Auch habe ich es als ein Gebot nationaler und moralischer Selbstachtung empfunden, den Schutz des eigenen Landes und der eigenen Freiheit nicht anderen allein zu überlassen.

Von französischer Seite waren zunächst die Generale Widmer, der Gouverneur von Württemberg-Hohenzollern, und Humbert, der Abrüstungsbeauftragte, meine aufgeschlossenen Gesprächspartner.

Dem Ziel einer engen Verbindung mit dem westlichen Nachbarn diente die Gründung eines deutsch-französischen Instituts in Ludwigsburg, das im Ordenssaal des Schlosses am 12. Februar 1949 von Carlo Schmid festlich eröffnet wurde. Carlo Schmid entwarf mit seiner Sprachgewalt visionär und konkret zugleich ein Bild von »Frankreich, Deutschland und Europa«. Es helfe nicht weiter, wenn Franzosen und Deutsche, die gemeinsam auf dem Floß der Medusa seien, sich nun gegenseitig vorrechneten, was sie verschuldet hätten. Dies führe nur zu Affekten und nicht zu einer vernunftbestimmten Politik. Entschieden wandte er sich auch in bezug auf eine staatliche Neuformung gegen eine »differentielle Behandlung Deutschlands«, weil eine Diskriminierung »zwangsläufig zu einer nationalistischen Gegenbewegung und zur Desperation« führe. Vielmehr sei weit über nationalstaatliche Beziehungen auf wirtschaftlichem und kulturellem Gebiet hinaus ein »gemeinsames Vaterland Europa« als Dritte Kraft aufzubauen. Dies gehe nicht, ohne daß die europäische Staaten auf »wesentliche Teile ihrer Souveränität zugunsten einer übergeordneten Einheit« verzichteten.

Professor Vermeil von der Sorbonne hielt, frei von Ressentiment, eine scharfsinnige Rede über die deutsch-französischen

Beziehungen und berichtete über die Arbeit des »Comité français d'Echanges avec l'Allemagne nouvelle«.

In der französischen Zone hatte sich im Laufe der Jahre auf kulturellem Gebiet ein gutes Verhältnis zwischen der französischen Besatzungsmacht und der deutschen Bevölkerung entwikkelt. Die Franzosen hatten es verstanden, durch die Ermöglichung eines regen kulturellen Lebens den nach geistigen Anregungen hungrigen Deutschen entgegenzukommen. So erlebten Städte wie Tübingen, Freiburg und Baden-Baden eine kulturelle Blüte wie selten zuvor oder danach. Die Comédie Française kam mit Gastspielen, französische Interpreten, wie etwa Monique de la Bruchollerie, gaben Konzerte. Vorträge französischer Schriftsteller – André Gide und Gabriel Marcel sprachen in Tübingen – machten die junge Generation mit der französischen Literatur bekannt. So kam es zu einem geistigen Brückenschlag zwischen beiden Völkern. Auch die von der Besatzungsmacht eingerichteten Ferienkurse und der Austausch von Schülern und Studenten trugen zu gegenseitigem Verständnis zwischen beiden Ländern bei.

Das entscheidende geschichtliche Ereignis des Jahres 1949 war die Gründung der Bundesrepublik Deutschland aus den damaligen elf westdeutschen Ländern. Der Parlamentarische Rat, bestehend aus fünfundsechzig Mitgliedern unter seinem Präsidenten Konrad Adenauer, hatte ein Grundgesetz ausgearbeitet, das am 8. Mai mit großer Mehrheit angenommen wurde. Dieses Verfassungswerk, das eine rechtsstaatliche und demokratische Ordnung in föderativem Rahmen schuf, trat am 23. Mai in Kraft. Im Sommer übernahmen entsprechend dem Besatzungsstatut die Alliierten Hochkommissare McCloy (USA), François-Poncet (Frankreich), Sir Brian Robertson (Großbritannien) ihre Aufgaben.

Schon während der Arbeit des Parlamentarischen Rates hatte es Überlegungen über den Ort der provisorischen Hauptstadt des Bundes gegeben. Auch ich war damals offiziös nach meiner

Auffassung gefragt worden und hatte wegen der günstigen Nachrichten- und Verkehrsverbindungen die Räume Wiesbaden-Frankfurt oder Ludwigsburg-Stuttgart vorgeschlagen. Der neugewählte Bundeskanzler Adenauer setzte dann aber Bonn als provisorischen Sitz der Bundesregierung durch.

Im Jahr zuvor war ich nach Besprechungen mit Carlo Schmid, Eberhard Wildermuth, Eduard Spranger und dem Tübinger Neuhistoriker Rudolf Stadelmann und nach einem Kolloquium zur Erteilung der Venia legendi über »Hitler und das Heer – ein Beitrag zu einer Phänomenologie Hitlers« beauftragt worden, am Leibniz-Kolleg, einem Universitätsinstitut für ein Studium generale, Kolloquien abzuhalten; am 8. Februar 1949 begann ich mit der Lehrtätigkeit.

Die Studenten waren fast durchweg Kriegsteilnehmer, darunter mancher Verwundete. Der französische Gouverneur hatte, entgegen der Praxis in den anderen Zonen, auch ehemaligen Generalstabsoffizieren die Teilnahme am Studium genehmigt. Die Züge der Studenten waren vielfach von Entbehrungen gezeichnet. Die Studenten von damals aber hatten einen unbeirrbaren Willen zur wissenschaftlichen Arbeit, einen geistigen »Nachholbedarf«, der sich auch in leidenschaftlichen Diskussionen zu erkennen gab. Sie wollten arbeiten, wollten lernen, suchten die Vergangenheit zu ergründen – sie wollten die Zukunft schaffen. Damals zündete der europäische Gedanke. Die junge Generation wollte, wie Ernst Jünger es in der Friedensschrift ausgedrückt hatte, »Europa schmieden, nachdem es glühend gewesen«.

Unter dem Dekanat des großen Archäologen Kurt Bittel hielt ich am 9. November 1949 meine Antrittsvorlesung in der Universität selbst. Ich stellte sie unter die Doppelfrage Friedrich Schillers bei seiner Antrittsvorlesung in Jena: »Was heißt und zu welchem Ende studiert man Universalgeschichte?«

»In den unheimlichen Augenblicken der Menschheitsgeschichte, wo alle Wertungen zu schwanken beginnen, wird«, so begann ich, »die Problematik der Historie aufgegriffen und je nach Temperament behandelt: ein farbiges Abbild aller unserer inneren und äußeren Spannungen. Wir haben an geschichtlichem Wissen verloren, an geschichtlicher Schwere gewonnen. Und Sie, die Jugend, unsere Heimkehrer, unsere Flüchtlinge, fragen mit Recht: wer schreibt die Geschichte unserer Herzen?

Für unser Thema, das heute alle Staatsmänner, die Masse der Menschen in irgendeiner Form bewegt, will ich versuchen, eine Synthese von Urkunden und Erleben zu geben. Denn jedem, der das Glück hat, edlen Seelen vorzufühlen, ist es innere Verpflichtung, eine gangbare Brücke von der Vergangenheit zur Not der gegenwärtigen Stunde zu schlagen. Flucht aus Gegenwart und Vergangenheit nützt nichts. Wir können und wollen nicht tabula rasa mit der Vergangenheit machen, meine Kommilitonen, sondern uns zu dem Versuche verpflichten, ihre Gedanken in Erwartung der Zukunft zu werten und so zur Wiederaufrichtung des Geistes beizutragen.«

Eine Bereicherung des allgemein höchst regen akademischen Lebens stellte die wiedererstandene »Mittwochsgesellschaft« dar. Unter dem Vorsitz von Eduard Spranger wurde ich als Nachfolger meines Lehrmeisters, Generaloberst Beck, aufgenommen, der langjähriges Mitglied der Mittwochsgesellschaft in Berlin gewesen war. Einige seiner dort gehaltenen Vorträge habe ich 1955 in den »Studien« publiziert. Diese Abende mit Männern wie Adolf Butenandt, Hermann Stock, Romano Guardini, Helmut Thielicke, Rudolf Stadelmann und Theodor Eschenburg, an denen jeweils einer von uns aus seinem Fachgebiet berichtete, brachten eine Fülle geistiger Anregungen.

Mittelpunkt blieb Eduard Spranger, von dem eine starke geistige Kraft ausging. In der beherrscht-disziplinierten Art seiner Erscheinung, in der sich preußische Schlichtheit und Gemessenheit ausdrückten, wie in der Exaktheit und Klarheit seines Geistes war er ein Inbegriff des deutschen Gelehrten alter Schule.

Auch wir älteren Semester suchten oftmals seinen Hörsaal auf, wenn er zu einer mitschwingenden Jugend in geschliffener Diktion über Fragen der Pädagogik oder der Philosophie sprach.

Ein Erlebnis war für uns die erste Reise nach dem Krieg ins Ausland, in die Schweiz. Dr. Frank Buchman, der Gründer der »Moralischen Aufrüstung«, hatte uns zusammen mit dem württembergisch-hohenzollernschen Staatspräsidenten Dr. Gebhard Müller und Landesbischof D. Wurm, der Ratsvorsitzender der Evangelischen Kirche in Deutschland war, Anfang Juni für eine Woche nach Caux eingeladen. Von Bonn kommend berichtete Buchman uns stolz: »I had a talk with Reichsführer Adenauer!« Eindrucksvoll war die Begegnung mit dem Président du patronat français Villiez – einem großen Europäer –, den ich von der Vorkriegszeit her kannte. Es bleibt ein Verdienst von Frank Buchman, daß er nach den furchtbaren Ereignissen des zweiten Weltkrieges die Eingliederung der Deutschen in die Gesellschaft der Nationen in großzügiger Weise ermöglicht und internationale Begegnungen vermittelt hat.

Kurz nach den Tagen von Caux erfolgte eine Einladung der Schweizer Offiziersgesellschaft zu einer Vortragsreise. So hielt ich als erster deutscher General nach dem zweiten Weltkrieg zwischen dem 4. und 22. Dezember in sechzehn schweizerischen Städten Vorträge über unsere militärischen Erfahrungen im Osten, Westen und Süden. In Lausanne – die Vorträge im Waadtland und in Genf hielt ich französisch – hatte der ehemalige Schweizer Oberbefehlshaber während des zweiten Weltkrieges, General Guisan, den Vorsitz. In Bern und Aarau waren es die Oberstkorpskommandanten Frick (Ausbildungschef), de Montmolin (Generalstabschef) und der Militärhistoriker Eugen Bircher, die mir die Aufgabe erleichterten und mich in einer beispielhaft kameradschaftlichen Weise unterstützten und viele Anregungen gaben.

261

Am 8. September erreichte mich die Nachricht vom Tode von Richard Strauss, dem ich zum letzten Mal zu seinem 80. Geburtstag am 6. Juni 1944, also wenige Tage vor der Invasion, geschrieben, von dem ich aber nie eine Antwort erhalten hatte. Als ich im Sommer 1960, sechzehn Jahre später, mit Ruth bei seinem Sohn Dr. Franz Strauss in Garmisch zu Tisch war und meinen Brief erwähnte, verließ Frau Alice still den Tisch und kam mit meinem Brief zurück, der den Vermerk des gewissenhaften Richard Strauss trug »handschriftlich beantwortet«. In dieser Zeit überwachte die Gestapo Richard Strauss bereits, und so ist der Brief vermutlich nie weitergeleitet worden. Beim Auseinandergehen überreichte mir Franz Strauss ein kleines Oktavheft seines Vaters mit der handschriftlichen Kompositionsskizze für einen Teil der Suite »Der Bürger als Edelmann«, die ich als kostbares Vermächtnis bewahre.

Beschlossen wurde das Jahr durch eine Silvesterfeier besonderer Art in Ravensburg mit Ernst und Gretha Jünger, Mathias und Friederike Wieman, Ernst Klett, Gerhard Nebel und Pfarrer Gestrich mit ihren Frauen. Kein Teilnehmer dieses Freundeskreises wird den Augenblick an der Schwelle des neuen Jahres vergessen, als Mathias Wieman beschwingt Hölderlins »Andenken« sprach: »Doch gut ist ein Gespräch und zu sagen des Herzens Meinung, zu hören viel von Tagen der Lieb', und Taten, welche geschehen. Was bleibet aber, stiften die Dichter.«

Anläßlich einer neuen Vortragsreise zu Beginn des Jahres 1950 bat mich der Schweizer Bundesrat Dr. Kobelt, der das Militärdepartement leitete, zu einem eingehenden Gespräch über die Sicherheit des Westens nach Bern, dem sich Begegnungen mit den Spitzen der eidgenössischen Armee und Eugen Bircher anschlossen. Die Schweizer militärischen Chefs hielten es angesichts der Weltlage für notwendig, die Bundesrepublik Deutschland an der Verteidigung des Westens zu beteiligen; auch müsse »jeder souveräne Staat für seine Sicherheit selbst sorgen«.

Schon damals strebte man eine Koordinierung der Verteidigungssysteme aller europäischen Staaten an. Dies war nach Ansicht meiner Gesprächspartner auch für die Schweiz, die über die sowjetischen militärischen Aktivitäten und strategischen Absichten hervorragend unterrichtet war, von großer Wichtigkeit.

Aufgrund der Vorträge und meines Buches »Invasion« wurde ich gebeten, die durch den Krieg unterbrochene Mitarbeit an der »Allgemeinen Schweizer Militärzeitschrift« wieder aufzunehmen. Auch wurde ich um einen Beitrag für die Festschrift zum 70. Geburtstag des Militärschriftstellers und Chirurgen, Oberstdivisionär und Nationalrat Dr. Eugen Bircher ersucht. So konnte ich einen kleinen Dank abstatten für das, was dieser überragende Mann, ein urwüchsiges Original, im Großen für unser Land und im Privaten für meine Familie in der schweren Nachkriegszeit getan hatte. Bircher, ein Freund Sauerbruchs, war bedeutend als Arzt, Soldat, Psychologe, Historiker und Politiker. Im Zusammenwirken dieser seiner Fähigkeiten und Tätigkeiten wurde aber erst die ganze Fülle dieser wahrhaft ausladenden universalen Persönlichkeit sichtbar.

Nach Deutschland zurückgekehrt, fand ich die Genehmigung der französischen Militärregierung für einen ersten Nachkriegsbesuch in Paris vor, wo unsere Tochter Ina ein Stipendium an der Sorbonne erhalten hatte. Das Wiedersehen mit den alten französischen Freunden war bewegend, nicht minder der Zauber der Lichtstadt, zu deren Rettung vor sinnloser Zerstörung ich 1944 hatte mithelfen können.

Der Verlag Berger-Levrault verhandelte mit mir wegen einer französischen Ausgabe der »Invasion«. Mit dem tüchtigen Anwalt Maître Kraehling konnte ich alte Beziehungen wieder aufnehmen und ihm bei seiner Arbeit als Verteidiger sogenannter deutscher Kriegsverbrecher manche Anregung geben, insbesondere bei der Verteidigung des ehemaligen Chefs der Militärverwaltung, Generaldirektor Dr. Elmar Michel, dessen geschickter Tätigkeit in der Kriegszeit Frankreich manches zu verdanken hat.

Einmal fuhr ich zum Schloß von La Roche-Guyon, unserem einstigen Hauptquartier hinaus, das starke Zerstörungen durch einen englischen Luftangriff aufwies. Das Herzogspaar hatte Ruth und mich eingeladen, und nun stiegen alte Erinnerungen auf. Wieder nahm mich der genius loci gefangen, bewegt sah ich die salle des gardes mit dem Bild des Autors der »Maximen«. Dann zeigte ich Ruth und den Töchtern die zerstörten Arbeitsräume von Feldmarschall Rommel und mir im »Normannenturm«. Welch ein Glück, daß wir im Juli 1944 den Herzog gebeten hatten, seine Zustimmung zur Bergung der Gobelins und des Schreibtisches von Louvois in der Burghöhle zu geben. Im leicht verwilderten Schloßgarten konnte ich den Meinen den Platz unter den Zedern mit dem Blick ins Seinetal zeigen, an dem ich so oft mit dem Feldmarschall und Admiral Ruge die verzweifelte Lage und Möglichkeiten zu einer Wendung der Dinge besprochen hatte.

Im Mittelpunkt des Pariser Aufenthalts standen jedoch Gespräche mit hohen französischen militärischen Persönlichkeiten, auch wenn sie mich noch nicht offiziell empfangen konnten. Die Ereignisse von Korea und auch schon gewisse Sorgen um Indochina beherrschten die Gedanken. Dabei wurden auch mehr oder weniger zutreffende Vergleiche mit der Lage in Europa, besonders mit dem geteilten Deutschland gezogen.

Meine Gesprächspartner sprachen offen von der Notwendigkeit, Westdeutschland an der Verteidigung Europas zu beteiligen. Bei der unsicheren Haltung Englands könne nur Westdeutschland, das über dasselbe Potential wie Frankreich verfüge, zusammen mit Frankreich, den Benelux-Staaten und den in Europa stationierten US-Verbänden einer Aggression der Sowjetunion wirksam gegenübertreten. Die USA würden mit ihren Heimatkräften zu Lande immer zu spät kommen.

Diese Überlegungen, so wurde mir gesagt, seien Teil der französischen Gesamtplanung. Daher verstand man in Paris nicht, warum der Bundeskanzler einmal von einem deutschen Kontingent sprach, ein anderes Mal aber von der alleinigen Verpflichtung der ehemaligen Alliierten, Deutschland zu verteidigen. Auch die Illusion mancher deutscher Politiker einer möglichen Neutralität, eines Züngleins an der Waage zwischen Ost und West, wurde allgemein abgelehnt. Falls man in den nächsten zwei bis drei Jahren nicht energisch Westdeutschland in das Verteidigungssystem Westeuropas einbeziehe, sei die Sicherung des Westens nicht möglich. Es war überraschend und bewegend, die ehemaligen Gegner so entschieden für eine Waffenbrüderschaft eintreten zu sehen.

In diesen Pariser Tagen sahen wir auch alte Freunde wieder. Besonders warmherzig begrüßte uns Germaine Lubin, die in der »Epuration« der unmittelbaren Nachkriegszeit viel zu erdulden gehabt hatte. Sacha Guitry hingegen war trotz allem Wechsel der Zeiten derselbe Komödiant geblieben. In seiner Wohnung am Eiffelturm, in der wir nicht nur seine Napoleonsammlung, sondern auch seine fünfte Frau bewundern durften, erzählte er uns von den Wochen nach der »Libération«. Eines Tages habe er von seiner bevorstehenden Verhaftung erfahren. Daraufhin habe er sich selbst ins Polizeipräsidium begeben und den Präfekten fröhlich begrüßt: »Vous m'avez attendu, Monsieur.« Zu seiner Entlastung hatte er angegeben, er habe mit Ernst Jünger und mir nur Beziehungen aufgenommen, um Kriegsgefangene freizubekommen. Vor Tische las man allerdings anders. Nun, er begegnete uns mit der alten Liebenswürdigkeit und seinem unveränderten Charme.

Am 24. Juli 1950 bat mich der französische Hochkommissar, der mir aus der Vorkriegszeit bekannte Botschafter François-Poncet zu einem Gespräch unter vier Augen in die Residenz des französischen Militärgouverneurs General Widmer, das Rhenanenhaus in Tübingen. Er wollte mit mir hypothetisch die Frage einer deutschen Beteiligung an der Verteidigung des Westens erörtern. François-Poncet empfing mich mit wohltuender Aufgeschlossenheit und begann mit Erinnerungen an unsere Vorkriegsbegegnungen in Berlin und Paris. Als französischer Botschafter in Berlin hatte er jahrelang das Wohlwollen Hitlers genossen, der lange geglaubt hatte, François-Poncet für sich gewonnen zu haben. Um so größer war dann die Enttäuschung Hitlers gewesen, als 1940 das IX. Korps auf dem Bahnhof La Charité die Akten des Quai d'Orsay gefunden hatte, aus denen die kritische, ja ablehnende Haltung François-Poncets gegenüber dem Dritten Reich klar hervorging. Von da an hatte Hitler den Botschafter gehaßt.

Ohne Bitterkeit, ohne Ressentiment sprach er von der Vergangenheit, von unser beider Schicksal und meinte, nun seien wir dazu berufen, aus dem Schutt der Vergangenheit gemeinsam eine sichere Gegenwart und eine bessere Zukunft aufzubauen. François-Poncet, kaum gealtert, war der vollendet liebenswürdige, brillante Diplomat geblieben, der mit seinem geschliffenen Esprit und seiner Finesse bestach – eine eminent französische Gestalt bester europäischer Diplomatentradition.

Als wir zur Erörterung eines möglichen deutschen Sicherheitsbeitrages übergingen, sprach er überraschenderweise von einer kleineuropäischen Lösung, wie sie im Herbst dann im Pleven-Plan sichtbar wurde. Man spürte die Meinungsverschiedenheiten innerhalb der Besatzungsmächte, auch innerhalb Frankreichs, das offensichtlich diese Entscheidung aufschieben wollte.

Während ich so gemeinsam mit unseren ehemaligen Gegnern und zukünftigen Alliierten an den europäischen Sicherheitsproblemen arbeitete, hielt ich an der Tübinger Universität Vorlesungen über das Thema »Bündnisprobleme in der jüngsten Geschichte seit dem Wiener Kongreß«. So berührte sich die politische Arbeit mit der historischen Forschung, ja sie befruchteten sich wechselseitig.

Um einen deutschen Verteidigungsbeitrag

Der zunehmende sowjetische Druck in den ersten Nachkriegsjahren und die staatsstreichartige Machtergreifung kommunistischer Systeme in den Ländern Osteuropas – der Tod von Außenminister Masaryk, der »zweite Fenstersturz von Prag«, wirkte
wie ein Schock – hatte die Westmächte immer mehr aus ihren
Illusionen über ihre sowjetischen Verbündeten gerissen. Die
Blockade Berlins war eine Warnung gewesen; seit 1948 hatte die
Aufstellung der kasernierten Volkspolizei in der Ostzone begonnen, die 1950 beinahe 70 000 Mann umfaßte. So drängte die
Entwicklung in Deutschland zu einer Änderung der Politik der
Westmächte gegenüber dem besiegten Deutschland. Der Aus-
bruch des Korea-Kriegs im Juni 1950 schließlich brachte die
Wende.

Jetzt wurde die Bedrohung durch die Sowjets in vollem Umfang
erkannt und befürchtet, daß das kommunistische Vormachtstre-
ben plötzlich auch in Europa zum offenen Konflikt aufflammen
könnte, im geteilten Deutschland genauso, wie es im geteilten
Korea geschehen war. Das sowjetische Vorgehen hatte so im
Gegenzug den Aufbau deutscher Streitkräfte und die Integration
in das westliche Bündnis gefördert.

Nun wurde die Frage nach einem deutschen Verteidigungsbeitrag dringlich. Noch vor unserer Pariser Reise war in Bonn ein
organisatorischer Anfang zu einer eigenen Sicherheitspolizei gemacht worden. Bundeskanzlers Adenauer hatte im Mai auf Emp-
fehlung des britischen Hochkommissars, General Sir Brian Ro-

bertson, den General der Panzertruppen a. D. Gerhard Graf von
Schwerin zu sich gebeten und ihm als »Berater des Bundeskanzlers in Sicherheitsfragen« ein Büro mit einigen Mitarbeitern
zugebilligt. Berufung und Arbeit von Graf Schwerin blieben zunächst der Öffentlichkeit verborgen. Er selbst unterrichtete mich
bei wiederholten Reisen in Freudenstadt.

Nach meiner Rückkehr aus Paris bat mich am 31. Juli der
frühere württembergische Wirtschaftsminister und damalige
Bundeswohnungsbauminister Wildermuth um eine neue sicherheitspolitische Denkschrift, die ich unter dem Titel »Gedanken
über die Frage der äußeren Sicherheit der deutschen Bundesrepublik« am 7. August vorlegte. Ich hatte sie mit den mir befreundeten Generalen Hermann Foertsch und Adolf Heusinger ausgearbeitet und mit meinen Freunden Arnold Bergstraesser, der aus
dem amerikanischen Exil zurückgekehrt und jetzt Gastprofessor
in Frankfurt war, und Klaus Mehnert eingehend durchgesprochen. Dieses Memorandum analysierte die sicherheitspolitische
Lage der Bundesrepublik Deutschland, untersuchte die Möglichkeiten zur Herstellung der äußeren Sicherheit, klärte die Voraussetzungen eines Erfolges und umschrieb die notwendigen Maßnahmen.

Die Präambel lautete: »Die Bundesrepublik lebt noch nicht im
Friedenszustand. Sie ist nicht souverän. Sie ist nicht in die
europäische Gemeinschaft und in den atlantischen Verteidigungspakt eingegliedert. Sie ist aber als erste der gemeinsamen
europäisch-atlantischen Bedrohung aus dem Osten ausgesetzt.

Die innere Lage Westdeutschlands hat sich zunehmend gefestigt. Hemmend wirken aber die Einspruchsmöglichkeiten der
Besatzungsmächte, die Ansprüche des Föderalismus und die noch
nicht überall gefestigte Verwaltung. Die sozialen Spannungen
sind unvermindert. Die Zersplitterung des Volkes in Parteien und
Interessengruppen ist groß.

Das deutsche Volk in der Bundesrepublik hat sich zu den

freiheitlichen Idealen des Westens bekannt, doch sind diese Ideale noch nicht so fest im Volk verwurzelt, daß es dafür Gut und Blut zu opfern bereit wäre. Solange es nicht selbst die volle Freiheit genießt, wird es nicht unbedingt bereit sein, für die Freiheit zu sterben. Trotz der Wahlniederlagen der kommunistischen Partei ist das Volk für die kommunistisch-bolschewistische Propaganda anfällig. Dies wirkt sich nicht in einer Zustimmung für diese Ideologie aus, sondern in Angst und Sorge. Der Gedanke: ›Was tue ich, wenn der Russe kommt?‹ beherrscht den einzelnen weit mehr, als es in der öffentlichen Meinung zum Ausdruck kommt. Rückversicherungsversuche nach dem Osten, auch aus besitzenden Schichten, nehmen zu. Eine eindeutige Abwehrbereitschaft gegen die große gemeinsame Gefahr ist weder ideologisch noch praktisch vorhanden.« Die mangelnde Wehrbereitschaft – die Parole »ohne mich« ging damals um – werde, so argumentierte ich, durch die Diffamierung des deutschen Soldaten im In- und Ausland noch verstärkt. Auch der allgemeine Autoritätsschwund, der mit dem Zusammenbruch des autoritären Regimes verbunden gewesen sei, wirke sich nachteilig auf die Wehrbereitschaft aus. Bei den ehemaligen Berufssoldaten komme die fehlende Versorgung hinzu.

Sodann erhob die Denkschrift die Forderung nach gleichberechtigter Eingliederung Deutschlands in die westliche Gemeinschaft. In einer Analyse der politischen Situation wurde festgestellt, daß die Sicherheit der Bundesrepublik nicht allein im deutschen, sondern auch im westlichen Interesse liegt. Den Betrachtungen der organisatorischen Möglichkeiten für eine westdeutsche Verteidigung wurde vorausgeschickt, daß die Herstellung der äußeren Sicherheit vom Willen des ganzen Volkes getragen sein müsse; die Zustimmung der Opposition sei daher eine zwingende Notwendigkeit. Weiterhin wurde betont, daß der Wiederaufbau einer deutschen Wehrmacht nicht als Nationalarmee, sondern nur als Kontingent einer europäisch-atlantischen Verteidigungsstreitmacht erfolgen könne. Der deutsche Anteil sollte aus neuzeitlich ausgerüsteten Heereseinheiten bis zum Korpsverband, einer taktischen Luftwaffe, ohne die eine moderne Zusammenarbeit zwischen Landtruppe und Luftverbänden nicht möglich sei, und Seestreitkräften zum Zweck des Küstenschutzes bestehen. Der Aufbau einer Rüstungsindustrie komme zunächst nicht in Frage.

Als dringendste Aufgabe empfahlen wir die Einrichtung eines Arbeitsstabes, der die notwendigen gedanklichen und, soweit schon möglich, organisatorischen Vorarbeiten für die Verteidigungsmaßnahmen bearbeiten sollte. Dieser Stab solle eng mit einer von den Westmächten zu bestimmenden Stelle zusammenarbeiten, die über die Planungen der europäischen und atlantischen Verteidigung und das Europa-Waffenhilfsprogramm laufend zu unterrichten sei. Bei der Festlegung der einzelnen Arbeitsgebiete dieses Stabes wurden auch die Fragen der inneren Struktur einer neuen deutschen Armee einbezogen. Es war klar, daß sie kein »Staat im Staate« sein dürfe, eine demokratische Grundhaltung einnehmen und von falschen Traditionsbegriffen frei sein sollte, Gedanken, die später Graf Baudissin weiter ausbaute.

Zum Abschluß faßten wir noch einmal die Voraussetzungen für einen Aufbau der deutschen Streitkräfte zusammen:

> »Politischer und militärischer Schutz des Wehraufbaus durch die Westmächte, insbesondere die USA, zur Verhinderung eines vorzeitigen Überfalls der Sowjetunion auf Westdeutschland;
> Zusage der militärischen Gleichberechtigung der Bundesrepublik im Rahmen der europäisch-atlantischen Gemeinschaft;
> Deutschland ist nicht als Vorfeld der Verteidigung anzusehen, sondern als Hauptkampffeld mit einem Beginn der Verteidigung so weit östlich wie möglich;

Begnadigung der als »Kriegsverbrecher« verurteilten deutschen Soldaten, soweit sie nur auf Befehl gehandelt haben und sich keiner nach alten deutschen Gesetzen strafbaren Handlungen schuldig gemacht haben;
Einstellung der Diffamierung des deutschen Soldaten im In- und Ausland;
Gerechte Regelung der Versorgung der alten Berufssoldaten;
Einverständnis der Opposition und der Gewerkschaften zum Wehraufbau.«

In diese Zeit fiel die definitive Gründung des »Deutschen Instituts für die Geschichte der nationalsozialistischen Zeit« in München, des jetzigen »Instituts für Zeitgeschichte«. Am 11. September 1950 fand unter dem Vorsitz des inzwischen zum Bundespräsidenten gewählten Professors Dr. Theodor Heuss in Bad Godesberg die konstituierende Sitzung des wissenschaftlichen Beirats statt, dem ich seither angehöre.

Am Nachmittag bat mich Theodor Heuss, ihm über die Fragen der Sicherheit und besonders über den Inhalt des Memorandums an den Bundeskanzler zu berichten. Die Materie lag Heuss ferner, gewann aber zunehmend sein Interesse. Auch schien ihn zu interessieren, was ich ihm über den Besuch von Charles Lindbergh erzählte, der mir drei Tage zuvor in Freudenstadt amerikanische Gedanken zur Verteidigung der westlichen Welt und zur Zusammenarbeit Amerikas mit Europa auseinandergesetzt hatte. Meinem alten Freund Truman Smith hatte ich die Denkschrift ebenfalls zugesandt; er hatte sie, wie er mir schrieb, über General Wedemeyer nicht nur ins Pentagon, sondern auch ins Weiße Haus weitergeleitet. Wedemeyer kannte ich aus der Zeit vor dem Krieg, als er in Berlin während seines Kommandos zur deutschen Kriegsakademie Truman Smith zugeteilt gewesen war. Bekanntschaften und persönlichen Verbindungen kam in jener Zeit, in der es kaum festgefügte Institutionen gab, eine viel größere Bedeutung zu als in den späteren Jahren der neu erstandenen Staatlichkeit.

Am 4. Oktober 1950 empfing mich Bundeskanzler Adenauer zum Vortrag über das Memorandum, das ihm Minister Wildermuth vorgelegt hatte. Er äußerte mit einigen Vorbehalten seine Zustimmung. Dann teilte er mit, er habe General Graf Schwerin beauftragt, das Memorandum zur Grundlage der am nächsten Tag beginnenden Konferenz militärischer Persönlichkeiten zu machen. Völlige Abgeschlossenheit scheine aus Sicherheits- und Arbeitsgründen für diese Zusammenkunft notwendig; der Abt des Klosters Himmerod sei eine ihm bekannte, besonders vertrauenswürdige Persönlichkeit. So werde das Treffen in der Zurückgezogenheit des Klosters stattfinden.

Im Gegensatz zu der ersten Begegnung zeigte sich Bundeskanzler Adenauer nach meinem Vortrag aufgeschlossen für die brennenden Probleme der Sicherheit. Die anfängliche Reserviertheit war anerkennender Billigung gewichen.

Am folgenden Tag trat der militärische Expertenausschuß zusammen. Die vertrauliche Konferenz fand inmitten der gesegneten frühherbstlichen Mosellandschaft im Kloster Himmerod statt, wo uns der Abt ein aufmerksamer Gastgeber war. Den Vorsitz führte Generaloberst von Vietinghoff; Graf Kielmansegg war zum ständigen Ausschußsekretär bestellt und trug durch klaren Überblick und seine Fähigkeit zu koordinieren zum Gelingen der Tagung entscheidend bei.

Vom ehemaligen Heer nahmen die Generale Heusinger, Foertsch, von Senger und Etterlin, Röttiger, Oberst i. G. Graf Nostitz, Major i. G. Graf Baudissin, von der alten Luftwaffe die Generale Meister, Dr. Knauss und Oberst Krüger, von der Marine die Admirale Gladisch, Ruge und Kapitän Schultze-Hinrichs teil. Ministerialdirektor Blankenhorn gab zunächst einen politischen Überblick, dann sprach der Völkerrechtler Professor Erich Kaufmann über die staats- und völkerrechtliche Problematik, die mit unserem Auftrag zusammenhing. Major Oster referierte über die »Volkspolizei« der Ostzone, General Reinhardt über die deutschen »Dienstgruppen« bei den Alliierten.

Zum Vorsitzenden des militärpolitischen Ausschusses war ich bestimmt worden, und so suchte ich die politischen Grundlagen eines deutschen Verteidigungsbeitrags zu umreißen. Anknüpfend an den Bericht Blankenhorns über die New Yorker Konferenz vom 12.–18. September, auf der die Westmächte eine Sicherheitsgarantie für das Territorium der Bundesrepublik und Westberlins gegeben und die Bundesregierung in internationalen Angelegenheiten als einzige Sprecherin für das gesamte deutsche Volk anerkannt hatten, war bei unseren Überlegungen vom Deutschland in den Grenzen von 1937 auszugehen.

Als wichtige Voraussetzung für die Aufstellung eines deutschen Kontingents innerhalb einer europäisch-atlantischen Verteidigungsarmee stellte ich einen zuverlässigen Schirm durch Truppen der Westmächte heraus. Zusammen mit der vollen Souveränität der Bundesrepublik sollte auch die militärische Gleichberechtigung gefordert werden. Dann legte ich dar, daß, ungeachtet der bestehenden Länderhoheiten, alle die Verteidigung betreffenden Maßnahmen Sache des Bundes sein müßten. Der Aufbau von Streitkräften – für die äußere Sicherheit – und einer Bundespolizei – für die innere Sicherheit – müsse klar getrennt werden.

Wieder betonte ich, daß die Bundesrepublik nicht als »Vorfeld einer am Rhein beabsichtigten Hauptverteidigung« angesehen werden dürfe. Mehr als ein Jahrzehnt hindurch wurde die strategische Diskussion in der NATO von dieser unserer Forderung bestimmt.

Die Bundesregierung und Vertreter der Westmächte sollten eine Erklärung zur Rehabilitierung des deutschen Soldaten abgeben; zugleich wurde die Freilassung der als »Kriegsverbrecher«

273

verurteilten Deutschen verlangt – im Jahre 1950 waren noch mehr als dreieinhalbtausend ehemalige Soldaten als Kriegsverurteilte inhaftiert.

General Heusinger als früherer Chef der Operationsabteilung trug in seiner souveränen Art grundlegende Betrachtungen über die operative Lage der Bundesrepublik vor. Er zeigte, wie taktisch und strategisch eine Verteidigung der Bundesrepublik zu verwirklichen sei, wobei diese Lagebeurteilung auftragsgemäß auf den konventionellen Bereich beschränkt blieb. Mit ihm, auch mit Hermann Foertsch, hatte ich ja diese Fragen in den vergangenen Monaten immer wieder durchgesprochen. Die vertrauensvolle Zusammenarbeit, die zu voller Übereinstimmung der Lagebeurteilung geführt hatte, bewährte sich hier von neuem. Adolf Heusinger, der nach dem 20. Juli auch verhaftet worden war, wurde mir mit seinem überlegenen fachlichen Können, seinem unbestechlichen Charakter und seiner menschlich feinen Art, die kein Aufhebens von sich machte, zum treuen, zuverlässigen Weggefährten.

Nach der Behandlung von Organisations- und Ausbildungsfragen eines deutschen Kontingents war das eingehende Schlußkapitel der Himmeroder Denkschrift dem »Inneren Gefüge« gewidmet. Es begann mit den Sätzen: »Ebenso wichtig wie die Ausbildung des Soldaten ist seine Charakterbildung und Erziehung. Bei der Aufstellung des deutschen Kontingents kommt damit dem inneren Gefüge der neuen deutschen Truppe große Bedeutung zu.«

Der Gesamtbericht wurde von allen Teilnehmern durchgearbeitet, am 9. Oktober einstimmig gebilligt und Graf Schwerin zur Vorlage an Bundeskanzler Adenauer übergeben. Während wir Teilnehmer uns einsetzten und damit aussetzten, uns dabei auch zu völliger Verschwiegenheit verpflichten mußten, übernahm die Bundesregierung keine Verpflichtung, weder ideeller noch materieller Art. Unsere Arbeit aber hatte in erfreulicher Weise die

274

Gemeinsamkeit soldatischen Denkens und die alte ungebrochene Kameradschaft bestätigt. Rückblickend läßt sich sagen, daß
unsere Planungen vom August und von Himmerod sich auf Jahre
hinaus für den Aufbau der Bundeswehr als maßgebend und gültig
erwiesen.

Schon am nächsten Abend bat mich der Führer der Opposition
im Bundestag, Dr. Kurt Schumacher, zu einer Aussprache, an der
Carlo Schmid, Annemarie Renger und Hermann Foertsch teilnahmen.

Der von seiner Verwundung aus dem ersten Weltkrieg und
seiner Haft im Dritten Reich gezeichnete, aber geistsprühende
Kurt Schumacher empfing mich wie einen guten alten Bekannten
und erinnerte an unsere fröhlichen Begegnungen vor einem Vierteljahrhundert in der »Elsässer Taverne« in Stuttgart. In seinem
starken nationalen Empfinden galt seine Sorge der Zukunft, der
Sicherheit unserer Heimat. In einer dreieinhalbstündigen, von
großer Sachkenntnis Schumachers getragenen Aussprache gingen wir gemeinsam das Ergebnis von Himmerod durch und
erörterten einen möglichen deutschen Beitrag zur Verteidigung
Europas.

Auch für Kurt Schumacher war die erste Voraussetzung ein
ausreichender Schirm durch amerikanische und britische Panzerkräfte und Fliegerverbände, aber nicht durch französische Divisionen, die nach Gliederung und innerer Haltung einem modernen Kampf nicht gewachsen seien. In diesem Zusammenhang
meinte er, daß die Führung einer Verteidigung niemals linear
erfolgen dürfe, sondern in der Kampfart einer »offensiven Defensive«.

Schumacher ging es nicht um Divisionszahlen, sondern um
die Gesamtkonzeption. Die Alliierten sollten nicht etwa nur
uns, sondern sich verteidigen, aber nicht nur bei uns, sondern mit
uns.

Schumacher hatte die Sorge, daß die USA schnell einen Akkord mit Westdeutschland schließen wollten, um den Franzosen zuvorzukommen. Es seien in dieser Lage Angebote an Deutschland zu erwarten, die nie gehalten werden könnten. Dies laufe auf die Gefahr eines Satellitentums, eines Ausverkaufs der deutschen Interessen hinaus. Er schien eine Entwicklung zu befürchten, die den westlichen Teil Deutschlands zum Vasallenstaat der Vereinigten Staaten machen könne, wie die Ostzone zur Satrapie der Sowjetunion geworden war.

Sollten die Voraussetzungen, die er wiederholt in der Öffentlichkeit gefordert habe, vor allem die »unlösbare Verkoppelung des angelsächsischen militärischen Schicksals mit dem unseren«, erfüllt werden, so sei er zu positiver Mitarbeit bereit. Er rechne auch mit der Gefolgschaft seiner Partei, wenn die Armee nicht von Leuten geführt werde, die restaurativ denken.

Die SPD müsse wissen, was sie verteidige. Die Kumpels hätten volles Verständnis für die Notwendigkeit einer Verteidigung und würden ja sagen, wenn sie auch in sozialer Hinsicht wüßten, wofür. Zweifel äußerte Schumacher dann, ob der Bundeskanzler klar zwischen Polizei und Armee unterscheide. Nur eine saubere Trennung von den ersten Anfängen an garantiere einen politisch vernünftigen Aufbau von Verteidigungskräften.

Anschließend sprachen wir über das Problem der universitas an den Hochschulen, die Nivellierung der Bildung und die Technisierung, die Schumacher schwere Sorgen machten. Zum Schluß sprach er den Wunsch aus, in Verbindung zu bleiben, um die begonnenen Gespräche zu vertiefen. Schumacher machte den Eindruck einer starken, universell gebildeten, dabei doch emotional geprägten Persönlichkeit, die souverän auch die militärische Materie beherrschte.

Bei der Rückkehr aus Himmerod und Bonn fand ich die Einladung des amerikanischen Hohen Kommissars, John McCloy, zu einer persönlichen Aussprache vor. Er ließ mich von Freudenstadt nach

Falkenstein im Taunus abholen. An dem Gespräch, für das McCloy äußerste Diskretion erbat, nahmen seine Berater Gert Whitman, ein Sohn des ehemaligen Berliner Staatssekretärs Dr. Weissmann, und der Oberst im US-Generalstab Gerhard teil. Wieder galt die Beratung einem deutschen Beitrag zur Verteidigung der europäisch-atlantischen Welt.

In der Frage der Spitzengliederung hielt McCloy wegen der besonderen Verhältnisse in Europa zu Beginn einen amerikanischen Oberbefehlshaber für wünschenswert; dies entsprach auch meiner Auffassung. Es fiel der Name des Fünf-Sterne-Generals Omar Bradley.

Die Gleichberechtigung auf militärischem Gebiet sah er als eine Selbstverständlichkeit an. Sie könne hier leichter verwirklicht werden als auf der politischen und wirtschaftlichen Ebene. So sei eine deutsche Beteiligung in den Führungsstäben nicht nur zu gestatten, sondern zu wünschen. Es müsse ein Gefühl echter Kameradschaft entstehen. In Zukunft dürfe es keine »Besatzungstruppe« mehr geben, sondern die westlichen, in Deutschland stationierten Streitkräfte müßten Schutz und Schirm sein, bis deutsche Kräfte verfügbar wären.

McCloy stellte dann die Frage, ob wir für eine Nationalarmee oder eine Beteiligung an europäisch-atlantischen Streitkräften einträten. Wieder betonte ich, daß eine deutsche Beteiligung an der Verteidigung des Westens nur im Rahmen von europäisch-atlantischen Streitkräften anzustreben sei. Wie Schumacher bemängelte er, daß die notwendige strenge Trennung des Aufbaus von Polizei und Armee in Bonn nicht immer klar erkannt werde. Ich warf die Frage nach dem höchsten nationalen Führungsverband auf. McCloy plädierte für die Division, hielt aber auch zwei bis drei höhere Stäbe (Korps und Armee) für zweckmäßig, um die Divisionen führungsmäßig zusammenfassen zu können. Als Gesamtstärke eines deutschen Beitrags nannte er zehn bis zwölf Divisionen mit taktischer Luftwaffe und Küstenvorfeldkräften.

Für ihre Ausbildung regte er gemeinsame Richtlinien, gemeinsame Überwachung, gemeinsame Schulen und Akademien an.

Besonders am Herzen lag dem Hohen Kommissar die Bildung eines demokratischen Offizierskorps ohne Desperados von rechts und links. Schon Washington hatte gefordert: »Macht mir nur gentlemen zu Offizieren!« McCloy befürchtete, daß es schwer sei, gute Kräfte zu gewinnen, da die »soziologisch wertvollsten Teile des ehemaligen Offizierskorps wieder in einem festen Beruf stehen, während gerade die Landsknechte und weniger erfreulichen Elemente zu keinem bürgerlichen Beruf gekommen« seien.

Eingehend erörterten wir die Notwendigkeit der psychologischen Vorbereitung, wobei McCloy mich fragte, was er dafür tun könne. Ich wies ihn auf die Bedeutung der sogenannten Kriegsverbrecherfrage hin, die dringend einer baldigen Lösung bedürfe, nicht zuletzt auch für mich selber, da mein Bruder wegen seiner Stellung als ehemaliger Befehlshaber von Süd-Griechenland mit einer Strafe von zwanzig Jahren in Landsberg in Haft sei. McCloy interessierte sich sehr für die Möglichkeiten der operativen Führung eines Abwehrkampfes in Europa und für unsere Erfahrungen im Kampf mit der Sowjetunion.

Außer diesen militärpolitischen Fragen bewegte den Hohen Kommissar aber auch die falsche Beurteilung des West-Ost-Problems durch Teile der evangelischen Kirche. Er berichtete von einem Brief des Kirchenpräsidenten Martin Niemöller, der ihn offensichtlich verletzt hatte. Niemöller hatte ihm vorgeworfen, die USA würden deutsche Einheiten bereits offen bewaffnen und ausbilden; herausfordernd habe er gefragt, wer ihm, McCloy, das Recht zur Remilitarisierung gegeben habe. Die Deutschen wollten eine Wiedervereinigung, aber unter keinen Umständen eine Remilitarisierung.

McCloy machte in seiner besonnenen, sehr klaren und doch warmherzigen Art einen ausgezeichneten Eindruck. Im Krieg war er die rechte Hand des siebzigjährigen Kriegsministers Stimson gewesen, ausgestattet mit großen Vollmachten. Er war über die Gesamtproblematik unterrichtet, seine Persönlichkeit verbreitete Vertrauen. Er schloß mit der Versicherung, daß die deutschen Sorgen ihm ein persönliches Anliegen seien. Aus diesem ersten ausführlichen Gespräch entwickelte sich ein gutes Verhältnis. In der nächsten Zeit kam der amerikanische Kommissar mehr als einmal mit seiner Familie nach Freudenstadt. Dabei ergaben sich fruchtbare Gespräche zwischen seinen Pirschgängen.

Ende Oktober entzog Bundeskanzler Adenauer Graf Schwerin sein Vertrauen und löste dessen Büro auf. Offiziell hieß es, Schwerin habe einigen Pressevertretern gegenüber unvorsichtige Äußerungen über seinen vom Bundeskanzler nie genau definierten Auftrag gemacht, in Wirklichkeit waren wohl auch andere Gründe mitbestimmend, daß ihm der Rücktritt nahegelegt wurde. Angesichts der innenpolitischen Schwierigkeiten bei der Aufstellung deutscher Streitkräfte schien es Adenauer wohl nicht opportun, einen ehemaligen General damit beauftragt zu haben.

Der Bundesminister für Wohnungsbau, Eberhard Wildermuth, der allen Fragen der Sicherheit schon frühzeitig seine Aufmerksamkeit geschenkt hatte und aufgrund seiner militärischen Vergangenheit für dieses Ressort prädestiniert schien, rechnete fest damit, daß man ihm die Sicherheitsaufgaben übertragen würde. Angeblich lag sogar eine Zusage des Kanzlers vor. Am 30. Oktober schrieb er mir:

»Die Dinge, die uns beide gemeinschaftlich bewegen, machen ja merkwürdige Konstellationen durch. Ich darf der Hoffnung Ausdruck geben, daß es nicht mehr zu lange dauert, bis Sie den Platz einnehmen, den Sie für Deutschland einnehmen müssen. Vielleicht wird uns trotz allem eine gemeinsame Arbeit beschieden sein.«

Statt dessen wurde der Bundestagsabgeordnete und christliche Gewerkschaftler Theodor Blank zum »Beauftragten des Bundeskanzlers für die mit der Vermehrung der alliierten Truppen zusammenhängenden Fragen« ernannt und eine entsprechende Dienststelle für ihn geschaffen. Der Bundeskanzler hatte Eberhard Wildermuth nicht einmal unterrichtet.

Im Grunde wollte Adenauer die Frage der Sicherheit in eigener Hand behalten. Auf diese Weise konnte er seine Machtposition ebenso festigen wie durch die Wahrnehmung der Auswärtigen Politik. So beauftragte er einen ihm ergebenen Mann vom linken Flügel der CDU, der damit für die Wiederbewaffnung gewonnen wurde. Auch wollte er vielleicht kein Kabinettsmitglied der FDP mit dieser Aufgabe betrauen.

Am 30. Oktober besuchte mich Armeegeneral André Béthouart, der bis dahin französischer Hochkommissar in Österreich gewesen war; fünf Jahre zuvor hatte er uns in Urnau befreit. Béthouart berichtete von einer ausführlichen Aussprache mit dem Präsidenten der französischen Republik, Vincent Auriol, und mit Ministerpräsident Pleven am 26. Oktober. Vor allem Auriol habe wieder das starke Ressentiment aller französischen Sozialisten gegenüber Deutschland gezeigt. Vor 1914 seien die französischen Sozialisten, wie Jean Jaurès, meist prodeutsch gewesen und dann bitter enttäuscht worden – jetzt seien sie »germanophobe«. Die französische Regierung und die Kammer würden seiner Meinung nach nicht den Mut zu einer konstruktiven Zukunftslösung aufbringen, die das Vergangene vergangen sein ließe, um ein neues Europa aufzubauen. Regierung wie Kammer seien von der Angst vor einem wiedererstarkenden Deutschland geprägt, das eines Tages auch in seinem westlichen Teil sich für den Osten entscheiden könnte.

Béthouart fügte hinzu, daß überall auch Rücksichtnahme auf die Kommunisten festzustellen sei. Skeptisch berichtete er von dem kurz zuvor veröffentlichten Plan von Pleven, der für die Verteidigung Westeuropas die Bildung und Eingliederung deutscher Einheiten in Kompanie- bzw. Bataillonstärke vorsah, was praktisch auf eine Art Fremdenlegion deutscher Nationalität hinauslief. Béthouart beruhigte aber zugleich mit dem Hinweis, daß die maßgeblichen französischen Soldaten den Vorschlag Plevens ablehnten. Bei einer Konferenz in Fontainebleau, an der er selbst teilgenommen habe, seien sowohl Feldmarschall Montgomery wie auch General de Lattre de Tassigny für ein gleichberechtigtes deutsches Kontingent in einer europäischen Armee und nicht für »gemischte Verbände« eingetreten.

Diese Information war mir sehr nützlich, als mich wenige Tage später, am 5. November, der französische Gouverneur von Württemberg-Hohenzollern, General Widmer, zu einer Aussprache mit dem stellvertretenden französischen Hohen Kommissar, Armand Bérard, nach Tübingen bat. Bérard drückte zunächst sein tiefstes Bedauern über die ablehnende deutsche Stellungnahme zum Pleven-Plan aus, dessen positive Gedanken die deutsche Seite nicht verstanden habe. Mehr als eine »Remilitarisierung in dieser Form« könne man schließlich von Frankreich nicht verlangen. Der bevorstehenden Wahlen zur Nationalversammlung wegen sei die Aufstellung von größeren Verbänden für Frankreich aus innerpolitischen Gründen untragbar. Ich wies auf die Notwendigkeit der militärischen Gleichberechtigung hin und führte die bekannten militärischen Zweckmäßigkeitsgründe ins Feld. Nach einer längeren Aussprache zeigte Bérard ein gewisses Verständnis für meine Auffassung. Im übrigen meinte er, die Zurückhaltung von mir und »meinen Freunden« in der gegenwärtigen Diskussion werde von französischer Seite günstig vermerkt.

Am 2. November bat Bundeskanzler Adenauer Theodor Blank, die Generale Heusinger, Gehlen und mich zu einer Aussprache, an der auch Ministerialdirektor Dr. Globke teilnahm. Adenauer berichtete zunächst über das »Experiment Schwerin« und stellte Theodor Blank als seine Vertrauensperson vor. Dann kam er auf den Pleven-Plan zu sprechen, zu dem wir drei Generale gleichermaßen unsere ablehnende Auffassung vortrugen, der sich Theodor Blank mit überzeugenden Argumenten anschloß. Schließlich sprach Adenauer mit uns die Ergebnisse von Himmerod durch.

Am 7. November fuhr ich nach Brüssel, da ich mich als Zeuge für General von Falkenhausen, den ehemaligen Militärbefehlshaber in Belgien und Nordfrankreich, in der Hauptverhandlung zur Verfügung gestellt hatte. Das letzte Mal waren wir in der Gestapohaft in Potsdam zusammen gewesen. Um 9 Uhr war ich mit dem siebzigjährigen ehemaligen Reichsminister Dr. Hjalmar Schacht und dem langjährigen Adjutanten Hitlers, Generalleutnant a. D. Engel, zur Vernehmung bestellt worden. In einem kleinen und trotz der Kälte ungeheizten Raum vor der Gefängnispforte, wo für uns alle nur eine einzige Sitzgelegenheit vorhanden war, stand ich dreieinhalb Stunden, bis man mich in den überfüllten Saal des Justizpalastes führte. Während meiner Aussage fuhr mich der Gerichtspräsident wiederholt in schroffer und unsachlicher Weise an. So verbat er sich das Wort »Invasion 1944«, weil es sich um die »libération« gehandelt habe; mein Buch war jedoch zu meiner Genugtuung in den Buchhandlungen Brüssels ausgestellt.

Ich hob das Eintreten des Generals von Falkenhausen für Belgien hervor, der unter den schwierigen Umständen jener Jahre ohne Rücksicht auf die eigene Person – den Befehlen Hitlers zum Trotz – das ihm Mögliche getan und damit dem Land viel erspart habe. So grotesk es heute klingen möge, der rasche Wiederaufstieg Belgiens seit 1945 sei auch dem mutigen Wirken des Generals von Falkenhausen mit zu verdanken. Sodann berichtete ich über die politische Einstellung Falkenhausens, seine Verbindung zur deutschen Widerstandsbewegung und von seinen Besprechungen mit Feldmarschall Rommel über den notwendigen Sturz der Gewaltherrschaft. Als dieser Aussage starker Beifall aus dem Zuschauerraum folgte, brach der Vorsitzende verärgert kurz danach die Vernehmung ab und verlangte mein erneutes Erscheinen in einigen Tagen, was ich wegen meiner Vorlesungsverpflichtungen in Tübingen ablehnte. Die beiden anderen Zeugen hatten ähnlich ausgesagt. Leider waren wir die einzigen Deutschen, die zu der Verhandlung nach Brüssel gekommen waren. Manche deutsche Prominente, die unter Falkenhausen viel Gutes erfahren hatten, scheuten die Reise.

In Deutschland häuften sich nun Besprechungen über den Pleven-Plan, die Frage der Gleichberechtigung und eine Lösung der Kriegsverbrecherfrage. Am 17. November trafen Adolf Heusinger und ich mit Kurt Schumacher im »Erbprinz« in Ettlingen zusammen. Wieder beeindruckten uns die rückhaltlose Offenheit und das Vertrauen, das Kurt Schumacher uns entgegenbrachte.

Wenige Tage später begann ich auf Bitte meines Freundes, des Generalkonsuls Peter Pfeiffer, der die Ausbildung der Anwärter für den Auswärtigen Dienst in Speyer beispielhaft neu aufbaute, mit Vorlesungen und Kolloquien vor den angehenden jungen Diplomaten. Die Zusammenarbeit mit diesem interessierten Auditorium bedeutete menschlich wie sachlich eine Bereicherung. Die Verbindung mit den leitenden Köpfen des Auswärtigen Amtes war für meine spätere Arbeit im Ausland von großem Nutzen. Die Organisation und Leitung dieser Lehrgänge durch Peter Pfeiffer war imponierend; neben der fachlichen Ausbildung wurde eine universitas litterarum angestrebt.

Der Jahreswechsel brachte Besprechungen mit dem Ministerpräsidenten von Schleswig-Holstein, Theodor Steltzer, der mir zwei Jahre zuvor angeboten hatte, beim Wirtschaftsrat der Bizone mitzuarbeiten, mit Bundesminister Blücher und den französischen Gouverneuren Noël und Pène. Wieder gingen die Diskussionen um eine deutsche Beteiligung an der Verteidigung des Westens. Der hervorragende Staatspräsident von Württemberg-Hohenzollern und spätere Präsident des Bundesverfassungsgerichts, Dr. Gebhard Müller, hielt am 28. Oktober 1950 über den religiösen und moralischen Aspekt einer neuen deutschen Armee auf dem Landesparteitag der CDU in Freudenstadt eine Rede, die einen tiefen Eindruck hinterließ. Es war das erste Mal, daß ein Ministerpräsident das Wort zu dieser Problematik ergriff.

Gebhard Müller wies darauf hin, daß ein vom Bolschewismus besetztes Deutschland kein christliches Land mehr sein könne und betonte das Recht zur Notwehr. »Wir sind nicht berechtigt«, so meinte er, »sondern im tiefsten geradezu verpflichtet, alles zu tun, was möglich ist, um Deutschland vor einem solchen Schicksal zu bewahren. Es handelt sich hier weder um Aufrüstung, noch um Remilitarisierung, noch um die Wiederkehr alter Generale und Nationalsozialisten, noch um Militarismus und sonstige Dinge und Schlagworte, sondern um ein zutiefst in der Rechtsordnung begründetes, nicht nur im Einzelleben, sondern auch von allen Völkern und Zeiten anerkanntes Recht der Natur.«

Am 19. Dezember war in Brüssel eine Außenministerkonferenz der Westmächte zusammengetreten und hatte die Hochkommissare ermächtigt, »etwaige Veränderungen im gegenwärtigen Besatzungsregime« zu prüfen, die »logischerweise im Zusammenhang mit einem deutschen Verteidigungsbeitrag stehen« könnten. Der Bundeskanzler versuchte, Klarheit über diese delphische Formulierung zu bekommen, doch waren die mündlichen Erläuterungen von Botschafter François-Poncet ebenso wenig klar wie eine erneute Aufzeichnung.

Am 23. Dezember erhielt ich von Theodor Blank folgenden Brief: »Mit Einverständnis des Herrn Bundeskanzlers möchte ich Sie bitten, sich darauf einzurichten, für eine längere Zeit, deren Dauer im Augenblick nicht abzusehen ist, mir als Berater für die bevorstehenden Verhandlungen aufgrund der Ergebnisse der Brüsseler Konferenz zur Verfügung zu stehen.

Außer an Sie habe ich mich mit der gleichen Bitte an Herrn Heusinger gewandt.«

Adolf Heusinger und ich gaben unsere Zustimmung. Wir wiesen aber darauf hin, daß an einen westdeutschen Verteidigungsbeitrag nur dann zu denken sei, wenn eine volle Rehabilitierung des deutschen Soldaten vor der Weltöffentlichkeit erfolge. Man könne nicht vom deutschen Volk neue militärische Leistungen fordern, während man gleichzeitig eine »geistige Entmilitarisierungspolitik« betreibe. Man könne die deutsche Wehrmacht nicht mit dem nationalsozialistischen Regime gleichsetzen und sie für die Verbrechen des Regimes kollektiv verantwortlich machen.

Wegen dieser Forderung rief mich bei Jahresbeginn Gert Whitman an und teilte mir mit, daß eine Besprechung mit John McCloy und General Eisenhower in Aussicht stehe. Im Auftrag von McCloy, der für unsere Empfindungen und Überlegungen volles Verständnis hatte, entwarf ich gemeinsam mit Heusinger eine solche »Ehrenerklärung«. Der Bundeskanzler hielt es aber nicht für notwendig, in dieser Sache etwas bei den Hochkommissaren zu unternehmen, während Theodor Blank unsere Auffassung unmißverständlich teilte.

Der frühere Leiter des Nachrichtendienstes von General Eisenhower, damals jüngster US-Brigadegeneral, der ritterliche Paul Thompson, inzwischen Europa-Repräsentant von »Reader's Digest« in Stuttgart, hatte schon frühzeitig unsere Berliner Vorkriegsbekanntschaft in Freudenstadt aufgefrischt. Er war vor dem Kriege Gehilfe des US-Militärattaché Colonel Truman Smith in Berlin gewesen und hatte seine Deutschfreundlichkeit bewahrt. Er unterstützte unsere Gedanken und empfahl, mit General Eisenhower in aller Offenheit zu sprechen. Nach einem weiteren Gespräch von mir mit McCloy wurde von Whitman folgende Erklärung aufgesetzt, die Eisenhower dann am 22. Januar Heusinger und mir gegenüber mündlich abgab, die aber nicht veröffentlicht wurde.

»Ich war 1945 der Auffassung, daß die Wehrmacht, insbesondere das deutsche Offizierskorps, identisch mit Hitler und den Exponenten seiner Gewaltherrschaft sei – und deshalb auch voll mitverantwortlich für die Auswüchse dieses Regimes. Genau so wie ich mich damals eingesetzt habe gegen die Bedrohung von Freiheit und Menschenwürde durch Hitler, so sehe ich heute in Stalin und dem Sowjetregime dieselben Erscheinungen.

Ich habe damals in solchen Gedanken gehandelt, denn ein Soldat muß ja für einen Glauben kämpfen. Inzwischen habe ich eingesehen, daß meine damalige Beurteilung der Haltung des deutschen Offizierskorps und der Wehrmacht nicht den Tatsachen entspricht, und ich stehe daher nicht an, mich wegen meiner damaligen Auffassungen – sie sind ja auch in meinem Buch ersichtlich – zu entschuldigen.

Der deutsche Soldat hat für seine Heimat tapfer und anständig gekämpft.

Wir wollen alle für die Erhaltung des Friedens und für die Menschenwürde in Europa, das uns allen ja die Kultur geschenkt hat, gemeinsam eintreten.«

Am 22. Januar 1951 trafen wir uns mit Eisenhower im Haus von McCloy in Bad Homburg. Anwesend waren Bundeskanzler Adenauer, Vizekanzler Blücher, der Vizepräsident des deutschen Bundestages Carlo Schmid, Theodor Blank sowie der stellvertretende britische Hochkommissar Kirkpatrick, der französische General Widmer und die amerikanischen Generale Gruenther und Handy, schließlich Hans von Herwarth, der Protokollchef, und Gert Whitman.

Als Eisenhower Heusinger und mich erblickte, ging er vor der Begrüßung der anderen auf uns zu, streckte beide Hände aus und rief: »Ah, the generals«. Der Bundeskanzler und seine Begleitung schienen von der Geste Eisenhowers überrascht zu sein; die Amerikaner nahmen sie als selbstverständlich hin. In späteren Jahren sprach ich wiederholt mit Präsident Eisenhower über diesen Abend, der nun auch im soldatischen Bereich eine gewisse Aussöhnung brachte.

Inzwischen hatten die sogenannten Petersberg-Verhandlungen begonnen. Sie sollten die militärischen und militärpolitischen Grundlagen vorbereiten für einen Beitrag Deutschlands zur Verteidigung des Westens, und zwar im Rahmen des Atlantikpaktes, wenn dies auch nicht expressis verbis in den Weisungen enthalten war. Der Beauftragte des Bundeskanzlers, Theodor Blank, führte mit Adolf Heusinger und mir als den fachlichen Ratgebern und dem Grafen Kielmansegg als leitendem Sekretär die Verhandlungen. Die vielfach mühseligen und recht schwierigen Verhandlungen galten vor allem folgenden Punkten:

1. Der Frage nach dem untersten operativen national-homogenen Verband. Hier einigte man sich bald auf die modern gegliederte Division und die panzerunterstützte motorisierte Infanteriedivision in einem zahlenmäßig ausgewogenen Verhältnis. Auch über Gliederung, Stärke und Bewaffnung einer Division wurde weitgehend Einigung erzielt.

2. Der deutschen Beteiligung an der Führung. Die Einigungsformel sah vor, daß sie dem Gewicht des deutschen Anteils an den Streitkräften für die europäische Verteidigung und den Erfordernissen der Verteidigung Europas entsprechen sollte.

3. Einer Kontrolle der Bündnispartner. Hier setzte sich unsere Auffassung durch, daß eine solche Kontrolle nur akzeptiert werden könne, wenn alle anderen an der Verteidigung beteiligten Streitkräfte derselben Kontrolle unterlägen.

4. Einer angemessenen deutschen Beteiligung an den gemeinsamen Luftstreitkräften und einem Marinekontingent zum Schutz der deutschen Gewässer, insbesondere der Ostsee. Dies war zunächst ein strittiger Punkt der Verhandlungen.

5. Der vom Bundeskanzler als Voraussetzung geforderten Umwandlung des immer noch geltenden Kriegsbesatzungsrechts in ein Vertragsrecht, einschließlich einer Ablösung der alliierten Hohen Kommission durch Botschafter der Mächte. Darüber hinaus warfen wir die Frage einer finanziellen Beihilfe auf.

287

Auch ging es um die psychologischen Voraussetzungen eines deutschen Verteidigungsbeitrages, nicht zuletzt in Gestalt einer großzügigen Lösung der in Gewahrsam der USA, Englands und Frankreichs befindlichen Deutschen. Ein wichtiges Ziel bei allen Verhandlungen über die Bildung deutscher Streitkräfte war, wie ich formulierte: »Wir müssen Qualität schaffen, um Quantität zu schlagen.« Die Schlußbemerkung Theodor Blanks in der zweiten Petersberg-Sitzung hieß, in Anlehnung an den letzten Satz der Himmeroder Denkschrift: »Treue, Unbestechlichkeit und volle innere Hingabe des deutschen Soldaten wird den vereinigten Verteidigungskräften Europas und der Atlantikpaktmächte um so mehr zugute kommen, je mehr Vertrauen und kameradschaftliche Offenheit diesem deutschen Soldaten von dem Anfang einer neuen Epoche an entgegengebracht werden.«

Den Verhandlungen waren in Bonn Zusammenkünfte auf gesellschaftlicher Ebene vorausgegangen und gefolgt. Die Eröffnungssitzung am 9. Januar 1951 hatte einen grotesken Auftakt, den jedoch alle Beteiligten bald humoristisch nahmen.

Als Theodor Blank, Adolf Heusinger, Graf Kielmansegg und ich zusammen im Volkswagen vor dem Hotel auf dem Petersberg vorfuhren, wies uns ein martialisch aussehender englischer Sergeant scharf darauf hin, daß die deutsche Delegation das Hotel durch den Hintereingang an der Küche zu betreten hätte. Der alte Gewerkschafter Blank schrie mit Stentorstimme den verblüfften Sergeanten an, daß wir dann sofort wieder abfahren würden. Durch den Lärm aufgeschreckt, erschienen mehrere Herren des alliierten Protokolls, sodann der noble General Ganeval, der das qui pro quo als ein Mißverständnis erklärte: wir sollten selbstverständlich durch den Haupteingang eintreten. Dort begrüßten wir dann die Hochkommissare.

Der Begegnung mit General Eisenhower war am 31. Januar die Freilassung von achtzehn sogenannten Kriegsverbrechern gefolgt, darunter der ehemalige Staatssekretär Freiherr Ernst von

288

Weizsäcker und mein Bruder. Der amerikanische Hochkommissar hatte Wort gehalten und beglückwünschte uns persönlich zu der Freilassung. Sechs Jahre nach dem Ende des Krieges feierten wir bei unserer Mutter und Schwester in Talheim Wiedersehen.

Wenige Tage später unterrichteten Heusinger und ich Kurt Schumacher in Gegenwart von Erich Ollenhauer und Carlo Schmid über den Verlauf unserer Verhandlungen auf dem Petersberg und die Aussprache mit General Eisenhower. Schumacher zeigte seine Genugtuung über diese Entwicklung und bestand entschiedener noch als der Bundeskanzler auf der militärischen Gleichberechtigung. Der Pragmatiker Adenauer zeigte sich bei ernsten Meinungsverschiedenheiten kompromißbereit; er mochte von der Zeit erwarten, was der Augenblick nicht gab.

Der deutsche Kronprinz, der uns in Hechingen zum Abendessen gebeten hatte, interessierte sich lebhaft für die militärpolitische Situation. Wir hatten ihn schon in den vergangenen Jahren wiederholt gesehen. Er hatte noch den alten Charme, dazu ein nüchternes, oft salopp wirkendes Urteil. Er schien nicht verbittert und erinnerte sich an unsere erste Begegnung in den Argonnen 1915, wo er vorne bei uns Königsgrenadieren Weihnachten gefeiert hatte.

Ende April hatten wir in Freudenstadt den Besuch des Markgrafen Berthold von Baden, des Prinzen Georg Wilhelm von Hannover und des Schöpfers von Salem, Dr. Kurt Hahn, der von England zurückgekehrt war, um ungebrochen seine Bildungs- und Erziehungsgedanken in Salem weiterzuführen. Gerade im Rückblick auf unsere jüngste Geschichte forderte er die Heranbildung von verantwortungsbewußten Menschen. Die Entwicklung des Charakters stellte er vor »kalte intellektuelle Bildung«. Im Einüben von Selbstdisziplin und Rücksichtnahme sollten Toleranz, Hilfsbereitschaft und Gemeinsinn geweckt werden, Voraussetzungen für ein verantwortliches Leben in einer Gemeinschaft freier Menschen.

Auf dem Petersberg wurden die Verhandlungen durch einen Zwischenbericht vom 4. Juni 1951 vorläufig abgeschlossen. Grundlage der Verhandlungen waren von unserer Seite das Memorandum vom 7. August 1950 und die Himmeroder Denkschrift vom Oktober 1950 gewesen. Obwohl wir vorsichtig vorgingen, waren unsere Gesprächspartner nicht bereit, klare Antworten auf unsere Fragen, Bitten und Forderungen zu geben. Sie schienen gebunden durch die Brüsseler Beschlüsse vom 18. und 19. Dezember 1950, über die wir, die deutsche Delegation wie die Bundesregierung selber, durchaus unzureichend, ja in Einzelheiten manchmal irreführend unterrichtet waren.

Anfang Februar sickerten die für einen eventuellen deutschen Beitrag festgelegten Beschränkungen, ja diskriminierenden Bestimmungen der Brüsseler Beschlüsse durch. Sie stellten die militärische Gleichberechtigung völlig in Frage und lehnten sich in vielem an den Pleven-Plan an. Die alliierten Verhandlungspartner, insbesondere die Soldaten, hatten für unsere Überlegungen hinsichtlich der Führung, Organisation und Gliederung deutscher Verbände großes Verständnis und Entgegenkommen gezeigt, aber die Entscheidungen der politischen Instanzen blieben aus.

Wie ein Schlag traf uns schließlich die Nachricht, daß nach neuerlichen politischen Beratungen die Entscheidung über einen deutschen militärischen Beitrag bis zur »verdienten politischen Gleichberechtigung Westdeutschlands« – so General Eisenhower vor dem Kongreßausschuß – zurückgestellt worden sei. Adenauer hüllte sich in Schweigen, Theodor Blank blieb ohne Weisungen.

Die französische Regierung wollte von Anfang an zweigleisig fahren und betrachtete in zunehmendem Maße die Petersberg-Verhandlungen als nur von den USA inspiriert und geführt. Am 15. Februar eröffnete sie in Paris eine Konferenz, die auf den ursprünglichen Ideen des Ministerpräsidenten Pleven basierte. Jedes interessierte Land war zur Teilnahme aufgefordert, aber nur

Deutschland, Italien, Belgien und Luxemburg folgten der Einladung; alle anderen europäischen und überseeischen NATO-Partner schickten lediglich Beobachter. Von deutscher Seite wurden Staatssekretär Professor Hallstein, Professor Ophüls, der Vortragende Legationsrat Roediger und Oberstleutnant i. G. a. D. Ulrich de Maizière nach Paris entsandt, wobei Hallstein gleichzeitig die deutschen Interessen bei den Verhandlungen über die Ablösung des Besatzungsstatuts und den Schuman-Plan wahrzunehmen hatte.

François-Poncet hatte, teilweise mit Erfolg, versucht, Adenauer die Pariser Konferenz schmackhaft zu machen, doch bekräftigte der Bundeskanzler unmißverständlich die deutsche Forderung nach politischer und militärischer Gleichberechtigung. Die französische Seite schlug eine »Europa-Armee« vor, die eine »möglichst vollständige Fusion aller menschlichen und materiellen Elemente der europäischen Verteidigung unter einer einheitlichen politischen und militärischen Behörde« herbeiführen sollte. Nach Robert Schumans Worten sollte sie ein »dauerndes Instrument der Sicherheit unseres Kontinents sein«. Die französischen Absichten gingen dahin, die neuen deutschen Streitkräfte von den Besatzungstruppen ausbilden und ausrüsten zu lassen. Die Kontrolle über die deutschen Einheiten sollte bei einem Verteidigungskommissar der Alliierten – möglichst einem Franzosen – liegen. Als höchster Kampfverband wurde, entgegen dem Pleven-Plan, nunmehr eine Kampfgruppe in Höhe von 5000 Mann genannt. Über höhere Verbände in der Größenordnung einer Division, über Einheiten einer Luftwaffe oder Marine, geschweige denn über eine deutsche Beteiligung an der Führung wurde nicht mehr gesprochen.

Diese französischen Vorschläge waren in einem Memorandum niedergelegt, das nicht nur Hallstein, sondern auch der amerikanische Beobachter in Paris, Botschafter David Bruce, ablehnte. Es verdient aber erwähnt zu werden, daß die französischen Militärexperten, an ihrer Spitze die Generale Edgar de Larminat und Paul Stehlin, unsere militärischen Vorstellungen verstanden. Gegenüber ihren politischen Autoritäten hatten sie jedoch eine schwierige Stellung. So sollten in einem Militärausschuß unter General de Larminat als Vorsitzendem die Fragen einer Europa-Armee untersucht werden, doch liefen die Absichten der französischen politischen Seite darauf hinaus, statt dessen den Besatzungsstatus zu sanktionieren.

Im Frühsommer 1951 hofften die Bundesregierung und unsere Petersberger Verhandlungsdelegation, daß der französische Widerstand überwunden und die von den Amerikanern favorisierte »Petersberg-Lösung« angenommen werden würde. Der amerikanische Hochkommissar flog mit dem Petersberger Memorandum in die Vereinigten Staaten. Sein Weg führte ihn über Paris, wo er sich noch einmal mit dem ersten Oberbefehlshaber der NATO in Europa, Eisenhower, und mit Jean Monnet aussprach.

Eisenhower aber, der sich bisher aus militärischen Zweckmäßigkeitsgründen entschieden für die »Petersberg-Lösung« – deutsche Divisionen – eingesetzt hatte, wurde zu unser aller Überraschung während der Pariser Gespräche im Sinne der französischen Lösung – nur kleine deutsche Kampfverbände – umgestimmt.

Am 4. Juli 1951, dem amerikanischen Nationalfeiertag, lud McCloy Theodor Blank, Heusinger und mich zu einem Empfang in seinem »Haus am Walde« in Bad Homburg ein. Wir hatten wegen der räumlichen Entfernung nicht die Absicht, der Einladung Folge zu leisten. Da wurde uns mitgeteilt, es handele sich um eine dringende Aussprache. Zu unserer tiefen Enttäuschung bedeutete uns McCloy, daß es in Anbetracht der französischen Einwände fraglich sei, ob die »Petersberg-Lösung« sich realisieren lasse. Unter diesen Umständen schlage er vor, sich auf der Pariser Konferenz über eine Europa-Armee zu verständigen.

Theodor Blank, der sich nicht nur als geschickter, sondern auch charakterstarker Verhandlungspartner bewährt hatte, erwiderte McCloy in entschiedenem Ton, daß der Pleven-Plan für die deutsche Seite indiskutabel sei. Man solle in dieser Lage wohl am besten davon ausgehen, daß Deutschland sich an der Verteidigung des Westens nicht beteiligen werde, und die Petersberg-Verhandlungen als gescheitert ansehen. Nach dieser Erklärung Blanks brachen wir auf.

Zwei Tage später bestellte der Bundeskanzler Theodor Blank, Hallstein, Blankenhorn, Heusinger, Graf Kielmansegg und mich zu einer Besprechung. Er eröffnete uns, daß auch er nunmehr für eine Europa-Armee eintrete, daß die Beteiligung an der Pariser Konferenz aber neu gestaltet werden müsse. Er ernannte Theodor Blank zum Leiter der deutschen Delegation und gab ihm Weisung, den deutschen Gleichberechtigungsanspruch durchzusetzen. Erst dann könne die Bundesrepublik einer Europa-Armee zustimmen; die jetzigen französischen Vorschläge seien ungenügend. Theodor Blank fuhr mit Oberst i. G. Fett nach Paris, um die deutsche Teilnahme an dieser Konferenz neu zu organisieren.

Am 27. Juli wurde mir in Bonn durch Theodor Blank und Staatssekretär Hallstein eröffnet, daß ich als militärischer Chef-Delegierter die militärischen Verhandlungen leiten solle. Auf der Rückfahrt von Bonn hatte ich am Abend noch eine Aussprache mit McCloy, die nach den Enttäuschungen der vergangenen Wochen einigermaßen vertrauenerweckend verlief.

Jetzt stand aber noch ein neues politisches Zwischenspiel bevor. Die französische Regierung teilte mit, daß sie keine deutsche Delegation dieses hohen Ranges wünsche, da sie dann im Parlament mit erheblichen Schwierigkeiten zu rechnen habe. Die Regierung müsse unbedingt neue innenpolitische Auseinandersetzungen vermeiden; so müsse zunächst die Vertagung des französischen Parlaments abgewartet werden. Auch herrsche begründete Sorge für die persönliche Sicherheit eines deutschen Generals in Paris, da man mit der Möglichkeit kommunistischer

Provokation rechnen müsse. Ausdrücklich wurde hinzugefügt, daß diese Bedenken nicht der Person des Generals Speidel gälten.

Inzwischen hatte Theodor Blank Heusinger und mir eine festere Bindung an seine Dienststelle angetragen, die wir aber beide zunächst ablehnten. Wir stellten uns lediglich für die Führung der Verhandlungen weiterhin zur Verfügung. Mit McCloy, der mit Frau und Kindern einige Tage im Hotel Waldeck in Freudenstadt war, konnte ich diese Frage in aller Offenheit besprechen; er hatte Verständnis für unsere Entscheidung.

Anfang August suchten mich Theodor Blank und Graf Kielmansegg auf dem Rückweg vom Bürgenstock in Freudenstadt auf, um von einer neuen Besprechung mit Adenauer zu berichten; Adolf Heusinger war von München dazugekommen. Blank entwickelte seine Vorstellungen über unsere Aufgaben und Möglichkeiten bei der bevorstehenden Pariser Konferenz und über die Neuorganisation seiner Dienststelle, deren militärische Leitung Heusinger übernehmen sollte.

Kurz darauf erhielten Heusinger und ich die vertrauliche Mitteilung, daß Eisenhower sich mit uns rein persönlich in privatem Rahmen unterhalten wolle, daß über diese Begegnung aber nichts bekannt werden dürfe. Meiner Familie sagte ich, daß wir gemeinsam eine mehrtägige Fahrt in das uns beim Skilauf so lieb gewonnene bayerische Allgäu und nach Oberbayern bis Garmisch unternehmen wollten.

Am 19. August wurden Heusinger und ich ins »Haus Florian« in Partenkirchen zu General Eisenhower zum Mittagessen gebeten, wobei sich für uns überraschend herausstellte, daß auch McCloy, die Generale Gruenther und Handy und Gert Whitman teilnahmen. Wir wurden wie alte Kameraden aufgenommen. Nach dem Essen sprach man zunächst über die Notwendigkeit eines deutschen Beitrags zur Verteidigung des Westens und über das Problem der Gleichberechtigung. Zu unserem Erstaunen schien nun General Eisenhower wieder ganz auf die Petersberg-

Linie eingeschwenkt; seine Auffassungen entsprachen den unseren. Er nahm für einen deutschen Beitrag den atlantischen Rahmen als selbstverständliche Grundlage an; ebenso selbstverständlich ging er von einer deutschen Beteiligung an der Führung aus. Der Stabschef, General Gruenther, beeindruckte durch kristallene Klarheit, die mit natürlicher Liebenswürdigkeit verbunden war.

Noch einmal exerzierten wir mit Eisenhower die Normandie-Schlacht 1944 durch, wobei wir sehr offen über die nach unserer Auffassung sehr vorsichtige amerikanische Führung sprachen, vor allem über den uns unverständlichen Halt der US-Armee an der Elbe, der den Sowjettruppen ganz Mittel- und Westdeutschland freigegeben hatte. Eisenhower stimmte uns unter militärischen Gesichtspunkten voll zu. Dies sei jedoch eine rein politische Entscheidung gewesen. Erst nach fünfstündigem Gespräch verließen wir den Gastgeber, der uns zum Schluß versicherte, daß uns der direkte Weg zu ihm immer offen stünde, der heutige Tag solle nur der Beginn einer freundschaftlichen Verbindung sein.

Am 24. August mittags unterrichteten wir Bundeskanzler Adenauer über diese Unterredung, die ihn sehr zu interessieren schien; die Generale sprächen ja anscheinend dieselbe Sprache, fügte er amüsiert hinzu. Zum Auftakt gab er mir die Kabinettsentscheidung über meine Entsendung nach Paris bekannt. Einige Tage später suchte uns General Ganeval in Freudenstadt auf, um mich über den Verlauf der Pariser Konferenz aus französischer Perspektive zu unterrichten.

Wenig später fuhren wir zur traditionellen Geburtstagsfeier von Friedrich Georg Jünger nach Überlingen an den Bodensee. Der 1. September war für uns zu einem festen Termin geworden, an dem wir alljährlich mit Ernst Jünger, Monsignore Horion, dem großen Entomologen, Vittorio Klostermann, Clemens Graf Podewils, Friedrich Schnack und Überlinger Freunden zusammenkamen.

Schon der äußere Rahmen war bezaubernd: die Feier wurde am Vortag eingeleitet, meist auf einem der Berge der Umgebung, auf dem Heiligenberg oder dem Haldenhof, von wo der weite Blick über dem im Abendfrieden schimmernden See zur Ruhe kam. Unrast und Lärm der Welt fielen ab. Am eigentlichen Festtag war die von hohen Steinmauern und einem verwunschenen Garten umhegte »Seeufer-Klause« der Ort des gemeinsamen Feierns – das In-sich-Gekehrte dieser Behausung entspricht dem Wesen dieses Dichters.

Was für Feste haben wir dort erlebt, vom Meister des Festes und von der regina domus uns bereitet! Dabei war Friedrich Georg Jünger in seiner eher spröden, scheuen, behutsamen Art dem Getümmel der Märkte abhold, dem fruchtbaren Gespräch im Freundeskreis aber um so aufgeschlossener. Seine warmen Augen, Spiegel einer reinen Seele, unterschieden sich von denen seines Bruders Ernst, die beobachtend blicken und das Stählern-Disziplinierte des scharfen Geistes verraten. Friedrich Georg wirkte milder, gemütvoller, von einer fast antiken Heiterkeit, die Klarheit und Besinnlichkeit vereint. So schien auch im Gespräch mit ihm der große Fundus an Wissen und Kontemplation, an grüblerischer Bedächtigkeit durch. Mitzuerleben, wie die beiden Brüder sich gegenseitig ergänzen, in der Wesensart ebenso wie im Denken, machte einen besonderen Reiz dieser Abende aus. Diese Gespräche in der Geburtstagsrunde, oft bis tief in die Nacht hinein, wirkten in den Alltag nach, wie auch das milde Spätsommerlicht an unserem See noch lange nachleuchtete.

Im September suchte uns Dr. Ernst Boehringer von Ingelheim auf, dem ich dank Maître Kraehling und anderer französischer Freunde vor einer drohenden Beschlagnahme seines Unternehmens hatte helfen können; er bot mir den Eintritt in die Firma C. H. Boehringer Sohn an. Im Hinblick auf meine künftige Verwendung lehnte ich ab. Ernst Boehringer, ein großer Unternehmer, ein Herr, setzte mit Mut, vitalem Elan und Großzügigkeit seine Ideen ins Werk. Dieser Mann der Tat war aber zugleich ein Freund der Musen, besonders der Lyrik seiner schwäbischen Heimat. Von der Oekonomie Friedrich Lists und den neuesten chemischen Forschungen spannten sich seine Interessen bis zu Goethe und Stefan George. Bis zu seinem allzu frühen Lebensende blieb uns diese kraftvolle und hochherzige Persönlichkeit ein treuer Freund.

In Paris waren inzwischen die Verhandlungen weitergegangen. Obwohl von den Vertretern der Mitgliedstaaten der geplanten europäischen Verteidigungsgemeinschaft beschlossen worden war, eine integrierte militärische Planungsgruppe zu bilden, die als Kern einer künftigen integrierten militärischen Spitze dienen sollte, schlug die französische Seite vor, vorläufig keine deutschen hohen Offiziere zuzulassen.

Als Theodor Blank diesem Antrag widersprochen hatte, bot die französische Seite an, die Planungsgruppe mit den deutschen Mitgliedern unauffällig außerhalb von Paris, am besten in Brüssel, tagen zu lassen. Daraufhin rief Theodor Blank die in Paris verbliebene deutsche Verbindungsgruppe unter Oberstleutnant de Maizière aus Paris zurück. Nun lenkte die französische Regierung ein, nicht zuletzt in der Sorge, die Petersberg-Lösung könne von den Amerikanern wieder forciert werden.

Nachdem noch Ende August Botschafter François-Poncet dem Bundeskanzler überraschend erklärt hatte, hinsichtlich meiner Person bestehe nur die eine Schwierigkeit, daß »Speidel eine nationale und nicht eine europäische Armee« wolle, traf am 27. September plötzlich die Zustimmung der französischen Regierung zu meiner Ernennung als militärischer Delegationschef ein.

Das Ringen um eine europäische Armee und die Aufnahme in die NATO

Am 1. Oktober früh empfing mich in Paris Botschaftsrat von Kessel, der sich in der Folgezeit um die Delegation menschlich und sachlich besonders verdient gemacht hat. Die ersten Tage waren mit Meldungen bei den französischen Dienststellen, bei SHAPE, bei den Vertretungen Italiens, Belgiens, der Niederlande und Luxemburgs, aber auch der Vereinigten Staaten und Großbritanniens ausgefüllt. Bei den Politikern und Diplomaten war die Aufnahme zum Teil reserviert, meist jedoch interessiert korrekt, bei den Offizieren durchweg offen und kameradschaftlich. Überall wurde loyale Zusammenarbeit und Hilfe zugesagt, was sich in den nächsten Jahren voll bewahrheiten sollte. Der Chef des Stabes des Oberbefehlshabers der Atlantikpaktstreitkräfte in Europa, der spätere Nachfolger der Generale Eisenhower und Ridgway, General Alfred Gruenther, empfing mich besonders herzlich. Die Problematik der Petersberg-Ergebnisse war ihm, auch aufgrund unserer Partenkirchener Gespräche, geläufig.

Nicht minder unterstützte mich mein alter Freund, General Paul Stehlin. Er, der sich 1940 in den Luftkämpfen an der französisch-italienischen Front ausgezeichnet hatte und dem ich nach dem Waffenstillstand hatte helfen können, war jetzt Berater des französischen Verteidigungsministers für Fragen der Europäischen Verteidigungsgemeinschaft und der NATO. Als glücklichen Beginn meiner Pariser Tätigkeit empfand ich die Teilnahme an seiner Hochzeit am 3. Oktober 1951 in der Eglise St. Louis des Invalides mit Botschafter François-Poncet als Trauzeugen.

298

Die Verhandlungen des »Lenkungsausschusses für eine Europäische Verteidigungsgemeinschaft« begannen in Paris am 1. Oktober, 17 Uhr, im Friedenssaal des französischen Außenministeriums am Quai d'Orsay unter dem Vorsitz des französischen Botschafters Hervé Alphand; die deutsche Delegation wurde von Theodor Blank geführt. Wie auf dem Petersberg bewährte sich auch hier die Verhandlungsführung von Theodor Blank, weil er – fern jeder Konvention – klar und direkt verhandelte und schon bei der ersten Begegnung auf die neuralgischen Punkte verwies und den deutschen Standpunkt mutig vertrat. Auch die anderen Delegierten sahen, daß dieser lebenskluge, kantige, nicht mit diplomatischem Öl gesalbte Mann ein gerader und aufrichtiger Partner war, der nicht nur das deutsche Interesse an politischer und militärischer Gleichberechtigung vertrat, sondern auch Verständnis für die Interessen der Verbündeten aufbrachte.

Am Nachmittag des nächsten Tages begann die Sitzung des Militärausschusses in einem Flügel des Hôtel des Invalides unter dem Vorsitz des französischen Armeegenerals Edgar de Larminat, dessen Chef des Stabes Colonel Raoul Herckel wurde. Die italienische Delegation führte der ehemalige Militärattaché in Berlin, General Giuseppe Mancinelli, die belgische General Gierst, die niederländische General Mathon, die luxemburgische die Obersten Jakobi und Hommel.

Die Chefs der Stäbe der Delegationen bildeten ein Koordinierungskomitée, das die von den Delegationschefs gewünschten Ausarbeitungen der Unterausschüsse zu prüfen und den Chefdelegierten vorzulegen hatte. Von französischer Seite wurde versucht, den Komitéevorsitz ebenfalls in französische Hände zu legen und Oberst Herckel damit zu betrauen. Ich erhob Einspruch, nicht wegen der Person des tüchtigen und integren Offiziers, sondern weil dann beide Spitzenstellen von derselben Nation besetzt gewesen wären. Auch den Vermittlungsvorschlag, das Präsidium monatlich zu wechseln, lehnte ich ab, nachdem ich mich zuvor der Zustimmung meines alten Freundes Mancinelli versichert hatte.

Nach Ablauf des ersten Monats, in dem mein Chef des Stabes, Oberst i. G. Fett, aufgrund des Buchstabens »A« (Allemagne) im Koordinierungsausschuß präsidiert hatte, kam ein einstimmiger Beschluß zustande, Fett den ständigen Vorsitz des Koordinierungskomitées zu übertragen.

Bis zu seiner Rückberufung nach Bonn hat er diese Aufgabe mit organisatorischem Geschick, Takt und Festigkeit erfüllt. Er half mit, aus den deutschen Sachbearbeitern, ehemaligen Generalstabsoffizieren aus Heer, Luftwaffe und Marine, ein Team mit hervorragendem Korpsgeist zu bilden.

Armeegeneral de Larminat war ein Offizier bester französischer Tradition. Er beherrschte Strategie, Taktik und Organisation in vollendeter Weise, war auch mit den deutschen Führungsgrundsätzen voll vertraut. Er hatte sich im französischen Generalstab und in hohen Kommandostellen bewährt und galt als eine der führenden Persönlichkeiten des französischen Heeres. Während der Verhandlungen war er in der Form verbindlich, in der Sache aber hart. Im persönlichen Verkehr behandelte er uns Deutsche vom ersten Augenblick an als Kameraden sehr entgegenkommend.

In seiner Wohnung – in Frankreich sind Hauseinladungen ja selten – war er ein herzlicher Gastgeber; Offiziere und Künstler bildeten eine anregende Runde, zu der wir als erste Deutsche stießen. Seine Frau war Malerin; an einer Vernissage ihrer Arbeiten nahmen wir teil.

Als ich einige Jahre später als Oberbefehlshaber nach Fontainebleau kam, lebte die persönliche Verbindung wieder auf. Als Vorsitzender der französischen Frontkämpferverbände regte de Larminat einmal an, eine gemeinsame Gedenkstätte für beide Nationen auf dem Douaumont zu errichten. Er erbat eine erhebliche Geldsumme, welche die deutsche Regierung auf meinen

Antrag hin genehmigte. Als de Gaulle Präsident der Republik geworden war, untersagte er aber schroff eine gemeinsame deutsch-französische Gedenkstätte im Raum Verdun.

General de Larminat nahm ein tragisches Ende. Nach dem Putsch in Algier bestimmte ihn de Gaulle zum Vorsitzenden des Militärgerichts, das die Führer der Revolte, seine alten Kameraden, aburteilen sollte. Larminat brachte dies nicht übers Herz und erschoß sich. Mir rief dieser Tod den »Ehrengerichtshof« in Erinnerung, den Hitler nach dem 20. Juli 1944 eingesetzt hatte und der die Ausstoßung von Offizieren aus der Armee beschloß, was ihre Auslieferung an den Volksgerichtshof und damit meist den Tod durch den Strang bedeutete.

Die französische Delegation legte Wert auf den supranational-integrierten Charakter des deutschen Verteidigungsbeitrages und wollte zunächst die Division als nationale Grundeinheit nicht anerkennen. Ich wies darauf hin, daß die national-homogene Division die selbstverständliche Grundlage aller Verhandlungen bilde, wobei ich mich der Zustimmung von SHAPE versicherte.

Ein anderer Gegenstand von Meinungsverschiedenheiten war, daß die nationalen Streitkräfte vollständig in die europäische Verteidigungsorganisation eingebracht werden sollten. Frankreich forderte aber für seine überseeischen Territorien ein besonderes Kontingent, »da die europäische Verteidigungsgemeinschaft die überseeischen Gebiete nicht sichere«.

Für den Fall eines militärischen Notstandes in Übersee, hauptsächlich in Algerien und Indochina, verlangte die französische Führung das Recht, jederzeit einen Teil ihres Kontingents aus der Europa-Armee zurückziehen zu können. Da die europäische Verteidigung durch den Abzug von Verbänden der Europa-Armee nicht geschwächt werden sollte, einigte man sich schließlich darauf, daß der NATO-Oberbefehlshaber in Europa jeweils über eine Verminderung von Verbänden in Europa entscheiden solle. Eine Kontroverse über das Verhältnis der Europa-Armee zum atlantischen Oberkommando wurde so beigelegt, daß die Europa-Armee ihm nur im Ernstfall unterstellt würde.

Während so auf militärischer Seite die Verhandlungen einen zwar schwierigen, aber im großen und ganzen erfolgreichen Verlauf nahmen und militärische Notwendigkeiten den politischen Prestigefragen schließlich vorgezogen wurden, gab es neue Schwierigkeiten wegen der Gemeinsamkeit des Militärbudgets und der Position des europäischen Ministerrats.

Nach einer kurzen Konferenz der Außenminister der sechs Länder in Straßburg am 11. Dezember kam es vom 27. bis 30. Dezember 1951 zu einer Außenministerkonferenz in Paris, auf der im Eifer des Gefechts die Vermittlung der Dolmetscher beiseite geschoben wurde und die Außenminister in deutsch verhandelten, da sie alle der deutschen Sprache mächtig waren: Konrad Adenauer, Robert Schuman, Alcide de Gasperi, van Zeeland, Stikker und Bech. Als sie sich nach Glättung der Wogen dieser Tatsache bewußt wurden, herrschte große Heiterkeit.

Am 22. November 1951 empfing mich der damalige Armeegeneral und spätere Marschall Alphonse Juin zu einem ersten ausführlichen Gespräch über die europäische Verteidigungsgemeinschaft. Wir kamen schließlich auf Erinnerungen aus beiden Kriegen. Diese Zusammenkunft wurde zu einer guten Basis für spätere Begegnungen.

Juin war in einfachen Verhältnissen in Bône in Algerien geboren worden. Er war ein »pied noir«, was ihn auch in dieser Hinsicht zu einem Gegentypus zu de Gaulle machte. Juin hatte eine glänzende militärische Laufbahn hinter sich. 1940 wurde er als Divisionskommandeur gefangengenommen, aber auf Wunsch der Regierung Pétain vorzeitig entlassen. 1941 hatte er den Oberbefehl der französischen Streitkräfte in Nordafrika übernommen. Nach verschiedenen Verwendungen wurde er 1951 Oberbefehlshaber der verbündeten Landstreitkräfte in Mitteleuropa, also einer meiner Vorgänger.

Juin, der der Académie Française angehörte, war ein taktisch und technisch besonders geschulter Offizier, praktisch in allen Fragen der Führung. Persönlich war er sehr direkt, offen und von großer Kameradschaftlichkeit.

An den Wochenenden fuhr ich regelmäßig nach Hause, da ich auf Montag meine Kolloquien an Universität und Leibniz-Kolleg zusammengelegt hatte.

So konnte ich auch am 6. Oktober den 70. Geburtstag der Mutter Stahl im Kreise von vierundfünfzig Verwandten im traditionellen schwäbischen Landgasthaus »Zum Hirschen« in Buoch mitfeiern.

Den Abend darauf verbrachte ich auf der Bühlerhöhe, um Martin Heidegger zu hören. Es war die Zeit, in der Heideggers Wirkung im In- und Ausland wohl am größten war. Zu seinen Vorlesungen in Freiburg kamen Studenten von weither angereist. So war auch das Kurhaus Bühlerhöhe, wo Heidegger verschiedentlich sprach, zu einem Anziehungspunkt geworden.

An diesem Abend nun erlebte ich mit dem Vortrag ». . . dichterisch wohnet der Mensch . . .« Heideggers Deutung Hölderlinscher Verse, die uns den Dichter neu erschlossen. Darüber hinaus wies Heidegger auf das »Unvermögen« unserer Zeit, »Maß zu nehmen«, was aus einem Übermaß des rationalen Messens und Kalkulierens herrühre.

Besonders anregend verlief die anschließende Aussprache, zu der auch Ortega y Gasset gekommen war. In diesem weltläufigen Denker, der mit seinem Essay über den Aufstand der Massen schon früh ein typisches Phänomen des 20. Jahrhunderts erfaßt hatte, begegnete uns eine ganz andere Art eines Philosophen, als es der ebenso scharfsinnige wie hintersinnige Martin Heidegger war. »Sie mögen tiefer denken«, meinte einmal Ortega, »aber wir Spanier sehen klarer.«

Auch in Paris nahm ich nach Möglichkeit am kulturellen

Leben teil. Im Théatre National Populaire hatte Jean Vilar den Mut, Heinrich von Kleists »Prinz von Homburg« zu inszenieren und selbst den Kurfürsten zu spielen. Es war eine der großartigsten Aufführungen, die ich je sah, nur mit der Max Reinhardts zu vergleichen, die er kurz vor Beginn des Dritten Reiches im Deutschen Theater in Berlin inszeniert hatte. Den Glanz des Pariser Abends brachte Gérard Philipe als Prinz von Homburg, dem die blutjunge Jeanne Moreau als Natalie gegenüberstand.

Es war eigenartig, hier in Paris dieses Stück mitzuerleben, das man damals in Deutschland kaum spielte, da es als Verherrlichung der »Kriegszucht« und des Gehorsams angesehen wurde. Dem Pariser Publikum, das begeistert Beifall spendete, wurde damit eine neue Sicht des »humanen Preußen« fern von aller Gloria erschlossen.

Zwei Jahre später war es dann wie ein Abschied von Preußen, als am 14. September 1953 auf dem Hohenzollern die Särge König Friedrich Wilhelms I. und Friedrichs des Großen in der Schloßkapelle beigesetzt wurden und Musik des alten Fritz unter Karl Münchinger erklang. Bei dieser geschichtsschweren Gedenkfeier wurde mir bewußt, daß man zwar den preußischen Staat, nicht aber die preußische Geisteshaltung auslöschen kann. Vom Pflichtgefühl bis zur Staatsauffassung hat Preußen ein Ethos geprägt, das sich in Gestalten wie Friedrich, Kant, Stein, Clausewitz, Scharnhorst, Gneisenau, den Brüdern Humboldt und Kleist verkörpert hat und das bleiben wird.

Unter den zahlreichen Besuchern, die aus Deutschland kamen, ragte eine Persönlichkeit besonders hervor: der Berliner Regierende Bürgermeister, Professor Ernst Reuter, der nicht nur über die Lage Berlins berichtete, sondern auch die drängenden Ostprobleme anschnitt. Für uns war seine Ermunterung wesentlich, so schnell wie möglich zu einer festen Anlehnung an den Westen und damit einer Absicherung Berlins zu kommen. Ich werde nie den Abend »Chez Rouzier« gegenüber der angestrahlten Notre-

Dame vergessen, als er Teddy Kessel und mich beschwor, bei den Bemühungen um die Aussöhnung mit Frankreich und die Freundschaft mit dem Westen nicht müde zu werden. Es klang wie ein Vermächtnis dieser eindrucksvollen Persönlichkeit, die schon 1953 starb.

Als ich kurz vor Weihnachten zu meinem Kolloquium nach Tübingen gereist war, kamen Margarete Hauptmann und Carl Zuckmayer zu uns nach Freudenstadt. Zuckmayer trug uns das von Gerhart Hauptmann nicht vollendete Drama »Herbert Engelmann« vor, das er zu Ende geführt hatte. Hauptmann selbst hatte ihn einmal als seinen legitimen Nachfolger bezeichnet. Der Eindruck dieses Werks – das tragische Erleben eines Soldaten in düsterer Nachkriegszeit – blieb jedoch zwiespältig.

Nachdem wir in der Familie am 2. Dezember den 82. Geburtstag meiner Mutter froh gefeiert hatten – sie präsidierte in alter Frische und freute sich besonders über die Glückwünsche von Theodor Heuss –, erkrankte sie kurz vor dem Heiligen Abend ernstlich an Bronchitis und Herzbeschwerden. Wir benutzten jede freie Stunde zu Besuchen im »Lutherstift« in Stuttgart; am 29. Januar 1952 kam das friedliche Ende.

Am Vorabend, dem Geburtstag unseres unvergeßlichen Vaters, war ich noch auf ihren besonderen Wunsch hin auf dem Waldfriedhof gewesen. Bei der Rückkehr gab sie uns mit klarer Stimme ihren Segen mit den Bibelworten: »Gott ist die Liebe und wer in der Liebe bleibt, der bleibt in Gott und Gott in ihm« und »Du sollst mich segnen und Ihr sollt mein Segen sein.« Der Abschied von der Mutter bedeutet eine tiefe Zäsur im Leben eines jeden Menschen. Nicht nur ist es der letzte Abschied vom Elternhaus, sondern auch das Empfinden, nun in die vorderste Linie gestellt zu sein.

In Paris waren die Verhandlungen weitergegangen; vorübergehend wurden sie psychologisch erleichtert durch die Annahme des Schuman-Plans, der eine gesunde Basis für eine Verwirklichung der Europäischen Verteidigungsgemeinschaft sein konnte. Mit großer Intensität wurde ein Protokoll des Militärausschusses für die Ministersitzung vorbereitet, nachdem über fast alle Punkte eine gewisse Einigung erzielt war. Lediglich die Frage eines deutschen Marinekontingents blieb bis zur Paraphierung des EVG-Vertrages offen.

Schon in der ersten Verhandlungsperiode machte ich meine Kollegen auf die gemeinsamen Probleme der soldatischen Erziehung aufmerksam, den Komplex also, der später in dem Begriff der »Inneren Führung« aufging. Zusammen erörterten wir folgende Gedanken: Der Staat stellt den Streitkräften die Aufgabe, aus Bürgern kriegstüchtige Soldaten zu machen. Handwerkliches Können allein aber genügt nicht. Der Ernstfall verlangt mehr als nur technische Fähigkeiten und militärisches Wissen.

Der Zweck der Erziehung während des Wehrdienstes müsse also sein, diejenigen Eigenschaften zu entwickeln, die den technisch ausgebildeten Soldaten erst zur umfassenden Erfüllung seiner Aufgaben befähigen. Eigenschaften wie Tapferkeit, Pflichtgefühl und Verantwortungsbewußtsein – Gehorsam ist nur ein Teil davon –, Entschlußfreudigkeit, Kameradschaftlichkeit und Ritterlichkeit sollten gefördert werden. Im Hinarbeiten auf solche Tugenden könne sich militärische, staatsbürgerliche und menschliche Erziehung im wesentlichen decken. Auch vor diesem Gremium trug ich meine Überzeugung vor, wonach die Stärke jeder Streitkraft in der Geschlossenheit der in ihr dienenden Menschen liegt. Diese Geschlossenheit könne aber nur erreicht werden, wenn Ausbildung und Erziehung unteilbar in der Hand derjenigen liegen, die sich im Ernstfall mit diesen Soldaten bewähren müssen. Diese Gedanken fanden bei meinen Gesprächspartnern durchweg Anklang.

Bis zur Paraphierung des Vertrages waren noch manche Probleme zu lösen. General de Larminat bestand darauf, den Status der nichteuropäischen Gebiete Frankreichs in ihrem Verhältnis zur Europäischen Verteidigungsgemeinschaft genau festzulegen. Bei der verschiedenartigen staatsrechtlichen Stellung der nordafrikanischen Länder – Algerien war Mutterland, Marokko und Tunis galten als Protektorate – müßten jeweils Sonderabmachungen getroffen werden, die auch im Interesse der anderen Länder lägen, da zum Beispiel Nordafrika für die Luftwaffe wesentlich sei und ein ideales Übungsgelände darstelle. Frankreich brauche außerdem für die Rekrutierung seines Beitrags zur Europäischen Armee die Bewohner dieser drei Länder und beabsichtige, sie auch weiterhin in die Verbände der Europäischen Verteidigungsgemeinschaft einzugliedern.

Dagegen meldete ich Bedenken an. Zugleich ließ ich anklingen, daß, wenn Deutschland kein Verteidigungsministerium und kein Generalstab zugestanden würden, auch die entsprechenden Ministerien und Generalstäbe der Partnerstaaten nicht mitsprechen könnten. Immer wieder wurde während der Sitzungen, aber auch am Rande der Konferenz in privaten Unterhaltungen die französische Sorge vor der deutschen Dynamik und einem möglicherweise wiedererwachenden »Nationalismus« deutlich, aber auch vor dem »Explosivstoff«, den man in den zehn Millionen deutscher Flüchtlinge aus den Ostgebieten vermutete.

Aber nicht nur die französische Delegation brachte Bedenken und Sonderwünsche vor, sondern auch die britische Seite. Ende Januar hatte ich eine ausführliche Besprechung mit dem britischen Feldmarschall Viscount Montgomery of Alamein, der Stellvertreter von General Gruenther bei SHAPE war. Montgomery war ein dezidierter Vertreter einheitlich ausgebildeter und geführter nationaler Armeen, die man dann in einer Koalition zusammenfassen könne; er versprach sich nichts von einer Integrierung, um so mehr aber von einer Koordinierung in einer Koalitionsarmee. Nicht ohne Selbstgefühl wies er darauf hin, daß er schließlich Erfahrung besitze, da er außer Deutschen und

Russen schon Truppen vieler Nationen unter seinem Kommando gehabt habe.

Montgomery war reiner Soldat. Die französischen Vorbehalte irritierten ihn. Entweder wolle man deutsche Truppen, dann müsse man sie auf zweckmäßige Weise ins Bündnis eingliedern; oder man habe noch immer Mißtrauen, dann solle man ganz auf deutsche Soldaten verzichten. Entschieden bestand er darauf, daß Deutschland baldmöglichst in den Atlantikpakt aufgenommen werde, auch wenn Frankreich sich sträube. Unter vier Augen erzählte er mir, daß er dies auch Churchill vorgetragen habe, der sich aber nur zu gegebener Zeit entscheiden wolle. »Von Politikern kann man ja nie eine klare Antwort auf klare Fragen bekommen.«

Montgomerys Ungeduld mit dem abwägenden Zögern der Politiker war nicht gespielt. Schon in der letzten Phase des Krieges, als die Absicht der Sowjetunion, erst Osteuropa, dann Mitteleuropa unter ihre Hegemonie zu zwingen, immer deutlicher geworden war, hatte er ungestüm gefordert, den Kreuzzug für die Ideale der Freiheit, falls notwendig, nun in die andere Richtung zu führen.

Höchst aufschlußreich war mir, daß er erstmals die Frage der Wiedervereinigung Deutschlands anschnitt. Nach seiner Auffassung konnte sie aber nur mit dem Schwert errungen werden. Er sei bereit, einen solchen Feldzug zu führen. Ich hielt ihm die Möglichkeit entgegen, daß durch das Stärkerwerden des Westens in moralischer, wirtschaftlicher und militärischer Beziehung auch unsere Anziehungskraft für die Deutschen im Osten immer größer würde. Zugleich werde sich auch die Verhandlungsposition gegenüber der Sowjetunion stärken, so daß eine friedliche Lösung der Wiedervereinigung Deutschlands zumindest denkbar sei. Montgomery stimmte diesen Gedanken unter der Vorbedingung ausreichender militärischer Stärke des Westens einschließlich Deutschlands zu.

In den wiederholten Zusammenkünften mit dem Feldmarschall, auch auf gesellschaftlicher Ebene, verstärkte sich das Bild eines typisch englischen Troupiers, der wenig Sinn für außermilitärische Bereiche hatte und sich oft bewußt amusisch gebärdete. Darin kam aber auch seine Neigung zu provozieren zum Ausdruck, die zu seinen skurrilen, ja kauzigen Zügen gehörte. Immer wieder kam Montgomery auf seine Kriegserinnerungen zurück, sei es auf die Räumung Dünkirchens, bei der er die 3. britische Division geführt hatte, sei es auf die Kämpfe in Afrika und vor allem auf die Schlacht in der Normandie. Ohne Rücksicht auf Gäste richtete er ein fiktives Kampfgebiet ein, auf dem er dann mit Bleistift, Uhrkette und anderen Utensilien manövrierte und seine Operationen durchspielte. Hohe Achtung zeigte er vor der Leistung der deutschen Soldaten, besonders vor Feldmarschall Rommel.

Nach langwierigen Verhandlungswochen hatte ich am Vormittag des 9. Mai noch eine Aussprache mit Marschall Juin, der sich unseren deutschen Auffassungen weitgehend angenähert hatte. Nur die Frage deutscher Seestreitkräfte zum Schutz der Ostsee war noch offen. Die französische Seite beschwor mich, wenigstens in diesem Punkt nachzugeben. Aus sachlichen Gründen blieb ich aber auf der Forderung bestehen, daß wir eine Möglichkeit haben müßten, angesichts der zu erwartenden Marinerüstung der Sowjetunion und ihrer Satelliten vor allem die Ostseeküste zu sichern. Endlich willigte dann auch die französische Seite ein, da alle übrigen Partner die deutsche Ansicht teilten.

Am späten Nachmittag wurde im Uhrensaal des Quai d'Orsay der Vertrag für eine Europäische Verteidigungsgemeinschaft von Theodor Blank und Hervé Alphand paraphiert. Beide benutzten die Gelegenheit zu Ansprachen, die von echtem europäischen Geist getragen waren. Im Anschluß daran begrüßte mich der damalige französische Außenminister, Robert Schuman, mit dem mich ein Vertrauensverhältnis verband. Dieser große Europäer und Idealist glaubte mit allen Fasern seines Herzens an die

Verwirklichung des vereinigten Europas, zu dem es jedoch in diesem umfassenden Sinn bis heute nicht kommen sollte.

Knapp drei Wochen später, am 27. Mai um 17 Uhr, unterzeichneten ebenfalls im Uhrensaal des Quai d'Orsay die Außenminister Dean Acheson, Eden, de Gasperi und Adenauer den EVG-Vertrag, in dem freilich nicht alle Blütenträume gereift waren, der aber doch viel für Europa erreicht hatte.

Der Vertrag sah die Einrichtung eines »Interimsausschusses« vor, der bis zur Ratifizierung der Verträge durch die Parlamente der Mitgliedsstaaten arbeiten sollte. Aus räumlichen Gründen mußten wir den Verhandlungsraum im Hôtel des Invalides verlassen und bezogen die Baracken des Palais de Chaillot, die für die Tagung der UNO gebaut worden waren. Als wir uns erstmals die im Sommer stickig-heißen und im Winter eiskalten Behelfsbauten ansahen, ahnten wir nicht, daß wir dort mehr als zwei Jahre wirken sollten, bis die EVG endgültig gescheitert war.

Die Grundlage für die Verhandlungen des Interimsausschusses bildeten die Ergebnisse der Tagung des NATO-Rats in Lissabon. Dort war die Stärke der atlantischen Verteidigungskräfte, die bis Ende 1954 erreicht werden sollte, mit den dazugehörenden Korps- und Armeetruppen auf 97 Divisionen festgesetzt worden. Die Hälfte sollte sofort verfügbar sein, die andere in einer Mobilmachungszeit von dreißig Tagen. In Mitteleuropa sollten die Vereinigten Staaten sechs, Großbritannien zwei Divisionen stationieren. Als vordere Begrenzung der Verteidigungslinie war wieder der Rhein festgelegt worden. Die Beteiligung deutscher Führungskräfte in den europäischen Gremien der NATO, um die wir so lange Zeit gerungen hatten, war am Ende angenommen worden. Um den Franzosen als nationale Grundeinheit die Division schmackhaft zu machen, hatte man sie als Kampfgruppe deklariert.

Die Arbeit im Interimsausschuß war durch den französischen Versuch gekennzeichnet, eine Vormundschaft über alle das deutsche Kontingent betreffenden Fragen zu erreichen, was in »Zusatzprotokollen« festgehalten werden sollte. Besonderes Mißtrauen rief unsere enge Verbindung zum Oberbefehlshaber von SHAPE, General Ridgway, und zu seinem Chef des Generalstabs, General Gruenther, hervor. Ridgway, der mir einmal berichtete, daß Clausewitz seit Westpoint sein Mentor gewesen sei, erinnerte bei der Betrachtung der französischen Hinhaltepolitik an Clausewitz' Auffassung vom rechten Gebrauch des Faktors Zeit. Er habe den Eindruck, als ob man hier unter keinem Zeitdruck stünde. Dies sei aber völlig abwegig, denn es sei keineswegs sicher, für wen die Zeit arbeite; sicher sei nur, daß die Sowjetunion wisse, was sie wolle.

Ein neuer Konflikt entstand wegen der geplanten Zentralbehörde für die territoriale Organisation der Streitkräfte. Wir erklärten eine nationale Zentrale für notwendig, während die Franzosen die territorialen Befugnisse aus nationalen Zuständigkeiten herauslösen und supranational zentralisieren wollten – außer für Frankreich selber natürlich, das seiner überseeischen Besitzungen wegen eine Sonderlösung benötige.

Die Generale Koenig und Billotte wandten sich in der Öffentlichkeit entschieden gegen die vorgesehene europäische Streitmacht, da Frankreich auf diese Weise seine nationale Armee verlöre, während gleichzeitig Deutschland »unter europäischer Firmierung« wieder eine Militärmacht würde.

In der Pariser Nationalversammlung legte Billotte einen Gesetzentwurf für eine europäische Konföderationsarmee vor, deren politische Leitsätze von General de Gaulle selbst formuliert waren. Immer deutlicher wurde die Sorge Frankreichs, daß ein wirtschaftlich erstarkendes Deutschland nach Erreichen der Gleichberechtigung in der EVG auch außenpolitisch eigene Wege gehen könnte.

Die Note Stalins vom 10. März 1952 an Deutschland gab solcher Befürchtung geradezu dramatisch Nahrung. Ganz offensichtlich versuchte Stalin einerseits, Deutschland mit dem Bild einer wiedervereinigten, wenn auch neutralisierten Nation zu locken. Andererseits war die Note ein wirkungsvoller Versuch, den so mühsam ausgehandelten Vertrag über die EVG noch unmittelbar vor der parlamentarischen Entscheidung in den einzelnen Mitgliedsstaaten zum Scheitern zu bringen.

Tatsächlich war die französische Öffentlichkeit bei dem Gedanken an eine mögliche Ostwendung Deutschlands alarmiert. Die westlichen Länder, vor allem die USA, wiesen nun darauf hin, daß nach dem Entschluß Stalins im Jahre 1947 zum Aufbau ostdeutscher Streitkräfte in der Ostzone bereits im Juli 1949 mit der Aufstellung kasernierter Bereitschaftspolizei begonnen worden war, die zentral geführt wurde. Jetzt, Ende 1952, umfaßte diese ostdeutsche »kasernierte Bereitschaftspolizei« schon 80 000 Mann in drei »Armeegruppen« und drei »Kadergruppen«.

Neue Auseinandersetzungen brachte der französische Vorschlag, die europäische, vor allem die deutsche Rüstungsindustrie, insbesondere die Munitionsfabrikation, nach Marokko zu verlegen. Theodor Blank stellte sofort die Frage, ob denn der Mittelmeer-Transportweg gesichert sei; natürlich konnte Frankreich ihn nicht garantieren.

Der Interimsausschuß hatte im Jahr 1952 eine erhebliche Arbeitsleistung vollbracht. Aufstellung, Organisation und Dislozierung der Verbände waren in eingehenden Studien niedergelegt. Das gemeinsame Rüstungs- und Infrastrukturprogramm, die zentrale und die territoriale Militärorganisation, ein gemeinsames Budget und Fragen der Standardisierung der Rüstungsproduktion waren vorbereitet. Der Bundesrepublik war schließlich doch die Beteiligung an der Führung zugestanden worden, wie auch die Mitsprache an den militärpolitischen und strategischen Entscheidungen.

In der französischen Öffentlichkeit, aber auch am Quai d'Orsay, wurde jedoch zunehmend Stimmung gegen die Verwirklichung der EVG gemacht. Am Jahresende stürzte die Regierung Pinay-Schuman, der ein Kabinett René Mayer folgte, in der der ehemalige Résistance-Chef Bidault Außenminister war. Die erste Maßnahme dieses Kabinetts war die Erklärung, daß der Vertrag über die EVG Zusatzprotokolle erfordere. Adenauer neigte – um den Vertrag zu retten – dazu, jedes nur mögliche Entgegenkommen zu zeigen und Zusatzwünsche bis zur Grenze des Erträglichen hinzunehmen. Der entschiedenste Widerstand gegen die französischen Forderungen ging zur allgemeinen Überraschung nicht von Bonn aus, sondern von den Beneluxstaaten, später auch von der italienischen Regierung und schließlich von den Beobachtern der USA und Großbritanniens. Aber trotz des Entgegenkommens Adenauers wurde bald deutlich, daß die französischen Parteien und die französische Regierung möglichst ungebunden bleiben wollten und Deutschland immer neue vertragliche Verpflichtungen zumuteten, um den ganzen Vertrag erst einmal hinauszuschieben. In aller Eile wurde in dieser Lage eine Außenministerkonferenz nach Rom einberufen. Noch vor ihrem Zusammentritt hatte sich de Gaulle mit großer Schärfe gegen die EVG gewandt, ohne die Abänderungsversuche der französischen Regierung überhaupt zu erwähnen.

Die französischen Zusatzwünsche aber verstießen gegen Geist und Wortlaut des Vertragswerkes und wurden von allen Partnern als klare Vertragsänderungen angesehen. Noch ehe die Außenministerkonferenz am 24. und 25. Februar 1953 in Rom zusammentrat, erklärte Botschafter Alphand im Lenkungsausschuß, daß die französische Ratifikation von einer befriedigenden Regelung der Zusatzforderungen abhängig gemacht werden würde. Außenminister Bidault versuchte in Rom, auf die schwierige Situation seines Landes hinzuweisen: Frankreich leiste in Zukunft nicht nur seinen militärischen Beitrag zur EVG, sondern müsse auch in Indochina und Afrika Probleme lösen, »da Frankreich in Übersee die Interessen Europas« wahrnähme. Auch sprach er von einem

notwendigen militärischen Engagement der EVG in den überseeischen Territorien Frankreichs. Das Konferenzergebnis war deprimierend vom Anfang bis zum Streit um das Schluß-Kommuni-
qué. Darin war festgehalten, daß die Ratifikationsverfahren
durch die Verhandlungen im Interimsausschuß nicht gehemmt
werden dürften; die französischen Zusatzprotokolle wurden aber
zur erneuten Behandlung dem Interimsausschuß zurückverwie-
sen. Positiv war in all diesem Hin und Her nur die immer enger
werdende Verbundenheit mit den anderen Partnern.

Im Mai 1953 wurden die Verträge in Bonn ratifiziert, aber nicht
in Paris. In den Ausschüssen gingen die Verhandlungen mit
immer neuen »Protokollen« Frankreichs weiter.

In diesem kritischen Frühjahr folgten die EVG-Delegationen
einer Einladung nach England, die wieder einmal zeigte, auf
welch schwankendem Boden die europäische Verständigung
noch stand. Wir sollten Waffenvorführungen in der englischen
Panzertruppenschule in Elworth, Dorset, beiwohnen. Dem Besuch war eine Unterhausdebatte wegen der Einladung einer deutschen Delegation vorausgegangen. Die Sprecher der Labour Party
äußerten den Verdacht, daß die konservative Regierung schon
weitgehende Absprachen mit der EVG über die Frage der Verteidigung des Westens und der Wiederbewaffnung Deutschlands getroffen habe. Die Sorge der Labour Party entbehrte nicht einer
gewissen Komik. So antwortete der ehemalige Labour-Verteidi-
gungsminister Shinwell auf den Hinweis, daß schließlich in
seiner Ministerzeit der deutsche Sicherheitsbeauftragte Theodor
Blank und die Generale Heusinger und Dr. Speidel erstmals zu
einer britischen Truppenparade in Düsseldorf und zu Manöver-
vorführungen im Sennelager eingeladen worden seien: »Ich erinnere mich an keine derartige Einladung, und selbst wenn eine
solche Einladung stattgefunden hätte und sie dabei waren, dann
wurden sie nicht gebeten, irgendeine der vom Vereinigten Königreich hergestellten modernen Waffen zu besichtigen. Ich hege

keine unfreundlichen Gefühle gegenüber General Speidel, aber bis Westdeutschland seinen Beitrag zur westlichen Verteidigung unter wirksamer demokratischer Kontrolle geleistet hat, werde ich Einwendungen erheben – und ich bin sicher, daß meine Einwendungen von der Mehrheit des Volkes dieses Landes unterstützt werden – gegen die Besichtigung unserer modernen Waffen durch General Speidel oder andere frühere deutsche Generale.«

Das Gedächtnis dieses Ministers, der uns besonders liebenswürdig begrüßt hatte, schien kurz zu sein.

Die Vorführung der neuen britischen Waffensysteme, vor allem des Panzers »Centurion III« war interessant, doch wurde neuestes Material, zum Beispiel der »Centurion IV«, nicht gezeigt. Bei allen Waffenvorführungen machte sich das Interesse der britischen Rüstungsindustrie bemerkbar, beim eventuellen Aufbau deutscher Streitkräfte ins Geschäft zu kommen.

Zum Abschluß des Besuchs bat uns Feldmarschall Earl Alexander of Tunis zum Diner. Als besondere Aufmerksamkeit gegenüber den deutschen Gästen führte er die Unterhaltung deutsch. In seiner Tischrede sprach er von der Notwendigkeit einer Waffenbrüderschaft, zu der Großbritannien seinen Beitrag freudig leisten werde.

Einen Mißton verursachte der Schwiegersohn von Winston Churchill, Minister Duncan Sandys. Er erklärte, daß er an eine baldige Wiedergesundung Frankreichs nicht glaube, was General de Larminat zu einer scharfen Replik veranlaßte. Duncan Sandys äußerte aber auch Sorgen wegen eines möglichen neuen Angebots der Sowjetunion an Deutschland. Die Sowjetunion habe soviel Trümpfe in der Hand, daß sie Deutschland noch mehr anbieten könne, um es von der Seite des Westens erst zur Neutralität und dann zu sich selbst hinüberzuziehen. Auf militärischem Gebiet zeigte er sich als Anhänger der von den Franzosen bevorzugten Koalitionsarmee.

Ich nahm Gelegenheit, Earl Alexander für seinen persönlichen

Einsatz für die Feldmarschälle von Manstein und Kesselring und für Generaloberst von Mackensen zu danken und ihn zu bitten, eine Freilassung der noch in Werl inhaftierten Offiziere zu befürworten. Er sagte in loyalster Weise Hilfe zu und zeigte Verständnis für die moralische Belastung der deutschen Offiziere. Nach dem Scheitern der EVG hat sich Feldmarschall Alexander nachdrücklich für einen deutschen Beitrag zur Verteidigung des Westens im Rahmen der NATO eingesetzt. Die Beziehungen mit diesem bedeutenden Mann festigten sich durch spätere Begegnungen. Gebildet, auf militärischem Gebiet taktisch wie operativ hoch begabt, war Alexander ein bedeutender englischer Feldherr und zugleich ein Europäer.

Der Mai dieses Jahres brachte noch eine zweite Auslandsreise: die erste Spanienfahrt nach dem zweiten Weltkrieg auf Einladung des Generalkapitäns Vigón, des Chefs des Alto Estado Mayor. Meine Frau und ich reisten im Wagen über Bordeaux, St. Jean de Luz, Burgos, wo wir die herrliche Kathedrale mit ihren einzigartigen Tapisserien besichtigten, nach Madrid. Dort wurden wir von den beiden Generalkapitänen Don Juan Vigón und Don Agustin Muñoz Grandes mit großer Herzlichkeit empfangen. Beide wollten sich über die Europäische Verteidigungsgemeinschaft unterrichten; ihre Verwirklichung wurde auch für Spanien als »Lebensnotwendigkeit« angesehen. Die spanisch-französischen Beziehungen waren noch gespannt, daraus machte man kein Hehl. Ungeachtet dessen habe, so meinte Muñoz Grandes, nur Marschall Juin die strategische Bedeutung Spaniens voll erkannt und sich dazu bekannt.

Schon damals warfen beide Generale das Problem der Mittelmeerverteidigung auf und erhofften eine Verstärkung der 6. amerikanischen Flotte. Auch sprachen sie schon von der Verlegung von Teilen der operativen Luftwaffe der USA in den spanischen Raum.

General Vigón war während des Bürgerkriegs Generalstabschef

von Franco gewesen. Er schien operativ hervorragend gebildet; sein persönliches Interesse galt der Philosophie und Geschichte. General Muñoz Grandes, der ehemalige Kommandeur der spanischen »Blauen Division«, die an der deutschen Ostfront gekämpft hatte, machte den Eindruck des taktisch erfahrenen Soldatenführers; im Osten hatte er seine starke Einwirkung auf die Truppe bewiesen. Die politische Ausrichtung der beiden Generale schilderte man mir als polar entgegengesetzt. Während Vigón als monarchistisch galt, schien Muñoz Grandes die republikanischen Sympathien seiner Jugend beibehalten zu haben. Gegenüber Franco hielt er bei aller Loyalität kritische Distanz.

Bei SHAPE gab es im Juli eine grundlegende Veränderung durch die Ernennung von General Ridgway zum Generalstabschef des amerikanischen Heeres. Sein bisheriger Chef des Stabes, General Gruenther, wurde sein Nachfolger. Mit Ridgway, der den stürmischen Wiederaufbau Deutschlands den größten Eindruck seiner Kommandozeit nannte, besprach ich vor seinem Abflug seine wachsende Sorge angesichts der Abneigung politischer Kreise in den USA gegen die Bindung an Europa. Der Gedanke an ein Wiederaufleben des Isolationismus bedrückte ihn sichtlich.

Der neue Oberbefehlshaber, General Gruenther, empfing mich anschließend unter vier Augen und sagte mir, er müsse als erste Amtshandlung nach Washington fliegen, um sich einem Hearing vor dem Kongreß zu stellen, der die Absicht habe, die Europahilfe, vor allem die vorgesehene Unterstützung für die EVG, großenteils zu streichen. Mit entwaffnender Direktheit bat er mich, für ihn zu beten, daß dieses Hearing gut vonstatten gehe; davon hänge Wesentliches für unser aller Schicksal ab. Wieder einmal wurde mir die religiöse Verwurzelung der amerikanischen Demokratie deutlich. – Abschließend erkundigte sich Gruenther eingehend nach dem Einfluß der Ereignisse in Ostdeutschland und in den Satellitenstaaten auf Westdeutschland.

317

Der Ausbruch erst von Unruhen, dann von Demonstrationen und schließlich von offener Rebellion am 16. und 17. Juni 1953 in Ostberlin hatte in Paris stark gewirkt. Die Niederschlagung des Aufstandes durch russische Panzer rief das offene Mitgefühl auch in jenem Teil der französischen Öffentlichkeit hervor, der der militärischen Zusammenarbeit bisher voller Reserve gegenübergestanden hatte. So schien der Volksaufstand im Osten Deutschlands vorübergehend manche Widerstände beiseite zu räumen, die Frankreich der EVG entgegenstellte. Der Generalsekretär der NATO, Lord Ismay, äußerte bei Beginn einer Sitzung ganz unverhohlen: »Das ist die erste gute Nachricht wieder für unsere Verteidigungsbemühungen.«

Die Antrittsbesuche General Gruenthers beim Bundespräsidenten Heuss und Bundeskanzler Adenauer wurden zu einer Begegnung voll Offenheit, ja Herzlichkeit. Der Großvater Gruenthers war 1848 mit Carl Schurz in die Neue Welt ausgewandert, und auch die Vorfahren des Botschafters Fredy Reinhardt, der als politischer Berater General Gruenther mit uns begleitete, kamen aus Deutschland. Interessiert versuchte Heuss eine Verbindung zu dem »Stiftler« Karl Reinhardt festzustellen, der später französischer Außenminister und Botschafter wurde und durch seinen Briefwechsel mit Goethe auch in die Literaturgeschichte eingegangen ist. Aber es fand sich kein sicherer Anhaltspunkt für eine Verwandtschaft; doch kennzeichnete es die Atmosphäre dieser ersten Begegnung zwischen dem deutschen Bundespräsidenten und dem amerikanischen NATO-Oberbefehlshaber, daß man sich über Ahnen unterhielt und die gemeinsame politische Sache sozusagen mittels der Familiengeschichte in die Vergangenheit verlängerte.

Im Winter 1953/54 setzte in Frankreich eine immer erbittertere Agitation gegen die Verträge ein. Auch machte sich in der französischen Bevölkerung allgemein eine »malaise« bemerkbar, wozu die Schwierigkeiten in Algerien und Indochina beitrugen.

Die angelsächsischen Mächte versuchten, die Dinge noch einmal in Fluß zu bringen. Im November luden sie zu einer Dreierkonferenz ein, die vom 4. bis 8. Dezember 1953 auf den Bermudas stattfand. Bei diesen Verhandlungen warf Bidault überraschend die Saarfrage auf, die für Frankreich befriedigend gelöst werden müsse; Frankreich müsse entschädigt werden, wenn es mit dem ehemaligen Feind sich nun militärisch zusammenschlösse. Der amerikanische und der englische Regierungschef lehnten diese – zumindest in dieser Form neue – Forderung entschieden ab und wiesen darauf hin, daß Gefahr für Europa ja nicht von Deutschland, wohl aber von der Sowjetunion drohe. Die Konferenz brachte keine Übereinstimmung zustande.

Unter vier Augen sprach ich am 16. Dezember mit Marschall Juin und versuchte, seine wachsenden Zweifel an der EVG zu entkräften. Erstmals konnten wir auch operative Gedanken austauschen. Juin bedauerte, daß zunächst noch ostwärts des Rheins eine »action retardatrice« bis zur Verteidigung der Rheinlinie vorbereitet werden müsse, wenn auch mit Gegenangriffsplanungen. Man müsse nach wie vor damit rechnen, daß die Sowjets mit ihren sprungbereiten, in Ostdeutschland stationierten fünfundzwanzig Divisionen eine »attaque brusquée« durchführen könnten. Diese Lage, so meinte er, könne sich erst nach Aufstellung deutscher Verbände ändern. In dieser Phase des Gesprächs bemerkte ich, daß ich die deutschen Sorgen wegen der Verteidigungskonzeption bereits mit den Generalen Eisenhower, Ridgway und Gruenther besprochen habe; ich wolle ihm unsere Überlegungen mit demselben Freimut übermitteln. Das deutsche Volk habe ein moralisches Anrecht darauf zu wissen, ob es bei einer Beteiligung an der Verteidigung Europas auch tatsächlich geschützt werden würde.

Nach diesem vertrauensvollen Gespräch war Marschall Juin stets offen und bereit, auch fremde Gesichtspunkte zu erörtern und andere Interessen zu berücksichtigen. Vielen oberflächlichen

319

Beobachtern mochte er in seiner bäuerlichen Art und der direkten Ausdrucksweise primitiv erscheinen, aber seine scheinbar einfachen Gedanken waren wohldurchdacht und zeugten von einem ausgesprochen gesunden Menschenverstand. Ich habe in den vielen Jahren der Zusammenarbeit mit ihm nie eine Enttäuschung erlebt, vor allem auch nicht in seinem Verhältnis zu Deutschland und zum Gedanken eines vereinigten Europa.

Ein beruhigendes Moment war am Ende des Jahres 1953 die Wahl von René Coty zum Präsidenten der französischen Republik, bei dem ich bald darauf das erste Mal zu Gast war. Coty war eine in sich ruhende, klare Persönlichkeit von unerschütterlichem Rechtsgefühl. Er stand wahrhaft über den Parteien und den Dingen. Sein Interesse galt dem nachbarlichen vertrauensvollen Zusammenleben Frankreichs und Deutschlands. Dabei hatte er ein besonders feines Gefühl, frei von Ressentiments. In seinen Gedankengängen wurde er unterstützt von seinem Chef de la Maison Militaire, General Ganeval, der uns von der Zusammenarbeit auf dem Petersberg verbunden geblieben war.

Der neue französische Ministerpräsident Mendès-France, seit Juni 1954 Nachfolger Laniels, unternahm den Versuch, die über die EVG zerstrittenen Parteien zu versöhnen. Wieder brachte er den Gedanken ins Spiel, die supranationalen Bestimmungen der EVG aufzuheben und statt dessen eine Art von Koalitionsarmee zu bilden. Die europäische Einheitsidee und das Streben nach einem deutsch-französischen Ausgleich spielten in dem Programm keine Rolle mehr; der Kontrollgedanke hatte alle idealistischen Ansätze zurückgedrängt. Die politische und militärische Integration und ihr übernationaler Sinn wurde nicht mehr erwähnt, wohl aber betont, daß die französische Vormachtstellung durch den Vertrag nicht gefährdet werden dürfe. Frankreich sei die einzige europäische Macht, die in allen Erdteilen vertreten sei und die durch die Mitgliedschaft im Rat der Großen Drei und in der Standing Group weiterhin eine Führungsstellung einnehmen werde. Bidault, der Außenminister geblieben war, sprach ohne Bedenken von einer nur »bedingten Souveränität« Deutschlands.

In den operativen Gedanken erschien nun auch wieder der alte Begriff des »glacis«, das im Zeitalter atomarer Waffen für Frankreich eine unabdingbare Notwendigkeit sei. Die Sicherheit Frankreichs durch die »défense commune« verlange die Ausnützung des Raumes ostwärts seiner Grenzen: »Elle nécessite l'utilisation complète et rationnelle des territoires de l'Allemagne occidentale.«

Wie ein roter Faden hatte sich durch die Verhandlungen das Verlangen gezogen, Deutschland unter keinen Umständen an der Führung zu beteiligen. Jetzt liefen die französischen Forderungen im Grunde auf eine radikale Änderung des Vertragswerkes hinaus. Immer wieder versuchte Mendès-France, Großbritannien und die USA zu neuen politischen »Garantien« hinsichtlich der Eingliederung der deutschen Truppen zu bewegen. Die Haltung Frankreichs schien nach wie vor von Argwohn gegenüber der Bundesrepublik bestimmt. Sicher war es nicht leicht für die Franzosen, als besiegte Sieger des zweiten Weltkriegs den wirtschaftlichen Aufstieg Deutschlands vor Augen zu haben, während Frankreich von inneren Krisen geschüttelt wurde, seine Finanzen durch den Entkolonialisierungsvorgang stark belastet waren und sein weltweiter Einfluß immer mehr zurückging. Es war die Zeit, in der François Mauriac schrieb, er bewundere Deutschland so sehr, daß er es vorziehe, zwei Deutschlands statt einem zu haben – eine geistreich zugespitzte Formulierung eines französischen Empfindens, das weit verbreitet war und die Gefühle des Mannes auf der Straße ebenso zu bestimmen schien wie die Verhandlungsstrategie der Pariser Delegation.

So waren die Verhandlungen im Militärausschuß immer schwieriger geworden, obwohl sich General de Larminat alle Mühe gegeben hatte, eine Übereinstimmung herbeizuführen.

Aber neben der Bundesrepublik widersetzten sich auch die Beneluxländer und Italien, besonders die Botschafter Jonkher van Starkenborg, André de Staercke, Nicolas Hommel, dem französischen Verlangen entschieden. Im Sommer waren die Dinge verfahrener denn je.

Am 30. August 1954 wurde der Vertrag über die EVG in Paris dadurch zu Fall gebracht, daß nach zweitägiger Redeschlacht in der Nationalversammlung der Antrag auf einen Wechsel des Beratungsthemas angenommen wurde. Damit hatte Mendès-France erreicht, daß die Verträge ohne Behandlung abgelehnt waren, obwohl sie lediglich ad calendas graecas von der Tagesordnung abgesetzt wurden. De Gaulle wie die Kommunisten konnten mit diesem Ergebnis zufrieden sein.

Eine Sternstunde für Europa war nutzlos verstrichen. Frankreich hatte sich gegen die Einigung Europas gestellt. Die EVG wäre der entscheidende Schritt gewesen. Schon im Krieg wurde in den verschiedenen Widerstandsbewegungen von Goerdeler bis Einaudi, von Moltke bis Visser't Hooft der Gedanke verfolgt, daß durch gemeinsame Streitkräfte eine europäische Föderation gefestigt würde.

Nun waren die Vereinigten Staaten von Europa in weite Ferne gerückt. Damit hatte die Idee des Nationalstaats, die dem Weltbild des 19. Jahrhunderts angehörte, über das gemeineuropäische Bewußtsein gesiegt. Die Rechnung war aber für Frankreich insofern ohne den Wirt gemacht worden, als nun die Vereinigten Staaten und Großbritannien darauf drängten, Deutschland in die NATO aufzunehmen. Das hatte Frankreich bisher unter allen Umständen zu verhindern gesucht, weil es Deutschland eine größere Unabhängigkeit geben mußte, als sie in einer europäischen Verteidigungsgemeinschaft möglich gewesen wäre. Frankreich bekam keine Europa-Armee, in der deutsche Stäbe hätten mitreden können, sondern statt dessen eine neue deutsche Armee, wenn auch in ein Bündnis eingegliedert.

322

Am 16. September 1954 wurde der Interimsausschuß offiziell aufgelöst. General de Larminat rief noch einmal die Delegationen zusammen, wobei er mich als »Katalysator der Integration« bezeichnete und heiter hinzufügte: »Il aurait bien mérité d'avoir gagné la guerre.« Auf die Bitte von Bundeskanzler Adenauer und Theodor Blank blieb ich als militärischer Beobachter in Paris, um mich für etwaige Verhandlungen bereitzuhalten.

Das Scheitern der EVG hatte nicht nur Niedergeschlagenheit in den westlichen Hauptstädten zur Folge, sondern leitete auch eine große diplomatische Aktivität ein. Präsident Eisenhower hatte noch am selben Tag von einem ernsten Rückschlag für die Politik der westlichen Einigung gesprochen. Jetzt forderte der amerikanische Außenminister Dulles die Westmächte auf, der Bundesrepublik nun die Souveränität zu geben, um so »zum internationalen Frieden und zur internationalen Sicherheit« beizutragen.

Der britische Außenminister Eden griff den Gedanken auf und schlug vor, die Bundesrepublik im Rahmen der Sicherheitsgarantien des Brüsseler Pakts von 1948 in die NATO aufzunehmen. Dem widersprach Mendès-France: Die Bundesrepublik könne zwar in den Brüsseler Pakt aufgenommen werden, die Mitgliedschaft im atlantischen Bündnis dürfe ihr aber nicht bewilligt werden. Eden reiste in die Hauptstädte der Alliierten, um seine Auffassung zu vertreten; Dulles besuchte Mitte September Bonn und London. Nun ging alles sehr schnell. Die Londoner Neun-Mächte-Konferenz beschloß bereits im Oktober 1954 die Aufnahme der Bundesrepublik in die atlantische Allianz und die neue Westeuropäische Union.

Die anschließenden Verhandlungen in Paris über die Verpflichtungen der Vertragspartner waren dramatisch. Gleich zu Beginn nahm mich der Bundeskanzler kurz auf die Seite und bat: »Machen sie doch einmal diesem Herrn Mendès-France militärische Grundbegriffe klar! Er versteht nichts davon.« Ein ausführliches Gespräch mit dem französischen Ministerpräsidenten, das in sehr urbanen Formen verlief, überzeugte mich vom Gegenteil. Mendès-France verstand viel mehr von militärischen Problemen als Adenauer.

Unverständlich blieb uns das plötzliche freiwillige Angebot des Bundeskanzlers, auf Fertigung, Lagerung und Verwendung von A-, B- und C-Waffen sowie auf die Produktion von schweren Kriegsschiffen, ferngelenkten, weittragenden Geschossen und strategischen Bombern zu verzichten. Der Verzicht erfolgte ohne Gegenleistung, was sich noch während der Non-Proliferations-Verhandlungen mehr als ein Jahrzehnt später auswirken sollte.

Die Pariser Jahre hatten viel Arbeit, Unruhe und Enttäuschungen gebracht. Quellen der Entspannung und reiner Freude waren Ruth und die Kinder, gemeinsame Reisen, Begegnungen mit Persönlichkeiten aus den verschiedensten Bereichen und – wie stets in meinem Leben – Abende im Konzert, im Schauspiel oder in der Oper.

In diesen Jahren, die ich zumeist fern von der Familie verbrachte, versuchte ich, wenigstens die Ferien zu gemeinsamem Erleben zu nutzen. Dabei lag mir daran, den heranwachsenden Kindern nicht nur landschaftliche Schönheiten zu erschließen, sondern sie vor allem auch in die Welt der europäischen Kultur und Geschichte einzuführen.

Unsere Ferienreisen zu fünft führten uns meistens nach Süden. In einem Jahr war es die Großartigkeit der hochalpinen Szenerie um Zermatt mit dem Matterhorn und Gornergrat, die die Kinder beeindruckte. Im nächsten Jahr erschloß sich uns der Zauber der in ihrem bizarren Formenreichtum einzigartigen Dolomiten, deren Reich um Rosengarten und Sella wir uns erwanderten. Nach den Bergen schenkte uns dann in vollkommenem Kontrast dazu das südliche Meer Tage köstlicher Erholung.

Eine Freude war es für mich, den Kindern wohlbekannte und geliebte Stätten zu zeigen: So fuhren wir nach Santa Margherita, wo ich einst so erfüllte Wochen mit Gerhart Hauptmann verlebt hatte, und schließlich nach Rom. Nach einem Besuch bei unserem alten Bekannten Mancinelli, der inzwischen Kommandierender General in Mailand geworden war, nahm uns in der Ewigen Stadt der ehemalige Marineattaché der Pariser Vorkriegszeit, der letzte Oberbefehlshaber der königlich italienischen Marine, Admiral Parona, gastlich auf. Dankbar gedenke ich Monsignore Dr. Bruno Wüstenbergs, des deutschen Mitarbeiters im Päpstlichen Staatssekretariat, der uns mit seinem profunden Wissen und mit seiner feinsinnigen Art half, in wenigen Tagen viel von Rom kennenzulernen. Unvergeßlich ist mir der Ostersonntag 1952, als wir auf den Kolonnaden Berninis den Segen urbi et orbi von Papst Pius XII. miterlebten, um und unter uns die begeisterte, jubelnde Masse der Gläubigen.

Auf dem Rückweg besuchten wir auf dem kleinen Friedhof von Marina di Carrara das Grab von Ernstel Jünger, der auf den Marmorklippen von Carrara gefallen war.

Auch kleinere Kunstfahrten unternahmen wir im Familienverband: ob wir in Colmar den Isenheimer Altar betrachteten, in Reichenweier mit seinen alten Fachwerkhäusern und in Montbéliard – Mömpelgard – mit seinem Schickhardtschen Schloß der württembergischen Geschichte begegneten oder in Muzot auf den Spuren Rilkes gingen – immer bedeuteten diese Reisen Bereicherung wie zugleich beglückende Gemeinsamkeit.

Höhepunkte unserer Ferien stellten die Theater- und Musikerlebnisse bei Festspielen dar. Nach dem Krieg war aus dem starken Verlangen nach geistiger Erneuerung die Festspielidee wieder aufgelebt. Es fanden vielerorts Festspiele statt, wie sie Max Reinhardt und Hugo von Hofmannsthal nach dem ersten Weltkrieg in Salzburg begründet hatten. Wir erlebten in Salzburg die Erstaufführung der »Liebe der Danae« mit, ein Spätwerk von Richard Strauss, und ich erzählte den Kindern von unserem Briefwechsel in schwerer Zeit. Ein exemplarischer »Rosenkavalier« unter Clemens Krauß – es war das letzte Wiedersehen mit diesem kongenialen Interpreten Strauss'scher Musik – begeisterte uns, während die Uraufführung des »Prozeß« von Gottfried von Einem nach dem Roman von Kafka zu lebhaften Diskussionen anregte, im Gesamteindruck trotz der ausgezeichneten Leistung unseres alten Max Lorenz jedoch zwiespältig blieb.

Auch in Luzern, von wo aus wir mit den Kindern Tribschen besuchten, nahmen wir verschiedentlich an großen Musikabenden der Festwochen teil, die noch lange nachhallten. Artur Rubinstein, der in Deutschland nicht auftrat, überwältigte mit seinem zugleich stark empfundenen und virtuosen Klavierspiel, Pierre Fournier lernten wir als besonders feinen Violonisten kennen, Symphoniekonzerte unter Herbert von Karajan beglückten durch ihre Präzision und Klangschönheit.

Die Festspiele aber, denen wir bis heute treu geblieben sind, sind die von Bayreuth. Seit meinem Studium hatte ich mich mit dem Wagnerschen Gesamtkunstwerk beschäftigt und in Stuttgart keine Wagner-Aufführung ausgelassen. Nachdem ich dank Fritz Busch die Wiedereröffnung der Festspiele nach dem ersten Weltkrieg miterleben durfte und 1930 unter Arturo Toscanini einen neuen »Tannhäuser« hörte, zog es mich in diesen zweiten Nachkriegsjahren, als mit dem Wiederbeginn der Festspiele eine neue Ära eingeleitet wurde, mit der alten Gewalt nach Bayreuth. Wieland Wagner, der Enkel, hatte zusammen mit seinem Bruder Wolfgang die Festspielleitung übernommen und durch seine modernen Inszenierungen, die historischen Ballast abwarfen und auf das Wesentliche zurückführen wollten, neue Maßstäbe gesetzt. Mit seiner Lichtregie und mit der Einbeziehung von Elementen der modernen Kunst verlebendigte er das Wagnersche Werk für die Menschen unserer Zeit. Mag dieser Erneuerung, dieser »Entrümpelung« hier und da auch einmal etwas zu viel zum Opfer gefallen sein, so erwiesen sich Wielands Neuinszenierungen doch immer als anregende und fruchtbare Auseinandersetzung mit dem vielschichtigen Werk des Großvaters.

1955 kamen wir zum ersten Mal nach dem Krieg nach Bayreuth, um »Tannhäuser« unter André Cluytens mit Wolfgang Windgassen und den »Ring« unter Keilberth zu hören. Zwei Jahre später waren es die »Meistersinger«, die wir in der Inszenierung von Wieland Wagner erlebten. Bei der Nachfeier in »Wahnfried« war nicht die musikalische Wiedergabe der Anlaß zu hitzigen Debatten, sondern die Regie von Wieland, die vor allem im dritten Akt angegriffen wurde. Wieland hatte, wohl auch im Hinblick auf in den Jahren des Dritten Reiches zur Genüge erlebte Aufmärsche, auf den farbigen Einzug der Zünfte verzichtet und die »Festwiese« in eine Arena verlegt – ein Modernisierungs- und Stilisierungsversuch, der sich nicht durchsetzte. Aber wie immer die Musikgeschichte über die revolutionären Neuerungen des begabten Erben urteilen mag – das Werk des Großvaters hat er mit seinen kühnen Inszenierungen in den Mittelpunkt der Avantgarde gestellt.

Ein Wegbereiter in Paris war für uns der große Moralist und Schriftsteller Jean Schlumberger. Gleich nach dem Krieg hatte er sich gegen Haß und Rache gewandt; dabei war er – wie er es einmal im Hinblick auf Thukydides formulierte – von einem »königlichen Bedürfnis« beseelt, »gerecht zu sein«. Als einer der ersten hatte er sich für ein vereintes Europa mit dem Kern einer deutsch-französischen Freundschaft eingesetzt. Christa hat in München über sein Werk promoviert – nicht ohne vielfache Anregung, kritische Führung und Geleit des Autors. Die Begegnungen mit diesem wahren homme de lettres mit dem feinen Gelehrtenkopf bedeuteten immer Bereicherung. Die grazile Gestalt war mit den Jahren gebrechlich geworden, sein Geist aber von unveränderter Luzidität. In seiner unaufdringlichen Art wirkte er ausgesprochen vornehm; sein Wesen drückte Maß, Besonnenheit und Ausgeglichenheit aus. Er stand im Zentrum des literarischen und – durch seine ständige Mitarbeit am »Figaro« – auch des politischen Frankreich. Die »Nouvelle Revue

327

Française« war einst zusammen mit Gide in seiner Wohnung gegründet worden, dieser Wohnung am Rande des Jardin de Luxembourg im fünften Stock eines Hauses ohne Aufzug, die noch der Neunzigjährige mühelos erklomm.

Auch der Philosoph und Dichter Gabriel Marcel, der bedeutendste Denker des christlichen Existentialismus, zog uns in seiner Universalität an. In der deutschen und englischen Geisteswelt genauso zu Hause wie in der französischen, war er ein sprühender Gesprächspartner. Ungeachtet seiner fast gnomenhaften Erscheinung strahlte er »Disponibilität« – ein Schlüsselwort seiner Philosophie – und eine lebendige Geistigkeit aus. Seine Wohnung in der Rue de Tournon mit ihren bibliophilen Schätzen und erlesenen Meisterbildern, vor allem von Corot, atmete eine besondere Atmosphäre. Er nahm wohlwollenden Anteil an der Dissertation von Ina über »Die Stellung Gabriel Marcels zu unserer Zeit«, mit der sie in Tübingen promovierte. Wir sprachen Marcel zuletzt bei der Überreichung des Friedenspreises in der Paulskirche in Frankfurt.

Gabriel Marcel, Jean Schlumberger und Joseph Breitbach haben sich bleibende Verdienste um die deutsch-französischen Beziehungen erworben, die man heute, da zumindest die menschliche Aussöhnung selbstverständlich geworden ist, kaum mehr ermessen kann. Aber in dieser Zeit, in der noch nicht alle Wunden verheilt waren, bedeutete ihr Wirken viel, auch an moralischem Mut.

So manches Zusammensein mit ihnen und anderen Freunden ist mir noch lebhaft in Erinnerung – im Salon von Louise Schlumberger, mit Hans Egon Holthusen, Rudolf Hagelstange und Karl Krolow, im Hause des späteren Botschafters Roland de Margerie oder in einem Zimmer des Hôtel Cayré, wo ich »das Exemplar« Annette Kolb an ihrem Geburtstag mit einem alten Kapotthut auf dem Kopf, am Flügel Bach spielend, antraf. Nicht zuletzt aber war es unserem Botschafter Wilhelm Hausenstein zu verdanken, daß es in diesen Jahren zu einem regen Austausch und gegenseitigen Verständnis zwischen französischem und deutschem Geist kam.

In der Sorbonne hielt Robert Boehringer – ein Vetter unseres Ingelheimer Freundes – vor überfülltem Auditorium einen vielbeachteten Vortrag über Stefan George, dessen Werke ja trotz der Affinität Georges zu Frankreich vielen Franzosen merkwürdigerweise fremd waren.

Einer besonderen Begegnung muß noch gedacht werden, die ich Joseph Breitbach verdanke, der es nicht nur in seinem literarischen Schaffen versteht, unterschiedliche Menschen zusammenzuführen. Er machte mich mit dem damaligen Schweizer Gesandten und Historiker Carl Jakob Burckhardt bekannt, dem großen Menschen und Diplomaten bester Prägung, mit einem »von geistiger Kultur und früher Lebenserfahrung geprägten Kopf, dem Kopf eines Edelmannes und eines Dichters« (Carl Zuckmayer). Bei der ersten Begegnung in seiner stilvollen Residenz in Versailles, der noch manche in Paris und auf seinem Rebgut Vinzel im Waadtland folgen sollten, galten die gemeinsamen Gedanken und Sorgen der französischen Aussöhnung und den europäisch-atlantischen Problemen. Manchmal aber trat die politische Wirklichkeit Europas in den Hintergrund, und dann erging er sich in Erinnerungen an Hofmannsthal oder sprach, die Gedanken seiner Bücher weiterspinnend, über das Verhältnis von Macht und Geist am Beispiel der großen Staatsmänner vergangener Jahrhunderte.

Konzerte oder Theateraufführungen sind im allgemeinen eine Sache der Musik oder Literatur. Welche – auch politische – Wirkung damals von deutschen Gastspielen in Konzert, Oper und Schauspiel in Paris ausging, läßt sich heute kaum vorstellen. Nach der schweren Vergangenheit wurden hier deutsche Kultur und deutscher Geist wieder lebendig. »Unsere« Stuttgarter Oper kam erstmals geschlossen nach Paris unter ihrem hervorragenden Generalintendanten Professor Dr. Walter Erich Schäfer, mit dem uns eine lebenslange Freundschaft verbindet. Ich konnte bei

der Einladung durch Botschafter Hausenstein und die maßgebenden Stellen etwas »Schützenhilfe« leisten. Der »Tristan« unter
Ferdinand Leitner mit der Bayreuther Besetzung Wolfgang Windgassen, Martha Mödl, Res Fischer und Gustav Neidlinger wurde
zu einem Triumph der Stuttgarter. Die »Catulli Carmina« von
Carl Orff berührten die Pariser zunächst fremd. Das Gastspiel der
Oper war aber insgesamt ein solcher Erfolg, daß sie erneut eingeladen wurde und dem musikbegeisterten Paris Musteraufführungen der »Meistersinger«, von »Figaros Hochzeit« und »Parsifal«
bot.
Dazu kamen Konzerte von Furtwängler, Karajan, Knappertsbusch und Münchinger, die oft mit einem anregenden Zusammensein mit deutschen und französischen Künstlern endeten,
die Vorbehalte ausräumten und neue Verbindungen knüpften.
Am 3. Mai 1954 stand Wilhelm Furtwängler zum letzten Mal in
Paris am Pult. Bei einem Gespräch am Tag darauf machte er mir
einen tief deprimierten Eindruck. Durch seine Erlebnisse bei der
Entnazifizierung in Deutschland schien er voller Verbitterung
und Verachtung.
Erfrischung brachten Ausflüge in die Ile-de-France, an die Loire
und die Seine. Immer wieder freute ich mich an dieser Landschaft
mit ihrem weiten Himmel. Man spürte in den verschwimmen-
den Farben und den oft rasch ostwärts ziehenden Wolken die
Nähe des Ozeans. Bilder der Impressionisten kamen mir in den
Sinn, Monet, Renoir, Sisley, denen es gelungen ist, dieses einzigartige Licht der Ile-de-France einzufangen. Mehrmals besuchte
ich auch meinen alten Gefechtsstand aus der Zeit der Invasion,
das Schloß von La Roche-Guyon, wo ich von dem Herzogspaar de
la Rochefoucauld immer warmherzig aufgenommen wurde. Einmal wollte ich um die Mittagsstunde das Herzogspaar nicht
stören und aß mit meinen beiden Begleitern in einem kleinen
Estaminet, in dem im Frühjahr 1944 mein Stab seine Mahlzeiten
eingenommen hatte. Der Wirt beugte sich plötzlich tief zu mir:

»C'est vous?« Da mußten wir seine Gäste sein, und er holte die köstlichsten Tropfen aus seinem Keller.

Nach der Aufnahme in die NATO am 22. Oktober 1954 beauftragte mich die Bundesregierung, in Paris mit SHAPE die Verhandlungen über die militärischen Planungen im Bündnis zu führen, vor allem aber auf besonderen Wunsch des Bundeskanzlers gute Verbindung mit den französischen militärischen Stellen zu halten. Die französischen Partner erleichterten mir diese Aufgabe; schon am 3. November lud mich der Oberbefehlshaber von Europa Mitte, Marschall Juin, zu sich, um den »alten engen Kontakt« wieder aufzunehmen, der für unsere künftige gemeinsame Aufgabe notwendiger sei denn je. Juin sprach zunächst von seiner Sorge um die französische Armee. In den Londoner und Pariser Verträgen sei als »plafond« für Frankreich die Zahl von achtzehn Divisionen festgesetzt worden. Dies sei ein Wunschtraum. Menschen, gute Kader, Waffen, und vor allem der »nervus rerum«, das Geld, würden fehlen. Das französische Heer sei durch die Kampfjahre in Indochina erschöpft. Diese Kämpfe hätten in einem unvorstellbaren Ausmaß das Führungskorps dezimiert und abgenutzt, so daß man völlig neu aufbauen müsse.

Tatsächlich war um diese Zeit ein Dreijahresplan für die Reorganisation des französischen Heeres aufgestellt worden, das zunächst zu einem großen Teil aus Rahmenverbänden bestehen sollte. Vollzählig waren nur die vier in Deutschland stehenden Divisionen, die Division um Nancy und die beiden nordafrikanischen Divisionen. Das Heer des wichtigsten kontinentalen NATO-Partners der Vereinigten Staaten stand praktisch nur auf dem Papier.

Juin fragte mich nach meinen Osterfahrungen mit kleineren, schnell beweglichen Divisionen und bat um meine Mitarbeit bei der Planung von modernen Divisionstypen. Der Marschall hatte einer besonderen Studiengruppe den Auftrag gegeben, aus allen

Ländern die besten Erfahrungen zu sammeln und entsprechende Planungsgrundlagen auszuarbeiten. Lächelnd fügte er hinzu: »Wir müssen ja alle lernen.« Innerhalb kurzer Frist müßten wir einen Divisionstyp finden, der unseren Führungsideen entspräche und eine »Harmonisierung« künftiger Atlantikpaktverbände ermögliche. In der Frage der operativen Planung, die ihm für die Mittelfront anvertraut war, vertrat Juin nach wie vor die Auffassung, daß die Aufgabe der Verteidigung nicht passiv, sondern nur aktiv gelöst werden könne. Zur Zeit liege die Linie der Verteidigung immer noch am Rhein. Ein deutscher Beitrag müsse so schnell wie möglich verwirklicht werden, nachdem man drei kostbare Jahre verloren habe; nur mit deutschen Divisionen könnten seine operativen Absichten verwirklicht werden, die Abwehr schon am Eisernen Vorhang aufzubauen und so auch den deutschen Boden zu schützen. Mit dem Chef des französischen Generalstabes, General Blanc, sei er einer Meinung, daß die Integrationsebene der verschiedenen nationalen Verbände am zweckmäßigsten die Armee sei. Gegen eine Integration auf Divisionsebene oder darunter wende er sich entschieden. Welche Wandlung der Auffassungen vom Pleven-Plan aus dem Jahr 1950 mit seiner Vorstellung vom Bataillon als höchster zulässiger Integrationsebene bis zu dieser im Herbst 1954!

Auch mit dem Oberbefehlshaber von SHAPE, General Gruenther, und seinem Generalstabschef, General Schuyler, begann eine Folge von etwa allwöchentlichen Aussprachen über die Planung, wobei die Frage des Einsatzes von Atomwaffen eine bedeutsame Rolle zu spielen begann. General Gruenther erklärte dabei, daß im gegenwärtigen Schwächezustand des westlichen Bündnisses eine wirksame Verteidigung Westeuropas ausgeschlossen sei, wenn SACEUR nicht die sofortige Entscheidungsgewalt über den Einsatz der atomaren Waffen in Händen habe. Ebenso erörterten wir Fragen der Spitzengliederung in aller Offenheit. SACEUR erkannte den deutschen Anspruch auf Beteiligung an der Führung voll an, die mit der Unterstellung deutscher Divisionen unter die NATO in zunehmendem Maße Wirklichkeit werden müsse.

Mit dem belgischen Außenminister, dem glanzvollen Orator und Renaissancemenschen Paul-Henri Spaak, hatte ich im Dezember 1954 über die Frage des Einsatzes von Atomwaffen eine lange und besorgte Aussprache. Spaak berichtete von dem Beschluß der Außenminister der NATO, den USA vorzuschlagen, den Einsatz von Atomwaffen den NATO-Regierungen anheimzustellen. Der Rat habe, obwohl noch keine Entscheidung getroffen sei, dem Oberbefehlshaber von SHAPE, General Gruenther, den Auftrag gegeben, jede Einsatzmöglichkeit vorzubereiten. Die Vereinigten Staaten hatten Bedenken, dem schwerfälligen europäischen Partner volle Mitsprache beim Einsatz von Atomwaffen einzuräumen. Von amerikanischer Seite, so berichtete Spaak, sei vorgebracht worden, es bestehe die Möglichkeit, daß ein künftiger »heißer« Krieg mit einem Überfall über den Nordpol hinweg auf die USA und Kanada beginnen könne. Dann müsse es im Ermessen des amerikanischen Präsidenten liegen, sofortige atomare Gegenmaßnahmen zu befehlen. In diesem Zusammenhang habe man ihm ganz offen die Möglichkeit angedeutet, daß Atomwaffen auch in Europa zum Einsatz kommen könnten, ehe die Regierungen der Atlantikpaktmächte ihre Zustimmung gegeben hätten.

Auch mit Feldmarschall Montgomery, dem Stellvertreter General Gruenthers, hatte ich eingehende Aussprachen über die Frage der Verteidigung des deutschen Gebiets zwischen Schleswig-Holstein und der Schweizer Grenze. Für ihn gab es keinen Zweifel, daß die ersten feindlichen Bewegungen schon am Eisernen Vorhang zum Stehen gebracht werden müßten. Auf diese Weise wollte er den Gegner zur Konzentrierung zwingen, so daß er seinen Vorstoß nur »kanalisiert« führen könne. Dahinter müßten Eingreifkorps von drei bis vier schnell beweglichen, voll geländegängigen Divisionen in Armeen zusammengefaßt werden, um zum Gegenangriff antreten zu können.

Mit der Ratifizierung der Pariser Verträge durch Frankreich am 30. Dezember 1954 und durch die Bundesrepublik am 28. Februar 1955 war das letzte Hindernis für die Aufnahme der Bundesrepublik Deutschland in die Nordatlantikpaktorganisation genommen. Als jedoch nach dem Inkrafttreten des Vertrages die Flagge der Bundesrepublik bei SHAPE gehißt werden sollte, wurde der französische Wunsch laut, die deutsche Fahne »in formloser Weise« aufzuziehen. Ich bat General Gruenther, die Flaggenhissung nicht »formloser« zu vollziehen, als es kurz zuvor bei der Aufnahme Griechenlands und der Türkei geschehen war. Gruenther schien überrascht, daß ich etwas anderes für denkbar hatte halten können.

Am Montag, dem 9. Mai 1955, wurde um elf Uhr die deutsche Flagge gehißt – auf den Tag zehn Jahre nach der bedingungslosen Kapitulation. Der Oberbefehlshaber, General Gruenther, empfing unsere Delegation, die Oberstleutnante i. G. a. D. Hükelheim und Wessel, Hauptmann a. D. Winterhager und Gesandtschaftsrat Graf Carmer in Gegenwart seiner Stellvertreter, General Norstad für die Luftwaffe und Admiral Lemonnier für die Kriegsmarine, seines Stabschefs General Schuyler, des Vertreters des französischen Verteidigungsministers, General Lehr und des britischen Rearadmirals Collett. Im Ehrenhof vor dem Haupteingang hatten alle bei SHAPE tätigen Offiziere, das Stabspersonal und die Vertreter der Presse Aufstellung genommen. An jedem Flaggenmast waren drei Ehrenposten verschiedener Nationalität aufgestellt, als der amerikanische Kommandant des Hauptquartiers befahl: »Hißt die Flagge der Bundesrepublik Deutschland!« Sie wurde von einem amerikanischen Unteroffizier, unterstützt von je einem britischen und französischen Sergeanten, hochgezogen.

Da von den Franzosen in einer Art von letztem Widerstreben die Beteiligung eines Musikkorps abgelehnt worden war, intonierte das Musikkorps der britischen 4. Königin-Husaren – Churchills Regiment – in Paradeuniform die deutsche Nationalhymne. Sie hatte bei den Vorbesprechungen auch einen Stein des Anstoßes gebildet. Dann wies General Gruenther in einer bewegenden Begrüßungsansprache auf die Bedeutung des Tages hin. Ich erwiderte mit einigen Sätzen, die die militärische Zeremonie auf ihren tieferen Sinn zurückführen wollten: »Ihnen und Ihren Herren danke ich sehr herzlich für den noblen Gedanken, meine Herren und mich zu der Flaggenhissung bei SHAPE zu bitten und uns nachher noch hier in Ihrem Kreise zu begrüßen. Wir wissen dies wohl zu werten und können Ihnen versichern, daß nicht nur die Bundesrepublik Deutschland, sondern vor allem die ehemaligen und zukünftigen Soldaten sich ihrer Aufgabe und Verpflichtung voll bewußt sind, in Einigkeit und Recht und Freiheit für den Frieden der Welt mit Ihnen zusammenzuarbeiten. Ich bin überzeugt, daß die Bande der Kameradschaft uns alle in gleichem Maße umschlingen werden. Sie wissen, daß dies seit eh und je mein oberstes Anliegen war.

Wir gedenken heute des 150. Todestages von Friedrich Schiller, der die Völker verbindet, der ebenso das Genie des englischen Volkes wie des französischen, des deutschen wie des schweizerischen in unsterblichen Gestalten wie Elisabeth von England, Maria Stuart, Wilhelm Tell und Jeanne d'Arc verewigt hat. In solchem Sinn möchte ich für unsere gemeinsame Aufgabe mit ihm sprechen:

›Du mußt glauben,
Du muß wagen,
Denn die Götter leih'n kein Pfand‹.«

Am Tag zuvor, am 8. Mai, hatte uns der Ministerpräsident von Baden-Württemberg, Dr. Gebhard Müller, zur Feier des 150. Todestages von Schiller in das Württembergische Staatstheater in

335

Stuttgart eingeladen, wo in Gegenwart von Bundespräsident Theodor Heuss Thomas Mann seine eindrucksvolle Rede auf Schiller hielt, die nicht nur dem Dichter seiner Heimat, sondern zugleich dieser selbst galt. Es war wie eine Aussöhnung des heimgekehrten Schriftstellers mit seinem Vaterland.

Die Aufstellung der Bundeswehr

Es erscheint als etwas Einmaliges in der Geschichte, daß der Aufbau von Streitkräften, also eines Heeres, einer Luftwaffe und einer Marine, dreimal von einer Generation geleistet werden mußte. Unter jeweils völlig veränderten Verhältnissen wurde ab 1919 die Reichswehr, ab 1934 die Wehrmacht, ab 1955 die Bundeswehr geschaffen. Gleich war in allen drei Epochen nur der Zeitdruck.

Die Schwierigkeiten, die vor uns lagen, waren groß. Aus dem Nichts mußte eine Armee geschaffen werden, von der unsere eigene Sicherheit, aber auch unsere Verbündeten verlangten, daß sie in kurzer Zeit einsatzbereit sein müsse. Grundlage für die Organisation, Ausbildung und Führung der neuen Streitkräfte bildete die Himmeroder Denkschrift. In der Frage, ob die neuen Streitkräfte auf freiwilliger Basis oder aufgrund der allgemeinen Wehrpflicht aufgestellt werden sollten, war unter den gegebenen politischen Bedingungen letzteres die beste Lösung. Mir schien sie vor allem deshalb unumgänglich zu sein, da ein allgemeiner Dienst der Bürger für das Gemeinwesen ein staatsförderndes und einigendes Element darstellt, auf das gerade der junge deutsche Staat nicht verzichten sollte. Um diese Zeit begegnete ich Theodor Heuss, der wie ich ein dezidierter Vertreter der allgemeinen Wehrpflicht war. Ausgehend von Jean Jaurès nannte er sie bei unserem Gespräch »das legitime Kind der Demokratie« und zitierte Scharnhorst: »Alle Bewohner des Staates sind seine geborenen Verteidiger.«

Die größten Schwierigkeiten beim Aufbau der Bundeswehr erwuchsen aber aus der Ablehnung weiter Teile der Bevölkerung. Die Männer, die die Bildung deutscher Streitkräfte aus politischen Gründen durchgesetzt hatten, bejahten zwar die Bundeswehr, aber doch nur mit halbem Herzen. Auch für Bundeskanzler Adenauer war der deutsche Verteidigungsbeitrag kein Ziel an sich, sondern mehr ein Mittel zum Zweck der damit zu erreichenden Souveränität und Gleichberechtigung der Bundesrepublik. Was zum Aufbau einer neuen Armee am notwendigsten war, nämlich Vertrauen, fehlte uns. So sahen Adolf Heusinger und ich uns veranlaßt, uns am 5. September 1955 mit unseren Sorgen brieflich an den Bundeskanzler zu wenden:

»In der Regierungserklärung anläßlich der Einbringung des Freiwilligengesetzes wird«, so führten wir aus, »Achtung vor dem Soldaten gefordert. Die Beratungen der ersten Wehrgesetze im Bundestag und Bundesrat, die sie begleitenden Reden und Publikationen auf den verschiedenen Ebenen des öffentlichen Lebens bekunden vielfach das Gegenteil.« Wir machten darauf aufmerksam, daß Mißtrauen gegenüber dem künftigen Soldaten und eine damit verbundene Herabsetzung des Soldatentums kein Fundament sein könne, auf dem eine Armee mit qualifizierten Kräften aufgebaut werden kann. Diese Einstellung fände auch ihren »sichtbaren Ausdruck in der vorgesehenen Besoldung der künftigen Streitkräfte«. Vom Bundesrat war nämlich gefordert worden, die Generale gegenüber den Zivilbeamten tiefer einzustufen, was in anderen Demokratien nicht der Fall ist.

In dem Brief bejahten wir den Primat der Politik gegenüber der militärischen Führung ausdrücklich, auch die parlamentarische – nicht zivile – Kontrolle, doch dürfe sie nicht als »Organ des Mißtrauens« konstituiert werden. Wenn man den künftigen Soldaten als eine Gefahr der Demokratie hinstelle, so könne man nicht erwarten, daß er sich für eben diesen demokratischen Staat freudig einsetze, ja es bestünde die Gefahr einer Absonderung der

338

Armee vom Staat, wie einst in der Weimarer Republik. Auf die psychologischen Folgen für die allgemeine Wehrbereitschaft wiesen wir ausdrücklich hin. In vielen Zuschriften und Appellen hatten ehemalige deutsche Soldaten, vom Feldmarschall bis zum Unteroffizier und Mann, sich beschwörend an uns gewandt. Tatsächlich war zu befürchten, daß bei dieser Einstellung maßgebender Persönlichkeiten die guten, menschlich wie sachlich qualifizierten Kräfte nicht gewonnen werden könnten. Dabei müsse, so schrieben wir, dem Staat »daran gelegen sein, den geistig, moralisch und sachlich besten Soldaten zur Verteidigung der Heimat zu haben«, wie dies auch die vierzehn Mächte der Atlantikpaktgemeinschaft von uns erwarteten. Wir schlossen mit den Sätzen:

»Die Mitverantwortung beim Aufbau der Streitkräfte wird angesichts einer solchen Entwicklung schwer zu tragen sein, denn der Anfang entscheidet. Wir müssen anstelle des Mißtrauens das Vertrauen setzen ...

Die Schlagkraft einer Armee hängt von der sittlichen Kraft des Staates, von der Liebe und Hingabe zur Heimat ab. Freudige Staatsbejahung, Moral und Disziplin der Streitkräfte sind im Frieden von staatserhaltender Bedeutung – im Krieg entscheiden sie über Sieg oder Niederlage, Bestand oder Untergang eines Volkes.«

Eine Antwort auf diesen Brief haben wir nie bekommen.

Freude bereitete uns dagegen kurz danach der so erfolgreiche Abschluß der Verhandlungen am 14. September 1955 in Moskau, bei dem Bundeskanzler Adenauer als Gegenleistung für die Wiederaufnahme diplomatischer Beziehungen die Rückkehr der deutschen Kriegsgefangenen aus der Sowjetunion erreicht hatte. Um die Jahreswende gab es dann manch bewegendes Wiedersehen mit alten Kameraden, vielen aus Stalingrad; aber wir vermißten so manchen, den wir noch am Leben geglaubt hatten.

339

Der Stabschef der US-Armee, General Taylor, lud mich im Sommer ein, im Interesse des Aufbaus der Bundeswehr Truppenteile und Einrichtungen der amerikanischen Streitkräfte zu studieren; mein alter Ia der Heeresgruppe Rommel, Oberst i. G. a. D. Hans Georg von Tempelhoff, begleitete mich. So flogen wir am 23. September mit damals noch zwei Zwischenlandungen in zwanzig Stunden nach Washington, wo wir mit militärischem Zeremoniell empfangen wurden. Nach einem Besuch bei Botschafter Dr. Krekeler wurde ich schon am Abend von alten Freunden, dem Gesandten Albrecht von Kessel, dem Landsmann Botschaftsrat Dr. Federer und meinem einstigen Ordonnanzoffizier, Legationssekretär Pauls, in die schwebenden politischen Probleme eingeführt. Mein alter Pariser Bekannter, General Stehlin, jetzt Stellvertreter des französischen Mitglieds der Standing Group des Military Committee der NATO, erläuterte mir das Aufgabengebiet dieser Gremien, so daß ich am anderen Morgen bei der anläßlich meines Besuches angesetzten Sitzung der Standing Group schon informiert war. Nachdem der Vorsitzende, der amerikanische General Collins, und der französische Armeegeneral Jean Etienne Valluy mich begrüßt hatten, gab ich einen Überblick über den möglichen zeitlichen Ablauf und die notwendigen gesetzlichen Voraussetzungen für den Aufbau der deutschen Streitkräfte. Danach trug ich unsere Gedanken zur Ausbildung vor.

Am Nachmittag unterrichtete mich dann General Taylor über die amerikanischen Streitkräfte und die anschließende Besichtigungsreise, die meinen Wünschen entsprechen sollte. Organisatorisch interessant schien mir das Festhalten der amerikanischen Armee an den großen Divisionen von rund 19 000 Mann, »die aus sich leben, sich ergänzen, aber auch in kleinere Verbände unterteilt werden können«. Bedenklich stimmte mich die personelle Überbesetzung an Militär- und Zivilpersonal sowohl im Pentagon als auch bei allen Stäben und der Truppe. In einer Sitzung des

340

Military Representative Committee beantwortete ich die warmherzige Begrüßung von General Valluy damit, daß ich unsere Bereitschaft zur rückhaltlos offenen Mitarbeit erklärte.

Nach einer Besprechung mit dem Vorsitzenden der vereinigten Stabschefs, Admiral Arthur M. Radford, der einen überlegenen, in sich ruhenden Eindruck machte, begann die Besichtigungsreise mit einem Flug nach New York, wo der ehemalige Hochkommissar McCloy mein erster Gastgeber und Gesprächspartner war. Seine umfassende Kenntnis der deutschen Probleme zeigte sich auch hier wieder, bei den Fragen über den Zeitplan der Aufstellung eines deutschen Verteidigungsbeitrags und nach der Einstellung der deutschen Jugend zum Soldatentum; deutlich war ihm die Problematik, die mit der Teilung Deutschlands und Berlins für den Aufbau einer Armee verbunden war. Diese Fragen standen auch im Vordergrund meiner Besprechungen mit Allan Dulles, General Willoughby und General Wedemeyer.

Den Abschluß meines ersten Besuches in New York bildete ein Gespräch mit Herbert Hoover, dem ehemaligen Präsidenten der Vereinigten Staaten, in Gegenwart meines Freundes Truman Smith. Hoover wirkte trotz seines hohen Alters voller Spannkraft, zielstrebig, ernst und erfüllt von strikten moralischen Maßstäben. Die geschichtlichen Probleme der jüngsten Vergangenheit waren ihm präsent. Er wies auf die Bedeutung Deutschlands als Damm gegen den Osten hin. Die sowjetischen Friedensoffensiven trügen immer die gleichen Züge. Von ihnen sei nichts zu erwarten. Dies zeige auch die Behandlung der Kriegsgefangenen, die nur mit der Sklaverei des Altertums zu vergleichen sei. Als Nachkriegsverdienst rechnete er sich die völlige Abschaffung des schlimmen Morgenthau-Planes an. Er habe Präsident Truman davon überzeugt, diesen Plan einer Verwandlung Deutschlands in ein Agrarland endgültig aufzugeben, nicht zuletzt dadurch, daß er ihm »Handeln nicht nach dem Alten, sondern nach dem Neuen Testament« empfohlen habe.

Den Gesprächen mit militärischen und politischen Persönlichkeiten folgten Besichtigungen verschiedener militärischer Einrichtungen quer durch die Vereinigten Staaten. Diese höchst aufschlußreiche Rundreise und eine Sitzung bei der Standing Group beendeten meinen ersten USA-Besuch.

Wohin ich bei meiner Reise durch die verschiedenen Institutionen der amerikanischen Streitkräfte auch kam, überall war, wie auch bei Begegnungen mit zivilen Persönlichkeiten, ein wachsendes Selbstbewußtsein auf die eigene geschichtliche Leistung, den Aufstieg zur Weltmacht festzustellen. Korea brachte die erste Erschütterung des amerikanischen Selbstgefühls. Vietnam sollte es dann ernsthaft in Frage stellen.

Allen Gesprächen mit den militärischen Führerpersönlichkeiten war Vertrauen zu Deutschland zu entnehmen. Die Erwartungen in die künftigen deutschen Streitkräfte, sowohl in ihre moralische Haltung, ihren »esprit de corps«, wie auch in ihr militärisches Wissen und Können waren hochgesteckt.

Sorge bereitete General Taylor dagegen eine anscheinend wachsende »lassitude« in allen nationalen Fragen in Deutschland. Tatsächlich war in jenen Jahren eine Gleichgültigkeit vieler Deutscher gegenüber Fragen der nationalen Einheit, ja eine Abkehr von der Geschichte überhaupt, festzustellen.

Oft fiel mir auf, wie viele Amerikaner erfüllt von ihrem Erleben in Deutschland berichteten. So schien die Besatzungszeit sich auf amerikanischer Seite positiv auszuwirken, auch in bezug auf die akuten politischen Probleme, Berlin und die Wiedervereinigung.

Die erste Reise in die USA gab mir einen tiefen Eindruck von der Neuen Welt, der amerikanischen Weltmacht, ihres »way of life« und der unmittelbaren Aufgeschlossenheit ihrer Bewohner aller Kreise. Hier wurden neue Maßstäbe gesetzt. Erst an Ort und Stelle wurde uns aber auch schlagartig klar: Diese riesige Landmasse hatte eine Ausrichtung zum Pazifischen Ozean, die die Politik Washingtons ebenso bestimmte wie die zum Atlantik.

Formosa, die chinesischen Küsteninseln, die Philippinen standen im Brennpunkt der Aufmerksamkeit.

Als ich nach Europa abflog, ließ ich Oberst von Tempelhoff auf Vorschlag der US-Stabschefs als Verbindungsoffizier zu den US-Streitkräften bei unserer Botschaft in Washington zurück, wo er die Kontakte aufrecht erhielt und vertiefte.

In die Zeit nach meiner Rückkehr fiel eine neuerliche Begegnung mit Theodor Heuss. Wie schon früher sprachen wir viel über den Mißbrauch des militärischen Gehorsams in der jüngsten Vergangenheit und über die Flucht höchster militärischer Führer aus der Entscheidungsverantwortung in die reine Befehlsausführung.

Im Grunde waren wir in unseren Auffassungen gleichgestimmt. Nur einmal, bei der Vorbesprechung zu seiner Rede zum zehnten Jahrestag des 20. Juli 1944, haben sich unsere Auffassungen getrennt, als er in drastischer Form allein »den Generalen« die Schuld an den Ereignissen des Dritten Reiches geben wollte. Da erinnerte ich ihn an seine Zustimmung zum Ermächtigungsgesetz im März 1933. Diese Feststellung, als Mahnung gemeint, politisches Versagen nicht gegeneinander ins Feld zu führen, traf ihn schwer; er hat zeitlebens an seiner damaligen Entscheidung getragen. Heuss brach unser Gespräch ab mit den Worten: »Komm, wir holen ein Fläschle ›Brackenheimer Zweifelsberg‹ aus dem Keller, wollen uns wieder verstehen und nie mehr davon reden.«

Oft stellte Heuss beim abendlichen Zusammensein Vergleiche zwischen den beiden Weltkriegen an und erinnerte daran, wie der Kriegsbeginn 1914 im Geistigen und Sittlichen ein anderer Aufbruch als die Entfesselung des Hitlerschen Krieges gewesen war. Einmal sann er den Gründen nach, weshalb keine Kräfte eines Dichters oder Schriftstellers durch den zweiten Weltkrieg entbunden worden seien. Auch die Aufbruchszeit nach der Niederlage von Jena 1806 war Gegenstand unseres Gesprächs. Das Bedeutsame an den damaligen militärischen Reformen sah Heuss darin, daß sie der staatlichen Entwicklung vorangeschritten waren. Ihre Schöpfer seien Pioniere auf dem Weg zu einer demokratischen Erneuerung aller staatlichen Einrichtungen, einschließlich eines echten Volksheeres, gewesen. Nach einem langen Gespräch über diese Fragen bat er mich, für das von ihm, Benno Reifenberg und Hermann Heimpel herausgegebene Werk »Die Großen Deutschen« den Beitrag über Gneisenau zu schreiben.

Uns beiden stand eine »Synthese der Gleichachtung von bürgerlichen Pflichten und soldatischen Tugenden« vor Augen, und Heuss hoffte, daß in solchem Geiste ein künftiger deutscher Soldat um des ganzen Volkes willen für den Frieden wirken könne.

Die Gespräche mit diesem sinnierenden Schwaben, der zugleich ein universeller Geist war, bleiben durch ihre Menschlichkeit und den versöhnenden Humor im Gedächtnis. Ich konnte auch eine Begegnung von Theodor Heuss mit Ernst Jünger vermitteln, dem er nach einem guten Gedankenaustausch persönlich das Große Bundesverdienstkreuz überreichte.

Kurz zuvor hatten wir in Wilfingen den 60. Geburtstag von Ernst Jünger im Freundeskreis gefeiert. In der Festschrift »Freundschaftliche Begegnungen« hatte ich in einem Beitrag einige »Erinnerungen an die Pariser Zeit« niedergelegt, vor allem aber Briefe aus Paris und aus dem Kaukasus publiziert. Bei diesen Festen an den runden Geburtstagen war das fruchtbare Gespräch über Grundfragen der Zeit ebenso beglückend wie das beschwingte Zusammensein.

Im Sommer dieses Jahres mußte ich als Vertreter von Theodor Blank an den Beisetzungsfeierlichkeiten für Kronprinz Rupprecht von Bayern teilnehmen. Wohl zum letztenmal standen alle Fahnen der alten bayerischen Armee am rechten Flügel einer Ehrenkompanie der bayerischen Landespolizei vor der Theatinerkirche und senkten sich vor dem letzten Kronprinzen und Feldmarschall der bayerischen Armee. Es war eine bewegende Stunde. Überwältigend war die Anteilnahme nicht nur der Münchener, sondern auch der Landbevölkerung aus Bayern, die in Rupprecht von ihrem alten Herrschergeschlecht Abschied nahmen.

Am 10. November 1955 unterschrieb Theodor Heuss die Ernennungsurkunde für Adolf Heusinger und mich zu Generalleutnanten »neuer Art«, also Drei-Sterne-Generalen, was dem Rang eines Kommandierenden Generals entspricht. Wir hatten uns in den Dienstgradbezeichnungen der Generale den Vereinigten Staaten und Großbritannien angeschlossen, um auch hierin der Integration zu dienen.

Am 12. November 1955, dem 200. Geburtstag von Gerhard von Scharnhorst, überreichte der neue Bundesminister der Verteidigung, Theodor Blank, die Ernennungsurkunden an die ersten zweihundert Soldaten der neu erstehenden Bundeswehr, deren Uniformen wir erstmals trugen. Sie war in ihrer stumpfgrauen Farbe und ihrem zweireihigen Schnitt ebenso neuartig wie unpraktisch; aus politischen Rücksichten sollte jedoch jeder Anklang an die alte Uniform des deutschen Heeres vermieden werden. Nach Änderungsvorschlägen ging ich eineinviertel Jahre später mit dem einreihigen Rock in hellerem Grau nach Fontainebleau.

Auch am Beispiel der Uniform wurde deutlich, mit welchen Schwierigkeiten eine neu ins Leben gerufene Armee zu kämpfen hatte, die nicht an eine Tradition anknüpfen konnte oder sollte. Überall machte sich bei der Aufstellung der Bundeswehr der Bruch von 1945, das Fehlen geschichtlicher Kontinuität, bemerkbar. Erst im Laufe der nächsten Jahre, in denen die Bundeswehr ins Volk hineinwuchs und allmählich auch von den führenden Männern des Staates bejaht wurde – entscheidend dafür die Rede von Heuss vom März 1959 –, wurde ein Brückenschlag zur nicht verjährten Tradition möglich, der wesentlich zum Selbstverständnis, aber auch zur Selbstverständlichkeit der Bundeswehr beitrug.

Am 22. November übernahm ich in Bonn die Stellung als Chef der Abteilung Gesamtstreitkräfte im Bundesministerium der Verteidigung. Die damalige Spitzengliederung und Organisationsform des Bundesverteidigungsministeriums entsprachen aber weder den Verpflichtungen und Aufgaben, welche die Mitgliedschaft der Bundesrepublik in NATO und WEU erforderte, noch der militärischen Zweckmäßigkeit. Oberstes Ziel war die rasche Aufstellung schlagkräftiger Streitkräfte im Rahmen des Atlantikpaktes, und dieser politischen Entscheidung sollte alles andere untergeordnet werden. Ein solches Ziel aber war erfahrungsgemäß nur durch eine klare »Wehrmachtslösung«, das heißt eine zentrale Kommandobehörde für alle drei Teilstreitkräfte, zu erreichen, wie sie auch die NATO-Stäbe empfohlen und erwartet hatten. Selbstverständlich hatte der Verteidigungsminister die oberste Befehlsgewalt im Frieden und das Entscheidungsrecht in allen grundsätzlichen militärischen Fragen, aber er konnte nicht einzeln den drei Teilstreitkräften oder einzelnen Korps und Divisionen befehlen. Diese Befehlsorganisation war aber aus innenpolitischen Gründen gefordert und festgelegt worden. Es bedurfte vieler Reibungen und langer Zeit, bis man zu einer militärisch sinnvollen Spitzengliederung gelangte. Aus innenpolitischen Erwägungen heraus gaben alle Parteien dem Soldaten nicht das, was des Soldaten ist, und die politische Führung, von Mißtrauen gequält, führte nicht politisch, sondern durch »Verwaltungsakte«. Dies war in den ersten Jahren ein schweres Handicap.

Die Aufstellung der Bundeswehr geriet schon bald in Schwierigkeiten, weil die Zahl der freiwilligen Meldungen von geeigneten Ungedienten, jüngeren Gedienten und Angehörigen des Bundesgrenzschutzes in keiner Weise dem Bedarf entsprach. Schuld daran waren auch die materiellen Voraussetzungen für einen Eintritt in die Bundeswehr. An eine Pflicht des Bürgers zur Selbstverteidigung wurde wenig gedacht.

Schon ein gutes halbes Jahr nach der Gründung der Bundeswehr mußten die Generale Heusinger, Kammhuber, Laegeler, Vizeadmiral Ruge und ich daher in einem Schreiben an den Bundesminister für Verteidigung darauf hinweisen, daß die Aufstellung der Bundeswehr in Gefahr sei, wenn nicht umgehend andere Voraussetzungen geschaffen würden. Angesichts des Rückgangs der Freiwilligenmeldungen sei es hohe Zeit, daß von Bundesregierung, Bundestag und Bundesrat eine Erklärung über das deutsche Soldatentum abgegeben werde, die den Stand des Soldaten von Verunglimpfungen befreie und so Vertrauen schaffe. Gewiß solle der Soldat keine bevorzugte Stellung im Staate haben, aber auch nicht – wie es augenblicklich der Fall sei – die eines Stiefkindes. Wir schlossen unseren besorgten Appell mit den Worten: »Die Aufstellung von militärischen Verbänden ist weniger ein Verwaltungsakt als eine Angelegenheit des Geistes und des Herzens. Ein enger Kontakt der führenden militärischen Persönlichkeiten mit der höchsten Staatsführung muß möglich gemacht werden. Sie müßten ihren Sitz im Verteidigungsrat haben, wie es in allen Ländern der Fall ist. Nur so ist eine Abstimmung der Gedanken, eine Einheit des Geistes in Fragen der Landesverteidigung möglich.«

Auch auf dieses Schreiben erhielten wir keine Antwort.

Bei der Entscheidung über die Hoheitszeichen für Panzerwagen und Flugzeuge kam es zu einer kennzeichnenden Kontroverse mit Bundeskanzler Adenauer. Im Auftrag des Verteidigungsministers hatte ich ihm die Muster des stilisierten Eisernen Kreuzes, des sogenannten »Balkenkreuzes«, vorgelegt, worauf mich der Kanzler anherrschte: »Gehen Sie mir weg mit diesem preußischen Abzeichen, das kommt für mich nie in Frage.« Ich wies Adenauer darauf hin, daß unzählige Deutsche aller Stämme unter diesem aus den Freiheitskriegen stammenden Zeichen gekämpft hätten, und daß auch ich als Schwabe das Eiserne Kreuz aus beiden Kriegen trage. Erst auf meine Bemerkung, daß Bundespräsident Heuss Einverständnis und Unterschrift gegeben habe, resignierte er sichtlich mißgelaunt und zeichnete den Entwurf ab.

Das neue Jahr brachte als ersten Besuch den ehemaligen Chairman Joint Chiefs of Staff der USA, General Bradley, der sich über die Fortschritte im Aufbau der Bundeswehr unterrichten wollte.

Dann luden die alliierten Oberbefehlshaber in Deutschland Heusinger und mich zu Besuchen in ihre Hauptquartiere ein, um uns über das Aufgabengebiet der verbündeten Armeen, insbesondere über die konkreten Einsatzerwägungen, zu unterrichten.

Am 20. Januar 1956 besuchte Bundeskanzler Adenauer die ersten aufgestellten Einheiten der Bundeswehr in Andernach. Diese Tatsache fand in der in- und ausländischen Presse einen starken Widerhall. Die positive Wirkung schien allerdings im Ausland höher als in der Heimat selbst zu sein. Drei Wochen später besprach ich mit dem Münchener Erzbischof Kardinal Wendel, der zusätzlich die Aufgabe als Militärbischof der Bundeswehr übernommen hatte, Fragen der Seelsorge in der Bundeswehr. Das Wiedersehen war bewegend; das letzte Mal hatte ich den Kardinal im Winter 1939/40 gesehen. Wendel, damals Beauftragter des Bischofs von Speyer, hatte nicht vergessen, daß wir ihm bei der Verfolgung durch die Gauleitung geholfen hatten. Das vertrauensvolle Verhältnis von damals lebte wieder auf und führte dazu, daß der Kardinal mich später bat, in Fontainebleau auch Schirmherr der neuen katholischen Militärgemeinde zu werden.

Kurze Zeit danach traf ich mit Prälat Dr. Kunst zusammen, der evangelischer Militärbischof der Bundeswehr geworden war. Diese weitblickende und feingeistige Persönlichkeit gab mir in ihrer beispielhaften Gesprächsbereitschaft viele Anregungen, als wir Fragen des Ethos der Verteidigung, des Vaterlandsbegriffs, der Gemeinsamkeit beider Kirchen erörterten.

Anschließend ging es nach Paris, wo ich das erste Mal an der großen Planübung von SHAPE in Uniform teilnahm; bis dahin hatten die deutschen Offiziere ihren Dienst sowohl bei SHAPE als auch bei AFCENT in Fontainebleau in Zivil tun müssen, da die Bundeswehr offiziell noch nicht aus der Taufe gehoben war. Es war sozusagen die endgültige Aufnahme in den Kreis der nun verbündeten Nationen; in die Kameradschaftlichkeit, mit der man uns gegenübertrat, waren Interesse und Neugier gemischt. Mit General Gruenther hatte ich eine längere Aussprache über den deutschen Anspruch auf eine Beteiligung an der höchsten Führung. Ich legte ihm die vorgesehene Aufstellung des deutschen Beitrags ab 1. Januar 1957 dar und wies darauf hin, daß damit Deutschland auf seinem Heimatboden mehr Truppen stelle als Frankreich mit seinen zweieinhalb Divisionen, als Großbritannien, Belgien und die Niederlande. So sei es nicht nur aus militärischen, sondern auch aus außen- und innenpolitischen Gründen nicht tragbar, wenn Deutschland nicht in entsprechendem Maß an der Führung beteiligt werde. General Gruenther erkannte trotz der französischen Einwände die Argumentation an und stellte entsprechende Vorschläge in Aussicht. Dies bekräftigte er einige Tage später in Bonn bei einem Besuch des Bundeskanzlers.

Interessanterweise stimmte Marschall Juin entgegen den Weisungen seiner politischen Führung den Gedanken Gruenthers zu. Auch er war der Auffassung, daß sich Deutschland nach dem 1. 1. 1957 nicht mit einem reinen Repräsentationsposten auf internationaler Ebene abspeisen lassen, sondern ein echtes Kommando mit der dazugehörigen Exekutive beanspruchen könne. Die drei Benelux-Vertreter teilten zu meiner großen Genugtuung ebenfalls meinen Standpunkt, den auch mein alter Freund General Mancinelli als Vertreter Italiens tatkräftig unterstützte.

Zur Einführung und Ausbildung der in die Bundeswehr übernommenen älteren Offiziere wurde ein Lehrgang in der ehemaligen »Ordensburg« des Dritten Reiches in Sonthofen eingerichtet. Ich hatte angeregt, diesen Gebäudekomplex »Generaloberst Ludwig Beck-Kaserne« zu benennen, um gerade an dieser Stätte dem

Geist der Widerstandskämpfer zu huldigen. Am 2. Mai 1956 enthüllte nach einigen Worten von mir die Tochter Becks, Frau Gertrud Neubaur-Beck, eine Gedenktafel. Gräfin Baudissin, die unter ihrem Mädchennamen Gräfin Dohna als begabte Bildhauerin hervorgetreten war, hatte sie eindrucksvoll gestaltet.

Den ersten Lehrgangsteilnehmern sagte ich: »Sie tragen eine besondere Verantwortung unserem Volk gegenüber, das zu neuerlichen Opfern bereit ist, um seine Freiheit zu wahren, einem Volk, das trotz bitterer Erfahrungen des Mißbrauchs der Macht einen Wehrbeitrag leistet, das seine Söhne uns anvertraut und erwartet, sie innerlich gefestigt und körperlich gekräftigt aus unserer Betreuung zurückzuerhalten. Deshalb verlangt unser Beruf den ganzen Menschen.« Dann sprach ich von der schwierigen Situation, in der die Bundeswehr entstehe. »Sie wissen um die Sorgen, um die Angst, um die drückende Hypothek, die eine Niederlage, die unbeabsichtigte, so unheilvolle Verstrickung des Soldaten mit einer Staatsführung, die das Verbrechen nicht scheute, die Erlebnisse nach dem Zusammenbruch und die noch andauernde Teilung Deutschlands für unsere Wiederbewaffnung bedeuten. Wir müssen die Vergangenheit überwinden, Abstand und ein Geschichtsbild gewinnen, um Gegenwart und Zukunft zu meistern. Wir wollen dabei unsere soldatische Vergangenheit weder verbannen, noch aus unserem Bewußtsein verdrängen. Ihre geistige Bewältigung soll die Grundlage für eine positive Arbeit geben. So wenig wir einfach dort beginnen können, wo wir aufgehört haben, so wenig können und wollen wir auf die gültigen Werte echter Tradition verzichten.

›Es gibt kein Vergangenes, das man zurücksehnen dürfte, es gibt nur ein ewig Neues, das sich aus den erweiterten Elementen des Vergangenen gestaltet, und die echte Sehnsucht muß stets produktiv sein, ein neues Besseres zu schaffen‹, sagte einst Goethe. ›Tradition ist es, an der Spitze des Fortschritts zu marschieren‹, rief beinahe zur selben Zeit Scharnhorst.«

Den neuen Bundeswehroffizieren versuchte ich, das Idealbild eines soldatischen Führers vor Augen zu stellen. Mit einem Wort von Ludwig Beck begann ich:

»Es ist ein Mangel an Größe und Erkenntnis der Aufgabe, wenn ein Soldat in höchster Stellung seine Pflichten und Aufgaben nur in dem begrenzten Rahmen seiner militärischen Aufträge sieht, ohne sich der höchsten Verantwortung vor dem gesamten Volke bewußt zu werden.«

In einer das militärische Handwerk übergreifenden Sicht, in einer umfassenden Bildung sah ich ein wesentliches Merkmal des guten Offiziers. Für den modernen Offizier, der die Technik seines Berufs selbstverständlich beherrschen soll, forderte ich alte Grundtugenden wie Treue, Wahrhaftigkeit, Maß, Tapferkeit, die nach der abendländischen Tradition, sei es bei Platon oder Thomas von Aquin, mit Klugheit und Gerechtigkeit gepaart sein sollten. Unverändert bleibt, so betonte ich, die Forderung nach einem wachen Gewissen, das den Gehorsam bestimmen muß. Auch im Atomzeitalter sei es wesentlich, das Hauptgewicht auf den Menschen zu legen, auf die Festigkeit seines Charakters, auf sein Pflicht- und Verantwortungsgefühl, das die innere Freiheit zur Voraussetzung hat.

Diese Lehrgänge in Sonthofen, die eine prägende Wirkung auf den Geist der jungen Bundeswehr hatten, gewannen durch die Gäste, die wir zu den Offizieren sprechen ließen, wie etwa den ehemaligen Danziger Hochkommissar Carl Jakob Burckhardt oder den Sozialphilosophen Professor Rosenstock-Huessy. Der bayerische Ministerpräsident Hoegner, General Schuyler und viele andere besuchten die Ludwig-Beck-Kaserne. Ein schwerer Verlust für die Lehrgänge war der plötzliche Tod des Generalmajors von Radowitz, der die organisatorische Leitung innehatte. Ich hielt dem ritterlichen Manne die Gedenkrede im heimatlichen Großingersheim.

351

Der Sommer des Jahres 1956 brachte wiederum Auseinandersetzungen der verschiedensten Art im Verteidigungsausschuß des Bundestages um den Aufbau der Bundeswehr. Das Mißtrauen aller Parteien gegenüber der neuen Armee schwelte weiter.

Unter dem Druck der öffentlichen Meinung, die die Wehrpflicht nur mit Widerstreben gebilligt hatte, ging die Bundesregierung dann im September 1956 vom ursprünglichen Plan einer achtzehnmonatigen Grundwehrdienstzeit ab. Gegen diese Verkürzung des Grundwehrdienstes auf zwölf Monate wandte ich mich aus Gründen der Sicherheit der Bundesrepublik wie auch aus militärpolitischen Gesichtspunkten. Ich trug Bundeskanzler Adenauer eingehend die militärpolitischen und strategischen Konsequenzen vor: Enttäuschung in den USA, die eine vierundzwanzigmonatige Dienstzeit auf sich genommen hatten, Schwächung des NATO-»Schildes« in Europa durch geringere Stärken und verminderte Einsatzbereitschaft der deutschen Divisionen, Infragestellung der gerade von uns geforderten Vorwärtsstrategie. Adenauer beharrte jedoch aus innenpolitischen Rücksichten auf seinem Standpunkt.

Für uns hatte in Freudenstadt die Abschiedsstunde geschlagen. Wir zogen in ein Haus mit besonders schönem Garten in Bad Honnef. Wohl war der Weg nach Bonn weit, aber die Schönheit der Umgebung bot einen Ausgleich zu den dienstlichen Belastungen in der vorläufigen Hauptstadt.

Im Spätsommer kamen König Paul I. und Königin Friederike zum ersten griechischen Staatsbesuch nach dem Krieg nach Bonn. Das Zusammensein fand – vor allem nach der griechischen Einladung auf dem Petersberg – in gelöster Heiterkeit statt. Ohne jedes Zeremoniell erfolgte nachts die Abfahrt des Königspaares nach Hannover auf dem Bahnhof Königswinter. Als das Abfahrtszeichen gegeben wurde, rief Bundespräsident Heuss Königin Friederike zum Fenster hinauf: »Muß i denn, muß i denn zum Städtele hinaus, und du mein Schatz fährst mit.« Die Königin und der König riefen und winkten zurück; noch 1962 bei unserem Besuch in Tatoi sprachen sie von diesem »herzlichen und bewegenden Abschied«.

In diesen Wochen kam es zu einer Kontroverse über den künftigen Standort der deutschen Führungsakademie. Mit ihr sollte eine Ausbildungsstätte im Sinn des alten deutschen Generalstabs für die Stabsoffiziere eingerichtet werden. Übereinstimmung bestand lediglich darüber, daß es nur eine Führungsakademie der drei Teilstreitkräfte geben sollte. Hamburg, Heidelberg und München bewarben sich um den Sitz dieser Einrichtung, aus der eines Tages die Führungskräfte der Bundeswehr hervorgehen würden. Nach meinem Weggang nach Fontainebleau fiel die Entscheidung für Hamburg, was nach meiner Auffassung nicht zweckmäßig war.

Am 10. Oktober startete ich mit dem bewährten, klugen Oberst de Maizière zu einer Reise nach der iberischen Halbinsel und in die Vereinigten Staaten. Der Chef des Generalstabs der spanischen Armee, General Asensio, hatte mich gebeten, den Flug nach Lissabon in Madrid zu unterbrechen, um sich mit mir über europäische Verteidigungsprobleme aussprechen zu können. Gleichzeitig äußerte der spanische Staatschef, Generalissimus Franco, den Wunsch, mich zu einem Besuch zu empfangen. Da ausdrücklich von einem »informellen« Empfang gesprochen worden war, trug ich Zivil. Wie war ich aber erstaunt, als beim Eingang des Schlosses »El Pardo« die Ehrengarde der Moros zu Pferd in weißen Burnussen, die im gleißenden Flutlicht glänzten, Spalier bildeten! Franco selbst empfing mich nach spanischem Zeremoniell in großer Uniform. Er erinnerte in eindringlichen Worten an die traditionell guten Beziehungen zwischen Spanien und Deutschland, die wieder aktiviert werden müßten. Neben der wirtschaftlichen müsse auch die militärische Zusammenarbeit wieder aufgenommen werden. Dabei gab er seiner Bewunderung für die Leistungen des deutschen Volkes in Vergangenheit und Gegenwart Ausdruck. Im Mittelpunkt seiner Sorgen stand deutlich die Mittelmeerfrage. In diesem Zusammenhang verurteilte er das geringe psychologische Verständnis Englands und Frankreichs für den »Nationalismus der arabischen Völker«, die wir als Partner gewinnen müßten. Aus seiner Dienstzeit in Spanisch-Marokko hatte er eine genaue Kenntnis Nordafrikas und der arabischen Mentalität mitgebracht.

Er erläuterte mir dann die Maßnahmen zu einer Verteidigung des spanischen Territoriums im Falle einer Besetzung, wobei er auf die Erfahrungen Spaniens in den Napoleonischen Kriegen von 1808–1814 hinwies. Im zweiten Weltkrieg sei alles für eine Heimatverteidigung vorbereitet gewesen, dem Schweizer Muster vergleichbar. Er habe seit 1940 immer mit einer Überflutung Spaniens durch deutsche oder alliierte Heere rechnen müssen. Schließlich sprach er von seinen Anstrengungen, zu einer Autarkie Spaniens auf den verschiedensten Gebieten zu kommen; schon von daher legte er großen Wert auf die Urbarmachung bisher nahezu versteppter Räume.

Franco wirkte sicher, Vorbehalte und Anfeindungen von außen schienen ihn von seiner Linie nicht abbringen zu können. Die über einstündige Aussprache war völlig offen und frei. Als Begleiter und Dolmetscher war mir unser Freund Capitán José Egea Gonzales besonders wertvoll. – In den zwei Tagen in Madrid wurde ich wieder mit großer Herzlichkeit aufgenommen, die sich vor allem auch in den Aussprachen mit dem Chef des Generalstabes, General Asensio, und dem Kriegsminister, General Muñoz Grandes, widerspiegelte.

Anschließend flog ich mit de Maizière nach Lissabon und von dort in achtzehnstündigem Flug zusammen mit dem portugiesischen Generalstabschef General Botelho Moñiz nach Washington, wo ich an einer Sitzung des Military Committee, des obersten militärischen Gremiums der Atlantikpakt-Organisation, zum ersten Mal als offizielles Mitglied teilnahm.

354

Damals hatte der sogenannte Radford-Plan hohe Wellen in der Bundesrepublik geschlagen. Der Plan des Chairman Joint Chiefs of Staff sah vor, die amerikanischen Streitkräfte in Europa zugunsten verstärkter nuklearer Rüstung zu verringern. Dies hatte mich, zumal auch Großbritannien eine Reduzierung der Rheinarmee erwogen hatte, bereits im Juli veranlaßt, mit General Gruenther über die Frage ausreichender Streitkräfte für das europäische Verteidigungsnetz zu beraten. Nun hörte ich von Admiral Radford selbst, daß es keinen solchen Plan gäbe, daß lediglich Presseveröffentlichungen aufgebauscht worden seien. Zwar sei es ein Fernziel der USA, mit fortschreitender Stärkung Europas, wobei die Aufstellung der deutschen Streitkräfte und die Ausstattung der US-Verbände mit Atomwaffen die Hauptrolle spielten, amerikanische Einheiten wieder in die Heimat zurückzuverlegen. Dies alles aber sei für die nächsten Jahre noch nicht akut, obwohl im Kongreß anläßlich der Herabsetzung der Dienstpflicht in der Bundesrepublik die Frage aufgeworfen worden sei, weshalb die Vereinigten Staaten die Verteidigung eines Landes übernehmen sollten, das selber zu erhöhten Leistungen offensichtlich nicht bereit sei. Radford gab mir jedoch die Zusicherung, daß ausreichende amerikanische Verbände mit allen taktischen Atomwaffen in Europa bleiben würden, solange die europäischen NATO-Staaten keine Atomwaffen besäßen; er könne sich keinen Krieg ohne den sofortigen Einsatz von Atomwaffen vorstellen. Einen »begrenzten Krieg« sah Radford nur bei Grenzüberfällen gegeben, wie zum Beispiel in Israel. Zum Abschluß fragte ich ihn, wie er sich etwa die amerikanische Reaktion auf einen sowjetischen Überfall auf Westberlin vorstelle. Radford antwortete spontan und sehr impulsiv: Jede Verletzung des Status von Berlin würde den sofortigen Krieg zur Folge haben, ja den großen Krieg sogar. Die USA seien entschlossen, ihre gesamte Streitkraft einschließlich der Atomwaffen einzusetzen. Berlin sei ein Testfall.

Unmittelbar nach meiner Rückkehr nach Bonn fand ein Staatsempfang für den österreichischen Bundeskanzler Raab statt. Als mich Adenauer dem österreichischen Gast vorstellte, sagte Raab: »Machen Sie mir aber ja kein 1866 mehr.« Ich erwiderte ihm auf schwäbisch: »Aber Herr Bundeskanzler, wir waren doch damals miteinander auf derselben Seite.« Raab strahlte.

Theodor Blank hatte sich während der zurückliegenden Jahre in unermüdlicher Arbeit, die nur die Sache im Auge hatte, um die Bundeswehr hochverdient gemacht. Nun plötzlich verabschiedete ihn Adenauer, die in der Tat angeschlagene Gesundheit Blanks vorschiebend, von einem Tag zum anderen. Niemand konnte es verstehen, daß der Bundeskanzler ihn so abrupt ablösen ließ, auch wenn die Aufstellung der Streitkräfte sich hinausgezögert hatte. Der Abschied fiel allen Mitarbeitern schwer.

Blanks Nachfolger wurde der bisherige Atomminister, Dr. h. c. Franz Josef Strauß. Damit hatte eine dynamische Persönlichkeit die Leitung des Ministeriums übernommen. Er ergriff gleich fest die Zügel und wirkte nicht nur mit überragender Intelligenz, sondern auch mit großem Sachverstand. Eine raschere Aufstellung deutscher Verbände konnte allerdings auch er nicht bewerkstelligen.

Zwei politische Ereignisse bewegten Ende Oktober 1956 die Welt: Zunächst der Aufstand der Ungarn zur Befreiung von den Sowjets. Am 30. Oktober sah es so aus, als ob die Sowjets Ungarn räumen müßten. Die Peripetie dieses Dramas kam aber durch den rücksichtslosen Einsatz sowjetischer Panzerverbände, die die neu gebildete ungarische Regierung in Budapest einschlossen. In dieser aussichtslosen Situation rief der ungarische Verteidigungsminister Maleter bei mir zu Hause an, wo er nur meine Frau erreichte. Maleter bat verzweifelt um dringende sofortige Hilfe. Wie aber sollten wir denn helfen?

Das andere Ereignis war am 31. Oktober der Beginn des Suez-

Unternehmens von Frankreich und England. Politisch wie militärisch dilettantisch vorbereitet, brach es in der Nacht vom 6. auf 7. November durch das »quos ego« der USA und der Sowjetunion zusammen.

Im Dezember fand in Paris die 15. Sitzung des Military Committee statt, die sich mit den Problemen des Eintritts von Deutschland in die NATO und mit einer Reorganisation der Standing Group befaßte. Sie galt auch der Vorbereitung der NATO-Konferenz vom 10.–14. Dezember, bei der die Außen- und Verteidigungsminister sich im wesentlichen mit den deutschen politischen und militärischen Problemen beschäftigten.

Der französische Verteidigungsminister Bourgès-Maunoury, der französische Generalstabschef Ely und General Valluy eröffneten mir dabei, daß die französische Regierung nach Rücksprache mit General Gruenther meine Ernennung zum Oberbefehlshaber der Verbündeten Landstreitkräfte von Mitteleuropa in Fontainebleau beantragen werde. Am 7. Januar erschien der Chef des Generalstabes von General Norstad, General Schuyler, in Bonn, um mich bei der Bundesregierung als COMLANDCENT zu erbitten. Dieselbe Demarche erfolgte von französischer Seite durch General Valluy. Die französische Regierung hatte mich aufgrund meiner Tätigkeit vor, in und nach dem Krieg in Frankreich namentlich erbeten.

Am 24. Januar gab Bundesminister Strauß dann bekannt, daß das Kabinett mich für die Stelle des Oberbefehlshabers der Verbündeten Landstreitkräfte Europa-Mitte bei der NATO benannt habe. Kurz darauf kamen mein Vorgänger, General Carpentier, und General Valluy zu Besprechungen nach Bonn, um Organisations- und Gliederungsfragen durchzusprechen.

Die Übergabe- und Vorbereitungszeit der nächsten Wochen wurde unterbrochen durch eine Einladung zu einer Besichtigung der 6. Amerikanischen Flotte im Mittelmeer, der ich zusammen

357

mit Staatssekretär Dr. Rust Folge leistete. Wir erlebten bei Tag und Nacht eindrucksvolle Manöver dieses stärksten Flottenverbandes in europäischen Gewässern. Auf den Kreuzern »Salem«, »Boston« und einem Zerstörer wohnten wir bei zum Teil schwerem Seegang den Manövern bei, die die Abwehr sowjetischer Durchbruchsversuche im Mittelmeer zur Grundlage hatten. Die detaillierte Kenntnis der Mittelmeerprobleme blieb von großem Nutzen. Vom Flugzeugträger »Forrestal« aus ließ ich mich mit einem Flugzeug katapultieren, um auch dieses Kampfmittel mit seinen besonderen Anforderungen kennenzulernen.

Oberbefehlshaber in Fontainebleau

Am 2. April 1957, einem strahlenden Frühlingstag, fuhr ich nach Fontainebleau, um den Oberbefehl zu übernehmen, den vorher Feldmarschall Montgomery, General de Lattre de Tassigny und General Carpentier innegehabt hatten. Es war als Zeichen der endlich erreichten Gleichberechtigung von entscheidender Bedeutung, daß dieser gerade auch für das Schicksal der Bundesrepublik wichtige Posten nun erstmals einem Deutschen übertragen wurde. Der Kommandobereich umfaßte das Gebiet von der Schweizer bis zur dänischen Grenze. Alle in ihm stationierten Divisionen des französischen, amerikanischen, britischen, belgischen, niederländischen und luxemburgischen Heeres unterstanden taktisch und operativ »LANDCENT« in Fontainebleau, das seinerseits dem Oberbefehlshaber der alliierten Gesamtstreitkräfte Europa-Mitte, Marschall Juin, dann General Valluy unterstand. Das Hauptquartier »LANDCENT« war in dem malerischen Aile des Princes des Schlosses von Fontainebleau untergebracht.

Nach der Bekanntgabe meiner Ernennung zum Oberbefehlshaber setzte eine von der Sowjetunion und der Ostzone gesteuerte Pressekampagne gegen mich ein. Vor allem die kommunistische Presse war voll von Beschimpfungen und Fälschungen. An Mauern Fontainebleaus war zu lesen: »Speidel à la lanterne!«

Vor dem Empfang der Stadt Fontainebleau unterrichtete mich der Bürgermeister im voraus, daß die kommunistische Stadtratsfraktion nicht teilnehmen werde. Kurz vor Beginn teilte er mir aber mit, sie käme doch, der Fraktionsführer wolle mich aber nicht kennenlernen. Während des angeregten, von Champagner beschwingten Empfangs wollte mir der kommunistische Führer dann doch »ohne Aufsehen« persönlich begegnen. Als ich ihn auf die Maueranschläge und auf die Pressekampagne ansprach, antwortete er zunächst mit einer kommunistischen Tirade, aber auf meine Frage, ob man so weitermachen wolle, meinte er: »Ah, mon général, on s'arrange.« Wir haben uns dann in den nächsten sechseinhalb Jahren des öfteren gesehen und begrüßt.

Zur selben Zeit entstand in der sowjetisch besetzten Zone der Film »Teutonenschwert«. Es war ein Versuch, mit einer Diskreditierung meiner Person die Beteiligung der Bundesrepublik am westlichen Verteidigungsbündnis zu belasten. Man hatte »Dokumente« fabriziert, denen zufolge ich an der Ermordung des jugoslawischen Königs Alexander und des französischen Außenministers Barthou 1934 beteiligt gewesen sei. In den Studios der DEFA hatte man einen »Dokumentarfilm« zurechtgemacht, der in englischer und französischer Sprache synchronisiert in alle Welt verschickt wurde. Der Film präsentierte »Aufnahmen« aus dem Rußlandfeldzug, die meine angebliche Beteiligung bei der Aktion der »verbrannten Erde« belegten, wobei allerdings der Fehler unterlaufen war, daß man von mir Bilder mit dem »Schiffchen« als Kopfbedeckung zeigte, das ich nie getragen habe, außerdem Photos von mir in Gegenden, in denen ich nie gewesen war.

Eine englische Firma hatte den Vertrieb für Großbritannien übernommen, so daß sich die Chance ergab, rechtliche Schritte zu ergreifen. So lief in England 1958 der erste Prozeß an, der über die höchste Appellationsinstanz zum endgültigen Erfolg führte. Die Fälschungen wurden entlarvt, der rechtskräftige Abschluß erfolgte im Juni 1962. Die englische Filmfirma mußte anerkennen und ausdrücklich bestätigen, daß die Verleumdungen jeder Grundlage entbehrten. Außerdem mußten sämtliche Kopien des Films meinem klugen Anwalt, Dr. Holland, einem Berliner Emigranten, ausgehändigt werden. Nach diesem Urteil wurde der

Film auch in den französisch-sprechenden Ländern nicht mehr gezeigt.

Nur wenige Tage nach meinem Dienstantritt in Fontainebleau fand das große SHAPE-Planspiel statt. Seit meinen ersten Überlegungen über eine mögliche Verteidigung Westdeutschlands in den Jahren 1948 bis 1950, die in ihren Grundzügen die Himmeroder Denkschrift bestimmten, hatte sich die militärische Situation entscheidend geändert. Während wir noch 1950 von einem konventionellen Kriegsbild auszugehen hatten, war in der Zwischenzeit die Bedeutung der Atomwaffen immer mehr gewachsen. Seit 1952 vertraten die USA die Auffassung, daß einem potentiellen Angreifer mit »massiver Vergeltung« gedroht werden müsse, damit er bei jeder Aktion das unkalkulierbare Risiko einging, einen atomaren Gegenschlag auszulösen. Dieser »new look« der amerikanischen Verteidigungspolitik, die Strategie der »massive retaliation«, die im Dezember 1954 die NATO übernommen hatte, stieß bei den europäischen Verbündeten, besonders bei uns, auf Besorgnis, zumal sie zu einer Reduzierung der amerikanischen Truppen führen konnte.

Dies war die Lage im April 1957. Sowenig ideal mir diese Verteidigungskonzeption auch erschien, sie blieb zunächst Voraussetzung unserer Arbeit. Von Anfang an aber versuchte ich nun, die konventionelle Abwehrbereitschaft zu stärken, um die für Deutschland gefährliche Vergeltungsstrategie überflüssig zu machen. Schon von 1953 an hatte ich mich bemüht, die Bedeutung von starken konventionellen Kräften für Mitteleuropa den NATO-Befehlshabern klarzumachen und die Planungen für eine Verteidigung des westdeutschen Gebiets zu beeinflussen. Aber erst jetzt, da die ersten Bundeswehreinheiten standen und ich das Oberkommando übernommen hatte, bekam mein Wort Gewicht. Erst jetzt konnte man daran gehen, die Grundzüge eines Konzepts der »Vorwärtsverteidigung« zu entwickeln, die in der Bundesrepublik nicht nur das Schlachtfeld Westeuropas, Frank-

361

reichs Vorfeld sah. Von jetzt an wurde es möglich, bei der Zielplanung der taktischen Atomwaffen mitzuwirken.

Nachdem die Vereinigten Staaten sich bereit erklärt hatten, ihren Verbündeten atomare Trägerwaffen zu liefern, entwickelte die NATO mit ihrem Papier MC 14/2 nun eine Strategie, nach der ein Angriff nicht unbedingt mit »massive retaliation«, sondern je nachdem auch mit taktischen Atomwaffen auf dem Gefechtsfeld beantwortet werden sollte.

In der Bundesrepublik rief diese NATO-Strategie neue Besorgnisse hervor, weil man befürchtete, daß Deutschland zum Schlachtfeld eines atomaren Krieges werden könnte. Nach dem langen Kampf um den Aufbau der Bundeswehr folgten nun heftige Auseinandersetzungen um die Ausrüstung der Bundeswehr mit modernen Trägerwaffen. Für uns Soldaten konnte es aber keine Frage sein, daß eine Politik der Friedenssicherung auf solche Waffen nicht verzichten konnte.

Während des großen SHAPE-Planspiels wurde ich am 17. April 1957 mit Bundesminister Franz Josef Strauß und General Heusinger zusammen zu einer »Atomkonferenz« dringend nach Bonn gerufen. Adenauer hatte sie einberufen, um den Atomwissenschaftlern mündlich auf ihre warnende »Göttinger Erklärung« zu antworten. Die Professoren Otto Hahn, Werner Heisenberg, Walther Gerlach und Carl Friedrich von Weizsäcker hatten in großer Sorge darauf hingewiesen, daß eine national-souveräne Atombewaffnung eine zusätzliche Gefährdung der Sicherheit der Bundesrepublik darstelle. Dieser Auffassung der Wissenschaftler stand das politische Argument gegenüber, daß der Verzicht auf Atomausrüstung, auch im Hinblick auf die Londoner Abrüstungskonferenz, eine Vorleistung darstelle, die die Sowjets nur zu erhöhtem Druck veranlassen würde, was sich bald darauf in der drohenden Note der Sowjetregierung vom 27. April bestätigte.

Die Auffassungen, die sich zunächst schroff gegenüberzustehen schienen, führten dann zu einem gewissen Einverständnis besonders durch den Hinweis Adenauers, daß an eine atomare Bewaffnung der Bundeswehr überhaupt nicht gedacht werde, nur an eine Ausstattung mit Trägern, die im Ernstfall atomare Sprengköpfe – die aber in amerikanischer Verwahrung blieben – erhalten sollten. Die Entscheidung über den Einsatz von Atomwaffen liege ausschließlich beim Präsidenten der USA.

Eine Annäherung der Meinungen wurde auch dadurch erleichtert, daß die achtzehn Atomwissenschaftler in ihrer Erklärung vom 12. April 1957 sich »zur Freiheit, wie sie heute die westliche Welt gegen den Kommunismus vertritt« bekannten und nicht leugneten, »daß die gegenseitige Angst vor den Wasserstoffbomben heute einen wesentlichen Beitrag zur Erhaltung des Friedens in der ganzen Welt und der Freiheit in einem Teil der Welt leistet«.

Ich wurde beauftragt, General Norstad über die Besprechung zu unterrichten.

Für mich bedeutete der Tag die erste Begegnung mit Werner Heisenberg, einer anima candida. Dieser große Physiker und Philosoph scheute sich nicht, auch in der Politik seinen wissenschaftlichen Sachverstand und seine Autorität einzusetzen. In den Jahren 1964 bis zu seinem Tode im Februar 1976 gehörte er dem Stiftungsrat der Stiftung Wissenschaft und Politik an, dessen Präsident ich heute noch bin. Seinem menschlichen Engagement und weisen Rat haben wir viel zu danken. Ich durfte ihm freundschaftlich nahetreten.

Nach der Rückkehr von dieser Konferenz konnte ich die Arbeit als Oberbefehlshaber wirklich aufnehmen. Am 20. April hielt ich meine erste Ansprache an die über hundert Offiziere meines Stabes, nachdem ich jeden einzeln begrüßt und mir sein curriculum vitae hatte vortragen lassen. Ich wies darauf hin, daß Probleme der Verteidigung nie einseitig militärisch gesehen werden dürften, sondern vor ihrem historischen, politischen, wirtschaftlichen und geistigen Hintergrund. Unser aller Bemühungen um die Verteidigung des jeweiligen Vaterlandes seien nunmehr in der Gemeinschaft der NATO aufgegangen. Der Auftrag der Streitkräfte aber sei die Verhinderung des Krieges durch Abschreckung und bei ihrem Versagen Verteidigung der NATO-Territorien mit allen modernen Kampfmitteln und Führungsformen.

Der Stab war militärisch völlig integriert; dieses System hat sich voll bewährt. Die Integration wurde aber mehr und mehr nicht nur eine von nüchterner militärischer Zweckmäßigkeit bestimmte Organisationsform, sondern sie erweiterte sich zu einem menschlichen Zusammenwachsen. Mein Chef des Stabes war immer ein belgischer Generalleutnant, seine Stellvertreter ein englischer und ein holländischer Generalmajor. Neben einem deutschen hatte ich jeweils einen französischen und englischen Adjutanten, mit denen ich – mit dem ausgezeichneten Paul Brésard ebenso wie mit dem treuen Joe Lassetter – noch heute verbunden bin. Die einzelnen Abteilungen wurden von einem amerikanischen, englischen, französischen und deutschen Brigadegeneral geführt. Hervorragend unterstützt wurde ich von meinen deutschen Kabinett-Chefs, den Obersten i. G. Koller-Kraus und Wolf. Bei aller Verschiedenartigkeit der Nationalität und der Herkunft waren wir uns im Geiste einig, und unsere Hoffnung ging dahin, daß das Beispiel der militärischen Integration in Europa auch auf die politische Ebene wirken würde.

Die praktische Seite der Integration lag nicht nur in der einheitlichen Führung und Ausbildung der Verbände, sondern auch in der einheitlichen Organisation, Ausrüstung und Versorgung. Sehr früh waren wir uns über die Wichtigkeit gemeinsamer Forschung und Entwicklung klar, aber hier, vor allem in der Frage einer gemeinsamen Rüstung, gewannen auf die Dauer doch die nationalen Egoismen die Oberhand.

Der Oberbefehlshaber von Centre Europe, General Jean Etienne Valluy, war ein mutiger Vorkämpfer der atlantischen

Allianz und ein großer Europäer. Schon in der ersten Aussprache wies er darauf hin, daß sich aus der Beteiligung der Bundesrepublik Deutschland an der Verteidigung des Westens die Notwendigkeit ergebe, die Verteidigung so weit ostwärts wie möglich zu führen, um das deutsche Territorium in den Schutz einzubeziehen. So hatten die Landstreitkräfte den Auftrag, mit direkter und indirekter Unterstützung der Luft- und Seestreitkräfte den Bereich von Europa-Mitte so weit ostwärts wie möglich zu verteidigen. Dadurch sollten sie gleichzeitig die Infrastruktur und die Navigationshilfen der Luftwaffe decken. Dies setzte naturgemäß voraus, daß sich die Landstreitkräfte bereits am Eisernen Vorhang einem möglichen Feindangriff entgegenstellen mußten, um ihn zum Stehen zu bringen und zu zerschlagen. Jeder Versuch der Sowjets oder ihrer Satelliten, einen lokalen Einbruch zu erzielen, sollte vereitelt werden.

In den ersten Maitagen 1957 trat ich meine Besuchsreise bei den Regierungen an, die Truppen unter meinem Kommando stellten. Der erste Besuch galt Luxemburg, wo mich sowohl der Armee- und Finanzminister Werner als auch der Gemahl der Großherzogin, Prinz Sixtus von Bourbon-Parma, in verständnisvoller Weise aufnahmen. Mit letzterem hatte ich ein ausführliches Gespräch über die Friedensbemühungen seiner Schwester, der Kaiserin Zita, während des ersten Weltkrieges. Er betonte dabei die bona fides seiner Schwester.

Am nächsten Tag hatte ich die erste Audienz bei König Baudouin in Brüssel, die mit einem heiteren Intermezzo begann. Man gab mir vor dem Eintritt zu verstehen, daß der Monarch nur zehn Minuten Zeit habe. Als ich mich nach dieser Zeit abmelden wollte, fragte mich der König erstaunt: »Haben Sie so wenig Zeit für mich?« Ich berichtete ihm von dem Hinweis des Protokolls, der ihn sehr amüsierte. Die Audienz dauerte dann eine gute Stunde. Der König sprach mich auch auf das Schicksal seines Vaters und die militärische Lage im Mai 1940 an, die ich als Ia des

IX. Korps gegenüber der belgischen Armee erlebt hatte. Ich trug ihm meine Auffassung vor, daß König Leopold III. angesichts der militärischen Lage im Interesse seines Landes den einzig möglichen Entschluß gefaßt habe, nämlich den der Kapitulation und des Verbleibens im Lande. König Baudouin, der einen umfassend orientierten und sicheren Eindruck machte, stellte mir eine Begegnung mit seinem Vater in Aussicht.

Anschließend besuchte ich in Den Haag die niederländische Regierung, wobei ich die große Freude hatte, meinen Mithäftling von 1944/45, den ehemaligen niederländischen Oberbefehlshaber, General Jonkheer van Roël wiederzusehen. Besuche bei den Oberbefehlshabern General Bruce Clarke in Stuttgart, General Hodes in Heidelberg, General Jacquot in Baden-Baden und Sir Dudley Ward in Mönchen-Gladbach folgten. Überall war die Aufnahme kameradschaftlich, besonders warmherzig bei den amerikanischen Oberbefehlshabern, mit denen ich mich in die goldenen Bücher von Stuttgart und Heidelberg eintragen mußte.

Am 14. Juni wurde mir die Urkunde der Beförderung zum Vier-Sterne-General – einstmals Generaloberst – überreicht, die Bundespräsident Heuss bereits am 5. April unterschrieben hatte. Als Drei-Sterne-General konnte ich nicht gut Vorgesetzter von drei alliierten Vier-Sterne-Generalen sein.

Im Herbst folgten Besuche in den Hauptquartieren von Europa-Süd, Europa-Nord und in London. Mein italienischer Kollege, General Albert, residierte in Verona in der alten Residenz von Feldmarschall Graf Radetzky. Der enge Kontakt mit den Oberbefehlshabern von Europa-Nord und Europa-Süd war wesentlich für unsere Arbeit. Eine mangelhafte Sicherung der Flanken hätte auch Europa-Mitte verstärktem Druck aussetzen können. Militärisch, künstlerisch und menschlich waren die Besichtigungen in Verona, Vicenza und Venedig gleichermaßen eindrucksvoll, nicht zuletzt das Erlebnis des verträumten Torcello an einem strahlenden Spätsommermorgen.

Bei der Reise nach London begleitete mich neben meinem englischen Adjutanten mein Sohn. Nach einer Besichtigung der Kadettenschule Sandhurst und der Generalstabsakademie Camberley besprach ich mit dem Schwiegersohn von Winston Churchill, dem Verteidigungsminister Duncan Sandys, seine Bedenken gegenüber den Grundsätzen der Vorwärtsverteidigung. Es gelang mir, seine Vorbehalte zu zerstreuen; am Ende bekräftigte er meine Weisungen an die britische Rheinarmee. Bei dem Diner des Verteidigungsministers hatte ich meinen Platz zwischen dem Ersten Seelord, Admiral Earl Mountbatten und dem Feldmarschall Earl Alexander, bedeutenden, meist deutsch sprechenden Gesprächspartnern.

In diesen Tagen traf ich auch meinen alten Regimentskameraden von den Königsgrenadieren, Jona von Ustinov, wieder, mit dem mich das Kampferleben in den Argonnen im Jahre 1915 verband. Er hatte 1933 seine Stelle als Leiter des Deutschen Nachrichtenbüros in London aufgegeben und war vom Dritten Reich ausgebürgert worden. Die künstlerischen Gaben der Eltern – die Mutter Nadja Benois war Malerin – sind in vielschichtiger Weise im Sohn Peter Ustinov vererbt; als Schauspieler wie als Schriftsteller war er schon damals berühmt geworden.

Anfang Oktober folgten General Valluy und ich einer Einladung der dänischen und norwegischen Regierung. Nach Aussprachen mit dem Verteidigungsminister Hansen und mit Admiral Quisgard in Kopenhagen über den Schutz der Nordflanke flogen wir am 9. Oktober weiter nach Norwegen. Während des Fluges wurden wir über Demonstrationen auf dem Flugplatz von Oslo unterrichtet; so wurde die Maschine nach dem Militärflugplatz Rygge umgeleitet. Der britische Oberbefehlshaber, Sir Cecil Sugden, der nicht mehr hatte benachrichtigt werden können und kurz zuvor in Oslo gelandet war, wurde nun an meiner Stelle insultiert und mit Steinen beworfen. General Valluy erhob bei der Begrüßung durch den norwegischen Verteidigungsminister schärfsten Protest, was die nachfolgenden Besprechungen überschattete.

Auf dem Gefechtsstand des Oberbefehlshabers Nord wurden wir dann eingehend unterrichtet über die Verteidigung Norwegens. Auf dem Rückweg besichtigten wir, General Valluy, der holländische und englische Oberbefehlshaber der Marine und Luftwaffe und ich die nahe Zonengrenze in Lübeck, die alle tief beeindruckte.

In der Familie brachte das Jahresende für alle drei Kinder Zäsuren in ihrem Lebensweg. Am 5. Oktober feierten wir in Bad Honnef die Hochzeit von Ina und Otto Saame. Am 16. Oktober trat Hansi nach einem Semester Studium generale im Leibniz-Kolleg in Tübingen bei der 4. Division in Regensburg als Offiziersanwärter in die Bundeswehr ein und folgte so aus freiem Entschluß seinem Vater. In den Weihnachtstagen verlobte sich Christa mit Guido Brunner. Unser Sohn begann seine erste Familienrede aus diesem Anlaß mit den Worten: »Chef, Vater und Freund!« Ein halbes Jahr später heirateten Christa und Guido in der Stadtkirche von Freudenstadt.

Ein interessierter Besucher in Fontainebleau war im Herbst der Herzog von Windsor, der frühere König Edward VIII. Nach einer Unterrichtung über die Verteidigungsmaßnahmen frischte er seine Erinnerungen an Stuttgart auf, wo er unmittelbar vor Kriegsausbruch 1914 bei König Wilhelm II. und Königin Charlotte, seinem »Onkel Willi und Tante Charlotte«, zu Gast gewesen war. Er erzählte humorvoll von der Sorge der Tante wegen des Leibesumfanges ihres Gatten, den sie deshalb »kurz« hielt. Er sei mit Onkel Willi, wenn die Tante zur Ruhe gegangen war, oft zum Eisschrank vorgedrungen, um sich mit einer weiteren Mahlzeit und schwäbischem Getränk zu versorgen. Viele Kameraden unseres alten Regiments kannte er noch bei Namen.

Wie wir in Fontainebleau viele Gäste hatten, so nahmen wir auch an manch anregendem Abend bei Freunden teil. Lebhaft ist mir eine Einladung im kleinsten Kreis von General Valluy in Erinnerung mit dem bedeutenden Jesuiten Père Riquet, der einst Häftling im Konzentrationslager Mauthausen gewesen war, ein wortgewaltiger Anwalt eines vereinten Europas, allerdings im Sinne der Europäer und nicht der Hegemonialabsichten de Gaulles. »Europe ma patrie«, rief er uns zu.

Das Jahr 1958 begann mit einer Aussprache bei Bundeskanzler Adenauer. Strittig war vor allem die Frage, in welchem Zeitraum die deutschen Divisionen aufgestellt werden könnten. Aus außen- wie innenpolitischen Gründen drängte Adenauer auf eine Beschleunigung. Im Hinblick auf eine gründliche und gute Ausbildung, die wir, um eine qualifizierte Truppe zu erhalten, fordern mußten, mahnte ich zu Geduld und lehnte »Improvisationen«, wie sie der Bundeskanzler anregte, ab. Auch gegenüber Feldmarschall Montgomery vertrat ich den Standpunkt, daß die angestrebte Qualität der deutschen Armee nur bei einer angemessenen und nicht überhasteten Aufstellungszeit zu erreichen sei.

Am 15. Januar machte mir der 91jährige General Maxime Weygand seinen Gegenbesuch in Fontainebleau, eine der markantesten Erscheinungen in der militärischen Geschichte Frankreichs, nicht zuletzt als unzertrennlicher Generalstabschef General Fochs. Ein deutscher Ehrenzug präsentierte. Ungebeugt und mit der kristallenen Klarheit seines Geistes interessierte sich Weygand für die operativen Aufgaben in Mitteleuropa. Farbig berichtete er von seinen Erfahrungen mit sowjetischen Streitkräften im polnisch-sowjetischen Krieg. Weygand war überzeugt, daß es militärische Grundsätze gäbe, die die Zeiten überdauern. So kam er auf Turenne zu sprechen, über den er 1934 meisterhaft geschrieben hatte. Turenne habe nichts dem Zufall überlassen, sondern alle Operationen methodisch bis ins einzelne durchdacht. Immer habe er die Masse der Verbände für bewegliche Operationen freigehalten und so wenig wie möglich Kräfte für Nebenaufgaben verwandt. Auch sei er stets aktiver als sein Gegner gewesen und habe dadurch, selbst in ungünstigen Lagen, ja aus dem Rückzug heraus, die Initiative behalten. Leider sei ihm selbst, als er in der aussichtslosen Lage nach dem 5. Juli 1940 General Gamelin ablösen mußte, die Verwirklichung dieser Führungsprinzipien nicht mehr möglich gewesen.

Eindrucksvoll und modern in der Auffassung sprach Weygand von der erzieherischen und sozialen Aufgabe jedes Offiziers. Vor dem Kriege hatte er die Schrift Marschall Lyauteys »Du rôle social de l'officier dans le service universel« neu herausgegeben und mit einem Vorwort versehen. Die französische Jugend sei damals zu abstrakt und zu theoretisch ausgebildet worden, so daß für eine Vorbereitung aufs wirkliche Leben nur wenig Raum geblieben sei. Die soziale Aufgabe des Offiziers sei Menschenerziehung seiner Soldaten. Zur richtigen Erziehung und Ausbildung bedürfe es einer glücklichen Verbindung von Geist und Tat, die erreichen müsse, daß der Soldat nach Beendigung seiner Dienstzeit »militärisch gehoben« seine Kaserne verlasse. Die Gedanken dieser Erziehungsschrift entsprachen in ihrem sittlichen Postulat den Ideen, die auch unsere Führungsprinzipien beeinflussen sollten.

Bei dieser Gelegenheit erzählte ich Weygand, daß ich vor dem Kriege die Herausgabe seiner Schrift »La France est-elle défendue?« veranlaßt und anonym mit einem ausführlichen Vorwort versehen hatte.

General Weygand war ein Mann von seltenem menschlichen, politischen und militärischen Format. General de Gaulle hat Weygand, des Waffenstillstandsersuchens vom Juni 1940 wegen, bis über das Grab hinaus mit Haß verfolgt und dem großen Soldaten und einstigen Waffenbruder militärische Ehrungen bei der Trauerfeier verweigert.

Anfang Februar konnten wir endlich in ein Landhaus in Fontainebleau einziehen, das einstmals ein Mitglied der Familie Murat zur

Jagd gebaut hatte. Es hieß nach einigen Prachtexemplaren von Ulmen im Garten »Les Ormeaux«.

Mitte Februar nahm ich an den amerikanischen Manövern im Maingebiet um Wertheim teil, die mit einem rauhen Erlebnis begannen. Mein G 3, Brigadegeneral Polk, Oberstleutnant i. G. Schall und ich starteten nach einer Besprechung im US-Hauptquartier vom IG-Haus in Frankfurt mit dem Hubschrauber durch Schneetreiben und stürmische Böen. Plötzlich riß eine Bö die rechte Seitentür mit einem Stück der Wand heraus. Gottlob landete die Tür in einem Garten. Ich entschloß mich weiterzufliegen, was aber ein reichlich kaltes und wenig gemütliches Unternehmen wurde.

Ein Übermaß an Besuchergruppen aller Art aus Deutschland, den NATO-Staaten, ja auch aus der neutralen Schweiz ergoß sich in diesen Jahren über Fontainebleau. Eines Tages rief mich General Norstad an und bat mich, einen Professor der Harvard-Universität zu empfangen, der sein volles Vertrauen genieße; er heiße Henry Kissinger. Der Besuch ist mir in lebhafter Erinnerung, nicht nur der späteren Bedeutung des Außenministers wegen, sondern weil der historisch, politisch und militärisch gleicherweise interessierte Mann eine blendende Intelligenz hatte. Schon der erste tour d'horizon über die aktuellen Probleme zeigte seine bestechende Sicherheit des Urteils. Sein Wissen um strategische Fragen war stupend. Die großen Zusammenhänge der Geschichte verstand er so fesselnd und farbig darzustellen, wie ich es nur bei wenigen Historikern gefunden habe. Es war ein Vergnügen, sich mit diesem kultivierten und offenen Mann zu unterhalten.

Vom 9. bis 18. Mai folgten wir einer Einladung des italienischen Generalstabschefs, meines alten Freundes Giuseppe Mancinelli, nach Rom; General Valluy kam zum Oberkommando Europa-Süd in Neapel nach. In Rom war eine Privataudienz bei Papst Pius XII. vorbereitet. Schon das Zeremoniell war besonders feierlich. Es begann mit einem Abschreiten der Front der malerischen Schweizer Garde mit ihrer traditionsreichen alten Fahne, dann führte der Gang durch die päpstlichen Gemächer mit immer höheren Würdenträgern bis zur Öffnung des Arbeitsraumes des Papstes. Papst Pius XII. empfing mich allein, da er Deutsch beherrschte. Er erkundigte sich nach meinem jetzigen Aufgabengebiet und nach meinen Eindrücken im Deutschland der Nachkriegszeit, wobei er an eine frühere Begegnung der Berliner Zeit erinnerte. Zum Schluß bat er Ruth herein und gab uns seinen Segen, »da wir ja alle Christen sind«. Wir hatten einen tiefen Eindruck von dieser erhabenen Persönlichkeit. Wohltuend erschienen uns seine Liebe zu Deutschland und sein ermutigendes Vertrauen.

In Neapel wurden wir vom amerikanischen Oberbefehlshaber, Admiral Briscoe, herzlich aufgenommen, der uns nach den Besprechungen sein Motorboot zu einer Fahrt nach Capri, Sorrent, Amalfi und Ravello gab. Am Abend in der Residenz des Admirals, der »Villa Nike«, kam die Nachricht vom Staatsstreich in Algier und der Machtübernahme durch General de Gaulle. General Valluy quittierte sie mit der Bemerkung: »Armes Frankreich! Mich wird er so bald wie möglich loswerden wollen.«

Tatsächlich setzte mit der Machtübernahme de Gaulles ein neuer Abschnitt in der Geschichte der NATO ein. Das Verhältnis zum französischen Bündnispartner wurde während der nächsten Monate und Jahre immer gespannter. Schon kurz danach hielt de Gaulle in der Ecole Militaire eine scharfe Rede gegen die Integration, wobei er in erster Linie die Amerikaner und Engländer ansprach.

Während der nächsten Monate und Jahre suchte er durch neue und oft sinnlos erscheinende Vetos, etwa in Fragen der gemeinsamen Luftverteidigung, nicht nur die Souveränität Frankreichs, die niemand antasten wollte, herauszustreichen, sondern den Bündnispartnern seinen Führungswillen aufzuzwingen. Bald nach seiner Rückkehr an die Macht proklamierte er den Aufbau einer nationalen atomaren »Force de frappe« und einer »strategischen Operationsreserve«, die selbständige französische Operationen außerhalb der NATO möglich machen sollten. Der Anfang vom Ende der französischen Zugehörigkeit zur NATO zeichnete sich bald ab.

Mit direkten Befehlen de Gaulles an französische integrierte Kommandostellen begannen die ersten Schwierigkeiten; später kam das fast schon erheiternde Verbot für die französischen Offiziere, englisch zu sprechen. Während bisher die besten französischen Generalstabsoffiziere in die NATO-Stäbe entsandt worden waren, wurde nun deren Qualität bewußt herabgesetzt. Plötzlich kam auch wieder der Gedanke auf, Frankreich müsse die Bundeswehr kontrollieren.

De Gaulle schien die Teilung Deutschlands als Geschenk zu betrachten und Westdeutschland als willkommenes Glacis. Als später der Schlußband seiner Erinnerungen herauskam, sah ich diese Vermutung bestätigt.

General Valluy war stets ein überzeugter Vertreter der Vorwärtsstrategie gewesen. So war es keine Überraschung für mich, daß er wie auch andere Vorkämpfer der Integration, etwa General Allard, von de Gaulle zunehmend kritisiert wurde. Es ist mir unvergeßlich, wie General Valluy unmittelbar nach einem Vortrag bei de Gaulle über Probleme der NATO und der Verteidigung Mitteleuropas zu mir kam und von der brüsken Verabschiedung berichtete. Ohne Händedruck hatte de Gaulle ihn mit den Worten entlassen: »Vous n'êtes plus un général français – allez y.« De Gaulle hatte einst mit Valluy im selben Regiment gedient; er hat ihn nicht mehr empfangen.

Bald nach meinem Besuch bei Admiral Briscoe besichtigte ich die 4. Division in Regensburg und traf unseren Hansi als Offiziersanwärter. Bei den neuaufgestellten Einheiten der Bundeswehr waren bedeutsame Fortschritte zu erkennen, nicht nur in der äußeren Einsatzbereitschaft, sondern auch im inneren Zusammenhalt. Diese Besichtigungsreisen zu mir unterstellten Einheiten gehörten wesentlich zu meinen Aufgaben. Sie waren mir aber auch deshalb wichtig, weil ich mich dadurch über das rein Militärische hinaus politisch auf dem laufenden halten konnte. Eine Tätigkeit im Ausland im internationalen Rahmen bringt ja leicht die Gefahr mit sich, aus den Augen zu verlieren, was im eigenen Land geschieht.

Die Sicherung und Überwachung des Zonengrenzgebietes sowie die Regelung der Verantwortlichkeit für alle in den grenznahen Räumen der Bundesrepublik eingesetzten Verbände, Kontroll- und Sicherheitsorgane machten mir in dieser Zeit große Sorge. Das Nebeneinander von verbündeten Truppen, von militärischen Organisationen und Polizeikräften aller Art mit den verschiedensten Unterstellungsverhältnissen erschwerten eine klare Lösung. Die Sicherheit, das reibungslose Funktionieren aller Organe schon im Frieden, geschweige denn in Spannungszeiten oder gar im Kriege, war damals in der Bundesrepublik nicht gewährleistet.

Die Grundlage für die militärische Überwachung der Zone und der Landesgrenze bildete der Pariser Vertrag vom Oktober 1954, demzufolge sich die USA, Großbritannien und Frankreich alle Maßnahmen zur Sicherung ihrer Streitkräfte in der Bundesrepublik vorbehalten hatten; die Bundesrepublik verfügte damals noch nicht über die notwendigen Mittel und die gesetzlichen Voraussetzungen.

Im Bereich der amerikanischen Armee waren Sicherung und Überwachung wohldurchdacht und gut organisiert, die dafür bereitgestellten und hervorragend geschulten Panzer-Kavallerie-Regimenter besichtigte ich regelmäßig und war immer wieder beeindruckt von dem hohen Stand der Ausbildung.

Im britischen Sektor erfolgte die Überwachung nicht intensiv, während Frankreich, Belgien und die Niederlande damals keinen

Verantwortungsbereich am Eisernen Vorhang hatten. In dieser Situation forderten wir eine klare Grundlage für die militärische Grenzkontrolle, das heißt die Eingliederung des Bundesgrenzschutzes und aller in den Grenzabschnitten eingesetzten territorialen Kräfte in Spannungszeiten in das militärische Alarmsystem der NATO. Diese Neuordnung hatte aber eine Änderung des Pariser Vertrages vom Oktober 1954 und ein deutsches Notstandsgesetz zur Voraussetzung. Wir schlugen vor, für die verbündeten Streitkräfte den Bundesminister der Verteidigung als Kontaktstelle zu bestimmen, da nur er die dringend notwendige Koordinierung der Verteidigung auf allen Gebieten staatlichen Seins durchführen könne. Erst zehn Jahre später wurde nach heftigen Auseinandersetzungen die Notstandsgesetzgebung verabschiedet und damit eine Grundlage für die militärische Grenzkontrolle der NATO geschaffen.

Am 4. und 5. November hatte ich mit Genehmigung der Generale Norstad und Valluy zum ersten Mal ein Kriegsspiel in zwei Parteien unter der Deckbezeichnung »Hostage bleu« angelegt, in dem eine aktuelle Lage im Rahmen der Verteidigungsmittel Europas durchgespielt wurde. Diese Art des Kriegsspiels, bei der die militärischen Führer ihre Entschlüsse selber fassen und alle Anordnungen treffen müssen und sich nicht auf ihren Stab stützen können, war für die Angelsachsen vollkommen neu. Beim Ansatz der Aufgabe gab es denn auch ein charakteristisches Intermezzo. Der amerikanische Oberbefehlshaber in Heidelberg sagte telegrafisch mit der Begründung ab, er als Oberbefehlshaber ließe sich vor einem solchen Gremium nicht examinieren. Ich bestimmte den Oberbefehlshaber der 7. Armee zu seinem Vertreter. Zu dem Kriegsspiel selbst kam der amerikanische General aus Heidelberg aber trotzdem und war dann so begeistert, daß er selbst immer vortragen wollte; er wurde zum eifrigsten Verfechter des Kriegsspielgedankens.

Schmerzlich war der Abschied von unserem schwerkranken

Botschafter in Paris, unserem alten Freund Maltzan, der nur kurz die Krönung seiner Laufbahn als Botschafter in Paris erleben konnte. Er wurde durch Botschafter Herbert Blankenhorn ersetzt, diesen Vollblutpolitiker, mit dem ich schon im Rahmen der NATO vertrauensvoll zusammengearbeitet hatte.

Um diese Zeit tauchten verstärkt die Probleme des »limited war« und des »deterrent« auf, die wir zunächst mit den Befehlshabern der Luft- und Marinestreitkräfte besprachen. An der Doktrin der »massiven Vergeltung« war zunehmend Kritik geübt worden, vor allem von Außenminister Dulles und General Taylor. Es ging um die Frage der Verhältnismäßigkeit der Mittel: Sollten die USA auch bei einer begrenzten Aggression ihre gewaltige Atommacht einsetzen? Bei einem Verzicht war aber die Gefahr gegeben, daß die Verbündeten durchaus ernsten Übergriffen und militärischen Aktionen ohne den Schutz der amerikanischen Atomwaffen begegnen müßten. Bei der Überlegenheit der sowjetischen Armee müßte das ein verzweifeltes Unterfangen werden.

So suchte man nach einer elastischeren Strategie, die angesichts der vielfältigen Angriffsmöglichkeiten nicht durch eine einzige Reaktion festgelegt war. Mit der Theorie der »flexible response«, die allerdings erst viel später zur amtlichen Doktrin wurde, erhielten die konventionellen Streitkräfte wieder größere Bedeutung. In all diesen Fragen der Atomkriegführung konnten wir unsere Gedanken mit den Alliierten abgrenzen, und vor allem unsere eigenen Überlegungen, zum Beispiel hinsichtlich der adäquaten Zielbestimmung der taktischen Atomwaffen, ins Spiel bringen. Schon allein damit hatte sich die deutsche Beteiligung an der Führung nach kurzer Zeit gelohnt.

Die Frage der Atomkriegführung bewegte zunehmend nicht nur die Soldaten und die Politiker, sondern auch weite Teile der Bevölkerung. Im Dezember 1958 ließ mir Karl Jaspers aus Basel seine Schrift »Die Atombombe und die Zukunft des Menschen« zugehen. Ich dankte ihm mit meinem Buch über die »Invasion

1944«. Daraus entwickelte sich ein Briefwechsel, der sich über mehrere Jahre erstreckte.

Jaspers verhehlte nicht die Sorgen, die der Aufbau neuer deutscher Streitkräfte in ihm ausgelöst hatte, doch bejahte er ausdrücklich einen deutschen Verteidigungsbeitrag. »Europa und noch mehr ist verloren ohne den Damm, den nur Deutschland durch diese Armee im Laufe der Zeit aufzurichten vermag.« Er befürchtete jedoch eine Gefährdung der »deutschen Seele«, wenn die Armee nicht teilnähme an der von ihm geforderten radikalen Umkehr, dem »Abbruch der unmittelbar vorhergegangenen falschen Tradition«. Die Armee müsse sich auf ihren in der jüngsten Epoche verratenen Ursprung besinnen und sich im Geist von Gneisenau, Scharnhorst und Clausewitz erneuern.

In meiner Antwort wies ich erst einmal darauf hin, daß zur jüngsten Geschichte der deutschen Armee beispielhaft auch Generaloberst Beck gehöre, der eben aus der Tradition der Armee und des Generalstabs die Konsequenzen des zum Letzten bereiten Widerstandes gegen Hitler gezogen habe. Dann gab ich zu bedenken, daß gerade aus der engen Verbundenheit der verschiedenen Nationen in der NATO Ansätze zu wirklicher Solidarität und zu einem neuen soldatischen Ethos kämen.

Zum zehnten Jahrestag des Atlantikpaktes hielt ich in Paris vor einem geladenen Kreis unter dem Vorsitz des ehemaligen Ministerpräsidenten Georges Bidault und des Marschalls Juin einen Vortrag über »Le rôle des forces armées allemandes dans la défense atlantique«. Ich betonte die politische und militärische Notwendigkeit der Einbeziehung der Bundesrepublik Deutschland in die Verteidigungsplanung, wie auch die Unterstellung unter einen einheitlichen Oberbefehl. In der Diskussion kam eine erfreuliche Zustimmung zur atlantischen Idee und zur gemeinsamen Verteidigung Europas zum Ausdruck; aber die Tage der ungetrübten Zusammenarbeit mit den Franzosen im Rahmen der NATO waren trotzdem gezählt.

Kurz darauf besichtigten General Valluy und ich die Grenzräume am Eisernen Vorhang und besuchten das belgische Détachement unter Oberst Boussemare. Belgische Truppen waren die einzigen Verbündeten vom europäischen Kontinent, die einen bedrohten Abschnitt am Eisernen Vorhang übernommen hatten, während Franzosen und Niederländer nur im rückwärtigen Gebiet ihre Truppen hatten. Diese belgische Elitetruppe war beispielhaft in der Erfüllung ihrer Aufgabe, was ich auch König Baudouin berichten konnte.

Besuche in den Niederlanden beim holländischen Generalstabschef schlossen sich an. Mitte Mai wurde ich zu einem Vortrag vor der britischen Generalstabsakademie Camberley eingeladen, der in dem traditionsreichen Rahmen mit einer lebhaften Diskussion sehr erfreulich verlief. Am Abend folgte dann ein NATO-Bankett unter dem Vorsitz des Herzogs von Edinburgh und in Gegenwart des Prinzen Bernhard der Niederlande.

Eine schwere Sorge in diesen Jahren waren für den französischen Bündnispartner die jahrelangen Kämpfe in Algerien, das als XX. Departement ein Teil des Mutterlands war. Nach dem Indochinakrieg war dies noch einmal ein französischer Kolonialkrieg, der zu einer Schwächung der europäischen Verteidigung führte. Um uns über die politische und militärische Situation in Algerien zu unterrichten, lud der französische Generalstab die Oberbefehlshaber aus Fontainebleau zu einer Reise nach Algerien ein, die in der heißesten Zeit im Juli stattfand. General Valluy selbst übernahm die Führung.

Auf dem Flugplatz von Algier empfing uns General Massu; der Schwiegersohn de Gaulles, Colonel de Boissieu, führte uns in die Lage ein. Schon am nächsten Morgen starteten wir über das Kampfgebiet hinweg nach Hassi-Messaud bei Ouargla in der Sahara, wo wir nicht nur die militärische Kommandostelle, sondern auch die Bohranlagen der beiden Erdölgesellschaften besichtigten, eine große französische Pionierleistung. Am späten Abend flogen wir – am Horizont das Gebirge am Rande der Wüste bei einzigartiger Beleuchtung – über Touggourt nach der Oase Biskra. Im »Klingsor-Garten« des Hauptpräfekten, voll römischer Altertümer, wurde das nächtliche Essen eingenommen, ehe die Skorpione in den »Hotel«-Zimmern schwadronsexerzieren machten und jeglichen Schlaf verhinderten. Anderntags flogen wir im Helikopter durch Heuschreckenschwärme und Sturzregen entlang des elektrisch geladenen Stacheldrahtzauns an der Grenze zu Tunesien nach Bône. Unterwegs wurde uns an Ort und Stelle der taktische Verlauf von Einzelgefechten mit den »Rebellen« erläutert. In dem schwierigen Gelände waren die Kämpfe verlustreich verlaufen. In Bône bewegten mich die großartigen Ausgrabungen von Hippo Regius; welche Geschichte vor und nach Augustinus! Am Abend ging es nach Constantine, wo uns der Präfekt im berühmten Palais des Bey el-Hadj-Ahmed in einer Aura von Tausendundeiner Nacht bewirtete. Am nächsten Tag besichtigten wir Siedlungen des »Regroupement de population« und des »Mouvement de jeunesse« und bekamen einen starken Eindruck von der kolonisatorischen Leistung der Franzosen. Dennoch war nicht zu verkennen, daß diese Ära zu Ende ging.

Auf seinem Gefechtsstand gab uns General Gracieux Einblick in die militärische Gesamtlage, vor allem aber einen Begriff von der Schwierigkeit von Operationen, die gegen einen unsichtbaren Feind erfolgen und im Guerillakrieg enden mußten.

Vor dem Abflug lud uns noch der Oberbefehlshaber von Algerien, General Challe, der später General Valluy ablöste, in seine hoch über Algier in einem herrlichen Park gelegene Residenz ein. Der Generalgouverneur Delouvrier verdeutlichte die politische Problematik der Algerienfrage, die sich wenig später zu ungeahnter Schärfe entwickeln sollte.

Am Tage nach der Rückkehr von dieser Algerienreise wurden wir NATO-Generale nach der Parade des 14. Juli zum ersten Mal nicht mehr zum Empfang bei General de Gaulle eingeladen.

Kurz danach landete ich anläßlich einer Besichtigungsreise zum 7. US-Korps in meiner schwäbischen Heimat mit dem Hubschrauber in Metzingen und wurde vom Gemeinderat meiner Geburtsstadt festlich empfangen. Es waren unvergeßliche Stunden mit dem Bürgermeister, dem Gemeinderat und der Bevölkerung. Die Verbundenheit mit der Heimat bedeutete mir viel, gerade auch während der langen Jahre, die ich in der Ferne wirkte.

Zum fünfzehnten Todestag von Feldmarschall Rommel hatten wir eine Gedenkfeier in größerem Rahmen mit einer Ehrenkompanie vorbereitet. Frau Rommel war mit ihrem Sohn Manfred gekommen, dazu Staatsminister Farny und Admiral Ruge. Diesmal nahmen auch die amerikanischen Befehlshaber der Umgebung an der Feierstunde teil. Welch ein Unterschied zu der Feier im Jahre 1945, als die Besatzungsbehörden ein solches Gedenken beargwöhnten, ja mich nicht sprechen ließen.

Auf Einladung der türkischen Regierung startete ich mit meinem persönlichen Stab am 25. Oktober dem türkischen NATO-Partner einen offiziellen Besuch ab. Der deutsche Generalkonsul und alte Konpennäler von Stuttgart, von Grävenitz, und der Oberbefehlshaber der 1. türkischen Armee empfingen uns in Istanbul. Der erste Abend führte uns durch das im Verkehr brodelnde Goldene Horn am Bosporus entlang nach Tarabya, der Sommerresidenz des deutschen Botschafters, wo wir den Soldatenfriedhof und das Grab des Generalfeldmarschalls Freiherr von der Goltz besuchten. Am nächsten Tag zeigte uns der Präsident des deutschen archäologischen Instituts, mein verehrter Tübinger Kollege Professor Bittel, die klassischen Stätten des alten Konstantinopel. Bei dieser ungemein lehrreichen Führung wurde die Geschichte von Jahrtausenden lebendig. Am späten Nachmittag fand am Bosporus eine Ehrenparade für mich statt, der ein Diner beim Oberbefehlshaber der 1. Armee, Generaloberst Ödzilek, folgte. Schon hier wurde nicht nur ein Oberbefehlshaber der

NATO begrüßt, sondern aufgrund gemeinsamen geschichtlichen und soldatischen Erlebens der deutsche Soldat.

Den Besprechungen in Istanbul folgte eine Reise nach Ankara, wo uns General Gürsel, der wenige Jahre später Präsident der Türkei wurde, begrüßte. In mehrstündigen Gesprächen mit dem klugen Chef des Generalstabs, General Erdelhün, wurden die Schwierigkeiten der politischen und militärischen Probleme der Türkei dargelegt. Der mir schon von den Planübungen bei SHAPE bekannte türkische Generalstabschef machte auch hier wieder einen überlegenen, seiner Sache sicheren Eindruck. Er begleitete mich zur feierlichen Kranzniederlegung in dem hoch über Ankara gelegenen Mausoleum des Nationalhelden Kemal Atatürk.

In Ankara fand dann ein militärpolitischer Gedankenaustausch mit dem Staatspräsidenten Bayar, Ministerpräsident Menderes, Außenminister Zorlu und Verteidigungsminister Menderes, den ich schon von Bonn her kannte, statt. Der Staatspräsident sprach von der »unvergeßlichen türkisch-deutschen Waffenbrüderschaft« im ersten Weltkrieg und meinte, eine »cause commune« bestehe auch heute für unsere Nationen, nicht zuletzt auf wirtschaftlichem Gebiet. Gemeinsam erörterten wir NATO-Probleme des Mittelmeerraumes. Der Abschluß der Besprechungen fiel mit dem türkischen Nationalfeiertag zusammen, so daß ich an der Seite des Staatspräsidenten die Parade miterleben konnte. Das Bild wurde durch das Erscheinen der farbenprächtigen Janitscharen mit ihrer charakteristischen Musik aufgelockert.

Die Spitzen dieser türkischen Regierung verloren im Umsturz von 1960 alle ihr Amt, teilweise ihr Leben.

Im November hatte ich nach einem Vortrag an der Technischen Hochschule in Stuttgart über Gedanken zur Verteidigung des Westens in Anwesenheit des Altbundespräsidenten Heuss ein besonderes Erlebnis: Am 200. Geburtstag von Friedrich Schiller hörten wir in Marbach die Rede von Carl Zuckmayer »Ein Weg zu

Schiller«. Diesen Weg »zur Person, zum durchlittenen Schicksal eines Dichters voller Menschlichkeit« durchmaß Zuckmayer kongenial.

Krönung des Abends war ein dionysisches Zusammensein mit Carl Zuckmayer. Die Runde – Ministerpräsident Kurt Georg Kiesinger, Herzog Philipp von Württemberg, Markgraf Berthold von Baden und last not least Ernst Jünger – wurde beschwingt durch geistreich-heitere Bonmots von Theodor Heuss, dem Zuck nichts schuldig blieb.

Das Jahr 1960 begann in Fontainebleau mit dem internationalen Gottesdienst am Dreikönigstag, den auf unseren Wunsch Bischof Lilje übernommen hatte. Er hielt in englischer Sprache eine gedankenreiche Predigt über die geistige Einheit der westlichen Nationen. Wie stets zum Jahresbeginn versammelte ich die Offiziere meines Stabes, um ihnen meine Gedanken für die gemeinsame Arbeit zu unterbreiten und mich dann ihren Fragen zu stellen. So kamen enge menschliche Kontakte zustande, die sich auch im internationalen Rahmen stets bewährt haben. Viele achteten solche Kontakte gering, doch erwiesen sie sich als bindende Kraft und gerade in den integrierten Stäben der NATO als eine bedeutende Aufgabe jedes Vorgesetzten. Die Mitarbeiter aus den einzelnen Ländern mußten spüren, daß das Herz ihres Vorgesetzten für sie schlug. So hatte ich es mir zur Pflicht gemacht, zur Jahreswende und zu jedem Geburtstag jeden Mitarbeiter persönlich an seiner Arbeitsstelle zu beglückwünschen. Den Widerhall spüre ich bis auf den heutigen Tag.

Im Lauf der Jahre waren wir auf diese Weise zusammengewachsen, nicht nur die Offiziere aus den verschiedenen Nationen, sondern auch ihre Familien. Über die gesellschaftlichen Verpflichtungen hinaus ergaben sich vielfältige menschliche Begegnungen. Ein Zusammengehörigkeitsgefühl hatte sich gebildet. Ob wir uns beim sonntäglichen Einkauf auf dem von der gesegneten Landschaft so reich beschickten und malerisch präsentierten Markt von Fontainebleau trafen, bei einem Gang der Seine entlang oder auf einem der zahlreichen Cocktails, wir empfanden uns mehr und mehr als eine große Familie.

Am 19. März 1960 flog ich nach Hamburg zur Feier des siebzigsten Geburtstages von Hans Schwarz, mit dem ich seit einem Vierteljahrhundert befreundet gewesen war. Hans Schwarz, durch sein journalistisches Wirken in den zwanziger Jahren der »konservativen Revolution« zugerechnet, hatte Dramen von beeindruckender Dichte verfaßt. Vielfach war er ein Mahner und unbequemer Warner. Die Tragödie »Kassandra«, zu Beginn des Krieges uraufgeführt, zwang mit ihren düsteren, prophetischen Szenen zum Nachdenken. Sein Drama »Caesar«, besonders die Verschwörer-Szene, ist eine Anklage gegen die Diktatur; dieses Aufbäumen wirkte in den letzten Kriegsjahren – wie Carl Goerdeler von einer Leipziger Aufführung dieses Stücks aus dem Jahre 1943 bezeugte – aufrüttelnd. Mag seine Gedankenlyrik auch zeitgebunden sein, so gilt doch auch hier das Wort von Ernst Jünger: »Das Gedicht gehört zum Wesen des Menschen, nicht zum Gepäck.«

Das Wirken von Hans Schwarz vollzog sich in seinem Schöppenstedter Retiro oft im Stillen. Beispielsweise war er es gewesen, der die Schaffung des Friedenspreises des Deutschen Buchhandels angeregt hat, wie sein Freund Max Tau berichtete; aber davon machte er kein Aufhebens. Ihm ging es um die Wirkung von Gedanken, nicht um die Autorschaft und ihre Vorteile. Er war ein Meister des Zwiegesprächs, daher konnte der Titel der Festschrift, die wir ihm zu seinem Siebzigsten überreichten, auch »Lob des Gesprächs« lauten. Für mich war Schwarz besonders der treue Briefpartner. Gerade bei meiner Vita activa war der Austausch von Gedanken, das Einvernehmen und der Gegensatz im Dialog eine belebende Kraft, und so wurde mir die Korrespondenz mit Hans Schwarz sehr wertvoll. Die Themen unserer Briefe, in denen er unserer gebrochenen Welt oft ein Gegenbild aus dem Geist der Antike aufrichtete, spannten sich vom »hellenischen Christentum« Hölderlins und den geistigen Kraftströmen vom Osten und von Byzanz nach Europa bis hin zur geistigen Durchdringung von konkreten politischen Ereignissen. Bis zu seinem Tod 1967 blieb diese Verbindung lebendig.

Zwischen Besichtigungen der verbündeten Einheiten in Deutschland feierten wir am 29. März den 65. Geburtstag des Freundes Ernst Jünger im Stauffenbergschen Forsthaus in Wilflingen mit Theodor Heuss zusammen. Ernst wurde an diesem Tag zum Ehrenbürger seiner Heimatgemeinde ernannt, die ihn mit einer köstlichen Bauernkomödie, mit Chorgesängen und Reden ehrte.

Im April hatte Arnold Bergstraesser ein NATO-Seminar an der Universität Freiburg organisiert, das unter dem Vorsitz des Rektors ablief. Seine Idee war, NATO-Probleme nicht allein den Politikern und Soldaten zu überlassen, sondern den Gedanken der atlantischen Gemeinschaft an die Universitäten weiterzutragen. Das programmatische Referat über die Bedeutung der Atlantikgemeinschaft, nicht zuletzt für Deutschland, hielt Bergstraesser selbst, dem Ministerpräsident Kiesinger, der Historiker Gerhard Ritter, Professor Arnold Wolfers von der Stanford University und andere in der Aussprache folgten. Es war ein bedeutender Auftakt für weitere NATO-Seminare, die 1964 durch den Tod Bergstraessers, dieses großen Anregers, leider ihr Ende fanden.

Nach der Besichtigung der 2. deutschen Division in Marburg ging es wieder zu einer Besprechung mit meinem italienischen Kameraden, dem Oberbefehlshaber in Verona, die mit einer heiteren Arabeske verbunden war. Die alte feste Stadt Görz wird im Osten und Norden eng von jugoslawischem Gebiet umklammert. Als wir auf der Burg standen, stiegen plötzlich Rauchzeichen auf jugoslawischer Seite hoch. Auf meine Frage, was dies bedeute, meinte der italienische Kommandant treuherzig, er habe die jugoslawischen Nachbarn von meiner Anwesenheit verständigt, und mir zu Gefallen wollten sie nun den genauen Grenzverlauf durch Setzung von Rauchzeichen markieren.

Bei unserer Rückkehr nach Paris schlug zu unserem großen Bedauern die Stunde des Abschieds von General Valluy von seinem Posten als Oberbefehlshaber von Centre Europe. In einer militärisch, politisch und menschlich gleich bewegenden Abschiedsansprache gedachte er mit warmen Worten unserer Zusammenarbeit und rief mir zu: »Vous avez fait preuve d'un tact patient, d'une philosophie supérieure ... et de beaucoup de cœur.« Valluy wies auf die wechselvollen Perioden der Geschichte hin, die wir, aus verschiedenen Nationen stammend, zusammen durchlebt haben. Zum Abschluß seiner Kommandoführung habe er die außerordentliche Ehre gehabt, »d'avoir à défendre Centre Europe contre une invasion possible. Le ›Limes‹ occidental du 20ème siècle ... ce fut quelque chose d'unique et de merveilleux«.

Am 17. Mai übernahm General Challe den Oberbefehl – eine menschlich und militärisch ganz anders geartete Persönlichkeit. Er hatte keine Erfahrungen im europäischen Verteidigungsraum. Zunächst trug er meinen Kollegen und mir die merkwürdige Idee vor, längs des Eisernen Vorhangs wie in Algerien einen elektrisch geladenen Zaun zu errichten; damit könne man Truppen sparen. Er war nur schwer von der Widersinnigkeit einer solchen Maßnahme zu überzeugen, da er keinen Unterschied zwischen algerischen Aufständischen und sowjetischen Armeen zu sehen schien. Als nächstes regte er die Abschaffung der drei Oberbefehlshaber von Heer, Luft und Marine an und die Umwandlung ihrer Stellen in ihm direkt unterstellte »adjoints«. Bei General Norstad drang er mit seinen Ideen nicht durch. Nach einem Jahr nahm er seinen Abschied, um aktiv für »l'Algérie française« und gegen de Gaulle anzutreten. Das Scheitern seines Putsches und die anschließende »Epuration« des Offizierscorps durch de

Gaulle hatten tiefgreifende Folgen für die Einheit der französischen Nation.

Ende Mai 1960 wurde nach vielen Besprechungen mit militärischen und politischen Stellen, nach Planspielen und Rücksprachen bei den unterstellten Kommandobehörden der grundlegende Befehl für die Vorwärtsverteidigung, die »stratégie de l'avant«, ausgefertigt. Die Verteidigung am Eisernen Vorhang sollte selbstverständlich nicht schematisch den Windungen der Zonengrenze folgen, denn auch hier behielt das Wort des alten Fritz Geltung »qui défend tout, ne défend rien«. Wir planten, die Verteidigung operativ in größtmöglicher Beweglichkeit zu führen.

Die politischen Stellen des französischen Bündnispartners zeigten allerdings wenig Engagement. De Gaulle ließ General Norstad durch einen Mittelsmann wissen, daß Frankreichs Interesse nicht an der Vorwärtsverteidigung am Eisernen Vorhang, also in Deutschland liege, sondern ausschließlich darin, die »Schlacht um Frankreich« zu gewinnen. Die Gedanken der Schaffung einer nationalen atomaren »force de frappe«, einer »strategischen Operationsreserve«, wurden jetzt politische Wirklichkeit. Die anderen Verbündeten nahmen ohne Ausnahme für die Vorwärtsverteidigung Stellung; das zeigte sich bei den Manövern in Holland und in Hammelburg sowie bei Gesprächen mit den amerikanischen Befehlshabern, vor allem General Abrams, der später die Kommandoführung in Vietnam übernehmen sollte.

Ungeachtet der Hinweise de Gaulles plante die NATO der größeren Wirksamkeit der Vorwärtsverteidigung wegen eine neue Dislozierung der 1. französischen Armee. Sie sah die Verlegung der 1. französischen Panzerdivision von Räumen westlich des Rheins auf das rechtsrheinische Gebiet vor; im Ernstfall würde ein Uferwechsel zu viel Zeit und Risiko erfordern und der Weg nach vorne wäre zu weit.

Am 27. Mai 1960 wurde ich zum Ministre des Armées, Messmer, gebeten. Das freundschaftlich und offen geführte Gespräch fand unter vier Augen statt. Obwohl der Minister die operationelle Zweckmäßigkeit eines geschlossenen Einsatzes der französischen Armee ostwärts des Rheins einsah, führte er folgende Gründe für das Verbleiben der französischen Verbände, vor allen Dingen der Panzerverbände, im Moselraum an: Frankreich habe durch Jahrhunderte eine Invasion von Süddeutschland her nie zu befürchten gehabt, zumal es mit den süddeutschen Ländern immer gute Beziehungen unterhalten habe. Die Invasionen seien »preußischerseits« immer westlich des Rheins durch die Pfalz, das Moseltal, Luxemburg und Belgien geführt worden. Wie auch ich wisse, habe schon Cäsar stets darauf geachtet, daß »Gallia Germanis clausa« sei. Eine ähnliche Bedrohung könne jetzt von sowjetischer Seite ausgehen; ein Stoß der Sowjets durch Österreich und Süddeutschland sei dagegen unwahrscheinlich. Aus solchen Überlegungen heraus wolle Frankreich die klassische Moseleinfallspforte durch Franzosen geschützt wissen. Wenn man Frankreich an der NATO auch in Zukunft interessiert halten wolle, müsse man einem solchen tatsächlich bestehenden psychologischen Empfinden Rechnung tragen.

Ich nahm Gelegenheit, dem Armeeminister unsere operativen Absichten im Zuge der Vorwärtsstrategie vorzutragen und fand ein offenes Ohr. Aber die Aussprache hatte deutlich gemacht, daß über die französischen Verbände nicht mehr, wie vertraglich festgelegt, verfügt werden konnte. Später, Mitte März 1962, erklärte man unmißverständlich, die Vorwärtsverteidigung und Grenzverteidigung müsse Sache deutscher Einheiten sein; Frankreich habe hier nur ein sekundäres Interesse. Wenn es sich auch nur um die zwei Divisionen der 1. französischen Armee handelte, so wurde klar, daß auf Weisung des französischen Staatschefs diese Kräfte nicht mehr der NATO, sondern der »Force d'intervention« zuzurechnen waren.

An einem strahlenden Maisonntag erschien eine starke Abordnung der Stadt Konstanz unter Führung des Oberbürgermeisters

Dr. Helmle, um die Patenschaft der Städte Konstanz/Fontaine-bleau zu feiern. Festzug und Festessen wechselten mit folkloristi-schen Vorführungen. Die Feuerwehr beider Städte bekam aber leider Arbeit, als ein kleiner Brand in einem Warenhaus gemein-sam gelöscht werden mußte. Die Verbindung beider Städte ge-staltete sich in den folgenden Jahren immer enger. Im Mai 1970 durfte ich das Fährschiff »Fontainebleau« in Kreßbronn am Bo-densee mittaufen. Mit über 150 Bellifontainern wurde am Schwä-bischen Meer die alte Freundschaft bekräftigt.

Im Juni hatte sich Ernst Jünger für einige Tage angemeldet, dessen Interesse seit je auch der Entomologie gilt. Er wollte im Wald von Fontainebleau auf »subtile Jagd« gehen. Seine erste, uns bei wolkenlosem Himmel seltsam erscheinende Bitte war die um einen Schirm, dessen Bedeutung für seine Sammlertätigkeit er uns erst erläutern mußte. Der umgekehrte Schirm wurde zum Sammelbecken für die von Bäumen und Sträuchern abgeklopften Käfer. Ernst schien mit der Beute zufrieden. Auch war er beein-druckt von den herrlichen Baumexemplaren, wie der »Jupiterei-che«, deren Kenntnis ich dem forstlichen Betreuer der Wälder zu danken hatte.

Seinem Besuch folgte der des Physikers, Philosophen und Mit-glieds des Bundestags Pascual Jordan, den ich auch mit französi-schen Persönlichkeiten zusammenbringen konnte. Er äußerte den Gedanken, die deutsche Wissenschaft solle den atlantischen Verteidigungskräften stärker helfen, als es bisher der Fall gewe-sen sei; entsprechend müsse aber auch das deutsche Verteidi-gungsministerium die deutsche Forschung mehr fördern. Voller Bewunderung wies er auf die Unterstützung von Forschungsun-ternehmungen in den USA durch die amerikanische Armee hin, die auch zweckfreie Forschung fördere und dadurch zu dem großen Aufschwung der amerikanischen Forschung beigetragen habe.

Am 21. Juli hatte uns Herzog Philipp von Württemberg zur Hochzeit seiner Tochter Marie-Therese mit dem Sohn des Comte de Paris, Henri Comte de Clermont, nach Schloß Altshausen in Oberschwaben eingeladen; wir erlebten unter lebhafter Beteiligung der schwäbischen Bevölkerung ein großes Fest, das einen Abglanz vergangener Zeiten gab. Außer deutschen und österreichischen Verwandten des ehemaligen Königshauses waren auch die ehemaligen Könige Umberto von Italien und Simeon von Bulgarien sowie Prinz Juan Carlos von Spanien erschienen.

Dann ging es traditionsgemäß nach Bayreuth zu zwei schönen Aufführungen der »Meistersinger« unter Hans Knappertsbusch und des »Fliegenden Holländers« unter Sawallisch. Im Anschluß an die »Meistersinger« gab Ministerpräsident Ehard einen Empfang im Markgräflichen Schloß. An der Tafel saß ich neben der Begum, die durch ihre Schönheit ebenso wirkte wie durch ihre Frische und selbstverständliche Natürlichkeit. Den Ausklang bildete auch diesmal wieder ein Zusammensein in Wahnfried mit dem ideensprühenden Wieland Wagner.

Anderntags fuhren wir nach Salzburg zu den Eröffnungsfeierlichkeiten des neuen Festspielhauses. Sie begannen mit einem Hochamt im wiedererstandenen Dom, das der Primas Germaniae, Erzbischof Dr. Rohracher, zelebrierte und mit tiefgründigen Gedanken über das Christentum in der Kunst schloß. Gemeinsam mit Carl Jakob Burckhardt erlebte ich die Feier im Chorgestühl mit; die Krönungsmesse von Mozart unter Herbert von Karajan gab die musikalische Weihe. Am Abend wurde dann das Festspielhaus mit dem »Rosenkavalier« unter Karajan mit Lisa della Casa, Sena Jurinac, Hilde Güden und Otto Edelmann eröffnet, ein Fest der Stimmen.

Am nächsten Tag bat mich Karajan, rechtzeitig zur Probe von »Don Giovanni« zu kommen. An der Brüstung des Orchesters sagte er zu den Wiener Philharmonikern: »Ich möchte Sie mit meinem Freund Hans Speidel bekanntmachen. Daß wir hier in

Ruhe und Frieden musizieren können, haben wir auch ihm zu verdanken.« Die Philharmoniker applaudierten; überrascht und bewegt dankte ich für diese außergewöhnliche Geste.

Am 6. August folgte ich für vierzehn Tage einer Einladung von General Maxwell Taylor, dem Chief of Staff US-Army, nach Washington. Auf der Jahrestagung der Association of the US-Army hielt ich einen Vortrag über die Verteidigung Europas. Ich berichtete, daß nunmehr Mitteleuropa nicht mehr am Rhein, sondern so weit östlich wie nur möglich, am Eisernen Vorhang beginnend, verteidigt werden könne. Nachdem in den vergangenen Jahren die Verteidigung Westeuropas in erster Linie den »Schwert«-Streitkräften, insbesondere der strategischen Luftwaffe, obgelegen habe, käme jetzt nach der Aufstellung deutscher Verbände und der Einführung taktischer Atomwaffen den »Schild«-Streitkräften, den Bodentruppen, entscheidende Bedeutung zu. Dabei unterstrich ich einmal mehr die Wichtigkeit von konventionellen Truppen überhaupt. Das Verhältnis von technischen Superwaffen und herkömmlichen Streitkräften müsse wohlausgewogen sein, um eine breite Skala von Reaktionen zu gewährleisten. Erst dies ermögliche eine »abgestufte Abschreckung« und bei einem Angriff auf den Bündnisbereich eine operative Elastizität und Variabilität, die zur Eingrenzung sowohl des Kampfgebiets wie auch der eingesetzten Mittel beitragen können. Der Vortrag im überfüllten Festsaal des Sheraton-Parkhotels fand einen erstaunlichen Widerhall; er wurde in Radio und Fernsehen übertragen. – Die nächsten Tage waren angefüllt mit Besprechungen mit den Spitzen der amerikanischen Armee, vor allem mit den Generalen Lemnitzer, Ruffner, Gruenther und Ridgway.

Zum Abschluß der Washingtoner Tage empfing mich Präsident Eisenhower, den ich einige Jahre nicht mehr gesehen hatte. Er kam mir in der alten Unmittelbarkeit entgegen, wie wenn wir am Vorabend auseinandergegangen wären. Seine Hauptsorge galt der Haltung de Gaulles gegenüber der NATO und ihren Folgen. Er gab seiner besonderen Freude Ausdruck über die Beteiligung Deutschlands an der von ihm seit langem erstrebten Vorwärtsverteidigung des Westens und an der Ausübung der Kommandogewalt über die Landstreitkräfte durch einen deutschen General.

Vor dem Aufbruch zu den Herbstmanövern hatten wir drei Oberbefehlshaber in Fontainebleau noch eine Aussprache mit General Challe über operative und organisatorische Auffassungen, wobei zum Abschluß Challe nur den »désaccord fondamental« über die Vorwärtsstrategie zwischen sich und uns feststellen konnte. Auch die Benutzung eines Tonbandes ohne unser Wissen befremdete uns. Kurz darauf hatte ich Gelegenheit, Adenauer und dem Außenminister von Brentano Vortrag zu halten, wobei meine Haltung gebilligt und die Einschaltung General Norstads empfohlen wurde.

Die Manöver begannen zum ersten Mal mit einer größeren Übung unserer 6. Division in Schleswig-Holstein mit britischen und dänischen Einheiten zusammen, die ein recht erfreuliches Ergebnis reibungsloser Zusammenarbeit und kameradschaftlicher Verbundenheit zeitigten. Die Manöver des III. Korps unter General Freiherr von Lüttwitz im Raum Idar-Oberstein und der 1. französischen Armee bei Rastatt, sowie der 7. US-Armee mit dem II. deutschen Korps im Ostteil Württembergs schlossen sich an. Dabei hielt ich dem interessierten Bundespräsidenten Lübke auf dem Oberkolbenhof bei Aalen Vortrag.

Im großen waren wir mit den Ergebnissen der Manöver zufrieden, wenn ich zum Abschluß auch darauf hinweisen mußte, daß die Führer noch besser geschult werden müßten, rasch Entschlüsse zu fassen, und daß die Bereitschaft zum selbständigen Handeln bei den Unterführern mehr geweckt werden sollte. Nicht zufriedenstellend waren die Leistungen des Fernmeldewesens.

Eine Besichtigung der 30. Brigade in Ellwangen schloß sich an. Hansi war mir erstmals als Ordonnanzoffizier zugeteilt. Überall zeigte sich jetzt, nicht nur bei dem Empfang des Bürgermeisters, eine enge Verbundenheit zwischen der Bevölkerung und der jungen Bundeswehr. Alle Übungen von »Flash Back II« fanden ihren Abschluß durch eine Besprechung in Margival, dem einstigen Gefechtsstand Hitlers. Erinnerungen an die Auseinandersetzung zwischen Feldmarschall Rommel und Hitler am 17. Juni 1944 stiegen auf.

Am 6. Oktober folgten wir der Einladung des Chefs des portugiesischen Generalstabes, General Pina, nach Lissabon. Die 3. portugiesische Division war mir für den Mobilmachungsfall als Reserve unterstellt; nun sollte ich sie erstmals auf dem Übungsplatz Santa Margarida besichtigen. Als wertvolle Erinnerungsgabe bewahre ich die »Lusiadas« von Luis de Camões in einem kostbaren Einband auf. Pina, eine bedeutende Führerpersönlichkeit und ein warmherziger Mensch, war – ebenso wie seine Frau – in einer großzügigen und feinsinnigen Art bemüht, uns die künstlerischen und geschichtlichen Sehenswürdigkeiten von Portugal zu zeigen.

Ein Festabend bei der Anglo-German Association in London ergab die Gelegenheit zu einer Aussprache mit dem Chief of General Staff, Earl Mountbatten. Beruhigt stellte ich völlige Übereinstimmung in der Beurteilung der Verteidigungsaufgaben in Europa und eines möglichen Einsatzes der britischen Rheinarmee fest. Die Begegnungen mit dieser gebildeten und humorvollen Persönlichkeit bedeuteten immer einen besonderen Genuß. Der »Held von Burma«, ein Enkel der Queen Victoria, hatte sich als außergewöhnlich geschickter Diplomat in Indien bewährt, wo er in Würde und ohne Blutvergießen die britische Räumung vollzogen hat.

Kurz vor Weihnachten galt es, Abschied zu nehmen von meinem hervorragenden Chef des Generalstabs, dem belgischen Generalleutnant Crahay, der zum Kommandierenden General des I. belgischen Korps in Köln ernannt worden war, und von dem Kommandierenden General des III. deutschen Korps, General

Freiherr von Lüttwitz, in Koblenz. Mit Lüttwitz schied ein militärisch und menschlich gleich bedeutender, ritterlicher Mann aus dem aktiven Dienst, der ein Beispiel an Haltung und Leistung für die Bundeswehr gesetzt hat.

Zu Beginn des Jahres 1961 empfing mich der Bundeskanzler zur Aussprache über die neue Linie der französischen Verteidigungspolitik, wie sie General Challe wiederholt vertreten hatte. Adenauer war beunruhigt durch einen Bericht General Norstads, der Sorgen über de Gaulles Auffassungen geäußert hatte. Er schnitt auch die Frage der Verfügungsgewalt über Atomsprengköpfe an.

Von Bonn ging es nach Mainz, wo Ministerpräsident Altmeier zu einer Beantwortung von Fragen im Rahmen der »Internationalen Tischrunde« gebeten hatte. Die Fragen erstreckten sich über alle militärpolitischen und strategischen Gebiete: das Atlantische Bündnis, die Bedrohung, die Taktik und Strategie im Zeitalter der Atomwaffen. Am Nachmittag hielt ich einen Vortrag an der Universität Mainz über die Verteidigung des Westens, dem sich eine lebhafte Diskussion mit den Professoren anschloß. Ein evangelischer Theologe nutzte die Gelegenheit zu einem ideologisch eindeutigen Angriff auf NATO und »Militarismus«. Ich wurde einer Antwort enthoben, da der bedeutende katholische Religionshistoriker Professor Lortz die Thesen seines evangelischen Kollegen auf das schärfste zurückwies und den Beifall des Auditoriums bekam.

Bei meiner Rückkehr nach Fontainebleau teilte mir General Challe seine Absicht mit, aus politischen Gründen den Abschied zu nehmen. Damals ahnten wir natürlich nicht, daß er in Algerien eine Revolte gegen General de Gaulle vorbereiten wollte. Sein Nachfolger wurde General Jacquot, der 1957/58 die erste französische Armee in Baden-Baden kommandiert hatte und inzwischen Generalinspekteur der französischen Armee geworden war. Es ergab sich mit ihm sehr bald eine erfreulichere Zusammenarbeit als mit seinem Vorgänger.

Anfang März nahm auch der Generalsekretär der Atlantikpakt-organisation, Paul Henri Spaak, seinen Abschied, um in die belgische Politik zurückzukehren. Der uns befreundete belgische NATO-Botschafter, André de Staerke, gab ihm in Gegenwart von Kennedys Sonderbotschafter Averell Harriman und von Norstad ein Abschiedsessen, bei dem Spaak eine bedeutsame Rede über Werden und Bedeutung der NATO hielt. Vor seiner Rückkehr als Ministerpräsident nach Brüssel nahm er jede Gelegenheit wahr, als Vorkämpfer für die westlichen Ideen und die NATO zu wirken. Wer je dieser farbigen, starken Persönlichkeit mit seiner fulminanten Rednergabe begegnet ist, wird sie nicht vergessen.

In jene Zeit fielen auch die ersten Gespräche mit General Norstad über Berlin, über das Problem der Aufrechterhaltung der Verbindung mit der alten Reichshauptstadt. Gerüchte und verschiedene Anzeichen deuteten darauf hin, daß Überraschungen von östlicher Seite im Stadium der Planung waren.

Mit Hansi reisten wir Anfang April nach Spanien, wo ich mit dem Verteidigungsminister, General Barroso, Besprechungen über die Spanien und die NATO gemeinsam bewegenden Probleme zu führen hatte; es gab ein freudiges Wiedersehen mit dem alten Kameraden aus der Attaché-Zeit 1933–1935 in Paris, in der Barroso sein Land vertreten hatte. Gespräche mit Generalkapitän Muñoz Grandes schlossen sich im alten Vertrauensverhältnis an.

Nach wenigen Tagen machte der Putsch der Generale Challe, Zeller und Jouhaud in Algier gegen de Gaulle die sofortige Rückkehr notwendig. Als Vorkämpfer der »Algérie française« fühlten sie sich durch ihren Staatschef getäuscht. Der Zusammenbruch der Revolte führte zu einer Spaltung im französischen Offizierskorps, deren Auswirkungen wir in Fontainebleau psychologisch und in der Stellenbesetzung zu spüren bekamen. Ein großer Teil der französischen Offiziere wurde unsicher und machte aus seinen Zukunftssorgen kein Hehl. Dieses innerfranzösische Ereignis bewegte die Gemüter beinahe ebenso wie der weltpolitisch viel schwerwiegendere Erfolg Fidel Castros in Kuba, der die amerikanische Position schwächte.

Nach meiner Rückkehr trafen sich in unserem Hause Verteidigungsminister Strauß und der neue amerikanische Botschafter, General Gavin, um die politische Lage, insbesondere die Sorgen um Berlin, zu besprechen. Gavin kannte ich nicht nur von seiner Stuttgarter Zeit als Kommandierender General des VII. US-Korps; auch seine Schriften über atomare Probleme hatten mir Eindruck gemacht. Gavin und ich waren gleichermaßen von den profunden Kenntnissen von Franz Josef Strauß auf diesen Gebieten überrascht.

Am 2. Juni brachten mich Norstad und Gavin mit dem neuen amerikanischen Präsidenten, John F. Kennedy, zusammen, der seinen ersten Besuch bei SHAPE abstattete. Die glänzende Erscheinung des jugendfrischen Präsidenten machte einen starken Eindruck. In einer persönlichen Aussprache trug ich dem Präsidenten unsere Gedanken über die Verteidigung Mitteleuropas und unsere Sorgen um Berlin vor und dankte ihm zugleich für die Hilfe der Vereinigten Staaten für meine Heimat. In seiner impulsiven Art erwiderte Kennedy warmherzig und bot die Benutzung des direkten Drahtes zu ihm an. Es sollte die einzige Begegnung bleiben.

Am 20. Juni machte Bundespräsident Heinrich Lübke seinen Staatsbesuch bei General de Gaulle in Paris. Auf dem Flugplatz Orly fand das Empfangszeremoniell mit militärischen Ehren und mit Ansprachen beider Staatsoberhäupter statt. De Gaulle begrüßte mich mit steinernem Gesicht und Handschlag, aber wortlos. – Am nächsten Tag kam Lübke auch nach Fontainebleau, wo ich ihm die deutsche Delegation vorstellte. Lübke war von Minister von Brentano und Staatssekretär von Eckardt begleitet; nach einem Vortrag über die Lage unterhielt er sich angeregt mit Offizieren und Unteroffizieren.

In Fontainebleau wurde es allgemein vermerkt, daß sich der deutsche Bundespräsident trotz der Kürze der Zeit um die deutsche Delegation und die erste hohe deutsche Kommandobehörde im Rahmen der NATO persönlich kümmerte. Trotz vieler Versuche, auch von alliierter Seite, war es nie gelungen, Adenauer zu einem Besuch in Fontainebleau zu bewegen.

Im Juli 1961 häuften sich die Nachrichten über vermehrte Fluchtbewegungen aus der DDR nach dem Westen. Zwangsmaßnahmen gegen Arbeiter, die im Ostsektor Berlins wohnten, aber in Westberlin ihre Arbeitsstätte hatten, nahmen zu. Schauprozesse wurden inszeniert, die kommunistische Propaganda gegen »Menschenhandel« und »Abwerbung« überschlug sich, so daß am 3. August die westlichen Stadtkommandanten gegen die Maßnahmen der ostdeutschen Behörden protestierten. In der DDR setzte nun eine Art Torschlußpanik ein; die Fluchtbewegung schwoll von Tag zu Tag an. In den Morgenstunden des 13. August 1961 sperrte die »Nationale Volksarmee« die Sektorengrenze. Sie wurde zur Staatsgrenze erklärt. Der Mauerbau begann.

Von München, wo ich zu Besichtigungen gewesen war, flog ich nach Fontainebleau zu einer ausführlichen Lagebesprechung, an der auch General Reinhard Gehlen teilnahm. Die vorbereiteten Gegenmaßnahmen, für die mir General Norstad einen Sonderauftrag gegeben hatte, wurden überprüft. Wir in Fontainebleau rechneten mit sofortigen Reaktionen der drei Westmächte, deren Rechte in Berlin schwer beeinträchtigt worden waren, doch blieb die erwartete politische Entscheidung aus. Hätten nicht die drei Mächte sofort von ihrem Recht zur Öffnung der Zugänge in den Ostsektor Gebrauch machen sollen? Nach unserer Auffassung hätte die Sowjetunion keine Gegenmaßnahme ergriffen. Der einseitige Schritt der Ostzone und der sowjetischen Besatzungsarmee wurde mit lauen Protesten hingenommen. Erst als der Westen untätig blieb, bestritten die Sowjets plötzlich das Recht der Alliierten auf die Luftkorridore; am 31. August nahm Chruschtschow die sowjetischen Atomwaffenversuche auf.

Kennedy hatte zwar Vizepräsident Johnson und General Clay am 18. August, also fünf Tage nach der Abriegelung, nach Berlin geschickt, wo sie begeistert empfangen worden waren, und ein Bataillon der 18. US-Division war ohne Zwischenfall auf der Autobahn nach Berlin gerollt. Aber eine politische Zäsur war eingetreten; jedermann sah in dem Verhalten des Westens Schwäche. In Bonn fand eine Ministerbesprechung statt, auf der die große Enttäuschung aller Teilnehmer spürbar wurde.

Am 19. Oktober sollte General Jacquot das Großkreuz der französischen Ehrenlegion durch General de Gaulle überreicht bekommen. Wir drei Oberbefehlshaber in Fontainebleau baten um Teilnahme an der Zeremonie im Cour des Invalides. General de Gaulle lehnte aber eine NATO-Teilnahme schroff ab, wir hätten bei einer nationalen Zeremonie nichts zu suchen. Die Fronten waren geklärt.

Im Herbst folgte ich einer Einladung der kanadischen Regierung zu einem Besuch des Landes und zu Besichtigungen seiner Streitkräfte und militärischen Einrichtungen. Diese vierzehntägige Reise hinterließ mir einen starken Eindruck von diesem weiten Land »a mari usque ad mare«, das ich von New Brunswick, das in verschwenderischen Farben des Ahorns brannte, bis Fort Churchill in der Arktis kennenlernte. Auf diesem einsamen Posten inmitten Schnee und Eis, einem strategisch bedeutsamen Punkt, wurde mir eine imponierende Alarmübung des Strategic Air Command vorgeführt. Nicht nur hier, wo Offiziere, Soldaten und Wissenschaftler mit ihren Familien unter härtesten Bedingungen lebten, war ich von der Qualität der kanadischen Streitkräfte beeindruckt.

Nach dem Naturschauspiel des Nordlichts und einem abenteuerlichen Erlebnis mit einem Eisbären, der sich plötzlich vor unserem Jeep aufgebaut hatte, flog ich nach Brüssel, wo ich König

Baudouin über den Stand der Vorwärtsverteidigung berichtete. Anschließend lud mich General Baron de Cumont, mein vortrefflicher alter Stabschef und nunmehr Chef des Generalstabs des belgischen Heeres, ein, Fallschirmübungen im Raume Diest und einer Kommandoausbildung bei Marche-les-Dames an der Maas beizuwohnen. Der Eindruck bei diesen belgischen Eliteeinheiten war hocherfreulich.

Am 12. Dezember hielt ich vor der Vollversammlung der Westeuropäischen Union in Paris einen Vortrag über Aufgaben und Probleme der Verteidigung Mittel-Europas. Nach einer Schilderung der militärpolitischen Lage und des Kräfteverhältnisses zwischen Ost und West unterstrich ich die Notwendigkeit einer verstärkten Verteidigung im atlantischen Rahmen, während in der Diskussion ausgerechnet von französischer Seite die alten Gedanken einer europäischen Verteidigungsgemeinschaft vorgetragen wurden, nicht zuletzt auf dem Gebiet der Standardisierung der Rüstung. Aber dies blieb wegen der nationalen Egoismen aller Bündnispartner ein bis heute ungelöstes Problem.

Im Anschluß daran gab der französische Generalstabschef der Streitkräfte, General Puget, einen Empfang in der Ecole Militaire, an dem auch die gerade anwesenden Generale Heusinger und Foertsch teilnahmen. Die Unterhaltung galt vor allem der erneuten französischen Demarche, die vorsah, die 1. französische Armee außer der 1. Panzer-Division nicht wie von uns geplant in der Vorwärtsverteidigung, sondern »à deux mains« zwischen Lech und Iller als Reserve zu verwenden. Zum Abschluß des Jahres bedeutete dieses Ausscheren aus der gemeinsamen Verteidigung eine weitere Distanzierung de Gaulles von der NATO. Meine Berichte nach Bonn wurden vom Verteidigungsminister ernst genommen, vom Bundeskanzler aber nicht in gleichem Maße beachtet.

Im Januar 1962 wurde zum ersten Mal die Heranführung einer geschlossenen US-Division auf dem Luftwege von den USA nach

dem Flughafen Rhein-Main unter dem Namen »Long Thrust«
erprobt. Sie gelang planmäßig und ohne Unfall, einem Uhrwerk
gleich: eine große Leistung der US-Luftwaffe. Die Truppe kam
aber nur mit Handfeuerwaffen an und mußte in den verschiedenen Räumen erst mit schwerem Gerät kampfbereit gemacht
werden. So meldeten wir unsere Bedenken militärischer und
militärpolitischer Art an; denn in einem Fall höchster Spannung
konnten nur solche Verbände verwendungsbereit sein, die sofort
verfügbar und mit den notwendigen Waffen ausgestattet waren.
Eine Übung dieser Verbände in Hohenfels schloß sich an, bei der
auch erstmals ein Helikoptereinsatz in größerem Umfang durchgeführt wurde. Alle diese Übungen setzten aber die eigene Luftherrschaft voraus.

Nach einem Vortrag vor dem Lehrkörper der Universität Tübingen kehrte ich nach Fontainebleau zurück, wo ich noch einmal die große Ehre und Freude des Besuches des geistig luziden
Generals Maxime Weygand hatte, der mir sein Buch »L'Arc de
Triomphe« mit einer feinen Widmung überreichte. Die Aussprache über die Verteidigung des Westens erbrachte volle Übereinstimmung unserer Gedanken, die freilich den derzeitigen französischen Absichten widersprachen. Der große französische militärische Führer dachte über den Tag hinaus und warnte eindringlich nicht nur vor den militärischen Planungen, sondern auch vor
der Ideologie der Sowjets.

Im Februar ging es zu Besprechungen nach Italien, wo sich in
Rom unsere Freunde, Botschafter Manfred und Ruth Klaiber, und
der Militärattaché, Oberst i. G. Dr. Schnell, unser annahmen.
Am 24. Februar empfing uns, veranlaßt durch Bruno Wüstenberg,
Papst Johannes XXIII. in Privataudienz. Ich kannte ihn aus seiner
Tätigkeit als Nuntius in Paris. Unwillkürlich zog ich Vergleiche
zu dem Empfang bei seinem Vorgänger, Papst Pius XII. Während
Pius den Eindruck eines asketisch durchgeistigten Kirchenfür-
sten gemacht hatte, trat uns in Papst Johannes XXIII. eine erd-

nahe, von Klarheit und schlichter Frömmigkeit geprägte Persönlichkeit entgegen. In der dreiviertelstündigen Unterhaltung zeigte er sich als profunder Historiker, aber auch als ein heiterer Mensch, der außerordentlich eindrucksvoll über die notwendige Gemeinsamkeit der christlichen Kirchen sprach.

Nach kurzem Besuch auf Capri nahmen wir Abschied von US-Admiral Russell und fuhren mit einem italienischen Militärkraftwagen abends Richtung Rom. Unser italienischer Fahrer verfehlte im Gewitter und Platzregen trotz meiner Warnung in Gaëta die Ausfahrt nach Rom und verlor kurz danach die Herrschaft über den Wagen: Wir stürzten über die Hafenmole in die Brandung. Gottlob wurde der Wagen im Sturz durch Felsen aufgehalten, so daß wir vor dem Ertrinken bewahrt wurden. Der Fahrer hatte einen Schock. Es gelang mir, die Türe zu öffnen und meine Frau und den Fahrer aus dem einströmenden Wasser an Land zu ziehen. Weitere, zum Teil situationskomische Erlebnisse mit herbeiströmenden Neugierigen folgten. Nach diesem Unfall – bei unseren vielen Reisen war es nicht der einzige – erreichten wir erst spät mit einem Ersatzwagen Rom.

Nach Besprechungen mit dem holländischen Generalstabschef Lefèvre de Montigny und Besichtigungen der holländischen Verbände ging es in die Schweiz auf das Rebgut des schweizerischen Bundespräsidenten Paul Chaudet, der dem eidgenössischen Militärdepartement vorstand. Damals waren im Mittelpunkt der Erörterungen die Schwierigkeiten beim modernen Aufbau der Schweizer Luftwaffe, die durch französische Versäumnisse in der Lieferung der Mirage IV sich ergeben hatten. Entgegen der Äußerung von de Gaulle, daß in Europa keine Gefahr mehr aus dem Osten bestehe, wurde gerade von Schweizer Seite betont, daß die Sowjets hofften, durch eine entscheidende Schwächung der NATO die Bahn für ihre Deutschland- und Europapolitik freizubekommen. Man fürchtete auch eine mögliche Erschütterung der Bundesrepublik durch kommunistische Infiltration. Ein Oberstkorpskommandant äußerte: »Die alte geschichtliche Erfahrung, daß unter Alliierten die Divergenzen der Interessen und Auffassungen die gegenseitigen Beziehungen erschweren oder sogar gefährden, sobald die unmittelbare Gefahr seitens des potentiellen Gegners sich zu vermindern scheint, hat sich im Westen erneut bestätigt.« Ähnliche Sorgen belasteten anderntags unsere Gespräche mit Carl Jakob Burckhardt, der uns mit seiner Frau in alter Unmittelbarkeit und Herzlichkeit empfing. Es waren wiederum unvergeßliche Stunden der Begegnung mit dieser universellen Persönlichkeit, die in so besonderer Weise abendländische Kultur und europäischen Geist ausstrahlte. In dem Briefwechsel mit Hugo von Hofmannsthal und Max Rychner spiegelte sie sich mir am klarsten wider.

In Fontainebleau erwartete uns der Besuch des Bundesverfassungsgerichts aus Karlsruhe, der durch eine ausführliche Diskussion wertvoll und aufschlußreich wurde. Sein Präsident, unser alter verehrter Freund Gebhard Müller, sorgte für einen eindrucksvollen Ausklang durch eine Ansprache über die Geschichte der letzten eineinhalb Jahrzehnte.

Besichtigungsreisen nach München, Augsburg und Göppingen wurden unterbrochen durch einen Vortrag, den ich in der Bayerischen Akademie der Schönen Künste im Rahmen der Berlin-Wochen über Gneisenau hielt. Der geistvolle Präsident, Professor Preetorius, führte mich ein.

Vom 11.–15. Juni reisten wir nach Wien, das Ruth zum ersten Mal sah. Herbert von Karajan hatte uns zu den Festwochen eingeladen. Nach den Aufführungen von »Arabella«, »Fidelio« und der Neunten Symphonie waren wir Gäste bei Karajan auf der »Hohen Warte« oder mit Sawallisch im gemütlichen »Kerzenstübl« zusammen.

Die Tage waren ausgefüllt von Gesprächen mit Finanzminister Dr. Josef Klaus, dem späteren Bundeskanzler, und mit dem Landesverteidigungsminister Dr. Schleinzer, der gerade von Washington zurückgekommen war. Er hoffte auf einen amerikanischen Kredit für die Ausrüstung des Bundesheeres, insbesondere der Grenzschutzkompanien, der zwar zugesagt war, aber verzögert wurde. Schleinzer betonte die großen innerpolitischen Schwierigkeiten für klare Entscheidungen in der operativen Führung. Dieser Sorge schloß sich lebhaft der Generalinspekteur des österreichischen Heeres, General Fussenegger, an. Die Minister unterstrichen die Notwendigkeit ihrer Neutralität am Kreuzungspunkt zum Balkan. Man sei gerade in der Frage der Neutralität und ihrer Aufrechterhaltung in enger Verbindung mit der Schweiz, obwohl dort Wehrgedanke und Wehrwille lebendiger und wirkungsvoller seien.

Dem Besuch der Wiener Festwochen folgte ein kleines Nachspiel. Der deutsche Außenminister schickte mir ein Fernschreiben mit einer Anfrage des österreichischen Außenministers Kreisky, warum ich in Wien gewesen sei und was ich zu tun gehabt hätte. Ich antwortete unserem Außenminister lediglich, daß ich nicht ihm, sondern General Norstad unterstellt sei und daß mein Aufenthalt in Wien vor allem dem Besuch der Festwochen und alten Freunden gegolten habe. Ich bat dabei, den österreichischen Außenminister zu fragen, welchen Zwecken der zur gleichen Zeit stattgefundene Besuch des sowjetischen Marschalls Malinowski mit großer Begleitung in Österreich gedient habe.

Gegensätze zu de Gaulle

In Fontainebleau warfen der beabsichtigte Besuch General Norstads bei Bundespräsident Lübke und der Staatsbesuch des Bundeskanzlers bei General de Gaulle ihre Schatten voraus. Unser Botschafter Herbert Blankenhorn hatte mich bereits über die einseitige Einstellung des Bundeskanzlers gegenüber de Gaulle unterrichtet. Am 29. Juni rief mich der Bundespräsident persönlich an und lud General Norstad und mich zu einer Aussprache nach Bonn ein. Ich gab die Einladung sofort an meinen Oberbefehlshaber weiter, der zusagte.

Am 2. Juli begann mit großem Zeremoniell auf dem Flughafen Orly der Staatsbesuch des Bundeskanzlers. General de Gaulle gab beim Empfang des Bundeskanzlers wohl meiner Frau die Hand, verweigerte sie aber mir ostentativ. Bei dieser Brüskierung spielte, wie ich aus der Umgebung de Gaulles erfuhr, der für den 6. Juli seit langem vorgesehene Besuch General Norstads beim Bundespräsidenten eine Rolle, denn am 3. Juli früh rief mich Lübke persönlich an, um den Besuch General Norstads abzusagen, »da er während der Anwesenheit des Bundeskanzlers in Paris als politische Demonstration für die NATO gewertet werden könnte«. So weit war es also gekommen.

Beim Bundeskanzler erbat ich eine Reaktion auf die Brüskierung durch General de Gaulle, doch wich Adenauer aus. Nur von Staatssekretär Dr. Carstens hörte ich, daß de Gaulle Einwände gegen mein Buch »Invasion« erhoben habe, Einwände, die er vor Jahren auch schon General Valluy gegenüber geäußert hatte.

Obendrein werfe er mir vor, an Deportationen von Résistance-mitgliedern und Juden beteiligt gewesen zu sein. In Wirklichkeit hatten Judendeportationen erst nach meiner Versetzung an die Ostfront im Frühjahr 1942 eingesetzt, zudem war dafür der SD verantwortlich.

Schon früher hatte de Gaulle Details in meinem Buch beanstandet und bei Adenauer für den Fall einer Neuauflage Änderungen verlangt. So erklärte er, der Titel »Invasion« sei eine »Unverschämtheit«, die Landung der Alliierten habe nicht die Invasion, sondern die Liberation gebracht. Auch warf er mir meine Kritik an der Forderung nach bedingungsloser Kapitulation vor, für die er selbst sich seinerzeit eingesetzt hatte. Der wesentlichste Punkt de Gaulles schien aber die Bewertung der Résistance zu sein, die in meinem Buch als »quantité négligeable« behandelt worden sei. Tatsächlich gab es während der Normandieschlacht keinerlei nennenswerte Schwierigkeiten durch Sabotageakte oder Attentate des französischen Widerstands. Feldmarschall Rommel und ich fuhren stets ohne jede Bedeckung nach vorne. Der Bundeskanzler empfahl mir eine Abänderung der beanstandeten Stellen meines Buches; ich lehnte ab.

Entscheidend für de Gaulles Animosität mir gegenüber war aber zweifellos mein überzeugtes Eintreten für die NATO. Ich hielt eine vollständige Integration der verschiedenen nationalen Streitkräfte für unerläßlich und setzte mich mit allen Kräften für die Verwirklichung der Ziele der atlantischen Gemeinschaft ein. De Gaulle dagegen hatte – einzig »la gloire de la France« vor Augen – sofort nach seiner Übernahme der Regierung begonnen, sich von der NATO zu distanzieren.

Im September 1958 forderte Frankreich – dem Geist des Bündnisses zuwider – ein politisches Dreier-Direktorium innerhalb der NATO. Im März 1959 nahm de Gaulle die Mittelmeerflotte aus dem Befehlsbereich von SACEUR heraus. Sie wurde dem Präsidenten der Republik direkt unterstellt. Im April 1959 folgte die Kündigung des Vertrages über die Lagerung von US-Atomwaffen in Frankreich. Die Forderung der Rückverlegung französischer Verbände in Deutschland hinter den Rhein ist bereits in dem Gespräch mit dem französischen Armee-Minister Messmer geschildert. 1960 sagten die Franzosen die Teilnahme an dem jährlichen NATO-Schießwettbewerb um den »Prix Leclerc« für die Zukunft ab. Schwerwiegender war kurz darauf die Kündigung der integrierten Luftverteidigung Europas, die eine empfindliche Schwächung der westlichen Abwehr bedeutete. 1962 wurden die aus Algerien zurückgeführten, früher »assignierten« Verbände unter nationalen Oberbefehl gestellt. Mit der kühlen Feststellung bei den Manövern in der Nähe von Valmy: »Une guerre de l'OTAN en Allemagne ne nous intéresse pas«, lehnte de Gaulle jede Teilnahme an der Vorwärtsverteidigung ab. Nicht lange danach wurde die französische Atlantikflotte aus dem NATO-Verbund herausgenommen; dann kam die Auflösung des französischen Armeestabes der für Europa-Mitte bestimmten »Réserves Stratégiques«, der mir unterstellt gewesen war.

Die hinter diesen Einzelmaßnahmen stehende Grundhaltung de Gaulles manifestierte sich nach dem Besuch Adenauers in Paris bei der deutsch-französischen Parade in Mourmelon am 9. Juli, bei der General de Gaulle das Hissen der NATO-Flagge verbot und keinen alliierten Befehlshaber einlud, auch nicht die aus der französischen Armee stammenden Befehlshaber der NATO wie Armeegeneral Jacquot, der diesen Tag als »journée tragique« bezeichnete.

Der verschobene Besuch General Norstads beim Bundespräsidenten fand schließlich am 12. Juli statt. General Peter von Butler und ich begleiteten Norstad, der sowohl Heinrich Lübke als auch Franz Josef Strauß eingehend über die Verteidigungsprobleme im Gesamtabschnitt von SHAPE vortrug und die Haltung de Gaulles zur Vorwärtsverteidigung scharf kritisierte. Strauß berichtete dabei von einer Aussprache mit dem amerikanischen Verteidigungsminister McNamara, der sich enttäuscht über die Einstellung Frankreichs zur Verteidigung Europas ausgesprochen und eine stärkere Beteiligung der europäischen Partner an der Verteidigung gefordert hatte.

Auf dem Rückflug wurden wir Zeugen eines Funkanrufs aus dem Weißen Haus. Präsident Kennedy bestellte General Norstad für den 15. Juli zum Vortrag. Norstad äußerte sofort die Vermutung, daß er als Republikaner von dem Demokraten Kennedy abberufen werden sollte. Er sollte recht behalten; am 21. Juli erfolgte seine Abberufung, die dann allerdings wegen der Kubakrise noch hinausgeschoben wurde.

Am 7. August lud uns Norstad in seiner Residenz »Marnes-la-Coquette« zu einem privaten Abendessen mit General Eisenhower ein, bei dem neben den Generalen Stockwell, Moore, Wheeler, Schultz auch der ehemalige Ministerpräsident Pleven zugegen war. Der Abend fand in einer kameradschaftlichen Ambiance statt, er erhielt besonderes Gewicht durch wegweisende Ansprachen von Eisenhower und Norstad.

Ende September fand die Übung Fallex 62 statt, die wegen ihrer innerpolitischen Folgen – der sogenannten Spiegelaffäre – über den militärischen Bereich hinaus noch lange die Gemüter erregte. Bei diesem Planspiel zeigten sich einige Mängel, so etwa schlechte Koordination bei Alarmmaßnahmen oder ein Nebeneinander von verschiedenen militärischen, halbmilitärischen und zivilen Stäben in der Kommandoführung. Auch die Unterrichtung der Truppe und der Zivilbevölkerung über die Lage war unzureichend. Von allen Kommandobehörden und Dienststellen wurde wieder das Fehlen einer deutschen Notstandsgesetzgebung beanstandet.

Anfang Oktober fand eine alte Sehnsucht ihre Erfüllung, ich konnte Griechenland besuchen. Die Streitkräfte Mitteleuropas hatten einen schnell beweglichen Eingreifverband zusammengestellt, der im gegebenen Fall an den Süd- oder Nordflanken zum

Einsatz kommen konnte. Die erste Übung dieser Art wurde vom 8.–12. Oktober im thessalischen Raum durchgeführt, im wesentlichen mit griechischen Verbänden, die durch amerikanische, britische, belgische und deutsche Einheiten verstärkt waren.

Nach der Landung auf dem Flugplatz von Thessaloniki ging es mit dem Helikopter ins Übungsgelände in den Raum beiderseits des Trimon, wo die amerikanischen, englischen, belgischen und deutschen Bataillone eingesetzt waren. Beim Abendessen gab uns der Oberbefehlshaber der 1. griechischen Armee einen interessanten Überblick über die jüngste Geschichte Griechenlands, vor allem über die Befreiung vom Kommunismus. Anderntags veranlaßte er eine verständnisvolle Führung durch Thessaloniki, das mit seinen klassischen, römischen und türkischen Erinnerungen eine Fundgrube für den Historiker, Archäologen und Kunstfreund ist. Als ich die Bitte um einen Besuch von Pella, dem Geburtsort Alexanders des Großen, äußerte, stellte man mir bereitwillig einen Wagen und sachkundige Begleiter zur Verfügung. Die ersten Ausgrabungen der Residenz Philipps II. waren in vollem Gange, und wir konnten bereits die wundervoll erhaltenen Mosaiken der Löwenjagd und des Dionysos auf dem Panther bewundern.

Nach Besprechungen mit den Generalen Frontitio, Kardamakis und Dovas wurden wir an einem sonnigen Vormittag auf dem Landsitz Tatoi von König Paul I. und Königin Friederike zu Tisch gebeten, nur der Kronprinz – »Diadochos« – Konstantin nahm noch daran teil. König Paul I. frischte alte Erinnerungen an Deutschland auf, die Königin zeigte uns ihre Sammlung aus altgriechischer Zeit, vor allem aus Mykene. Der König bat mich, Kronprinz Konstantin später einmal in meinen Stab zu nehmen, um ihm die Bedeutung des Mittelabschnitts von Europa an Ort und Stelle klarzumachen. Dieser Besuch fand dann Mitte Januar 1963 statt. Paul I. bekannte sich zur NATO. Seine Erfahrungen mit den kommunistischen Bürgerkriegstruppen hatten ihn darin nur noch bestärkt.

Vom Rückweg bleibt uns das byzantinische Kloster Kaissariani aus dem elften Jahrhundert als besonderes Idyll in Erinnerung; Ovid hatte die Stätte, an der einst ein Aphrodite-Tempel gestanden haben soll, besungen.

Höhepunkt der Griechenlandreise war ein Ausflug nach der südlichen Halbinsel über Kloster Daphni mit seinen Mosaiken und Fresken, über Eleusis und den Isthmus von Korinth mit dem Besuch von Alt-Korinth und seinem Apollo-Tempel. Unvergessen bleibt der grandiose Eindruck der Burg Agamemnons in Mykene – im Geiste hörten wir die Musik von Richard Strauss' »Elektra«. Als wir durch das Löwentor in das zyklopische Trümmerfeld traten, wurden die alten Sagen und Geschichten der Menschheit wieder lebendig und begleiteten uns auf dem Weg über Argos, Tyrins nach Nauplia, wo 1830 Otto von Bayern als König von Griechenland gelandet war.

Wir waren gerade zurückgekehrt, als uns am 22. Oktober General Norstad eröffnete, daß Präsident Kennedy die Blockade über Kuba verfügt habe. Auch bei uns liefen Spannungsmaßnahmen an. Wenige Tage später berichtete uns Henry Kissinger bei unseren Freunden Stehlin detailliert von der kubanischen Krise, die Kennedy vor seine erste Bewährungsprobe stellte.

In das Spätjahr fielen die Übernahme der deutschen 7. Panzergrenadierdivision unter den Oberbefehl der NATO in der Rommel-Kaserne in Augustdorf und die Hundert-Jahr-Feier von Gerhart Hauptmann in Köln. Bewegt dachte ich an den Tag vor dreißig Jahren, an dem ich zum ersten Mal Carl Zuckmayer begegnet war. Seine Festrede war der Höhepunkt der Feier im Gürzenich. Gerhart Hauptmanns Erstlingswerk »Vor Sonnenuntergang« in einer stilgerechten Wiedergabe des Wiener Burgtheaters beschloß den festlichen Tag, der mit einer Nachfeier mit Carl Zuckmayer, Benvenuto und Barbara Hauptmann zu Ende ging.

Noch eine zweite Begegnung mit der Vergangenheit brachte dieses Jahr. Im Dezember wurde die 10. Panzergrenadierdivision in die NATO übernommen, und zwar auf dem Lerchenfeld bei Ulm, wo ich achtundvierzig Jahre zuvor als Königsgrenadier meine ersten militärischen Schritte gemacht hatte. Die geschlossene Division war angetreten; ich wies sie auf das Vermächtnis der staufischen Löwen, das Zeichen ihrer Division hin, auch darauf, daß in früheren Jahrhunderten das schwäbische Kontingent die Reichssturmfahne geführt hat mit den Rechten und Pflichten des Vorkampfes. Ich schloß mit den Worten: »Euere Väter und Vorväter haben sich im Glück ebenso bewährt wie im Unglück, in dem sich erst die Größe des Menschen zeigt, in der Tapferkeit des Herzens, in der Selbstbestimmung. Im Unsicheren bewährt sich erst die Sicherheit des Menschen.

In solchem Geist verpflichten auch Namen beispielhafter Soldaten dieser Landschaft – sei es August Neidhardt von Gneisenau, dessen Geschlecht eine Zeitlang in Ulm beheimatet war, sei es unser Feldmarschall Erwin Rommel, der unweit von hier ruht.

Alte Gegner sind Freunde geworden in der Sorge für die Freiheit, die in der Tapferkeit ruht.

Jetzt steigt die NATO-Flagge am Mast empor. Denkt an Euer Gelöbnis, wenn unser Heimatlied erklingt: Wache zu halten für Frieden und Freiheit. Bleibt wie Eure Väter:

Furchtlos und treu!«

Das neue Jahr 1963 begann mit der Abschiedsparade für General Norstad bei SHAPE und der Übernahme des Oberbefehls durch General Lyman Lemnitzer. Der Wechsel des Oberbefehls bei SACEUR ging nicht nur auf den Ausgang der amerikanischen Wahlen zurück, die einen Sieg der Demokraten gebracht hatten, so daß der Republikaner Norstad sich in der neuen Administration isoliert sah. Er schien zugleich eine Konsequenz des Wechsels in der atomaren Strategie der USA zu sein. Endgültig wurde nun die Doktrin der »massiven Vergeltung« aufgegeben zugunsten der Strategie der »flexible response«. Da Maxwell D. Taylor nicht zuletzt aufgrund der Thesen seiner Schrift »The Uncertain Trumpet« zum Chairman Joint Chiefs of Staff ernannt wurde, war Lemnitzer an Stelle von Norstad Oberbefehlshaber bei SHAPE geworden. Mit General Norstad hatte die NATO einen bedeutenden Oberbefehlshaber verloren. Er war nicht nur in Erscheinung und Auftreten ein großer Herr, souverän im Urteil, menschlich in der Begegnung, sondern in seltener Weise operativ veranlagt mit einem gesunden Blick für das militärisch und politisch Notwendige.

Am 15. Januar hielt General de Gaulle eine neue Rede gegen Europa, um den Eintritt Englands in die EWG zu verhindern. In dieser Atmosphäre erfolgte der Abschluß des deutsch-französischen Vertrags durch Adenauer und de Gaulle. Eine deutsch-französische Aussöhnung, eine Freundschaft der beiden sich so vielseitig ergänzenden Nachbarn, ein vereintes Europa waren Sehnsucht und Ziel unserer Gedanken und Arbeit seit jeher gewesen. Diesem Ziel sollte schon die Europäische Verteidigungsgemeinschaft dienen, die General de Gaulle zu zerschlagen geholfen hatte. Der deutsch-französische Vertrag schien uns aber zu wenig auf Europa und auf die atlantische Gemeinschaft ausgerichtet zu sein, ja er konnte Gegensätze schaffen. Ähnliche Bedenken sprachen noch am selben Tag bei einem Essen für das Herzogspaar von Windsor der belgische und britische Botschafter aus; der Vertrag wurde außerhalb der Bundesrepublik und Frankreichs voller Mißtrauen aufgenommen.

Das sah ich auch, als ich im April der Einladung des spanischen Generalstabschefs folgte. Generalkapitän Muñoz Grandes betonte, daß sich Spanien mehr denn je an Europa gebunden fühle und eben deshalb den Beitritt zur NATO wünsche. Für Spanien bedeute vor allem die Vorwärtsstrategie der NATO eine Sicherung; deshalb werde Spanien im Falle seines Eintritts in die NATO sofort Landstreitkräfte zur Verfügung stellen; auch werde man spanische Basen für die Luft- und Seestreitkräfte der NATO bereitstellen. Niemand in Spanien sehe aber eine Notwendigkeit für bilaterale französisch-deutsche Abmachungen.

Kurz zuvor hatten die USA ihren Verbündeten den Vorschlag einer »multilateralen« Nuklearstreitkraft gemacht; jedes Land der NATO sollte an der Atommacht beteiligt werden. Bonn trat für eine solche integrierte multilaterale Nuklearstreitmacht ein, während Großbritannien auf dem »multinationalen« Prinzip auf der Basis unabhängiger nationaler Streitkräfte beharrte. Vor allem aber lehnte Frankreich jede Integration der französischen Nuklearmacht in die NATO ab.

Nach einer Reise zu Besprechungen und Besichtigungen nach England und Schottland auf Einladung der britischen Regierung flog ich nach Ulm, wo am 8. Juni das letzte Treffen der alten Königsgrenadiere am Ehrenmal des Regiments stattfand. Außer über 700 alten Grenadieren waren Herzog Philipp und Herzog Carl von Württemberg erschienen. Die Ehrenkompanie führte erstmals die alten Königsgrenadierfahnen an ihrem rechten Flügel mit. Vor dem Ehrenmal hielt ich die Gedenkrede.

Als wir wenige Tage später ein Abschiedsessen für General Norstad gaben, kam ein Telefonanruf: Herbert von Karajan rief in der Pause einer »Tristan«-Neuinszenierung aus Wien an und bat um Übermittlung von Flugzeugdaten der »Mirage«, er wolle sich eventuell eine zivile Version des französischen Kampfflugzeugs für seinen persönlichen Gebrauch bestellen. Mein Freund Paul Stehlin, der Oberbefehlshaber der französischen Luftwaffe, gab neben der erbetenen Auskunft auch die fürsorgliche Warnung, die Maschine sei sehr heikel und schwer zu fliegen. Herbert am Telefon antwortete lediglich: »Ich fliege jede Maschine.« Dann nahm in Wien der »Tristan« seinen Fortgang.

Am 10. Juni 1963 wurde ich vom Bundeskanzler nach Bonn gerufen; er eröffnete die Unterredung mit der Frage, ob ich nun in ein Sanatorium ginge, da ich doch erholungsbedürftig sei. Ich drückte mein Erstaunen und mein Befremden aus; ich sei gesund und in keiner Hinsicht erholungsbedürftig. Adenauer erläuterte mir daraufhin noch einmal die alten Vorwürfe de Gaulles. Seit meiner Ablehnung einer Korrektur meines Buches und angesichts meines unverändert dezidierten Eintretens für die atlantische Gemeinschaft und für die Verteidigung des Westens am Eisernen Vorhang hatte de Gaulle immer wieder versucht, meine Abberufung durchzusetzen. Erst später erfuhr ich, daß Adenauer bei seinem Besuch im Juni 1962 de Gaulle mein baldiges Ausscheiden zugesagt hatte. Nachdem dieser von der Verlängerung meiner Dienstzeit bis 31. März 1964 gehört hatte, war bereits im April eine Demarche von Botschafter de Margerie bei Staatssekretär Dr. Globke erfolgt; wenn General Speidel nicht binnen weniger Wochen verschwunden sei, werde er zur persona ingrata in Frankreich erklärt werden. Botschafter de Margerie hatte hinzugefügt, er persönlich bedauere die Forderungen seines Staatschefs, da er von der Haltlosigkeit der Vorwürfe überzeugt sei.

Ich antwortete dem Bundeskanzler nicht so sehr mit persönlichen Erklärungen als mit einer Formulierung meiner großen Sorgen angesichts der Einstellung de Gaulles zur NATO. Ich berichtete, daß de Gaulle in der letzten Zeit folgende Thesen öffentlich und in vertraulichen Gesprächen vertreten habe: Die NATO sei tot, die Amerikaner müßten aus Europa verschwinden; zunächst müsse das deutsch-französische Bündnis militärisch gefestigt werden unter einem Oberbefehlshaber in Fontainebleau, und zwar einem Franzosen, dem ein deutscher Stellvertreter beigegeben werden könne, dann wolle er Chruschtschow einen Pakt anbieten. Die Anerkennung der Oder-Neiße-Linie als endgültige deutsche Ostgrenze könne Wandlungen in Osteuropa bewirken. De Gaulle wolle Europa bis zum Ural als dritte Kraft gegen die Chinesen aufbauen, vielleicht auch im Blick auf das angloamerikanische Übergewicht. Der Kanzler widersprach meinem Vortrag: de Gaulle habe ihn anders unterrichtet. Im übrigen sei de Gaulle nicht mehr auf die früheren Beschuldigungen zurückgekommen, er habe nur von einer »harten Behandlung« von ihm nahestehenden Persönlichkeiten während der Besatzungszeit gesprochen.

Ich unterrichtete Adenauer über die Einstellung meiner NATO-Vorgesetzten, der Generale Norstad, Lemnitzer und Jacquot, und machte auf mögliche Auswirkungen in der Presse aufmerksam.

Der Bundeskanzler hob demgegenüber die Bedeutung der deutsch-französischen Freundschaft hervor, worauf ich entgegnete, daß mir diese Aussöhnung seit Anfang der dreißiger Jahre eine Lebensaufgabe gewesen sei, und zwar oft unter schwierigen Bedingungen und auch in Jahren, als dies unzeitgemäß war. Adenauer schien beeindruckt und sagte zu, mit de Margerie noch einmal in Verbindung zu treten, um einen Versuch zu machen, de Gaulle umzustimmen.

Am 28. Juni 1963 begleitete ich General Norstad zu seinem Abschiedsbesuch beim Bundespräsidenten. Vor dem Diner überreichte mir der Bundespräsident in Gegenwart von General Norstad das große Bundesverdienstkreuz mit Stern und Schulterband, um mir noch in meiner aktiven Dienstzeit seine rückhaltlose Anerkennung auch öffentlich zu dokumentieren. Bei seiner Tischrede sagte Norstad, er wolle seine Hochachtung nicht nur dem Gastgeber, sondern vor allem auch einem der hier anwesenden Herren zum Ausdruck bringen. Er sprach dann mir in einer über das Konventionelle hinausgehenden, mich besonders ehrenden Weise seinen persönlichen Dank, und auch den von SHAPE und vom ganzen Bündnis aus.

Da ein Routinebesuch de Gaulles in Bonn bevorstand, schaltete sich Bundespräsident Heinrich Lübke ein. Er bat Botschafter de Margerie, ihm konkrete Unterlagen für de Gaulles Vorwürfe zu übermitteln. Lübke erhielt nicht ein einziges Dokument. Später berichtete er mir von seinem Gespräch mit de Gaulle, das vielleicht das härteste, sicher das unangenehmste seines Lebens gewesen sei, denn de Gaulle sei starr, kalt und abweisend gewesen. Immerhin habe er zugeben müssen, daß überhaupt nichts Konkretes gegen mich vorläge, jedoch hätte ich Befehle für die Aufrechterhaltung der inneren Sicherheit gegeben, die die Untergrundbewegung in Bedrängnis gebracht habe. Lübke erzählte, daß er daraufhin geantwortet habe, das sei schließlich nicht nur mein gutes Recht, sondern meine Pflicht gewesen, worauf de Gaulle überraschenderweise zugestimmt hätte. Der Bundespräsident sprach von seiner tiefen Enttäuschung über de Gaulles Haltung, nicht nur in Anbetracht meines Schicksals, sondern auch im Hinblick auf die immer wieder betonte deutsch-französische Freundschaft.

Zum Abschluß betonte Lübke, daß er meine Berufung zum Sonderbeauftragten der Bundesregierung für Fragen der atlantischen Verteidigung dann doch freudig unterzeichnet habe, um nicht nur vor aller Welt das Vertrauen der Bundesregierung in meine bisherige Kommandoführung und in meine Persönlichkeit zu demonstrieren, sondern auch General de Gaulle klar zu zeigen, wie hoch die Bundesregierung und er mich schätzten. Dies entspräche übrigens auch der Auffassung meiner alliierten militärischen Vorgesetzten. So wurde der Forderung von General de Gaulle nach meiner Abberufung zwar nicht auf den 1. Juli, sondern durch die Intervention des Bundespräsidenten erst auf den 30. September 1963 entsprochen. Letztlich war dies weniger als Desavouierung meiner Person zu werten, denn als Rückschlag für jene Integrationspolitik und Verteidigungsstrategie, für die wir alle, ungeachtet der Nationalität, die Jahre hindurch in Fontainebleau eingetreten waren.

Beim Abschiedsessen wenige Wochen später sagte mir der französische Oberbefehlshaber in Fontainebleau, Jacquot: »Général de Gaulle m'a humilié par votre départ prématuré. Mais pourquoi votre gouvernement, votre chancelier a-t-il cédé? C'est incompréhensible!« Besonders nobel war die Haltung von Bundespräsident Lübke, der sich in seiner Lauterkeit rückhaltlos für mich eingesetzt hatte. Im Gegensatz zu Adenauer hat er dem Machtanspruch de Gaulles Widerpart geboten, der mit seiner Intervention ja nicht nur in deutsche Angelegenheiten, sondern auch in Befugnisse der NATO eingriff.

Es ist nicht meine Aufgabe, eine Charakterstudie über Charles de Gaulle zu schreiben. Auch in seinem Heimatland schwankt sein Bild in der Wertung. Zweifellos war er eine ungewöhnliche Persönlichkeit von soldatischer Grundhaltung, Mut, Glauben, umfassender Bildung. Dem standen gegenüber eine vielfach bis zur Unerträglichkeit gesteigerte Egozentrik, Eitelkeit, die mit einer nachtragenden Empfindlichkeit einherging, und ein starkes Mißtrauen, das bis zur Verachtung von Mensch und Volk führte. Er wollte, wie einst Napoleon, nicht geliebt sein. Er sah sich als Denkmal, als lebende Legende.

Uns kam es vor allem darauf an, seinem Kampf gegen die NATO, gegen alle supranationalen Institutionen, seinem »Europa der Vaterländer« entgegenzutreten. Gerade im Interesse der deutsch-französischen Freundschaft machten wir deshalb immer wieder während der Vorbereitungszeit des deutsch-französischen Vertrags auf die Grundlagen der Deutschland- und Europapolitik de Gaulles aufmerksam, auf seine voreilige Festlegung in der Frage der Oder-Neiße-Linie und seine Ablehnung der Vorwärtsverteidigung am Eisernen Vorhang, der er die illusionäre Verteidigung Frankreichs »à tous azimuts« entgegengesetzt hatte.

Mit all dem hat de Gaulle eine entscheidende Weichenstellung in der französischen Außenpolitik vollzogen, die in der übermäßigen Betonung des Nationalen über Pompidou bis Giscard d'Estaing fortwirkt. Letztlich stand er aber damit in einer alten Tradition der französischen Geschichte, in der der Wert der Nation immer höher stand als die Ziele einer Liga oder Allianz.

So hieß es nun in Fontainebleau Abschied zu nehmen. In den

415

sechseinhalb Jahren unseres Aufenthalts haben wir diese Stadt lieben gelernt – mit ihrem einzigartigen Schloß in der Vielfalt seiner Stile, einst glanzvoller Sitz der französischen Könige, sporadisch auch der beiden Napoleoniden, inmitten teils wilder, teils gepflegter Wälder. Diese genossen wir auf Gängen, sei es im Frühling zum Suchen der Jonquilles und Scilla, sei es im Hochsommer, wenn die mächtigen Bäume köstlichen Schatten spendeten, oder im Herbst beim blühenden Heidekraut um die Felspartien.

Die Bellifontainer hatten uns nach einem zurückhaltenden Anfang als Mitbürger freundlich aufgenommen. So kam es zu einem gedeihlichen Zusammenwirken zwischen den staatlichen, den städtischen Behörden und uns. Im Laufe der Jahre versuchten wir, für das kulturelle Leben Anregungen zu geben. Zweimal fanden mit Dènes und Anneliese Zsigmondy Hauskonzerte bei uns statt. Die meisterhafte Darbietung der G-Dur-Sonate von Brahms und der Kreutzersonate rühmten unsere Bellifontainer Freunde noch lange. Auch luden wir zu Vorträgen ein. Ob Klaus Mehnert in englischer Sprache zu politischen Problemen Stellung nahm oder Peter Bamm aus seinem »Alexander« las und anschließend aus seinem reichen Anekdotenschatz sprudelnd erzählte – dies waren Begegnungen und Erlebnisse, die für die Teilnehmer aus den verschiedenen Nationen über das Gesellschaftliche hinaus Gemeinsamkeit schufen.

Musikalischer und gesellschaftlicher Höhepunkt aber war ein Konzert der Wiener Sinfoniker unter Wolfgang Sawallisch am 18. März 1962. Sawallisch hatte sich freundschaftlich bereit erklärt, nach einem Gastspiel in Paris für uns in Fontainebleau ein Konzert zu geben. Dank der Aufgeschlossenheit des Bürgermeisters Séramy und der örtlichen Behörden bekamen wir das Stadttheater in Fontainebleau zur Verfügung gestellt, dessen Bühne in aller Eile wegen der Größe des Orchesters erweitert werden mußte. Am Nachmittag war eine Verständigungsprobe, bei der ich das Orchester begrüßte und erwähnte, daß schon einmal ein bedeutsamer Zug aus Wien nach Fontainebleau gekommen war, nämlich der Hochzeitszug von Marie-Antoinette, an den heute noch ein Obelisk erinnert.

Am Abend war dann eine illustre Zuhörergemeinde versammelt, Marschall Juin und alle Botschafter der NATO, dazu die Kameraden und Bürger Fontainebleaus, für die wir Karten zur Verfügung gestellt hatten. Die vierte Sinfonie von Beethoven eröffnete den Abend, es folgten »Don Juan« von Richard Strauß und eine magistrale Wiedergabe der ersten Sinfonie von Brahms, nach deren Choralschluß ein Jubel ohnegleichen einsetzte. Mit der Zugabe »An der schönen blauen Donau« schlossen die Wiener ihr Konzert, das mit einem beschwingten Empfang in unserem Cercle endete. Die Wiener bezeichneten den Abend in Fontainebleau später als Krönung ihrer Konzertreise.

In unseren letzten Tagen in Fontainebleau erfuhren wir rührende Zeichen der Freundschaft und Anhänglichkeit. Zum Abschied gab uns der Député-Maire, Paul Séramy, ein Essen, zu dem auch der Präfekt des Départements Seine-et-Marne eingeladen war. Er erinnerte noch einmal an den nicht einfachen Beginn meiner Kommandoführung, an die allmählich völlige »Integration« in die Bürgerschaft, an die Feste, wie die Partnerschaft mit Konstanz und schließlich das Konzert der Wiener Sinfoniker.

Den August über gab es dann Abschiede der verschiedensten Art, die unser Hansi zum Teil miterleben konnte. So fuhren wir noch einmal hinaus nach Giverny in das Haus Claude Monets – der alten Schwester hatte ich im Sommer 1944 noch behilflich sein können –, wo wir die letzten Seerosenbilder im Atelier bewunderten und den kleinen Teich mit dem Steg in voller Seerosenpracht erlebten. Im Schloß von La Roche-Guyon konnte ich unserem Sohn die Schicksalstunden des Sommers 1944 lebendig werden lassen.

In den letzten Augusttagen verabschiedete ich mich von der

deutschen Delegation mit folgenden Worten: »Im Frühjahr 1957 habe ich als erster Deutscher den Oberbefehl über verbündete Kräfte übernommen und konnte damals zwei deutsche Divisionen in die Streitkräfte einbringen. Heute sind es unserer vertraglichen Zusage entsprechend zwölf. Bei meiner Befehlsübernahme vor sechseinhalb Jahren lag die Verteidigung am Rhein; dank der Mitarbeit aller Beteiligten haben wir heute die Vorwärtsverteidigung am Eisernen Vorhang, die gerade am Tag der Befehlsübergabe in Kraft tritt – für mich eine tiefe Genugtuung von symbolhafter Bedeutung.

Wir wollen nie den schweren Weg vergessen, den wir gemeinsam zurückgelegt haben. Erfahrungen nützen nichts, wenn man sie nicht durchdenkt. Der unbeugsame, leidenschaftliche Wille aller zur beweglichen Vorwärtsverteidigung, die alle Kampfarten in sich schließt, führte zum Erfolg. Er war nur möglich durch das Schaffen einer Gemeinschaft, einer Familie; sie zu erreichen war mein Ziel – in der echten Kameradschaft liegt die Größe. Ich freue mich, sagen zu können, daß ich von Ihnen menschlich nicht enttäuscht wurde. Bewahren Sie daher in der innern und äußeren Bedrohtheit unserer Zeit Tapferkeit, Festigkeit und Weite, die Klarheit des Denkens wie die Stärke des disziplinierten Willens, denn auch beim militärischen Führer entscheiden das menschliche Maß und die echte Größe: ›Mehr sein als scheinen.‹«

Am 29. August, einem leuchtenden Spätsommertag, fand dann die Abschiedsparade im Embry-Stadion in Fontainebleau statt, zu der alle acht Nationen Ehrenabordnungen entsandt hatten. Die Tribünen waren voll besetzt, während das eindrucksvolle Zeremoniell ablief. Schottische Hochlandfüsiliere, Kanadier im traditionellen Kilt, die Gardeformation der Königin der Niederlande in ihren Bärenmützen, Luxemburger Artilleristen, französische Schützen, belgische Grenadiere, amerikanische Infanteristen im Kampfanzug, begleitet von einem Spielmannszug, und Soldaten des Bonner Wachbataillons waren aufmarschiert. Es war bewegend, welche Herzlichkeit mir bei dieser Abschiedskundgebung entgegengebracht wurde. Eine kurze Ansprache auf französisch und englisch schloß ich mit den Worten: »Die legendäre Kameradschaft der Soldaten über Zeit und Raum hinweg soll weiterhin der nie versiegende Quell unserer Kraft sein. Die Pflicht ist uns Soldaten selbstverständlich, das richtige Gewicht gibt aber erst das Herz, das freiwillig in die Waagschale geworfen wird. Uns allen bleibt aufgegeben: der Schutz der Menschenwürde, die Sicherung unserer Heimat, insbesondere meiner leider schmerzlich geteilten Heimat, der Dienst an der gemeinsamen Idee, versinnbildlicht im Wappenbild von Europa-Mitte. Frei im Geist, fest im Charakter tragt Eure Fahnen in eine Gott woll's friedvolle Zukunft! Pro patria – per orbis concordiam.«

Es waren widersprüchliche Gedanken, die mich beim Verlassen des Oberbefehls von LANDCENT – einer mir ans Herz gewachsenen Aufgabe – bewegten. Daß gerade am Tage meines Ausscheidens die durch so viele Jahre hindurch angestrebte Vorwärtsverteidigung erreicht wurde, erfüllte mich mit Befriedigung. Auch war es eine Freude für mich, daß jetzt das deutsche Kontingent nach Haltung und Leistung nicht nur ein vollwertiger Partner im Bündnis geworden war, sondern vielfach auch schon ein Beispiel für Verbände anderer Nationen setzte. Was an Ausbildungs- und Erziehungsarbeit von den Führern aller Dienstgrade geleistet worden ist, wird im Urteil der Geschichte bestehen können. Die zunehmenden Bitten hoher alliierter Befehlshaber um Kommandierung deutscher Offiziere in ihre Stäbe sprechen für sich.

Voll Sorge aber schied ich im Blick auf die innere Lage des Bündnisses. Die Eigeninteressen der einzelnen Länder nahmen immer mehr Raum ein und drohten, die Integration aufzuweichen. Dazu hatte die äußere Bedrohung durch die Sowjetunion angesichts des forcierten Ausbaus ihrer Hochseeflotte und der atomar ausgerüsteten U-Boot-Waffe zugenommen. Die kommenden Jahre sollten diese Befürchtungen bestätigen.

Der September war angefüllt mit weiteren Abschiedszeremonien. In Den Haag, wo mir als erstem Nicht-Holländer die Ehrengabe der holländischen Armee, die Skulptur eines holländischen Soldaten, überreicht wurde, in Luxemburg, wo ich noch einmal von Prinz Felix von Bourbon-Parma empfangen wurde, wie in Brüssel, wo sich König Boudouin besonders warmherzig für meine Fürsorge für das belgische Korps und für die Zusammenarbeit mit meinen belgischen Chefs des Generalstabs bedankte, verabschiedete man mich mit Herzlichkeit.

Dann ging es nach London, wo mich Feldmarschall Sir Robert Hull auf dem Flugplatz empfing und zu einer Aussprache mit dem Lordsiegelbewahrer Edward Heath ins Foreign Office begleitete. Der Eindruck dieser kraftvollen, klaren Persönlichkeit bleibt mir unvergessen, nicht zuletzt sein Bekenntnis zu Europa, das er später als Premierminister in die Tat umsetzte. Bei der Übernahme meines Kommandos in Fontainebleau hatte man mich einst auf wahrscheinliche Schwierigkeiten mit den Engländern, insbesondere mit den Kommandeuren der Streitkräfte, vorsichtig aufmerksam gemacht. In all den Jahren machte ich jedoch die besten Erfahrungen in einer Zusammenarbeit, die stets von Vertrauen, Sachkenntnis und Kameradschaft getragen gewesen war.

Wenig später fand in Heidelberg die Abschiedsparade des Oberkommandos der amerikanischen Streitkräfte in Europa in Anwesenheit von Ministerpräsident Kiesinger statt; dann folgte in Baden-Baden die Parade des Oberkommandos der 1. französischen Armee. Zu einer der eindruckvollsten Abschiedsparaden aber wurde am 11. September die der 7. amerikanischen Armee in meiner alten Heimat Stuttgart, wo ich als erster Ausländer nach Winston Churchill zum Ehrenmitglied der 7. Armee auf Lebenszeit ernannt wurde.

Am Nachmittag dieses Tags hatte ich ein schmerzliches Wiedersehen mit Theodor Heuss, der nach einer Amputation seines linken Beins im Katharinenhospital lag. Mit zitternder Hand schrieb er mir eine Widmung in seine Erinnerungen. Der Abschied war tiefbewegend, wir fühlten wohl beide, daß es der letzte sein würde.

Anfang Oktober übernahm ich die Aufgabe als Sonderbeauftragter der Bundesregierung für Fragen der atlantischen Verteidigung. Bevor ich in meiner neuen Eigenschaft zu Besprechungen in die Vereinigten Staaten fahren konnte, fand der hinausgezogene und von unguten Umständen begleitete Rücktritt von Bundeskanzler Adenauer statt; er hatte meine Amtsenthebung nur Tage überdauert. Nach peinlichem Hin und Her wurde der Bundesminister für Wirtschaft, Ludwig Erhard, sein Nachfolger. Eine Epoche der deutschen Nachkriegsgeschichte war zu Ende gegangen.

Meine Reise nach den USA wurde dann zu einem tief befriedigenden Abschluß meiner Kommandoführung auf interalliierter Ebene. Die Aufnahme in den Vereinigten Staaten war von einer unvergeßlichen Herzlichkeit. Mit dem befreundeten Chairman Joint Chief of Staff, General Maxwell D. Taylor, hatte ich nach einer Ehrenparade aller vier Armeeteile vor dem Pentagon eine mehrstündige Aussprache über meine Erfahrungen. Meine Sorge angesichts der schleichenden Desintegration der NATO auf politischer Ebene war auch die seine; wir teilten die Befürchtungen über die politischen und strategischen Folgen der Haltung de Gaulles auf der einen, den Anspruch des Vereinigten Königreichs auf selbständige Atomstreitkräfte auf der anderen Seite.

Ich machte General Taylor darauf aufmerksam, wie empfindlich die Bundesrepublik auf jede Äußerung reagiere, daß amerikanische Truppen aus Europa abgezogen werden könnten; die Folgerungen aus der Übung Big Lift, wonach Divisionen auf dem Luftwege aus den USA nach Deutschland herangeführt werden könnten, seien psychologisch gefährlich. Jeder Truppenabzug könne eine Kettenreaktion auslösen. Meine amerikanischen Gesprächspartner versicherten mir jedoch, die gegenwärtig in Europa stationierten US-Divisionen würden in Deutschland bleiben.

Die USA müßten aber die Freiheit haben, Gliederung und Kampfkraft ihrer Divisionen jeweils den neuen Erfordernissen anzuglei-
chen. Besonderes Gewicht hatte auch die Frage, ob in Spannungszeiten ein Aufmarsch der Sowjets rechtzeitig erkannt werden
könne; daran schloß sich die Sorge, ob die politische Führung der
westlichen Länder sich im Ernstfall rechtzeitig genug zu Gegenmaßnahmen entschließen würde. Die Politiker trügen so eine
hohe Verantwortung. Für Taylor spielte dabei die Sorge um Berlin
eine primäre Rolle.

Eine besondere Überraschung bereitete uns Max Taylor beim
Abendessen in seinem Haus. Der Soldatenchor der 7. Armee sang
uns schwäbische Volkslieder in deutscher Sprache: »Im schönsten Wiesengrunde . . .« als Abschiedsgruß.

Besonders aufschlußreich war an jenem Abend die Unterhaltung mit Robert Kennedy, dessen Frau Ethel ich zur Tischdame
hatte. Kennedy interessierte sich sehr für das Ende Rommels.
Dann berichtete er von der Ablehnung, die seinem Bruder, dem
Präsidenten, in manchen Teilen des Landes noch immer entge-
genschlüge; gerade habe er ihn gewarnt, in den nächsten Wochen
nach Texas zu fahren. Nur wenige Tage danach traf uns die
furchtbare Nachricht von der Ermordung John Kennedys in
Dallas.

In großzügiger Weise durfte ich in den Staaten die moderne
Waffenentwicklung auf allen Gebieten besichtigen. Am 8. November war ich Gast bei Wernher von Braun in Huntsville. Es
bleibt mir unvergeßlich, mit welch überlegener Leichtigkeit er
die schwierigsten technischen Probleme zu erklären wußte, wie
er die erste Landung auf dem Mond in ihrem zeitlichen Ablauf
und in der technischen Durchführung exakt vorherbestimmte.
Natürlich unterhielten wir uns eingehend über Kennedy, der das
amerikanische Mondlandeunternehmen mit Nachdruck ins
Werk setzte. Nach Kennedys furchtbarem Ende schrieb mir
Wernher von Braun: »Die unerwarteten tragischen Ereignisse

hier haben auch für uns viele direkte und indirekte Folgen. Ich hatte das große Glück, mich mehrmals mit Kennedy unterhalten zu können, zum letzten Mal noch wenige Tage vor seiner Ermordung, und war zutiefst beeindruckt von seiner brillanten Intelligenz, seinem aufrichtigen Idealismus, seiner faszinierenden Vitalität und seiner großen Herzlichkeit.« Diese Charakterisierung entsprach ganz meinem Eindruck, wenn ich auch manchen Maßnahmen der Entspannungspolitik Kennedys etwas skeptisch gegenüber stand.

Am 13. und 14. November waren wir zum 70. Geburtstag des Chefs des Hauses Württemberg, Herzog Philipp, in Schloß Altshausen und Friedrichshafen eingeladen. Das Bild der Bürgerwehren Oberschwabens in ihren traditionellen Uniformen und Fahnen, von denen einige Maria Theresia noch verliehen hatte, beim abendlichen Zapfenstreich bleibt unvergessen. Der Herzog ehrte mich in Gegenwart von Kiesinger und des Comte de Paris mit dem Großkreuz des württembergischen Militärverdienstordens, da ich im Besitz der silbernen und goldenen Militärverdienstmedaille, wie auch des Ritterkreuzes des Militärverdienstordens sei. Er wolle, daß ein Württemberger noch einmal dieses Großkreuz erhalte.

Nach meiner Rückkehr nach Bonn hatte ich die erste Aussprache mit dem neuen Bundeskanzler Erhard; er kritisierte das Verhalten Adenauers gegenüber de Gaulle ohne Zurückhaltung in der schärfsten Weise. Diese Nachgiebigkeit werde uns nichts bringen.

Meinen Eintritt in das fünfzigste Jahr meiner militärischen Dienstzeit »feierte« ich mit einem Vortrag vor der Führungsakademie in Hamburg. Mein alter Mitarbeiter General de Maizière begrüßte mich zu meiner Freude als Kommandeur der Führungsakademie. Das Zusammensein mit den alten und jungen Kameraden, darunter meinem eigenen Sohn, war herzerfrischend.

Am 12. Dezember erreichte uns spät abends die Trauernachricht vom Tode von Theodor Heuss. Erinnerungen stiegen auf an die vielen Begegnungen mit diesem einzigartigen Mann, dessen Wirkung als erster deutscher Bundespräsident im In- und Ausland geschichtsträchtig geworden ist. Die äußere Erscheinung blieb jedem, der ihm begegnen durfte, lebendig. Unvergessen bleiben die Gespräche nach dem Zusammenbruch, die immer und überall von einer unbeirrbaren Zukunftshoffnung getragen waren. Er war ein Meister des Gesprächs und verfügte über eine sprachliche Formulierungskraft, die mitunter durch die Gaben von Dionysos noch erhöht wurde. Einmal rühmte er im Gespräch mit mir »die Gewalt und Anmut der Sprache bei Clausewitz«, der schöpferisch an der Erneuerung der Deutschen beteiligt gewesen sei. Das galt auch für ihn selber, der der Geisteskultur und ihrer Ausstrahlung in den Bereich des Politischen verpflichtet war. Obwohl Theodor Heuss wegen eines Unfalls in der Jugend nie Soldat gewesen ist, war er dem Soldatischen gegenüber immer aufgeschlossen. Er forderte, daß bürgerliche Pflichten und soldatische Tugenden gleicherweise geachtet werden müßten, und daß die eine die andere befruchte. Klassisch für alle alten und jungen Soldaten, ja für uns Deutsche allgemein, bleibt seine Gedächtnisrede auf den 20. Juli 1944, die er ein Dezennium danach in der Freien Universität Berlin gehalten hat.

Weihnachten und Neujahr feierten wir in »unserem Waldeck« in Freudenstadt mit der Verlobung von Hansi und Ulrike Denzel, deren Vater im Krieg als Offizier gefallen war. Den Ausklang des alten und den Beginn des neuen Jahres erlebten wir in festlicher Runde mit Ministerpräsident Kiesinger, dem württembergischen Landesbischof Haug, Arnold Bergstraesser, den beiderseitigen Familien und allen Waldeckern, wobei der fünfundachtzigjährige Major a. D. Wilhelm Baessler, der Chef des Hauses, mitternächtliche Zukunftsworte sprach.

Bald nach dem Beginn des neuen Jahres rief Arnold Bergstraesser an, daß ich eine Honorarprofessur an der Universität Freiburg erhalten solle. Alles weitere wollten wir nach der Rückkehr Arnolds von einer Indienreise besprechen, zu der er wenige Tage später aufbrach.

Zurückgekehrt, berichtete er uns einen ganzen Abend lang von seinem »großen Erlebnis Indien«. Als wir acht Tage später beim Präsidenten der Forschungsgemeinschaft, Professor Hess, zusammen mit Werner Heisenberg und Carlo Schmid eingeladen waren, erfuhren wir zu unserer aller Bestürzung, daß Arnold Bergstraesser an diesem Nachmittag an einer Viruslungenentzündung, die er sich auf der Indienreise zugezogen hatte, ganz plötzlich gestorben war. Einer meiner Jugendfreunde, mit dem ich auch in der nahen Zukunft eng verbunden sein sollte, war nicht mehr.

Als Arnold den zweiten Band des »Curtius – Bergstraesser«, »Frankreich, Staat und Wirtschaft« schrieb, bat er mich um meine Mitarbeit über das Problem von Frankreichs Sicherheit. Für mich waren es Vorstudien für die von Beck angeregte Studie »Französischer Sicherheitsbegriff und französische Führung«, die den militärischen Führern der Wehrmacht 1937 in die Hand gegeben wurde.

Die Gespräche nach der Rückkehr aus den USA hatten trotz des langen Intervalls der Kriegsjahre an die früheren Freundesbegegnungen angeknüpft. Arnold war der alte geblieben, ein unermüdlicher Anreger und Mahner, zugleich aber schien er bereichert durch einen umfassenden Überblick, durch die Weisheit dessen, der nicht nur viel erlebt und erforscht, sondern auch – in den schweren Jahren des Exils – erlitten hat. Mit welcher Intensität und Energie Berstraesser sich im Nachkriegsdeutschland dafür eingesetzt hat, neue Wege für unser staatliches Sein zu finden, wie er aus tiefer Verpflichtung heraus gerade der studentischen Jugend Werte und Ideale aufzeigte, wie er die Kontinuität der europäischen Geschichte und des europäischen Geistes im Begriff der Freiheit darlegte, ist mir unvergessen.

Beim großen Universitätsjubiläum in Freiburg im Sommer

1957 schritt die Spektabilität im Talar der Fakultät voran; im April 1960 präsidierte er, der dem Fach Politologie an unseren Universitäten zu hervorragender Bedeutung verholfen hatte, dem ersten NATO-Seminar der Freiburger Universität und wirkte damit bahnbrechend für unsere Hohen Schulen. Arnold Bergstraesser bleibt ein Leitbild nicht etwa nur des forschenden und schöpferischen Lehrers, sondern eines homo politicus mit dem Feuer tiefer Leidenschaft in einer Synthese von Geist und Tat, wie es selten Menschen geben wird.

Den Abschied von der Bundeswehr hatte ich mir in Ulm erbeten, wo ich beinahe fünfzig Jahre zuvor bei den Königsgrenadieren eingetreten war. Über fünfhundert Gäste waren der Einladung des Kommandierenden Generals gefolgt. Der badisch-württembergische Landtagspräsident Dr. Gurk, der Justizminister Dr. Haussmann und der Kommandierende General Hepp sprachen. Der Oberbefehlshaber der 7. US-Armee, General Quinn, der französische General Lapaume, die Staatssekretäre von Herwarth und Hopf, die Herzöge Philipp und Carl von Württemberg, der Markgraf von Baden, der Erbprinz von Fürstenberg waren neben vielen Freunden und Kameraden, insbesondere aus meinen alten Regimentern – Grenadierregiment 123, 13 und 56 – erschienen.

Auf dem Münsterplatz fand der Große Zapfenstreich statt, den zehntausend Bürger miterlebten. In der kalten Winternacht leuchtete die angestrahlte Fassade des Münsters hell. Der warme Schein der Fackeln belebte die feierliche Zeremonie. Es war ein tief bewegendes, stimmungsvolles Bild, ein denkwürdiger Beschluß meiner militärischen Laufbahn.

Meine Gedanken gingen zurück. Ein weiter Bogen war es, der sich von meinen Jugendjahren im friedlichen Königreich Württemberg über die Stürme der beiden Weltkriege und die Dezennien des Neubeginns zur Gegenwart spannte. Diese sieben Jahrzehnte unseres Jahrhunderts waren in einem Maße von Veränderungen gezeichnet wie kaum eine solche Zeitspanne davor. Die Wandlungen im politischen und staatlichen Bereich vollzogen sich dabei nicht ohne Verlust.

Mit dem Untergang des Kaiserreichs brachen festgefügte Ordnungen zusammen, ging eine Welt zu Ende – nicht nur für uns Soldaten. Im Reich und in der Reichswehr versuchten wir dann, Bewahrenswertes aus der Vergangenheit in die neue Zeit hinüberzuretten. Durch die Machtergreifung der Nationalsozialisten wurden wir schließlich in die verhängnisvolle Rolle des ausführenden Organs einer verbrecherischen Politik und damit in den Zwiespalt zwischen Eid und Gewissen getrieben. Mehr noch als nach 1918 zeigte sich, daß es uns Deutschen an politischen Tugenden mangelt. Bis zum bitteren Ende mußten wir die Niederlage auskosten, bevor aus den Trümmern der Neuaufbau begonnen werden konnte. Dann kam es, durch den in der Nachkriegszeit entstehenden Ost-West-Gegensatz bedingt, doch verhältnismäßig bald zu einer neuen Staatlichkeit, der Bundesrepublik Deutschland, und mit ihr zur Bundeswehr, die ich mit schaffen konnte. Nun stand sie, eingefügt in das atlantische Bündnis mit befreundeten Nationen, als ein Wahrer unserer Freiheit. Dies mochte mit Befriedigung erfüllen, während unser durch viele Jahre verfolgtes Ziel, den Westen im europäischen und atlantischen Rahmen zu einen, nicht ganz erreicht werden konnte.

Im Rückblick auf die Jahre mag manches Geschehen, manche Entscheidung, manche Ansicht schwer verständlich und nur aus ihrer, »aus unserer Zeit« heraus zu erklären sein. Nachträglich fragt man sich, warum der Lauf der Dinge diesen und keinen anderen Weg genommen hat – doch hier gilt Goethes Wort: »Aus Gestern wird nicht Heute; doch Äonen, sie werden wechselnd sinken, werden thronen.«

So wechselvoll die Geschichte in diesem Jahrhundert für Deutschland, für Europa war, so wechselvoll gestaltete sich dadurch auch das Schicksal des Einzelnen. Immer wird es gelten, die Forderung des Tages zu erfüllen und zugleich den Blick über den Tag hinaus zu richten. Aber in Zeiten des Wandels der Werte, der Meinungen ist es noch wichtiger, bei dieser Erfüllung der uns immer neu gestellten Aufgaben fest zu stehen und das Rechte, Bleibende, Gültige im Auge zu haben: »Es beharret im Wechsel ein ruhiger Geist.« In aller Unruhe und Unbeständigkeit unserer Zeit galt es, sich ihr gewachsen zu zeigen in Abwägen und Entschlossenheit, in Offenheit und Standhaftigkeit. Nur mit einem festen Halt im Innern war die Bewährung im Äußeren möglich und mit ihr eine trotz allem zuversichtliche Lebenshaltung, die meine Mutter mit den Worten umschrieb:

»Auf die Vergangenheit dankbar zurückschauen,

Der Gegenwart mit Mut vertrauen,

Jedermann hilfreich sein, niemand hassen,

Die Zukunft in Gottes Händen ruhen lassen.«

So gingen meine Gedanken zurück, aber auch voraus, bis ich meine Abschiedsworte sprach: »Im Herbst werden es fünfzig Jahre, seit ich bei den Ulmer Königsgrenadieren eingetreten bin, deren Purpurfahnen uns verpflichtend grüßen.

In zwei Kriegen mußten wir tapferen Gegnern gegenübertreten, die heute unsere Kameraden sind. Wir haben Schweres, aber auch Unvergängliches und viel Gemeinsames erlebt, sei es in den Kriegen, sei es im Widerstand gegen Verbrechen und Ungeist. Unwägbares wird an den Menschen herangetragen, damit er sein Gewicht erfährt. Unser Denken, unser Tun soll auch weiterhin der Erhaltung des Friedens in Freiheit dienen. Dabei ist unser Wunsch ›Da pacem nobis, Domine‹, wie auf dem Ulmer Gulden von 1704 steht. Wenn wir heute ›rückwärtsblickend vorwärtsschauen‹, bleiben nur Dank und das Bekenntnis zu den zeitlosen Werten echten Soldatentums, die mit den menschlichen identisch sind, und zum atlantischen und europäischen Ideal – heute mehr denn je.

›Ich gab dir die Fackel im Sprunge,
Wir hielten sie beide im Lauf:
Beflügelt von unserem Schwunge
Nimmt nun sie der Künftige auf.

Drum laß mich und bleib ihm zur Seite,
Bis fest er die Lodernde faßt
Im kurzen, doch treuen Geleite
Ergreif er die kostbare Last!

Du reichst ihm, was ich dir gegeben –
Und sagst ihm, was ich dir gesagt:
So zünde sich Leben an Leben,
Denn mehr ist uns allen versagt.‹«

Anhang

Denkschriften

vom 5. 7. 1937 (S. 431), 15. 1. 1942 (S. 449), Juni 1948 (S. 454),
19. 11. 1948 (S. 466), 15. 12. 1948 (S. 468), 5. 4. 1949 (S. 472) und
7. 8. 1950 (S. 477).

Oberkommando des Heeres
Generalstab des Heeres   Berlin, den 5. Juli 1937.
3. Abt., C. West

Geheim!

Französischer Sicherheitsbegriff und französische Führung.

(Erfahrungen aus Volkspsychologie und Kriegsgeschichte für die
französische Führung)

Der französische Volkscharakter, wie er sich seit je in der Wehrmacht und ihrer Führung ausgewirkt hat und weiter wirkt, neigt
in allen Dingen menschlichen Seins zur Vorsicht. Die Ratio hat
das Primat. Der Franzose will sicher gehen in allen Dingen der
Politik, Wirtschaft und Kriegsführung; in all diesen Bezirken
kommt der vielgerühmte Elan erst zur Auswirkung, wenn sich
keine starken Widerstände mehr entgegenstellen. Der Franzose
ist seiner Grundhaltung nach mehr zur Defensive veranlagt. In
den letzten Jahrzehnten scheint die Verteidigung des eigenen
Herdes die Resultante des französischen Willens geworden zu

431

sein. – Alle Gedanken rationaler und auch irrationaler Art kreisen um die Sicherheit.

Der französische *Sicherheitsbegriff,* geprägt durch Richelieu, hat viele Wandlungen durchgemacht, als Ergebnis historischer und psychologischer Entwicklung. Kurz ein Rückblick:

Die Territorialpolitik der französischen Könige, von der Ile-de-France bis zu Richelieus »natürlichen Grenzen«, schuf die französische Raumidee und zu ihrer Festigung den Zentralismus der innerstaatlichen Organisation. Die Raumidee forderte die Sicherheitsidee, die in Verbindung mit den »natürlichen Grenzen« eine Folge der Mittellage Frankreichs seit Karl V. zwischen den beiden Habsburgischen Mächten war. Diese Habsburgische Umklammerung hat wohl am meisten den Drang nach Sicherheit geschaffen. »Um das französische Kernland vor Angriffen geschützt zu wissen, schob Frankreich seine Grenzen nach Osten vor« – so argumentiert der französische Historiker. Richelieu verlangte den berüchtigten viereckigen Kampfplatz, »le pré carré« am Rhein (Briand erinnerte 1917 in London daran). Der politische Festungsgedanke Vaubans zur Schaffung eines Glacis diente ähnlichen Zielen. Die festungspolitischen französischen Ideen, ganze Provinzen als Glacis zu behandeln, Politik und Krieg zu führen, um ein Glacis der Sicherheit zu gewinnen, entspringt nicht nur französischer politischer Sophistik, sondern tatsächlichem volkspsychologischem Gefühl. (Maginot-Linie der Nachkriegszeit!)

Turenne prägte in Richelieuschem Geiste den Begriff des militärischen Vorkämpfers für das »Gefühl der Sicherheit« – sein Leben wurde dafür später als »ein einziger Lobgesang auf die Humanität« bezeichnet (Montesquieu und zitierend General Weygand). Die militärische Auswirkung des »Sicherheitsgefühls« in der Turenneschen Führung wird nachher betrachtet werden.

In der *Großen Revolution* griff Danton die Richelieusche These der »natürlichen Grenzen« auf und forderte zur Sicherheit Meer, Pyrenäen, Alpen und Rhein!

Die *napoleonische Epoche* wurde und wird heute noch von ganz Frankreich abgelehnt, weil Napoleons politische und militärische Führung die alte Sicherheitsidee zertrümmert und das auf Maß, Endlichkeit und Gleichgewicht bedachte Frankreich mit dem Unendlichen in Verbindung gesetzt hat. Am häufigsten zitiert das französische Volk als abschreckendes Beispiel sein Wort: »Der Krieg ist ein natürlicher Zustand.« Selbst ein Foch und Gamelin haben Napoleons Wirken abgelehnt. Gamelin spricht von Napoleons Imperialismus, »der nur ein vorübergehender Einfall und in erster Linie das Werk eines Genies war, welches die Grenzen der gewöhnlichen Menschheit überschritt.« Napoleons Niederlage bei Laon durch Blücher-Gneisenau 1814 ist für Foch »die Niederlage des Genies durch das unerhörte Rechtsgefühl.« Die Schüler Descartes' in Uniform (Gamelin) empfinden diese übervernünftige Größe als eine Störung des nationalen Gleichgewichts. In der Ablehnung des Dynamismus und des Genies an sich liegt auch psychologisch ein Teil der oft unüberwindlich scheinenden Gegensätze zwischen Deutschland und Frankreich. Die militärische Wirkung Napoleons ist deshalb beschränkter als in anderen Ländern.

Zweimal soll sich das spätere Frankreich gewisser napoleonischer Ideen bedient haben; unter Napoleon III. (s. u.) und 1919, als es seine Sicherheit an der Weichsel und Donau zu finden suchte. Beide Epochen sind aber auch ganz vom Sicherheitsgedanken aus zu verstehen. Die napoleonische Epoche wird also stets als Ausnahmefall zur Bestätigung der Regel gelten.

In der Zeit des *Bürgerkönigtums* (1840) forderte der extreme französische Sozialist Proudhon als Sprecher aller Richtungen die Rheingrenze: »Nicht aus Eroberungsdrang, sondern aus dem tief in seinem Herzen wurzelnden Bedürfnis nach Sicherheit strebt das französische Volk nach dem linken Rheinufer.«

Als Antwort entstand damals in Deutschland Schneckenburgers »Wacht am Rhein«. –

Im *2. Kaiserreich* fühlte Frankreich, nachdem die Niederhaltung Preußens durch Olmütz nicht geglückt war, seine Sicherheit tatsächlich bedroht durch die Ausschaltung Österreichs aus dem deutschen Geschehen (»Rache für Sadowa«) und durch das vermeintliche Aufreißen der seit 1659 geschlossenen Südflanke in den Pyrenäen durch die Kandidatur eines preußischen Prinzen auf dem spanischen Königsthron (vgl. Paléologue »Gespräche mit Kaiserin Eugenie« und a. a. O.).

Napoleon III. vertrat im Gegensatz zu seiner Regierung 1870 auch den defensiven Gedanken der Sicherung gegen einen deutschen Angriff.

Von 1871 bis 1906 beherrschte der Sicherheitsgedanke, in den sich auch die Revancheidee im Gefolge der Machtzunahme der Linken mehr und mehr gewandelt hatte, alle Äußerungen der französischen Politik. Ihm waren auch die Operationspläne angeglichen.

Erst die sich von 1906–1914 immer mehr festigende Überzeugung von der sicheren Wirkung des Bündnisses mit Rußland bewogen politische und militärische Führung zu offensiven Ideen unter defensiver Tarnung.

In der *Nachkriegszeit* verlangten militärische und politische Führung ein französisches Glacis bis zum Rhein als »strategische Verteidigungsmaßregel«. Während der großangelegte französische Sicherheitsfeldzug im 1. Jahrzehnt des Nachkrieges unter Clemenceau und Poincaré dem Ausbau der kontinentalen Hegemonie unter Benutzung der »securité-Psychologie« diente, versuchte die französische Gesamtpolitik (Bündnissystem und Militärpolitik) im jüngst zurückliegenden Jahrzehnt die Verwirklichung der Hoffnung auf Verewigung der Sicherheit. Dabei fand das abendlich gesättigte Frankreich kein neues Ideal als politisch, völkerpsychologisch und militärisch die alt gewordene Sicher-

434

heitsthese gegen alles, was nicht Frankreich ist, und als Zweckmittel den Völkerbund.

Die Hegemonialgedanken der unmittelbaren Nachkriegsepoche sind nach Erringung der Wehrfreiheit und Wiederbesetzung des Rheinlandes durch Deutschland der tatsächlichen Sicherheitssorge gewichen; damit lebt Frankreich wieder in der traditionellen, mehr defensiven Sicherheitshaltung Deutschland gegenüber.

Vor Kennzeichnung der militärischen Auswirkung der Sicherheitsideen ein Hinweis auf die Verständlichkeit und Verwurzelung des Sicherheitsgedankens im französischen Volksbewußtsein:

Trotz aller revolutionärer Erschütterungen, bzw. gerade durch sie, ist in Frankreich die Ausbildung eines bürgerlichen Lebenstypes auf agrarischer, vor allem kleinbäuerlicher Grundlage festzustellen. Durch die Demokratisierung des Besitzes erfolgte eine Verallgemeinerung und Vertiefung der Besitzinteressen, die auch heute noch Geltung besitzt (Blums sozialistische Partei ist zum größeren Teil Kleinbesitzer-Partei, von der Struktur der radikalsozialistischen Partei gar nicht zu sprechen). Die individualistische französische Grundhaltung zeitigte folgende Ergebnisse: starke und bewußt festgehaltene Bedeutung der Familie und ihrer auch besitzmäßigen Unabhängigkeit im Lebenskampf einer individualistischen Gesellschaft, Verteidigung der Sicherheit der Familie gegen politische Gewalt, Nachbarn, Erbteilung des Vermögens, d. h. gegen »Sicherheitsverfall«, Anpassung der Kinderzahl an die wirtschaftliche Sicherheit (in der napoleonischen Zeit war Frankreich das stärkst bevölkerte Land Europas, erst seit 1865 stagniert die Bevölkerungsbewegung), Widerstand gegen den Staatseinblick in private Verhältnisse, Festhalten der Freiheitsrechte in Bewußtsein und Praxis, Angst vor dem Mißbrauch der Gewalt gegen den Bürger (»le citoyen contre le pouvoir«). Als Wesensmerkmal erscheint weiterhin der im Lauf der Geschichte

435

wachsende Haß gegen das Außergewöhnliche und das Heroische; es sei nur an das Schicksal Napoleons im historischen Bewußtsein der Franzosen und das Scheitern Marschall Lyauteys als Kriegsminister während des Krieges erinnert.

Dieser innere Widerstand des Franzosen gilt auch einer militärischen Inanspruchnahme des citoyen, sofern sie nicht aus dessen individualistischer Beurteilung gerechtfertigt werden kann! In dieser »defensiven Einsatzbereitschaft« liegt eine ernst zu nehmende Beschränkung der politischen Entschlußfreiheit. In dem französischen Begriff der »Defensive« decken sich politische Machtsicherheit des Staates und individuelles Sicherheitsverständnis.

Der Franzose preist die unerschütterliche Geltung der Fortschrittsideen des Friedens als sittliches Gebot, hauptsächlich ermöglicht durch die, vergleichsweise gesehen, günstigen und stabilen wirtschaftlichen Lebensbedingungen; daher die Liebe zum Völkerbund, der nach der französischen Begriffsbestimmund ideell den Fortschritt und praktisch eine Steigerung der eigenen Sicherheit bringen soll!

Und endlich der wesentlichste Punkt der Verständlichkeit der Sicherheitsidee in Staat, Wehrmacht und Volk, die *tatsächliche Angst vor Deutschland*, die sich auf folgendem Erleben begründet: Erinnerung an die »Invasionen«, die hier nicht widerlegt zu werden brauchen, die aber wegen des lähmenden Schreckens vor der deutschen volkhaften Überlegenheit unvergessen bleiben und wegen des Absinkens der eigenen Bevölkerung in Zukunft befürchtet werden. Der Ausgleich des sinkenden Rekrutenkontingents, nicht nur während der »années creuses«, durch Verlegung farbiger Einheiten ins Mutterland gilt neben der militärischen Begründung bewußt der psychologischen Stärkung der Sicherheit, damit nach General Weygands Worten auf ewig »Gallia Germanis clausa«. Weiterhin ist die Angst vor Deutschland begründet in dem Schlagwort »prussianisme«, d. h. der dem citoyen unverständlichen, bedingungslosen Einsatzbereitschaft und Diszipliniertheit*).

Gerade in den letzten Jahren ist der Franzose aus der in seinem bäuerlichen Bewußtsein sich einstellenden ländlichen Inselgesinnung durch die überlegene deutsche wirtschaftliche Entwicklung »gestört« worden, im Innersten erschüttert und von tatsächlicher Sorge erfaßt aber wegen der Stärke der neuerstandenen deutschen Wehrmacht, der Unfaßbarkeit und Unvorhersehbarkeit deutscher Entwicklungen und Entschlüsse. Die enge Freundschaft mit England bietet psychologisch noch nicht ein völliges Gegengewicht gegen das Angstgefühl gegenüber Deutschland. So frißt die Sorge um die Sicherheit weiter!

Im nachfolgenden soll nun die *militärische Auswirkung* des historisch-politischen Sicherheitsbegriffes und seiner volkspsychologischen Bedeutung behandelt werden.

Der militärische Vollstrecker des politischen Sicherheitsbegriffes Richelieus war Marschall Turenne, über dessen Persönlichkeit und operative Grundsätze General Weygand 1934 ein grundlegendes Werk veröffentlicht hat. Turenne wird vielfach als Vertreter einer rein offensiven Kriegsführung bezeichnet, was aber nur in bedingtem Maße richtig ist. Wesentlicher erscheint hier die Tatsache, daß Turenne zum ersten Male die Ausnützung der Befestigung des Geländes und ständiger Befestigungen mit operativer Beweglichkeit zu verbinden verstand. Seine wiederholte Defensive am Rhein unter Ausnützung der Befestigungen ist heute noch französischer Lehrgegenstand. Turenne vertrat als erster die Forderung eines militärischen und politischen Glacis für Frankreich zur Garantie der Sicherheit. Alle seine Operationen, unter der Devise »Angriff ist die beste Verteidigung«, galten der Schaffung und späteren Sicherung dieses Glacis. Bei den

---

* Ein Franzose äußerte dem Verfasser 1935 unter dem Eindruck der Saarabstimmung, Frankreich habe erneut Angst bekommen vor dem »männlichen Nationalismus der Deutschen«.

Feldzügen Turennes und ihrer politischen Gestaltung durch Richelieu hat sich die zielbewußte Einheitlichkeit von Militär und Politiker zur Sicherung des Erreichten voll bewährt. Weygand rühmt weiterhin an Turenne die peinlichste Vorbereitung jeder Operation: »Nichts überließ er dem Zufall.« Die Mehrzahl seiner Erfolge habe er »dem Grundsatz verdankt, daß er stets aktiver war als seine Gegner und ihnen immer wieder, selbst in ungünstigen Lagen, die Initiative entriß«.

Der Elan der Revolutionskriege wuchs aus der Verteidigung des bedrohten Bodens. Die Reden und Befehle Dantons, Carnots und St. Justs kreisen alle um die Bedrohung der Sicherheit, hinter der die Propagierung der Revolutionsideen zunächst zurücktrat und sich erst später bei wachsenden Erfolgen als eine Art Missionsidee einstellte. Die revolutionäre Invasionstruppe wollte dem fremden Lande dann etwas bringen und nicht etwas nehmen. Und diesen Beglückungsgedanken griff zunächst auch der junge Napoleon auf (italienischer Feldzug), um später auf jeglichen Vorwand zu verzichten. Der strategische Sinn napoleonischen Sicherheitsverlangens ging dahin, außerhalb der »natürlichen Grenzen« Frankreichs auf einem Glacis anzutreten, d. h. rechtsrheinisch zu kämpfen, Deutschland in seinen Grenzen niederzuwerfen und es als Durchzugsland im gegebenen Fall zu benutzen.

Während in Deutschland Napoleon als der Vertreter der rücksichtslosen Offensive bezeichnet wird, wird seine vorbildliche Durchführung der Abwehr, der »strategischen Defensive« in Frankreich heute noch als maßgeblich bezeichnet. Der Theoretiker General Bonnal (s. u.) hat gerade Napoleon als Musterbeispiel immer wieder angeführt.

Napoleon hat die Möglichkeit, einen Verteidigungskrieg führen zu müssen, nie aus den Augen verloren! Seine Weisungen für die Landesverteidigung Oberitaliens sind richtunggebend, wie er überhaupt in Vaubanschem Sinne die Festungen als »Mittel zum Zweck« benutzt hat: »Wie die Kanonen, sind auch die Festungen nur Waffen, die allein ihren Zweck nicht erfüllen können, sie müssen entsprechend verwendet und gehandhabt werden« (Corresp. XVIII, Nr. 14 707. Notes sur la défense de l'Italie). Seine strategische Defensive an der Elbe 1813, in Frankreich 1814 – Musterbeispiele beweglicher Abwehrkampfführung – sind heute mehr Lehrbeispiele in der französischen theoretischen Schulung, als die Operation auf Ulm 1805 oder die Verfolgung nach Jena und Auerstedt 1806.

Als der französische Feldzugsplan, mit der Hauptarmee südlich Straßburg aus dem Unterelsaß über den Rhein nach Süddeutschland zu stoßen, gedeckt durch eine von Châlons auf Metz links rückwärts gestaffelt vorgehende Reservearmee, schon in den ersten Augusttagen gescheitert war, wurden die französischen Operationen beinahe ausschließlich und zum Teil zwangsweise von der Idee der »strategischen Defensive« beherrscht.

Nach dem Kriege von 1870/71 war die französische auswärtige und Militärpolitik auf Sicherung der Grenzen bedacht, nach der Formulierung des Reorganisators der französischen Armee nach der Niederlage, Generals de Miribel, auf »die Schaffung einer militärischen Grenze«. General Séré de Rivières schuf das Landes-Befestigungssystem, das bis 1914 die Grundlage für alle Operationspläne bildete. Seine Gedanken waren nach General Targe:

»1. Ein oder zwei Sperrlinien (rideaux défensifs) an jeder Grenze, und zwar:

Im Norden eine Linie zur Sperrung des Oise-Tales, an der Nordostgrenze zwei Linien, nämlich eine auf den Maas-Höhen zwischen Verdun und Toul und die andere auf den Höhen des linken Ufers der oberen Mosel mit Epinal und Belfort als Hauptstützpunkten.

Ein feindlicher Angriff war dadurch »kanalisiert«: nördlich von Verdun auf die Einfallpforte von Stenay, und zwischen Toul und Epinal auf die Einfallpforte (trouée) von Charmes.

439

2. Sperrforts zur Beherrschung der wichtigsten Eisenbahnen.

3. Vorbereitende Widerstandslinien hinter den Einfallpforten. Sie sollten den Feind aufhalten und unseren Truppen im Falle eines Mißerfolges erlauben, sich wieder zu setzen.

4. Endlich Befestigungen der großen Zentralen: Paris, Lyon und Lille.

Von diesem Programm wurden nur die an der Ostgrenze selbst vorgesehenen Anlagen ausgeführt. Der zweite Teil des Planes wurde aus Haushaltsgründen aufgeschoben und später ganz fallen gelassen.«

Die französischen Operationspläne zeigten unter dem Eindruck der Niederlage 1870 eine defensive Haltung. Der Aufmarsch findet weit abgesetzt von der Grenze unter dem Schutz der Befestigungen statt, die ihrerseits schon 50 km von der Grenze abgesetzt sind. Der Abstand von der Grenze und der Widerstand vorgeworfener Teile sollen Zeit und Raum für den »retour offensif« schaffen. Erst 1887 wird der Aufmarsch in Höhe der großen Festungslinie vorverlegt unter Vorschiebung von Deckungstruppen bis an die Grenze. Der Grundgedanke des »retour offensif« wird beibehalten. Maßgeblichen Einfluß auf die französischen operativen Anschauungen übte General Bonnal aus, der im Jahre 1892 Kriegsakademielehrer wurde und Lehrgänge für Strategie leitete. Er schöpfte seine Methoden hauptsächlich aus den napoleonischen Feldzügen, bei denen er das Geheimnis des Sieges in der »strategischen Defensive« erblickte. Sie liefere, »falls sie richtig ergriffen und mit Energie durchgeführt werde, ebenso starke Mittel wie die Offensive. Sie gebe sogar dem Verteidiger den Vorteil, für den Frontalkampf ein günstiges Gelände zu wählen, das er mit Hilfe von Befestigungsarbeiten verstärken könne, während der Angreifer sich gezwungen sähe, stärkere Kräfte an der Front einzusetzen, um den gut postierten Feind zu fesseln.« »Tiefengliederung mit einer Vorhutarmee, Aufstellung in Karree oder Rhombus und strategische Defensive«

sollen nach Bonnal die hauptsächlichsten Faktoren des Sieges sein. Die Vorhutarmee mit stark zurückgehaltenen Reserven, die Befestigungslinien mit ihren Lücken zur »Kanalisierung« und Anziehung der Feindkräfte blieben seither ein dauernder Bestandteil der französischen operativen Erwägungen. Eine gewisse Berühmtheit erreichte Bonnals Operationsplan XIV, der mit einer Vorhut- und vier Reservearmeen den Feind anlaufen lassen und ihn dann vernichten wollte. Bonnal hat mit Schlieffenschen Gedanken bei den deutschen Operationen gerechnet und glaubte, ihnen durch seinen Plan am ehesten begegnen zu können. Bis 1903 blieb dieser Plan der »strategischen Defensive« in Kraft. Der in diesem Jahr neu aufgestellte Plan XV sah drei Armeen in erster Linie vor bei Epinal, Toul und Verdun, eine vierte in der Mitte dahinter zum »Manövrieren«, Gruppen von Reserve-Divisionen in der Gegend von Châlons, Troyes und Vesoul. Bonnals Vorhutarmee war also verworfen, aber der Einfluß der Bonnalschen Ideen geblieben. Auch der Plan XVI vom Jahre 1909 entsprach den französischen Ideen des Sichergehenwollens, denn der Plan sollte »auf alle Eventualitäten Bedacht nehmen, derart, daß man nicht durch die Ereignisse überrascht wurde«. Endlich hat die Bonnalsche Lehre auch Einfluß auf den Plan XVII ausgeübt, der der französische Operationsplan des Weltkrieges geworden ist. Aber er enthielt sein besonderes Gepräge durch eine andere neue Lehre, die von der vorhergehenden verschieden war. Der Chef des 3. Büros des Generalstabes, Oberst de Grandmaison, trat für »bedingungslose Offensive« ein, nachdem die russische Bundesgenossenschaft politisch und militärisch ein fester Bestandteil aller Erwägungen geworden war; er wandte sich scharf gegen alle Sicherheitsideen und das entschlußlose Abwarten und führte in einem richtunggebenden Vortrag über die bisherigen operativen Gedanken folgendes aus:

»Es geht daraus hervor, daß der Führer vor der Entscheidung seiner hauptsächlichsten Kräfte abwarten muß, was der Feind

441

tut. Erst dann kann er parieren und seine Gegenmaßnahmen treffen. Das heißt nichts anderes, als die Offensive auf das moralische Niveau der Defensive herabdrücken . . . Die Sicherheit einer Truppe muß vor allem in ihr selbst gesucht werden, in ihrer Fähigkeit, anzugreifen, d. h. in den Anordnungen, die sie ergriffen hat, um schnell und nachdrücklich anzugreifen.« Die bisher geübte Defensive wollte de Grandmaison durch seinen Grundsatz ersetzt wissen: »Es gibt nur ein einziges Mittel, sich zu verteidigen, das ist der Angriff.« Der damalige Kommandierende General des XX. A.K. in Nancy, General Foch, protestierte offen gegen diese Offensiv-Theorie »à tout prix«. Das Ergebnis von Bonnals Lehren und de Grandmaisons Ideen war der Aufmarsch von 1914, der beide Gedanken miteinander zu verbinden suchte. Joffre neigte nach seiner ganzen Veranlagung mehr zu Bonnal und gab den Gedanken der Sicherheit nie auf – die Varianten zum Plan XVII zeigen diese Einstellung. Wohl werden die Hauptkräfte mit ihren Anfängen über die Maas–Mosel-Linie vorgeschoben und ihre Tiefe durch das Aufschließen verkürzt, aber Joffre will sichergehen und sein Land vor »Invasion« schützen. Auf die Gedanken Joffres und seiner Anhänger haben auch die kurz vor dem Krieg erschienenen Ideen und Lehren von Jean Jaurès in der »Armee der Zukunft« eingewirkt. Jaurès soll nicht der alleinige Autor dieses Werkes gewesen sein, vielmehr soll ein hoher Generalstabsoffizier in Paris den militärischen Teil verfaßt haben. Jaurès wandte sich in seinem Werk gegen »gefährliche napoleonische Grundsätze« und meinte damit die von Oberst de Grandmaison vertretenen Auffassungen. Viele Jaurès'sche Gedanken haben typisch französische Gültigkeit – (Paul Boncour hat sich ihrer 1924 bei dem Entwurf seines »nation armée«-Gesetzes vielfach bedient):

»Frankreich ist das einzige Land Europas, das nur sich selbst wiederfinden, nur seine eigene Überlieferung verstehen und erweitern muß, um aus sich selbst die Kraft der vollständigen

Demokratie zu entwickeln. Darunter verstehe ich ebenso die militärischen wie die politischen und sozialen Fragen. Die blinde Vorliebe unserer Offiziere für die napoleonischen Vorbilder lenkt sie von dieser lebendigen Quelle ab. Dabei ist diese Quelle das Tiefste und Nachhaltigste, was das nationale Genie bieten kann.

Es ist verfehlt, in blinder Verehrung Napoleons den Wert der Defensive gänzlich zu verkennen. Das Studium der Feldzüge Turennes wie später des Volkskrieges in Spanien und der deutschen Befreiungskriege zeigt, was Defensive als Vorspiel zu einer gewaltigen Offensive vollbringen kann.

Es ist bedauerlich, daß unsere militärischen Theoretiker, selbst die, welche Clausewitz für sein Verständnis der Größe Napoleons loben, den Teil seines Werkes ablehnen, in dem er zugunsten der Defensive spricht. Wenn Clausewitz zu einer Zeit, zu der der napoleonische Offensivgedanke seine glänzendsten Erfolge gefeiert hat, trotzdem der Verteidigung den Vorzug einräumt, so geschieht es, weil er eine tragische Periode, aus der ein unbefangener Geist die verschiedensten Lehren ziehen kann, mit weitem Blick übersehen hat.«

Endlich muß Fochs Lehre und ihr Einfluß erwähnt werden. Foch hat als jahrelanger Direktor der Kriegsakademie den »sûreté-Begriff« – damals in vielem ein Minderwertigkeitskomplex – in die Herzen und Hirne seiner Zuhörer eingepreßt. Der spätere Marschall blieb von der Sicherheitsmanie bei den Waffenstillstandsbedingungen und seinen Nachkriegsforderungen besessen und bezeichnete auch seine Nachkriegspolitik als die Verwirklichung seines von ihm an der Akademie gelehrten »defensiven Imperialismus«.

Die Operationen im Kriege zeigten bei Joffre, Pétain und Foch ein Vorherrschen des Sichergehenwollens. Die von Foch in seiner Lehrtätigkeit immer wieder geforderte »sûreté de la manœuvre« blieb das Grunderfordernis. Alle drei Männer haben keine Operation, die einen flüssigen Bewegungskrieg ermöglichen konnte, angelegt; sie wollten um jeden Preis ihre Kräfte in der Hand behalten und sichergehen, zumal nach den Nivelle'schen Erfahrungen. Die Operationen und taktischen Erfahrungsgrundsätze lösten sich nicht aus der liebgewordenen Gewohnheit einer schematischen, vorsichtigen Kampfführung.

Marschall Foch gilt legendär als rücksichtsloser Vertreter des Angriffsgedankens. Dies entspricht aber weder seinen Theorien noch der Praxis! Der Theoretiker Foch forderte für den Angriff ein System: Verbindung von Widerstands- und Stoßkraft, Ausschaltung jeden Risikos, »Angriff à coup sûr«! Foch war kein souverän gestaltender Feldherr, aber hinter dem Theoretiker stand der Willensmensch und der große Psychologe mit der Mentalität seiner Rasse. Seine Größe hatte er in der Verteidigung: Marne, Ypern, Schlacht in Frankreich März 1918. – Da zeigte sich seine ganze Willensstärke. Wenn er dann auch angriff, tat er es aus der Verteidigung heraus, d. h. als Mittel der Verteidigung. – Marne und Verdun führten die französische Armee zu ihren höchsten Leistungen.

Die französische Führung beurteilte aufgrund der Stellungskriegserfahrungen noch lange fast ausschließlich alles militärische Geschehen nach dieser Kampfart. Bündnissystem und die aus ihm erwachsenden Verpflichtungen zeitigten aber in den Nachkriegsjahren einem schwachen Deutschland gegenüber die Forderung, eine entscheidende Operation zur Niederwerfung Deutschlands und zur Verbindung mit den Bundesgenossen im Osten führen zu müssen; Gedanken also des »napoleonischen Glacis« (s. S. 438/39). Nach den »Utrechter Veröffentlichungen« war eine Operation über den Rhein mit der Keilspitze über das Mainzer Rheinknie nach Berlin, Nebenoperationen ins Ruhrgebiet und durch den Kraichgau zur Verbindung mit der Tschechoslowakei geplant. Die letztgenannte Operation mit Erinnerungen an das »bataillon carré« von 1806 spielte noch in den letzten

Jahren in gewissen Gedankengängen jenseits des Rheins eine maßgebliche Rolle. Seit der deutschen Wehrfreiheit und der Wiederbesetzung des Rheinlandes scheint sich aber in den französischen Grundlagen eine Änderung zu vollziehen. Die Möglichkeit der Verwirklichung der früheren Absichten, einen Krieg gegen Deutschland offensiv zu führen und das deutsche Heer entscheidend zu schlagen, verringert sich im Verhältnis zu der deutschen militärischen Erstarkung und der Schließung der bisher offenen deutschen Grenzen. Das Wachsen des Risikogedankens gegenüber Deutschland spielt wieder eine entscheidende Rolle in allen politischen und militärischen Erwägungen Frankreichs, soweit sie öffentlich zugänglich sind, und damit treten auch wieder alle alten Sicherheitsideen rein defensiver Natur auf, die sich vorübergehend durch außenpolitische Gegebenheiten in der Vor- und Nachkriegszeit zur Offensive bzw. zu Fochs »defensivem Imperialismus« gewandelt hatten.

Wie stark diese Sicherheitsgedanken in der Armee und ihrer Führung – Pétain, Debeney! – vertreten und welche Auswirkungen zu befürchten sind, ging schon 1929 aus der Warnung des unbekannten Verfassers von »Feu l'Armée française« hervor, der den damaligen Kriegsminister angriff, weil er sich zu der Auffassung bekannt hatte, die französische Armee sollte nur in der Lage sein, einen feindlichen Angriff abzuwehren, aber nicht in das Gebiet des Gegners vorzudringen. Das sei der Anfang vom Ende, die Agonie des französischen Heeres sei in dieser Nährung der Passivität und der defensiven Haltung zu suchen. Auch General Weygand hat am 15. 10. 1936 in der »Revue des deux Mondes« Befürchtungen über die Formulierung »Frankreich muß ein Heer zur Verteidigung haben« veröffentlicht:

»Vom soldatischen Standpunkt aus ist diese Auffassung unsinnig und gefährlich. Unsinnig ist sie, denn eine Armee muß sich schlagen, und der Kampf erfordert je nach den Umständen Angriff oder Verteidigung. Gefährlich ist die Auffassung, denn sie kann

445

eine Armee zur passiven Defensive, d. h. zur sicheren Niederlage, führen und zur Offensive, d. h. zum Sieg, unfähig machen.«

Auch politisch berge diese Formulierung Gefahren:

»Es läßt sich keine Formel denken, die besser geeignet wäre, Freunde zu beunruhigen oder sich zu entfremden und einen etwa noch zögernden Gegner zum Entschluß zu bringen. Es ist etwas anderes, wenn man sagt, daß Frankreich – was sicher wahr ist – den Frieden will und nur gezwungenermaßen Krieg führen wird. Es braucht nichtsdestoweniger eine Armee, die von kämpferischem Geist beseelt ist, ohne den keine Armee bestehen kann.«

Dieser Sicherheitsgedanke führte gerade in letzter Zeit wieder zu wiederholten, oft krankhaft anmutenden Sorgen, so wenn General Serrigny in der »Revue des deux Mondes« vom 1. 5. 1937 in einem Aufsatz über »Nos routes et la défense nationale« warnt, die deutschen Reichsautobahnen »als Einfallstraßen« nach Frankreich zu verlängern und jeden Straßenbau »à grand rendement militaire« im Elsaß verboten haben will.

Die tiefgehende, propagandistische Auswirkung des Sicherheits- bzw. Defensivgedankens im eigenen Volksempfinden und in der internationalen Rückwirkung gehört zu den nur schwer einzuschätzenden Imponderabilien.

Eine eingehende Beurteilung der französischen Führungsgrundsätze der Nachkriegszeit springt hier aus dem Rahmen. Sie sind in enger Wechselwirkung mit der politischen und militärischen Geschichte und dem Volkscharakter. Die Durchbildung in der Verteidigung scheint aufgrund aller Erfahrungen gründlicher zu sein.

Die Foch'sche Lehre, »à coup sûr« auch beim Angriff zu gehen, fand vielfache Bestätigung in Manöver- und Übungsanlagen. Keine der uns bekannten Lagen zeigt Kühnheit im operativen und taktischen Ansatz, die Schließung von Lücken, der »retour offensif« spielt eine große Rolle und die »manœuvre d'aile« hat sich in der Praxis noch nie zu einer Operation in Flanke und Rücken entwickelt, sondern blieb bei der Flügelumfassung mit starkem Pivot hängen.

So stellt sich bei Abschluß dieser Betrachtungen die Frage: hat sich an der eingangs erwähnten französischen Grundhaltung etwas geändert? Inwieweit wird die französische Führung dieser Grundhaltung Rechnung tragen und von dem Sicherheitsbegriff in jeglicher Beziehung beherrscht sein? Wird sie Operationen mit weitgesteckten Zielen über die Landesgrenzen hinaus planen können und planen?

Jede Antwort kann freilich nur aus dem Bereich der Vermutung, der Kombination kommen.

Das Mögliche und Wahrscheinliche schält sich aber heraus:

Die Grundhaltung des Franzosen, insbesondere des »français moyen« in Fragen der Sicherheit hat sich nicht geändert.

Die französische Führung muß und wird dieser Haltung Rechnung tragen.

Alle politischen und militärischen Entschlüsse werden »à coup sûr« gehen wollen.

Eine Operation über die Landesgrenzen hinaus aufgrund von Bündnisverpflichtungen kann durch das Fehlen eines wirklichen Kriegsziels, einer zugkräftigen Parole gehemmt werden.

Die Offensive, der Angriff »à tout prix« erscheint unwahrscheinlich, als »retour offensif« werden sie ihre Geltung behalten.

Bei einer Verletzung eigenen Bodens durch eine fremde Macht wird das französische Volk und seine Führung zu jeder Leistung fähig sein.

In der ganzen französischen Kriegsgeschichte ist es außer Napoleon, der als geniale, unfranzösische Ausnahme zu werten ist, kaum einem Feldherrn gelungen, in kühner Operation Vernichtungsschlachten zu gewinnen. Ebenso schwer allerdings dürfte es sein, dem sichergehenden Franzosen eine entscheidende Niederlage beizubringen. 1870 bestätigte auch hier nur als Ausnahme die Regel. Denn 1870 stand die operative Schulung fast aller französischen Führer auf einem ungewöhnlichen Tiefstand. Außerdem wirkten selten ungünstige politische und persönliche Faktoren mit. Auf der anderen Seite stand aber, um das Unglück voll zu machen, ein Moltke.

Aufzeichnung für das Oberkommando des Heeres.

Der Chef des Generalstabes
des Militärbefehlshabers Paris, den 15. Januar 1942.
in Frankreich

Geheime Kommandosache!

A. Außenpolitische Lage
Marschall Pétain scheint sich nunmehr die Aufgabe gestellt zu
haben, Frankreich aus der Niederlage heraus an die Seite des
schließlichen Siegers zu führen, nachdem die wiederholt gemel-
dete Möglichkeit, ehrlicher Makler zwischen Deutschland und
den angelsächsischen Mächten zu sein, nach dem Eintritt der
USA in den Krieg hinfällig geworden ist.

Nach französischem Urteil sind folgende Lageänderungen eingetreten:

a) Der Eintritt Japans und der USA in den Krieg mit seinen
Auswirkungen auf Indochina und das Verhältnis zu den USA, an
denen man in einer seltsam »sentimentalen Freundschaft«
– heute zum Teil auch realen – hängt.

b) Die Ostlage sieht man in erster Linie unter dem Aspekt, daß
der starke sowjetische Widerstand Deutschland vielleicht bewegen könnte, den Westen unter entgegenkommenden Bedingungen für eine Mitarbeit in Europa heranzuziehen. (Gedanke an
Vorfriedensverhandlungen!) Nur in zweiter Linie sieht man den
europäischen Gedanken und den Abwehrkampf zum Schutze des
Abendlandes (unter völliger Verkennung der Gefahr des Bolschewismus beim französischen Bürgertum).

c) Die Lage im Mittelmeerraum bringt die Erkenntnis von der
Schwäche der Italiener in allen drei Wehrmachtteilen und die
der Schlüsselstellung Frankreichs in Tunis. Die Kämpfe in der
Cyrenaika, bei deren Erwähnung General Rommel immer beson-

ders hervorgehoben wird, haben nach französischer Auffassung starke Rückwirkungen auf das nordafrikanische Imperium.

Die Einstellung Frankreichs zu den kriegführenden Mächten kann folgendermaßen umrissen werden:

Deutschland

Ungewißheit des Kriegsausganges. Zweifel über die künftigen territorialen Forderungen, (Elsaß-Lothringen, Nordostlinie? Burgund? vor allen Dingen von Seiten Italiens Tunis, Korsika, Nizza).

Unklarheit, welche Stellung Frankreich im künftigen Europa haben soll.

Vorwurf, daß man bisher nie zu ernsthaftem Programm der Zusammenarbeit gelangt sei. Der Reichsmarschall-Besuch in Paris führte nach Ausbleiben praktischer Ergebnisse zu Enttäuschungen. Von deutscher Seite werde weiterhin mit anderen Lagern als mit der offiziellen Vichy-Regierung gearbeitet. In der Geiselfrage blieb Deutschland unnachgiebig.

Der persönliche Wunsch des Marschalls nach einer Reise ins besetzte Gebiet wurde nicht erfüllt, obwohl Frankreich durch Abberufung General Weygands eine Vorleistung gemacht zu haben glaubt.

England und USA

Man glaubt, von beiden Mächten etwas freundlicher behandelt zu werden, zumal die de Gaulle-Regierung nicht mehr so hervorgehoben wird. Interessant erscheint die erstmalige Aufnahme von ›opinions anglaises‹ in der Presseschau der französischen Regierungsinformationen. Man glaubt an eine Zurückstellung der Absichten der USA auf Dakar. Das Verhältnis zu den USA wird naturgemäß mehr gepflegt als das zu England (Essen für Admiral Leahy und dessen propagandistische Auswertung – Entgegenkommen in der Einreise französischer Diplomaten nach USA – Haltung in der Inselfrage St. Pierre et Miquélon). Sowohl die Stellungnahme der französischen Regierung zur Geiselfrage

Mitte Dezember 1941 als auch der Neujahrsaufruf des Marschalls Pétain wird vor Erscheinen in Vichy nach Boston gekabelt. In der Presse des unbesetzten Gebietes wird vorsichtig darauf hingewiesen, daß die höchste Aktivierung des Kriegspotentials der USA Deutschlands Lage auf die Dauer verschlechtern würde.

B. Militärpolitische Lage

Man bedauert, daß die obersten militärischen Stellen in Frankreich noch nicht reorganisiert und weder die Stelle des Kriegsministers noch die des Oberbefehlshabers des Heeres besetzt sind.

Die Beschäftigung des Übergangsheeres mit einer Verteidigung des französischen Restgebietes scheint sich verstärkt zu haben. Das ›Deuxième Bureau‹ scheint seine Tätigkeit in erhöhtem Umfang in beiden Zonen aufgenommen zu haben.

Der Hauptgedanke gilt der Sicherung des Empire durch Stärkung und Ausbau der Truppen in Übersee, das heißt in Nord- und Westafrika, wo auch die militärische Stellenbesetzung besonders sorgfältig à deux mains getroffen worden zu sein scheint. Zusammenfassend ist zu sagen:

Während man bisher Deutschland die größere Siegeschance gab, sieht man jetzt die Waage ins Gleichgewicht kommen und will, wenn nur irgend möglich, nicht noch einmal in den Krieg hereingezogen werden, also zunächst weiterhin ›attentisme‹.

Das Ausspielen der afrikanischen Karte ohne Änderung der allgemeinen politischen Haltung wird als besonders wirkungsvoll angesehen mit dem Zwecke der Milderung der Waffenstillstandsbedingungen.

C. Innere Lage

Die französische Regierung hat bei der Durchführung ihrer Politik mit großen inneren Schwierigkeiten zu rechnen, über die wiederholt berichtet wurde: Spannungen weltanschaulicher, politischer und wirtschaftlicher Art (Nationalismus – Kommunismus – Klerikalismus – Freidenkertum – liberale Demokratie – Kollaboration – Antikollaboration – Hochkapitalismus – bürgerlicher Kapitalismus – Sozialismus).

Wirtschaftliche Sorgen:

Mangel an Rohstoffen, Gebrauchsgütern und Lebensmitteln. Destruktion des staatlich gelenkten Marktes durch Schwarzhandel und Preistreibereien, Beginn einer kalten Inflation, Erschwerungen im Verkehr mit den lebensnotwendigen Kolonien. Sorgen des Mutterlandes durch Ablehnung der Wünsche nach Erleichterungen durch Deutschland: Die Trennung des Landes durch die Unterstellung der Norddepartements unter den Militärbefehlshaber ›Belgien und Nordfrankreich‹ in Brüssel (Nordostlinie), Freigabe von Kriegsgefangenen angesichts des Menschenmangels, Besatzungslasten.

Notwendig erscheint eine Unterscheidung der politischen Gruppen:

a) Die aktiven deutschfreundlichen Kollaborationisten des besetzten Gebietes – ohne wesentlichen Widerhall im Volke – (Laval, de Brinon, Déat usw.) rücken vom Schlagwort ›Collaboration mit Deutschland‹ ab und verlegen sich auf ›europäische Konstruktion‹.

b) Die zur Zeit noch zur Zusammenarbeit bereiten Nationalisten (Pucheu und sein Lager) haben schwer zu kämpfen.

c) Die Attentisten mehren sich und versuchen immer stärker, Pétain und auch Darlan in ihren Kreis zu ziehen.

d) Die Chauvinisten werden reger. Der von der angelsächsischen und USA-Presse aufgeworfene Plan einer Flucht der französischen Regierung unter Mitnahme der Flotte nach Nordafrika wird von ihnen erneut diskutiert.

e) Über die Kommunisten ist wiederholt berichtet worden; sie sind durch die Schläge der französischen Regierung bei Kriegsausbruch 1939 und durch die gemeinsamen deutsch-französischen Maßnahmen seit der Besatzung erschüttert.

452

Die französische Regierung und die Masse der Bevölkerung lehnen die Fortsetzung der Terrorverbrechen (vom Standpunkt der inneren Sicherheit aus Einzelerscheinungen ohne nachweisbare Verbindung mit dem englischen Nachrichtendienst) ab. Trotz der beginnenden Entwicklung solcher Widerstandsgruppen scheint es auch heute noch möglich zu sein, durch klare deutsche Option Frankreichs Volk und Regierung in einem gesamteuropäischen Sinne auszurichten.

Die Sicherheit Westeuropas.

Ein *Hauptziel* der *Sowjet-Union* ist die Erringung der *Vorherr-schaft* in *Deutschland* als entscheidenden Schritt zur Gewin-nung des *Primats über ganz Europa.* Die Wege zur Verwirkli-chung sind verschieden und man kann den augenblicklichen »kalten Krieg« als eine Art Stellungskampf bezeichnen. »Die Liquidierung dieser anormalen Situation« (Jelissarow) wird aber angestrebt.

»Der Sowjet-Generalstab unter Leitung von Marschall Alexan-der Wassilewski besitzt eingehende Operationspläne zur offensi-ven und defensiven Kriegführung, um jeder beliebigen militäri-schen Lage gerecht werden zu können. Darin liegt nichts beson-deres Kriegerisches.

Die Generalstäbe aller Armeen müssen derartige Pläne zur theoretischen und praktischen Bearbeitung des Krieges, wann, wo und in welcher Form er auch immer kommen mag, aufstellen. Das ist ihre Aufgabe im Frieden . . .

Es darf nicht vergessen werden, daß die bewaffnete Macht der Sowjet-Union nur eine Komponente der vielteiligen Maschinerie darstellt, mit der die Russen ihre besondere Art des Krieges zu führen gedenken.« (Ellsworth L. Raymond in dem von den UN herausgegebenen Organ »United Nations World« vom März 1948.)
Die Sicherheit der westlichen Hemisphäre wurde von Präsident Truman am 17. 3. 1948 als zentrales Problem während der Lon-doner Besprechungen aufgegriffen.

Frankreich nahm dort durch sein fast hysterisch anmutendes Sicherheitsverlangen gegenüber Deutschland eine Sonderstel-lung ein. Sie ist innenpolitisch bedingt. Die »troisième force« fühlt sich nicht stark genug, auf die alten Requisiten Richelieuscher Deszendenz* zu verzichten, da die militante Rechte von General de Gaulle wie auch die Kommunisten sich nationalistischen Gedankenguts bedienen und von der populären Devise nach Sicherheit gegenüber Deutschland leben. Nur im Unterton läßt Bidault (am 6. 5.) europäische Gedanken einfließen, wenn er von der Ostgrenze spricht als der einzigen Grenze der Gefahr für Frankreich, das zugleich den »Schutzschild Europas darstellt«.

Emanuel Mounier bekennt dagegen: »In Berlin spricht man, wie altmodisch es ist, das deutsch-französische Problem immer noch in der Art von 1870 zu erwägen.«

Die französischen Soldaten wissen freilich genauso wie wir, daß die Sicherheit Frankreichs im Zeitalter der Atombomben und des Luftkrieges nicht an Rhein und Ruhr garantiert wird, vielmehr daß die Sicherheit Westeuropas unteilbar ist, wie sein Chaos, daß die Sicherheit des Abendlandes nicht am Rhein, sondern an den Ostgrenzen Deutschlands und Österreichs liegt. Deshalb beschränkten sich die Generalstabs-Besprechungen zur Ausgestaltung der Militärbündnisse nicht nur auf Standardisierung und Lieferung von Waffen und Kriegsgerät, sondern suchten nach Verwirklichung von militärischen Garantien durch die USA.

In den USA, der Schweiz und auch in England mehren sich die Stimmen der Besorgnis über die schutzlose Lage Deutschlands im Herzen Europas, über den »horror vacui«.

Die Streitkräfte jenseits des Eisernen Vorhangs stellen solange eine dauernde Bedrohung West- und Zentraleuropas dar, als keine Gegenkräfte aller drei Dimensionen räumlich und zeitlich bereit stehen, um einer sowjetischen Aggressions-Politik Paroli zu bieten und den Frieden zu garantieren. Die Streitkräfte Englands,

---

* Professor Sorokin (USA) hat eine bis 1925 laufende Untersuchung der Zahl der Kriegsjahre der in Europa führenden Nationen in den letzten 1200 Jahren prozentual errechnet. Das Ergebnis ist folgendes: Polen 58 %, England 56 %, Frankreich 50 %, Rußland 46 %, Holland 44 %, Deutschland (einschließlich Preußen) 28 %.

Frankreichs und der Benelux-Staaten reichen hier nicht aus.

In Osteuropa sind folgende Kräfte anzunehmen (ohne die Sowjet-Armee mit 300–400 Divisionen (456?):

Land	Armee	Zusätzliche Besatzungskräfte der Sowjet-Armee
Finnland	34000	0
Polen	150 000	200 000
Tschechoslowakei	150 000	0
Österreich	0	40 000
Ungarn	15 000	40 000
Rumänien	20 000	150 000
Bulgarien	30 000	70 000
Jugoslawien	350 000	0
Ostdeutschland	0	250 000
	749 000	750 000

also insgesamt 1,5 Millionen Mann.

In einer Gegenüberstellung der US- und der Sowjet-Streitkräfte vom 21. 3. 48 (New York Times) finden wir folgende Zahlen (einschließlich Reserven):

	USA		Sowjet-Union	
Heer	3 650 000	Mann	13 700 000	Mann
Marine	3 820 000	Tonnen	475 000	Tonnen
Luft	35 000	Flugzeuge	28 000	Flugzeuge

General Omar Bradley, der Chef d. Gen.Stabes der US-Armee, erklärte am 3. 6. vor dem Bewilligungsausschuß des Repräsentantenhauses: »Die bewaffneten Streitkräfte der Sowjet-Union mit ungefähr 4 Millionen Mann und 14 000 Flugzeugen stellen eine eiserne Faust für die aggressive Politik Moskaus dar. Diese Streitkräfte sind in der Lage, schnell den größten Teil Europas, den Nahen und Mittleren Osten, Korea und sogar China zu überrennen...

456

Der plötzliche Ausbruch von Feindseligkeiten, der durch einen beabsichtigten oder zufälligen Zwischenfall ausgelöst werden kann, ist eine durchaus einleuchtende Möglichkeit, solange unsere Streitkräfte in dieser erregten Atmosphäre von Mißtrauen und Spannung gegnerischen Streitkräften an den Grenzen gegenüberstehen.

Niemals ist eine klar umrissene und wirksam unterstützte Politik für uns notwendiger gewesen als heute... Wenn wir jedesmal erschreckt zusammenfahren, sowie die Sowjet-Union mit einem Stück Papier raschelt, werden wir in eine hoffnungslose Lage geraten und nach der sowjetischen Pfeife tanzen müssen.«

In einer bewaffneten Auseinandersetzung der Sowjet-Union mit den USA wird der Schwerpunkt im Mittelmeerraum und im Nahen Osten liegen. In Europa – als Nebenkriegsschauplatz – ergeben sich folgende *Operationsmöglichkeiten:*

a) eine Operation aus den Aufmarschräumen beiderseits der Elbe mit rechtem Flügel über Hamburg-Bremen zur Nordseeküste, mit Südflügel (hier Schwerpunkt) über das Ruhrgebiet – Antwerpen zur Kanalküste. Abdecken durch Abwehrflanken auf den Bergriegeln des Erzgebirges – Thüringer Walds – Westerwalds.

b) Eine Operation aus dem Aufmarschraum Slowakei-Ungarn-Österreich zur Adria zur Inbesitznahme von Triest, Bedrohung Italiens, Verbindung mit Jugoslawien zur späteren Gewinnung der Balkan-Halbinsel.

c) Eine Operation zur Inbesitznahme von Gesamtdeutschland, Österreich und der Schweiz und Durchstoß zum Atlantik und zu den Pyrenäen, die als Nebenoperation aber zu viel Kräfte binden würde.

Die Vorbereitung der Operation unter a) hat die größte Wahrscheinlichkeit aus politischen, wirtschaftlichen und militärischen Gründen. Auch lassen gewisse Nachrichten auf ihre theoretische Vorbereitung schließen.

Die USA wollen nach ihrem weltpolitischen und strategischen Programm den Nahen Osten und den Balkan halten, da das Erdöl mit seinen verwundbaren Leitungen zum Mittelmeer für sie heute schon lebensnotwendig ist. Westeuropa bedeutet neben anderer ideeller und materieller Gründe in diesem Zusammenhang einen strategischen Eckpfeiler. Die Interessen der Londoner Gesprächspartner sind eindeutig: das Inselreich will die Sowjet-Union nicht an Nordsee und Kanal stehen haben. Frankreich und die Benelux-Staaten wissen, daß ein am Rhein stehender Sowjetrusse das Ende Westeuropas heraufführen wird. Die Frage der Sicherheit des Herzstücks Europas ist brennend geworden. Kann Deutschland »die Grenzmark Europas« in der großen politischen, strategischen Leere bleiben, wie sie als Folge der bedingungslosen Kapitulation eingetreten ist? Sie kann zum Anreiz eines mächtigen Nachbarn werden, der den Raum des entwaffneten Besiegten als Aufmarschraum in seine operativen Planungen einbezieht.

H. N. Brailsford schrieb vor einem halben Jahr, daß aus der dezimierten und erschöpften Bevölkerung Deutschlands niemals ein Angreifer hervorgehen könne. Die schlimmste Möglichkeit auf Jahre hinaus aber sei, daß Deutschland in einem allgemeinen Kriege der einen oder der anderen Seite Kanonenfutter liefern könne, da es selbst entwaffnet sei... Die Furcht vor einem baldigen Kriege ist in Deutschland zu einem Alptraum geworden. Jeder ist sich darüber klar, daß Deutschland das Schlachtfeld sein, und daß wenig von dem übrigbleiben würde, was der letzte Krieg intakt gelassen hat.

»Eine Gruppe fähiger Intellektueller erörtert bereits den nicht sehr praktischen Vorschlag, Deutschland solle den Status ständiger Neutralität in Anspruch nehmen.«

Der staatsrechtliche Begriff der Neutralität, wie etwa derjenige der Schweiz, kann aber für Deutschland niemals zutreffen, weil die völkerrechtlichen Gegebenheiten hierfür fehlen. Das *japanische* Beispiel eröffnet aber andere Möglichkeiten: Auf Antrag des

Kaisers von Japan und seiner Regierung hat General MacArthur mit der amerikanischen Besatzungsmacht die Sicherheit der japanischen Grenzen garantiert. In der neuen japanischen Verfassung ist die Bildung und Aufrechterhaltung eines Heeres, einer Luftwaffe und einer Kriegsmarine verboten. Aus dieser Schutzlosigkeit hat die japanische Regierung angesichts der ständigen Aufrüstung in der Welt die Folgerungen für ihre Sicherheit gezogen. Die Vereinigten Staaten garantieren die Grenzen Japans, die im Gegensatz zu den deutschen im wesentlichen festliegen. Die Sowjet-Union fürchtet allerdings eine Wiederaufrüstung der gelben Rasse durch die USA.

Kann die *Sicherheit für Deutschland* durch internationalen Schutz der UN gegeben werden? Die UN sieht eine Weltexekutive vor, die nicht im Interesse einer Machtgruppe mißbraucht werden darf.

Der Militär-Ausschuß der UN bzw. das »Generalstabs-Comité« sind sich aber über die wesentlichen Punkte der Bildung und Verwendung von UN-Streitkräften heute noch keineswegs einig. Der Kampf um die *UN-Streitkräfte* aktualisiert alle Probleme von der Präambel des Versailler Vertrages, dem Genfer Protokoll von 1924, dem Konventionsentwurf für ein Abrüstungsabkommen vom 9. 12. 1930 bis zum Mac Donald-Plan. Die internationalen Streitkräfte sollen im Konfliktfalle so schnell wie möglich eingesetzt werden. Für den Einsatz ist aber Einstimmigkeit der UN, auch in bezug auf die Bestimmung des Angreifers, Bedingung.

Als Maß der UN-Streitkräfte hat man sich im Zeitalter modernster Panzer-Verbände auf der Erde bisher nur auf 15 Inf. Div. – ohne nähere Gliederung – geeinigt, auf See- und Luftstreitkräfte von nicht näher bestimmter Stärke und Ausrüstung.

Die Sowjet-Union wünscht die Zusammensetzung der UN-Streitkräfte aufgrund völliger Gleichberechtigung, die anderen Partner wollen ihre Kontingente je nach dem Kriegspotential stellen. (Führung der USA in der Luftwaffe, Englands in der Flotte.) Die Sowjet-Union beharrt aber auf Prinzip der »Gleichartigkeit« und zwar in der formalistischen Überspitzung, daß jedes Land bis zur Handwaffe herab das Gleiche an Material und Personal stellen soll. Ein solcher Standpunkt würde nach der »Times« die künftige Seemacht der UN auf den Typ chinesischer Kanonenboote reduzieren. Die Sowjet-Gedankengänge laufen darauf hinaus, Luftwaffe und Flotte der USA und des britischen Empire auszuschalten.

In der Frage der Stützpunkte müssen nach Ansicht der USA die UN-Streitkräfte überall in der Welt von den bestmöglichen Basen aus zum Einsatz gebracht werden können. Die Sowjet-Union sieht aber in der Bereitstellung von Stützpunkten eine Bedrohung der Souveränität.

Zu den in London jetzt empfohlenen »Schlüsselpositionen in Deutschland« liegt noch keine Stellungnahme vor.

Die Sowjet-Union will die Unterbringung der UN-Streitkräfte auf die Heimatländer beschränken (Ausrüstung und Versorgung nur durch den Heimatstaat) und nur eine Ausnahme in den Territorien früherer Feindmächte zulassen.

Die Sowjet-Union will, daß die UN-Streitkräfte nach Operationsschluß nicht länger als 30–90 Tage im Land des Angreiferstaates bleiben dürfen, während die Westmächte dem Sicherheitsrat den Zeitpunkt der Zurückziehung der Kräfte überlassen wollen.

Die Probleme der UN-Streitkräfte wurden deshalb aufgezeigt, weil aus ihnen die Diskrepanzen der Weltmächte für eine Verwirklichung wahrer Sicherheit hervorgehen.

Die Klärung folgender Punkte erscheint wesentlich für eine Sicherheit Deutschlands, wenn sie durch »UN-Streitkräfte« überhaupt garantiert werden kann:

1. Ersatz der Besatzungstruppen durch UN-Truppen. Beteiligung nationaler Kontingente.

460

2. Stärke, Zusammensetzung, Bewaffnung, Ausrüstung der UN-Truppen.
3. Unterbringung der UN-Truppen nicht an der Grenze des Gebietes, wo die betreffenden Truppen beheimatet sind.
4. Oberbefehl. Heranziehung neutraler Generalstäbe (Schweiz).
5. Durchmarschrecht und Durchflugrecht.
6. Sicherung der Grenzen.
7. Luftschutz (aktiver und passiver.)
8. Sicherung der Küstengewässer.
9. Automatik der Sicherheit?
10. Verbindung mit den Nachbarmächten.
11. Frage der Weltexekutive.

Das Beispiel Palästinas ist für das Eingreifen der UN und ihres Sicherheitsrates nicht ermutigend. Die politischen, wirtschaftlichen und strategischen Interessen der Weltmächte spielen in Palästina und überschatten das Problem des neuen Staates Israel. Englische Ausbilder sind in den arabischen Einheiten tätig, die auch mit modernen englischen Waffen ausgestattet sind. Die Araber üben wohl äußerlich die Herrschaft über Ölvorkommen aus, sind aber von der wirtschaftlichen Ausbeutung durch die angelsächsischen Mächte weitgehend abhängig.

Die Sowjets begünstigen aus machtpolitischen Gründen die Errichtung und Festigung von Israel, um hier für spätere Absichten einen sicheren Stützpunkt zu haben, nachdem ein Festsetzen in den ehemals italienischen Kolonien in Afrika nicht geglückt ist.

Ein Eingreifen der UN im Mitteleuropäischen Raum könnte zu noch größeren Schwierigkeiten führen, als sie sich bei der Sicherung des neuen jüdischen Staates gezeigt haben.

O. K. Armstrong hat zur Verwirklichung der *Sicherheit Deutschlands* General Clay, den Kongreß- und Senatsmitgliedern folgende Maßnahmen vorgeschlagen:
1. Unterbringung von ausreichenden Gendarmerie- und Polizei-

kräften (Rekrutierung im wesentlichen aus der Kriegsmarine.)

2. Ausreichende Stationierung von Luftstreitkräften jeglicher Art und entsprechender Erdschutz ihrer Basen.

3. Unterbringung motorisierter (Panzer) Einheiten, die für einen ersten, etwa notwendig werdenden Einsatz ausreichen.

4. Stationierung möglichst starker Flotteneinheiten der USA in britischen Häfen und in Bremerhaven.

Der bekannte amerikanische Publizist *Robert Ingrim* hat in den USA und in der Züricher Zeitschrift »Die Tat« neue Gedanken veröffentlicht. Im Zusammenhang mit der Verwirklichung des Marshall-Planes sei die große Furcht, welche gegenwärtig in Europa herrsche, ein entscheidendes Hemmnis: die Furcht vor einem russischen Vorrücken über das Festland hinweg. Europa selbst, so wie es heute sei, sei zu schwach gegenüber einer russischen Offensive. Wie könne man es stark genug machen, daß es einer solchen Offensive zu widerstehen vermöge? Das gehe nicht ohne Deutschland, vor allem nicht ohne ein deutsches Heer. Das Problem sei, dieses Heer nicht zu einer Bedrohung zu machen, ihm nicht die Stärke zum eigenen Angriff zu geben. Dies sei nicht schwer. Durch dauernde Kontrollen könne man die Deutschen hindern, Bomben, Ferngeschosse und Atombomben zu erzeugen. Zur See und in der Luft stünden die Vereinigten Staaten an der Spitze aller Mächte. Was ihnen fehle, sei das *Landheer* und das müßten die Deutschen stellen.

Dieses Thema muß hier wegen der Bedeutung des Autors und der Presse, in der es publiziert wurde, erwähnt werden, seine Diskussion bleibt den Amerikanern überlassen, die um eine militärische Gesamtkonzeption ringen, nachdem die »isolationistische Konzeption« der Landesverteidigung aufgegeben ist und für Westeuropa die »Unions-Verteidigung« gefordert wird.

Die westeuropäischen Mächte stellen die Frage, wo die USA das »Vorfeld des Atlantik«, dessen Bedeutung als Glacis erkannt ist, zu *verteidigen* gedenken. Die Antworten schwanken zwi-

462

schen Elbe und Pyrenäen. Folgende Fragen werden gestellt:

Welche Linie soll im Falle eines Angriffs der Sowjet-Union »unter allen Umständen« gehalten werden? »On ne veut plus être libéré, on veut éviter l'occupation«, wurde in Frankreich betont.

Wo werden Luft- und Flottenbasen eingerichtet und gesichert?

Wo und in welcher Stärke sind amerikanische Streitkräfte zu erwarten?

Welche Garantie bieten die westlichen Alliierten den Vereinigten Staaten, daß die z. Zt. in Europa untergebrachten Truppen nicht einfach überrannt werden?

Ohne »Mob.mäßige« Festlegung des gemeinsamen Oberbefehls, Vorbereitung der operativen Pläne, Standardisierung der Kriegsprodukte und entsprechendem Einsatz sind die Vorbedingungen für die wirksame Abwehr einer vom Osten drohenden Gefahr nicht gegeben. Die Vereinheitlichung der Ausrüstung übersteigt aber nicht nur die Produktionskräfte der Westeuropäischen Staaten, sondern auch ihre finanziellen Möglichkeiten. Schon heute erscheinen in den offenen Budgets für Rüstungszwecke folgende Zahlen des Gesamthaushaltes: England 31 %, Frankreich 32 %, Holland 25 %, Belgien 7 %, Schweiz etwa 20 %.

Ein besonderes Problem ist für Europa die »*Freiheit der Luft*«. Da Deutschland keine Zivilluftfahrt unterhalten darf, erscheint eine Regelung der Besatzungsmächte aufgrund der »Fünf Freiheiten« der Konferenz von Chicago notwendig. Die Souveränität des Luftraumes beruht nicht nur auf theoretischen, sondern auf sehr realen, militärischen und wirtschaftlichen Erwägungen.

Der *aktive Luftschutz für die Bevölkerung* bedarf besonderer Erwähnung. Bereits 1939 bewohnten 65 % der deutschen Bevölkerung die Städte; heute ist die Zusammenballung der Menschen durch die Evakuierungsmaßnahmen im Osten noch stärker geworden. Die alliierte Kriegführung hat erwiesen, daß auch offene Städte ohne jede militärische Bedeutung von der Luftwaffe ver-

463

nichtet wurden (Dresden, Würzburg, Freiburg u. a. m.). Auch neutrale Städte wurden, wenn auch nur versehentlich, mit Bomben belegt.

Eine der Vorbedingungen für jede Sicherheit ist die *Festlegung des Grenzverlaufs*. Erst dann können Planungen getroffen und eine Führung der Verteidigung, die den Erfordernissen der Zukunftsmöglichkeiten entspricht, vorbereitet werden.

In diesen Tagen wurde von bedeutenden Schweizer Persönlichkeiten die Frage gestellt, ob die Wahrung einer Neutralität durch eine passive Verteidigung gewährleistet sei oder ob auch die Schweiz eine operative Kriegführung vorbereiten müsse (z. B. Oberstkorpskommandant Dr. Frick in der »Neuen Zürcher Zeitung« über »Operativen Bewegungskrieg« und »Gedanken zur Raumverteidigung«). Die strategische Leere zwischen Oder und Rhein als Folge der deutschen Kapitulation muß durch die Westmächte ausgefüllt werden, und zwar nicht nur durch das zunächst schwer realisierbare Geschenk wirtschaftlicher Sicherheit, sondern durch militärische Tatsachen. »Die Europahilfe ist kaum mehr als eine psychologische Blockade, mit der ein Papiervorhang errichtet wird, um die Wirkung des eisernen Vorhangs auszuschalten. Waffengewalt ist der einzige Schutz gegen die Umsturz- und Aggressionspläne des Ostens«, äußerte der republikanische Senator Dworshak.

Die Londoner Deutschland-Konferenz hat keine Fortschritte erzielt. Der französische Standpunkt hat sich in den Fragen der Sicherheit *gegen* Deutschland, anstatt *für* Deutschland zunächst teilweise durchgesetzt und zu der Sonderklausel einer Dauerbesetzung von »Schlüsselpositionen« in Deutschland, also zur Bestimmung einer dauernden Besetzung auch nach Abzug der Besatzungstruppen geführt. Ein weitsichtiges und weiträumiges Garantieversprechen durch die USA, das den weltpolitischen Zusammenhängen Rechnung getragen hätte, wurde nicht erreicht.

Es ist Sache maßgebender deutscher Stellen, bei dem Ringen um ein Rechtsstatus *Forderungen auf Sicherheit* zu stellen und zwar bei *der* Macht, die nicht nur interessiert, sondern auch zur wirksamen Erfüllung allein befähigt ist, die USA.

Die Gedanken über *eine deutsche und damit gesamteuropäische Sicherheit* müßten enthalten:

1. Festlegung und Sicherung der deutschen Grenzen.
2. Koordinierung der Verteidigungssysteme der Westeuropäischen Mächte.
3. Einheit des Oberbefehls. Operative Vorbereitungen.
4. Unterbringung von mindestens 20 Panzerverbänden in Divisions-Stärke *anstelle der Besatzungstruppen* aller drei Zonen. In diesen Verbänden würden nationale Einheiten (Engländer, Franzosen usw.) unter einheitlicher Führung enthalten sein.
5. Errichtung und Sicherung von Basen für die Luftstreitkräfte, die nötigenfalls nach Deutschland verlegt werden.
6. Aktiver Luftschutz. Garantie der »Freiheit der Luft«.
7. Sicherung der Küstengewässer.

Paul Claudel sagte entgegen der offiziellen französischen These: »Das westliche Europa entsteht heute aus der Gefahr, der furchtbaren sowjetischen Gefahr. Gegen diese Gefahr, ob uns das angenehm ist oder nicht, ist Deutschland unser Schutz und Schild. Ein Schild darf nicht schwach sein. Die Nation, die unser Schild ist, darf nicht im Zustand einer formlosen Masse gelassen werden. Sie muß belebt werden mit dem Willen zum Widerstand, dessen erste Voraussetzung der Wille zur Existenz ist.«

Der Marshall-Plan wird nur durch eine wirksame militärische Ergänzung die alte Welt, ein vereintes Europa, schützen und schöpferisch neu gestalten können.

Ergänzung
zu den Bemerkungen für ein Gespräch über
die Sicherheit Deutschlands.

Vorbemerkung:

Die Besprechungen von Außenminister Marshall, Verteidigungsminister Forrestal, Feldmarschall Montgomery und von westalliierten Beratern haben nach übereinstimmenden Meldungen in der in- und ausländischen Presse das Ergebnis gehabt, daß der Rhein als »mögliche und sichere« Verteidigungslinie anzusehen, die bisherige Auffassung einer Verteidigung der Pyrenäen aufgegeben sei. Damit scheint aber auch die von maßgeblichen militärischen und politischen Kreisen in den Staaten als erwünscht angesehene Verteidigungslinie nördlich Wien – nördlich Passau–Böhmerwald–Main–Spessart–Taunus zunächst nicht realisierbar, vielleicht als Fernziel gedacht zu sein.

Die Besatzungsmächte sind für unsere Sicherheit verantwortlich!

Durch den jetzigen Beschluß geben sie praktisch Deutschland, und damit auch im strategischen Sinne Österreich, die Schweiz und die Verbindung nach Italien preis.

Die in den beiden Memoranden vom Juni 48 und 10. 11. 48 gestellten politischen Forderungen behalten ihre Gültigkeit. Aus der neuen politischen Lage (Sowjetrussische Räumungsforderung Gesamtdeutschlands, Verteidigung der Rheinlinie durch die Westalliierten) kann für eine deutsche Vertretung die Pflicht erwachsen, neben den Forderungen der Sicherheits- bzw. Verteidigungsgarantie durch die USA Vorschläge für einen Selbstschutz oder für eine Beihilfe zur Verteidigung des Herzstücks Europas nach innen und außen zu machen.

Bei einer Räumung Gesamtdeutschlands durch die Alliierten

wird eine Bürgerkriegsgefahr latent. Die jetzigen Länderpolizeien Westdeutschlands sind nach Bewaffnung und Haltung nicht einsatzfähig gegenüber der Ostpolizei, deshalb müssen gegebenenfalls entsprechende Maßnahmen erwogen werden.

Die Gedanken und Vorschläge können enthalten:

1. Westdeutschland stellt Sicherungsverbände, d. h. motorisierte, modern bewaffnete und ausgerüstete Einheiten, mit panzerbrechenden Waffen und mit Panzern auf.

2. Anhalt für die Stärke z. B. im Lande Württemberg-Baden etwa 3 Sicherungsverbände (Divisionsrahmen).

3. Organisation und Rekrutierung: Milizsystem nach Schweizer Muster, kleine Cadreeinheiten.

4. Führungs- und Unterstellungsverhältnis: Bundesregierung bzw. Länderregierungen.
Führung: Oberbefehl amerikanisch, Stab des Oberbefehlshabers gemischt aus deutschen und US-Offizieren.
Truppenführung bis Sicherungsverband einschließlich »reinrassig« deutsch.

5. Bewaffnung und Ausrüstung: USA.
Rüstungsindustrie: ausschließlich USA.

6. Luft: Passiver Luftschutz: durch Deutschland.
Aktiver Luftschutz und Luftwaffe: ausschließlich USA.

7. Sicherung der Küstengewässer: britische Flotte.

8. Wegfall der Besatzungskosten und Ersatz durch Ausgaben für die Sicherheit.

Gedanken zur Sicherung Westeuropas.

»Die bewaffneten Streitkräfte der Sowjetunion mit ungefähr 4 Mill. Mann und 14 000 Flugzeugen stellen eine eiserne Faust für eine aggressive Politik Moskaus dar. Diese Streitkräfte sind in der Lage, schnell den größten Teil Europas, den nahen und mittleren Osten, Korea und sogar China zu überrennen.« So äußerte sich der Chef des US-Generalstabes, General Omar Bradley am 3. 6. 1948 vor dem Bewilligungsausschuß des Repräsentantenhauses.

Die Streitkräfte jenseits des Eisernen Vorhanges stellen solange eine dauernde Bedrohung Westeuropas dar, als keine Gegenkräfte aller drei Dimensionen räumlich und zeitlich bereitstehen, um etwa einem sowjetischen Aggressor die Stirn zu bieten und den Frieden zu garantieren.

In einer bewaffneten Auseinandersetzung Eurasiens mit der atlantischen Welt wird der Schwerpunkt sowjetischer Angriffsoperationen im Mittelmeerraum und im Nahen Osten liegen.

Mit einer Nebenoperation »mit beschränktem Ziele« in Europa ist nach zuverlässigen Nachrichten zu rechnen.

Westeuropa bedeutet aber für die operativen Interessen der USA in Europa neben ideellen und materiellen Gründen einen strategischen Eckpfeiler.

Folgende Operationsmöglichkeiten ergeben sich für die Sowjetunion:

1. Eine Operation aus den drei Aufmarschräumen Mecklenburg, Magdeburg-Halberstadt, Thüringen um Ohrdruf, von Osten nach Westen mit Südflügel (hier Schwerpunkt) über das Ruhrgebiet nach Antwerpen zur Kanalküste. Abdecken durch Abwehrflanken auf den Bergriegeln des Erzgebirges-Thüringer Waldes und des Westerwalds. Für diese Operationen sollen als erste

468

Welle mindestens 30, wahrscheinlich mehr Panzerdivisionen vorgesehen sein. Die sowjetische Armee wird in den für Westeuropa entscheidenden Raum der Ruhr, des Niederrheins und des ostbelgischen Industriebeckens vorstoßen und die Nordsee- bzw. Kanalhäfen von Hamburg bis Antwerpen in Besitz nehmen.

Es ist möglich, daß einer solchen Operation das Ziel zu Grunde liegt, sich nach Zerstörung dieses Gebietes nach dem Prinzip der »verbrannten Erde« hinter die Elbe zurückzuziehen.

2. Eine Operation aus dem Aufmarschraum der Tschechoslowakei-Ungarn-Österreich zum Mittelmeerraum mit der Inbesitznahme von Oberitalien und Triest. Eine Aufgabe Mitteleuropas durch die westlichen Alliierten würde das Risiko einer solchen Operation für die sowjetrussischen Streitkräfte wesentlich mindern und ihnen die Ausgangsbasis für weiterreichende Ziele geben.

3. Eine Operation zur Inbesitznahme von Gesamtdeutschland, Österreich und der Schweiz und Durchstoß zum Atlantik und zu den Pyrenäen, wobei jedoch diese »Nebenoperation« zu viele Kräfte binden würde.

Nach neueren Nachrichten ist von alliierter Seite der Rhein als tatsächliche Verteidigungslinie Westeuropas bestimmt. Es dürfte aber wohl den Interessen der Vereinigten Staaten, Englands, Frankreichs und der Beneluxstaaten widersprechen, die Verteidigungsgrenze so weit nach Westen an die Küstenfront heranzuziehen, so daß ein sowjetischer Durchstoß sehr frühzeitig nicht nur die britische Insel bedrohen, sondern auch die Hilfe der Vereinigten Staaten unmöglich machen könnte. Ist der Rhein die Verteidigungslinie des »Vorfeldes des Atlanik«, so sind damit Österreich und die Schweiz neben Westdeutschland aufgegeben – Gebiete, in denen heute eine Bevölkerung lebt, die eindeutig antisowjetisch eingestellt ist.

Je weiter die Verteidigungslinie für die atlantische Welt nach Osten verlegt wird, sei es zunächst an eine im Sommer 1948 erwähnte Linie nördlich Wien, nördlich Passau, Böhmerwald, Fichtelgebirge, Main, Spessart, Taunus, Weser oder an die zum Teil erst zu gewinnende Elbelinie, desto mehr ist die Gewähr für eine Sicherung Westeuropas gegeben. Es erscheint auch aus Gründen der Führung eines operativen Luftkrieges notwendig, daß die ausgebauten und bevorrateten Basen gesichert sind.

Militärisch wäre eine »Dünkirchen-Operation«, d. h. Räumung Mitteleuropas, Verteidigung der Rhein- oder Pyrenäenlinie auf Zeit bis zur Wideraufnahme der Operationsfreiheit und Rückgewinnung Frankreichs und der mitteleuropäischen Staaten unmöglich. Sie würde den endgültigen Verlust der westeuropäischen Staaten für die USA bedeuten, zumal in Frankreich und Italien die Sowjetunion über starke sympathisierende Bevölkerungsteile verfügt.

Für alle Bewohner Westeuropas stellen sich folgende Fragen hinsichtlich der Sicherheit gegenüber der Sowjetunion:

a) In welcher Linie soll ein vereintes Europa zu Beginn und zwar entscheidend und nicht nur hinhaltend verteidigt werden?

Soll diese Verteidigungslinie nach Maßgabe wachsender Rüstung erst später staffelweise vorgeschoben werden oder nicht?

Welche Erdkräfte stehen für diesen Auftrag zur Verfügung?

b) Wie ist der aktive und passive Luftschutz gedacht? Welche Vorbereitungen sind zu treffen?

Die von den Alliierten ausgeübte Souveränität des Luftraumes beruht nicht nur auf theoretischen, sondern auf sehr realen militärischen und wirtschaftlichen Erwägungen.

Aufgrund der theoretischen Vorbereitungen auf der Konferenz von Chicago und in praktischen Erfahrungen bei der Luftbrücke Berlin sollte das Problem der »Freiheit der Luft« schon rechtzeitig gelöst werden.

c) Was ist mit der deutschen wehrfähigen Bevölkerung vorgesehen, wenn die Verteidigungslinie am Rhein festgesetzt bleibt? Eine Auffangorganisation kann nicht erst am Überfallstage organisiert werden. Maßgebliche Schweizer Stimmen beschäftigen sich schon heute mit den Problemen, die sich aus diesen Fragen ergeben.

Bei den derzeitigen Kräfteverhältnissen Frankreichs, der Beneluxstaaten und Englands ist eine ausreichende Verteidigung der Rheinlinie nicht gewährleistet.

Die augenblicklich in Europa stationierten Teile der US-Armee geben dazu keinen namhaften Kräftezuschuß.

Ohne den Kräftezuschuß von mindestens 20 Panzerdivisionen der US-Armee erscheint eine erfolgreiche Abwehr gegenüber einer sowjetrussischen Aggression nicht gewährleistet.

Wird ein deutscher Beitrag im Rahmen einer europäischen Gesamtkonzeption für wünschenswert erachtet, so wird es sich nicht um Eingliederung kleinerer deutscher Einheiten in nationale Kontingente der anderen westeuropäischen Staaten handeln können. Es erscheint vielmehr zweckmäßig, einheitliche deutsche Sicherungsverbände im Rahmen einer europäischen Armee aufzustellen. Es würde sich hierbei um modern bewaffnete und ausgerüstete motorisierte Einheiten mit panzerbrechenden Waffen und mit Panzern handeln (Stärke eines solchen Sicherungsverbandes etwa der französischen Panzerdivision oder britischen Panzerbrigade entsprechend).

Durch die Mitwirkung in einer europäischen Streitmacht scheidet auch eine Wiedererweckung jedes »nazistischen Militarismus« von vornherein aus. Bei der Organisation solcher Sicherungsverbände könnte das Milizsystem nach Schweizer Art zum Muster genommen werden.

Die großen Anstrengungen der Vereinigten Staaten, Europa wirtschaftlich und politisch wieder aufzubauen, könnten eine sinnvolle Ergänzung in solchen europäischen Streitkräften finden, die als Zukunftsziele aus eigener Kraft Europa zu schützen vermögen und damit einen wertvollen Beitrag zum Schutze der atlantischen Welt leisten können.

Gedanken zur Sicherung Westeuropas.

Bezug: Studien »Die Sicherheit Westeuropas« vom Juni 48
»Gedanken zur Sicherung Westeuropas« vom 15. 12. 48.

Vorbemerkung:
Eine »Verteidigung Westeuropas« am Rhein und damit die
Aufgabe Westdeutschlands, Österreichs und der Schweiz ist in
diese Betrachtungen nicht einbezogen.

Die Vorverlegung der »Verteidigungslinie der Atlantischen
Welt« nach Osten wurde als politisches und strategisches Gebot
– nicht zuletzt aus Gründen der Führung eines operativen Luft-
kriegs – von maßgebenden politischen und militärischen Persönlichkeiten der Atlantikmächte bezeichnet.

1. *Die Stärke der Sowjetstreitkräfte kann folgendermaßen angenommen werden:*

Friedensstärke   200–220 Divisionen
Kriegsstärke   385 Divisionen

In dem von der Roten Armee besetzten Deutschland und in
dem unter »polnischer Verwaltung« stehenden ehemaligen Teil
Deutschlands sind zur Zeit 30 schnelle Divisionen untergebracht, nämlich

10 Panzer-Divisionen

16 mechanisierte Divisionen

 4 motorisierte Inf.Divisionen.

In Österreich 4 Panzer- bzw. mechanisierte Divisionen

In Rumänien 3–4 Panzer- bzw. mechanisierte Divisionen.

In Altpolen und Ungarn sind keine namhaften Sowjetstreitkräfte zur Zeit festgestellt.

35–40 schnelle Divisionen erster Welle können also sofort
antreten. Weitere Verbände der in Innerrußland untergebrachten

Roten Armee können mit 2 Divisionen pro Tag auf 6 Strecken antransportiert werden.

2. *Mögliche Operationsabsichten der Roten Armee in und durch Deutschland.*

Bei der Beurteilung der Operationsabsichten bietet sich die Bildung von 3 Gruppen der Roten Armee an:

a) Nordgruppe:

Aufmarschraum: Mecklenburg.

Operationsziele: Dänemark, Schleswig, Hamburg–Bremen. Inbesitznahme der Nordseeküste. Bedrohung der britischen Insel.

b) Mittelgruppe:

Aufmarschraum: Magdeburg–Thüringen mit Mittelpunkt Ohrdruf.

Operationsziele: Stoß zwischen Teutoburger Wald und Main. Inbesitznahme von Ruhrgebiet und Rheinübergängen zum Weiterstoß nach Westen. Diese Gruppe wird nach Stärken und Zielen die Schwerpunktoperation zu führen haben.

c) Südgruppe:

Aufmarschraum: Thüringen ostwärts der Saale – Südsachsen – ggf. Nordböhmen.

Operationsziele: Süddeutschland, Schweiz?

Eine Operation aus dem Aufmarschraum Tschechoslowakei–Ungarn–Österreich zum Mittelmeerraum (Inbesitznahme von Oberitalien und Triest), die bei einer Aufgabe Mitteleuropas durch die Atlantikmächte sich risikolos anbieten würde, ist hier nicht behandelt.

3. *Gegenmaßnahmen.*

Zu einer starren Verteidigung einer Gesamtfront von rund 800 km fehlen die Kräfte. Außerdem kann eine solche Abwehrstellung überall durchbrochen werden, wenn der Gegner mit ausreichender Schwerpunktbildung den Durchbruch an dem ihm gemäßen Ort erzwingen will.

So ergibt sich die Forderung, die Verteidigung mit beweglicher Kampfführung zu koppeln. Sie sollte auch deshalb dem Sowjetgegner aufgezwungen werden, weil nach den jüngsten Kriegserfahrungen die rote Führung einer solchen Kampfweise nicht voll gewachsen war.

Für eine solche Kampfführung müssen schnelle (Panzer-)Kräfte und mit ihnen gekoppelte Luftverbände so in Westdeutschland bereitgehalten werden, daß sie die Operationsgruppen der Roten Armee einzeln anfallen und schlagen können.

Diese bewegliche Kampfführung könnte folgendermaßen ausgeführt werden: Halten von zwei starken Eckpfeilern (Pivots), nämlich von Süddeutschland südlich des Mains und des Raumes von Bremen–Hamburg–Lübeck.

In Süddeutschland müßte im Anschluß an Österreich eine Linie etwa nördlich Passau–Böhmerwald–Fichtelgebirge–Hassberge–Röhn verteidigt werden können.

Die schnellen Operationskräfte müßten in 3 Gruppen bereitgestellt werden:
Gruppe Main im Raum um Bamberg,
Gruppe Weser im Raum um Göttingen–Braunschweig,
Gruppe Elbe im Raum ostwärts des Kaiser-Wilhelm-Kanals.
4. *Kräftebedarf.*

25 vollkampfwertige Panzer- bzw. mechanisierte Divisionen amerikanischer Gliederung (Bemerkung: die amerikanische Panzerdivision ist wesentlich kampfkräftiger als eine Panzerdivision der Roten Armee).

Ausreichende Luftstreitkräfte zum unmittelbaren Zusammenwirken mit den Panzerverbänden unter einheitlicher Führung.

Führung des operativen Luftkrieges, u. a. auch zur Unterbindung der Zuführung von Reserven und Nachschub der Roten Armee.

5. *Deutsche Beteiligung.*

Eine von den im Atlantikpakt zusammengeschlossenen Staaten etwa gewünschte deutsche Beteiligung müßte von folgenden Bedingungen abhängig gemacht werden.

Politische Bedingungen:

a) Völlige Gleichberechtigung. Beendigung des »Kriegszustandes«. Aufnahme von Westdeutschland und Österreich in den Atlantikpakt mit gleichen Rechten und Pflichten.

b) Klare politische Zielsetzung unter leitender europäischer Idee.

Anmerkung: Die Rückgabe der entrissenen Ostgebiete ist unabdingbare Notwendigkeit für die Existenz des deutschen Volkes (Moralische Bedeutung für die vielen Millionen von Flüchtlingen aus den Ostgebieten!).

Militärische Bedingungen:

a) Oberkommando europäisch-amerikanisch unter Beteiligung aller Mächte. Wünschenswert Gestellung des Oberbefehlshabers durch die USA wegen der Schwierigkeiten in den Westunionstaaten.

b) Deutsche Führung bis Division einschließlich, die im übrigen »reinrassig« sein muß. Korps können gemischt sein, aber mit deutscher Beteiligung bei den Stäben.

c) Modernste Waffenausstattung (Panzer- mech.-mot. Div.). »Kanonenfutter« kann nicht gestellt werden.

d) Bildung von Abwehrdivisionen für den Einsatz in den Verteidigungsräumen (»Eckpfeilern«). Moderne und ausreichende Ausstattung mit Panzerabwehrwaffen. Organische Zuteilung von Luftwaffenverbänden unter einheitlicher Führung.

e) Sorge für ausreichenden aktiven und passiven Luftschutz.

Mögliche deutsche Leistungen:

a) Das ausgebildete deutsche Menschenpotential von Westdeutschland kann zur Zeit noch für die Aufstellung von rund 15 Panzer- usw. Divisionen ausreichen.

b) An geschultem und bewährtem Führerpersonal wird eine höhere Zahl von Offizieren zur Verfügung stehen, als für die unter a) genannten Divisionen benötigt werden.

Wehrsystem:

Sollte die Frage eines künftigen Wehrsystems überhaupt gestellt werden, so könnte das Milizsystem nach Schweizer Art zum Muster genommen werden.

Auch das ehemalige 100 000-Mann-Heer (Reichswehr) kann als Beispiel für Organisation und Ausbildung von Cadres genommen werden.

Bemerkungen:

Durch die Mitwirkung in einer europäischen Streitmacht scheidet eine Wiedererweckung jedes »nazistischen Militarismus« von vornherein aus. Die Bedeutung der personellen Frage und ihrer rechtzeitigen Lösung ergibt sich von selbst.

Gedanken über die Frage der äußeren Sicherheit der Deutschen Bundesrepublik.

Denkschrift im Auftrage des Herrn Bundeskanzlers
aufgrund der mündlichen Übermittlung durch den Herrn Bundesminister Wildermuth
am 31. 7. 1950.
Dem Herrn Bundeskanzler am 14. 8. 1950
durch Herrn Minister Wildermuth vorgelegt und gebilligt.

Gliederung:

I. Die allgemeine Lage der Bundesrepublik im Hinblick auf die Frage der äußeren Sicherheit.
II. Die militärpolitische Lage.
III. Die Möglichkeiten der Herstellung der äußeren Sicherheit.
IV. Die notwendigen Maßnahmen.
V. Die Voraussetzungen eines Erfolges.
VI. Vorschläge für Sofortmaßnahmen.

I. Die allgemeine Lage der Bundesrepublik im Hinblick auf die Frage der äußeren Sicherheit.

Die Deutsche Bundesrepublik lebt noch nicht im Friedenszustand. Sie ist nicht souverän. Sie ist nicht in die europäische
Gemeinschaft und in den atlantischen Verteidigungspakt eingegliedert. Sie ist aber als *erste* der gemeinsamen europäisch-atlantischen Bedrohung aus dem Osten ausgesetzt.

Die innere Lage Westdeutschlands hat sich zunehmend gefestigt. Hemmend wirken aber die Einspruchsmöglichkeiten der
Besatzungsmächte, die Ansprüche des Föderalismus und die noch
nicht überall gefestigte Verwaltung. Die sozialen Spannungen
sind unvermindert. Die Zersplitterung des Volkes in Parteien und
Interessengruppen ist groß.

Das deutsche Volk in der Bundesrepublik hat sich zu den freiheitlichen Idealen des Westens bekannt. Doch sind diese Ideale noch nicht so fest im Volke verwurzelt, daß es dafür Gut und Blut zu opfern bereit wäre. Solange es nicht selbst die volle Freiheit genießt, wird es nicht unbedingt bereit sein, für die Freiheit zu sterben. Trotz der Wahlniederlagen der Kommunistischen Partei ist das Volk für die kommunistisch-bolschewistische Propaganda anfällig. Dies wirkt sich nicht in einer Zustimmung für diese Ideologie aus, sondern in Angst und Sorge. Der Gedanke: »Was tue ich, wenn der Russe kommt«, beherrscht den Einzelnen weit mehr, als es in der öffentlichen Meinung zum Ausdruck kommt. Rückversicherungsversuche nach dem Osten, auch aus besitzenden Schichten, nehmen zu. Eine eindeutige Abwehrbereitschaft gegen die große gemeinsame Gefahr ist weder ideologisch noch praktisch vorhanden. Die Hoffnung auf Wiedervereinigung des deutschen Volkes ist gefühlsmäßig stark, – eine Lösungsmöglichkeit dieser brennenden Frage wird nirgends erkannt.

II. Die militärpolitische Lage der Deutschen Bundesrepublik.

Die militärpolitische Lage Westdeutschlands ist so ungünstig wie niemals zuvor in der Geschichte. Vergleiche mit den Epochen nach früheren Niederlagen – etwa nach 1806 oder nach 1918 – fallen zuungunsten unserer heutigen Lage aus.

Westdeutschland ist zwar außenpolitisch nicht isoliert, es hat sich aus innerer Überzeugung und unter dem Druck der großen Bedrohung aus dem Osten klar für die westliche Gemeinschaft entschieden. Dieser Entscheidung entspricht aber noch keineswegs die Bereitschaft der westlichen Welt, Westdeutschland gleichberechtigt einzugliedern. Trotz vieler und wiederholter Beteuerungen genießt es keine äußere Sicherheit. Der mehrfach geforderten Sicherheitsgarantie wurde bisher nie entsprochen. Die Besatzungstruppen sind nach Stärke und Ausrüstung nicht in der Lage, unsere Sicherheit zu gewährleisten.

Die Ereignisse in Korea haben in der ganzen Welt vergleichende Betrachtungen über das künftige Schicksal Westdeutschlands im Falle eines Angriffs der Sowjet-Union (S.U.) ausgelöst, die meist zu richtigen Erkenntnissen unserer gefährdeten Lage führen. Praktische Folgerungen wurden bisher nicht gezogen. Der alte Argwohn der europäischen Nachbarn besteht zum Teil noch weiter. Wunsch und Erkenntnis von Notwendigkeit und Nützlichkeit eines Beitrages Westdeutschlands zur gemeinsamen Verteidigung des Abendlandes und der atlantischen Welt sind vorhanden. Die Folgerungen für unteilbares Recht und unteilbare Sicherheit werden aber nicht gezogen. Man möchte etwas erwerben, ohne Entsprechendes zu bieten.

Demgegenüber steht der hochgerüstete Feind:

Im Gesamtraum der Sowjetunion:

Friedensstärken:

175 Pz., mech., mot. und Schützendivisionen,

30 Flak- und Artl.-Divisionen,

60 000 Panzer,

20 000 Flugzeuge, darunter mindestens 5000 Düsenjäger (»Jetflugzeuge«),

250 U-Boote, unter ihnen 100 moderne.

Kriegsstärken:

375–400 Divisionen,

30–40 000 Flugzeuge.

Von diesem Potential befinden sich zur Zeit in der deutschen Ostzone: 22 Pz.-, mech. und mot. Divisionen, 9 Flak-Divisionen, 3 Artl.-Divisionen, 6000 Panzer, 1800 Flugzeuge, darunter über 500 Düsenjäger (Jet). Die Sowjet-Divisionen in der deutschen Ostzone können innerhalb von 48 Stunden antreten.

Weiterhin können fünf Divisionen jeweils in drei Tagen auf sechs Bahnstrecken aus der Sowjetunion durch Polen herangebracht werden.

Die Streitkräfte der Satellitenstaaten sind nicht berücksichtigt.

Die Sowjet-Union kann bei der fehlenden westlichen Verteidigungsbereitschaft mit den in der Ostzone vorhandenen Kräften einen Stoß bis zur Atlantikküste führen.

Eine Untersuchung der Operationsabsichten der Sowjetunion geht über den Rahmen dieser Denkschrift hinaus. Lediglich die Sorge vor dem Entstehen eines dritten Weltkrieges, die Unterlegenheit auf dem Atomgebiet und die Unvollständigkeit ihrer operativen Luftwaffe hält die Sowjetunion noch zurück.

Dem innerpolitischen Denken und Handeln in Westdeutschland fehlt vielfach die Grunderkenntnis, daß alle Maßnahmen unter dem Gesichtspunkt der Ostbedrohung zu betrachten sind. Den Zersetzungsabsichten des Kommunismus wird noch nicht genügend gesteuert. In öffentlichen Ämtern sind mehr Feinde des Volkes und Staates vorhanden, als es im Lichte erscheint. In den Behörden sind mancherorts Kräfte vorherrschend, die bei einer berechtigten Ablehnung des »Militarismus« zugleich eine Verpflichtung für die Verteidigung der Lebenswerte und der Substanz unseres Volkes ablehnen. Das Grundgesetz enthält in seiner Anerkennung des Rechts der Kriegsdienstverweigerung für viele das unausgesprochene Eingeständnis, daß es sich nicht lohnt, für die in diesem Grundgesetz festgelegten Ideale Opfer zu bringen.

Die Haltung der Opposition ließ zwar das Gefühl für die gemeinsame Gefahr von außen nicht vermissen, zeigte aber bisher nur wenig Neigung zu den entsprechenden Folgerungen.

Der Pazifismus des deutschen Volkes ist ernst. Es will keinen Krieg, weder in noch um Deutschland, noch in irgendeinem Teil der Welt. Die Jugend ist ebenso wie die ältere Generation dem Waffendienst abgeneigt. Anstelle von Abwehrbereitschaft besteht weithin Gleichgültigkeit. Der Einzelne will wohl Sicherheit, aber er will keine Opfer bringen. Das Schlagwort »ohne mich« ist zu einer Art Weltanschauung geworden. Der Neutralitätsgedanke ist in der westdeutschen Gedankenwelt noch sehr virulent.

Die Diffamierung des deutschen Soldaten im In- und Ausland bedrückt die wehrfreudigen Kräfte, die »Kriegsverbrecher«-Prozesse gegen Soldaten haben die Verbitterung verstärkt und die Auffassung untergraben, daß unbedingter Gehorsam eine der festesten Stützen jeder Wehrmacht ist. Damit wird auch der schon allgemein schwache Glaube an jedwede Autorität weiter zerbröckelt. Die bisher fehlende Versorgung der Berufssoldaten bedeutet eine weitere Minderung des Wehrwillens. Das Gefühl, jede Maßnahme zur Herstellung der äußeren Sicherheit diene nur der Erleichterung des Rückzuges der Besatzungstruppen, herrscht auch bei ruhig denkenden Menschen vor.

Militärisch fehlen alle Grundlagen für den Wiederaufbau einer Wehr. Dazu gehören u. a.:

Es gibt keine Zentralbehörde für einen Wiederaufbau, keine statistischen Grundlagen für die personelle Erfassung von Führern und Truppe, keine Stämme und kaum Ansatzpunkte dafür, keine materiellen Grundlagen für Bewaffnung und Ausrüstung, kein Sammeln von Erfahrungen auf organisatorischem oder führungsmäßigem Gebiet.

Es gibt nur wenige, gedankliche Vorbereitungen für den praktischen Beginn eines Wiederaufbaus. Sie können in ihrem gewaltigen Umfang von einem Einzelnen nicht bewältigt werden. Es kann nicht eindringlich genug gewarnt werden vor Einzelvorschlägen ehemaliger Fachleute, die aus ideellen oder persönlichen Motiven die Schwierigkeiten eines Wiederaufbaues als leicht überwindbar hinstellen.

III. Die Möglichkeiten der Herstellung der äußeren Sicherheit.

1. Die politische Grunderkenntnis:

Westdeutschland kann nie aus eigener Kraft seine äußere Sicherheit herstellen, sondern bleibt in diesem Bestreben abhängig von der Erkenntnis der Westmächte, daß die Herstellung dieser Sicherheit nicht allein im deutschen, sondern auch im westlichen Gesamtinteresse liegt. Die Abhängigkeit der westlichen Regierungen von der öffentlichen Meinung in ihren Ländern spielte in der Vergangenheit eine wesentliche Rolle. Hier läßt sich wohl vieles lenken. Der wichtigste Faktor bleibt die Undurchsichtigkeit der Sowjet-Absichten. Bei jeder Lösungsform bleibt die große Gefahr, daß die S.U. die Vorbereitungen der äußeren Sicherheit zum Anlaß nimmt, Westdeutschland zu überfallen, um von vornherein diesen Zuwachs an Kampfkraft des Westens zu verhindern. Diese Gefahr spielt auch bei den Bedenken der wehrwilligen Kreise in Westdeutschland die größte Rolle. Die Antworten auf diese Frage sind so allgemein politischer Natur, daß jede Betrachtung ins Uferlose auszuarten droht.

Folgendes soll aber dazu festgestellt werden: Solange die S.U. damit rechnen muß, daß ein Überfall auf Westdeutschland unmittelbar zu einem Kriege mit den USA, also zu einem Weltkriege führen muß, wird sie von einem Überfall absehen – wenn sie sich für einen solchen Krieg noch nicht genügend gerüstet fühlt. Der Zeitpunkt, von dem ab sie sich für eine solche Entscheidung stark genug glaubt, ist nicht sicher zu bestimmen. Entscheidend sind dabei Luftrüstung und Atombomben-Herstellung. Wenn hier auch die Frage der Weiterrüstung der Westmächte ein Faktor ist, den die S.U. ebensowenig klar übersehen kann, so muß doch damit gerechnet werden, daß ihre Bereitschaft zur endgültigen Auseinandersetzung vom rein militärischen Standpunkt aus etwa 1952 vorhanden ist. Diese Überlegung spricht für den möglichst schnellen Aufbau einer deutschen Verteidigung. Wenn überhaupt noch etwas Brauchbares geschaffen werden soll, darf keine Zeit mehr verloren gehen. Allerdings kann auch ein schneller Aufbau nur unter einem starken Schutz erfolgen, da der Anreiz zu einem Überfall für die S.U. immer latent bleibt.

Eine solche Abschirmung kann in einer ausgesprochenen politischen Stärkelage des Westens gegeben sein, wie in einer besonderen politischen Schwächelage des Ostens. Keine politische

482

Sicherung wird aber jemals einer militärischen Abschirmung entraten können (Korea). Wie stark sie sein muß und wie lange sie anhalten muß, ist heute nicht zu bestimmen. Sie muß so geartet sein, daß sie dem Feind nicht zuviel verrät, aber auch so, daß sie ihn von einem Überfall abhält. Andererseits kann eine solche nur defensiv gedachte Abschirmung von der S.U. auch als Vorbereitung eines Präventivkrieges angesprochen werden, und statt zu schützen, die Gefahr eines Überfalles vorzeitig auslösen. Je größer das Risiko für den Feind ist, umso besser; je kürzer die bei jeder Lösung unvermeidlich eintretende Krisenspanne ist, umso günstiger. Aus dieser Zwangslage die richtigen Schlüsse zu ziehen, wird schwer sein. Sie lassen sich, ohne Kenntnis der vorhandenen militärischen Möglichkeiten und Absichten der Westmächte, nur andeuten. Es bleibt: Jeder Aufbau einer westdeutschen Verteidigung bedarf eines wohldurchdachten, ausreichenden Schutzes. Zu befürchten bleibt, daß die Westmächte diese deutsche und europäische Sorge zu leicht nehmen könnten.

2. Vor einer Betrachtung der organisatorischen Möglichkeiten muß Klarheit bestehen, daß drei Zeitspannen zu unterscheiden sein werden.

a) Maßnahmen bei einem nahe bevorstehenden Überfall,

b) Maßnahmen bei einer kurzen Anlaufzeit,

c) Maßnahmen bei einer längeren Anlaufzeit, etwa über zwei Jahre hinaus.

Zu a) Bei einem in kurzer Frist zu erwartenden Überfall sind alle aktiven Verteidigungsmaßnahmen nicht durchzuführen. Sie könnten bei ihrer Unzulänglichkeit nur Unheil über Westdeutschland bringen, ohne zu nutzen. Für diesen Fall wären nur die nötigsten zivilen Schutz- und Katastrophenmaßnahmen vorzubereiten, wie sie im Abschnitt IV angedeutet sind. Ob in einem solchen Falle eine Wegführung der wehrfähigen Jugend nach Westen noch möglich ist, bedarf einer besonderen unverzüglichen Prüfung und gegebenenfalls Vorbereitung.

Zu b) Im Falle einer kurzen Vorbereitungsspanne müssen die gleichen zivilen Maßnahmen einsetzen wie im Falle a). Die Frage, ob schon angelaufene, aber noch nicht abgeschlossene aktive militärische Verteidigungsvorhaben zur Wirkung gebracht werden können, ist jeweils zu prüfen und zeitgerecht zu entscheiden unter kalendermäßiger Festlegung von Endterminen. Eine Angliederung schon bestehender schwacher Rahmen- oder kleiner Verbände an die Truppen der Besatzungsmächte müßte in einem solchen Fall geprüft werden. Halbe Maßnahmen können in dieser Zeitspanne gefährlicher sein als ein Verzicht auf aktive Wirkung.

Zu c) Auch für eine längere Anlaufzeit sind die zivilen Maßnahmen durchzuführen, zu ergänzen und ständig zu verbessern. Die aktiven Vorbereitungen dürfen durch den Gedanken an eine längere mögliche Anlaufzeit nicht verzögert werden. Für ihre Inkraftsetzung gilt das unter b) Gesagte sinngemäß.

Die bei dieser Überlegung zugrunde gelegte Zeitannahme darf aber nicht dazu führen, daß notwendige Vorbereitungen zurückgestellt werden mit der Begründung, daß sie ja doch nicht mehr auslaufen können. Alle Vorbereitungen brauchen Zeit. Die Erkenntnis, daß bisher schon zuviel Zeit wenigstens für eine schon lange möglich gewesene gedankliche Vorarbeit verloren gegangen ist, darf nicht zu weiteren Verzögerungen führen.

3. Den Betrachtungen der organisatorischen Möglichkeiten ist vorauszuschicken:

a) Die Herstellung der äußeren Sicherheit muß von dem Willen des ganzen Volkes getragen sein. Zustimmung der Opposition ist also eine Notwendigkeit.

b) Der Wiederaufbau einer deutschen Wehrmacht kann nur als Kontingent im europäisch-atlantischen Verteidigungsrahmen erfolgen, mit neuzeitlich ausgerüsteten deutschen Heereseinheiten bis zum Korpsverband und mit eigener taktischer Luftwaffe, ohne die eine moderne Zusammenarbeit zwischen Erdtruppe und Luftverbänden nicht möglich ist. Seestreitkräfte sind nur für Zwecke des Küstenschutzes vorzusehen. Auf den Aufbau einer Waffenrüstungsindustrie wird zu verzichten sein.

c) Rüstungsmaßnahmen sind niemals völlig geheimzuhalten. Sie können nur bis zu einem gewissen Grade getarnt werden, und nur für begrenzte Zeit. Trotzdem ist jede nur mögliche Anstrengung auf dem Gebiet der Spionageabwehr zu fordern.

4. Die organisatorischen Möglichkeiten zur Herstellung der Sicherheit:

a) Die im Abschnitt IV vorgeschlagenen *zivilen* Maßnahmen sind unabhängig von den militärischen Vorarbeiten und Vorbereitungen durchzuführen. Hierfür sind die Bundesministerien verantwortlich einzusetzen.

b) Die Möglichkeit eines Sicherheitsbeitrages durch Vorbereitungen eines *Partisanen*kampfes ist auszuschalten. Das deutsche Volk ist für diese Kampfweise nicht geeignet. Ihm fehlen dazu Fanatismus, Härte, Verschlagenheit und Verschwiegenheit. Auch sind Geländegestaltung und Bodenbedeckung (Bebauung) für eine solche Kampfführung in Westdeutschland ungeeignet. Partisanenkampf läßt sich mit Aussicht auf Erfolg nur in waldreichen, unwegsamen und gering besiedelten Gebieten durchführen. Auch bedürfte er einer sorgfältigen Schulung und Vorbereitung, sowie frühzeitiger Waffenverteilung. Hier besteht die Gefahr, daß Waffen und andere Kampfmittel vorzeitig in falsche Hände geraten und dem späteren Feinde dienen können. Auch steht die Gefährdung der Volkssubstanz in keinem Verhältnis zu einem etwa zu erwartenden Erfolg, da die Vergeltungsmaßnahmen der S.U. unvorstellbar grausam sein werden.

c) Ebenso ist jede Lösung abzulehnen, die den deutschen Mann nach Art der russischen »*Hiwi*« (Hilfswilligen) des letzten Krieges einzeln oder in kleinen Verbänden in die Einheiten der Besatzungstruppen eingliedert. Eine solche Lösung wäre Raubbau an den wertvollen soldatischen Kräften, die trotz aller Vorbehalte gegenüber dem Waffendienst im deutschen Volke stecken. Auch wäre eine solche Lösung psychologisch dem deutschen Volk nie zuzumuten. Sie würde nur wenige Abenteurer locken, dem deutschen Volk verächtlich erscheinen und nicht auf ethischer Grundlage beruhen.

d) Ein Aufbau militärischer Verbände auf dem Wege über die *Polizei* würde der zu erwartenden Feindhetze zunächst weniger Angriffspunkte bieten, da diese Lösung der in der Ostzone gewählten gleichen würde. Dagegen spricht aber, daß die Polizei in ihrem jetzigen Bestand und in ihrer jetzigen inneren Verfassung schon nicht ausreicht für die Aufgaben, die ihr bei den zivilen Verteidigungsmaßnahmen zukommen werden. Föderalistische Sonderwünsche würden hemmend wirken; ein Aufbau über den Polizeiweg würde die Einheiten in bezug auf ihre innere Verfassung leicht in falsche Richtung lenken (Beamtentyp). Trotzdem kann es aus Tarnungsgründen notwendig werden, auch diesen Weg mit zu benutzen.

e) Das gleiche gilt für die in Diensten der Besatzungsmächte schon jetzt stehenden *Hilfsverbände*, die wie die Polizei einer gründlichen personellen Umwandlung bedürfen, da die jetzige Mannschaft zum Teil kommunistisch infiziert und für einen richtigen Waffendienst ihrer ideellen Einstellung gemäß ungeeignet ist.

f) Der *direkte Weg der Aufstellung* von Heeres- und taktischen Luftwaffenverbänden führt verhältnismäßig am schnellsten zum Endziel. Er ist aber am wenigsten zu verbergen und kann ohne starke militärische Abschirmung eine akute Kriegsgefahr wecken.

Eine solche Aufstellung ist in Deutschland oder außerhalb Deutschlands möglich. In beiden Fällen bieten kleine, für kameradschaftliche Zwecke zusammengeschlossene Gemeinschaften alter Kriegsverbände und die bisherigen Hilfsverbände der Besatzungsmächte gewisse Möglichkeiten. Es darf aber nicht vergessen werden, daß auch die jüngsten Kriegsteilnehmer des letzten

Krieges inzwischen fünf Jahre älter geworden sind und daher der Mannschaftsbestand ergänzt werden muß.

In Deutschland ist die Tarnung erschwert, die ganze organisatorische und ideelle Aufbauarbeit aber erleichtert (z. B. durch persönliche Werbung u. ä.).

Außerhalb Deutschlands – etwa verteilt auf die verschiedenen Atlantikpakt-Partner – wäre der Aufbau auch nicht geheimzuhalten, aber technisch schneller durchzuführen, vor allem für die Luftwaffe. Die Werbung wäre dafür jedoch schwerer und müßte unter Vorwänden geschehen, die unter anderem den Anschein eines Fremdenlegionsdienstes erhalten können. Der Einfluß der leitenden deutschen Stellen wäre erschwert. Die Gefahr eines Auseinanderfallens der einzelnen Verbände wäre groß, die Einheitlichkeit des Aufbaues gefährdet. Ein Vorteil läge darin, daß sich bei einem plötzlichen Überfall des Ostens ein Teil der wehrfähigen deutschen Jugend schon außerhalb des unmittelbaren Gefahrenbereiches befände. Dem steht der psychologisch besonders schwerwiegende Nachteil gegenüber, daß diese Verbände zur Verteidigung Deutschlands unter Umständen zu spät kommen würden.

g) Die Voraussetzungen für einen Aufbau werden es wahrscheinlich nötig machen, verschiedene Wege gleichzeitig und nebeneinander zu beschreiten. Vorschläge für praktische Lösungen können erst erfolgen, wenn die Hilfsmöglichkeiten der Westmächte und die in Deutschland vorhandenen Möglichkeiten auf das Ziel hin überprüft worden sind.

h) Von besonderer Bedeutung ist ferner die Frage, ob der Aufbau auf der Grundlage der Freiwilligkeit oder der Pflicht vollzogen werden soll. Die derzeitige Lage Westdeutschlands spricht dafür, daß zunächst nur der Weg der Freiwilligkeit gegangen wird. Bei länger andauerndem Friedenszustand müßte dann nach Herstellung eines gewissen Grades von Sicherheit zur Wehrpflicht übergegangen werden.

Über die Wehrform (Miliz, Rahmenheer oder stehendes Heer) wird erst später zu entscheiden sein.

5. Über die *Stärke* einer *westdeutschen Wehrmacht* lassen sich ohne weitere Vorarbeiten keine festen Angaben machen. Die verfügbare Zeit, die von den Westmächten zur Verfügung gestellten Hilfsmittel materieller Art, die Wirtschafts- und Arbeitsmarktlage, sowie die Bereitschaft der deutschen Jugend sind wesentliche Faktoren, die heute noch nicht zu übersehen sind. Rein zahlenmäßig ließen sich bei allen Vorbehalten unter Zugrundelegung von Bevölkerungsstatistik und Wehrpflicht unter besten Bedingungen *15 moderne* Friedens-*Divisionsverbände* (zuzüglich von Heerestruppen und taktischen Luftwaffeneinheiten) errechnen.

6. Als *Zeitbedarf* kann unter günstigen Umständen ein Zeitraum von etwa zwei Jahren angenommen werden.

IV. Die notwendigen Maßnahmen.

Die folgenden Betrachtungen müssen sich darauf beschränken, die Fragen aufzuwerfen und ihre Problematik aufzuzeigen.

1. Noch nie ist ein Kampf mit Aussicht auf Erfolg ohne eine leitende und packende Idee geführt worden. Der Gedanke der reinen Verteidigung der Heimat ist vielleicht nicht mehr so kraftvoll wie zu früheren Zeiten. Der Mensch will und muß wissen, wofür er sein Leben einsetzen soll. Die »Freiheit« wird erst dann erhaltenswert, wenn sie vorhanden ist. Es wird eine der wichtigsten Aufgaben sein, dem deutschen Volke zu zeigen, daß es noch Ideale gibt, die den Einsatz des Lebens lohnen.

2. So bleibt die ständige Klärung der Fragen notwendig, welche politischen Zugeständnisse die Westmächte der Bundesrepublik zu machen bereit sind, welche Hilfen politischer, militärpolitischer und militärischer Art sie zu geben willens sind, und welche Wünsche sie ihrerseits im Rahmen der europäisch-atlantischen Verteidigung an Westdeutschland haben. Im Zusammenhang

damit dürfte fortlaufend zu prüfen sein, welche Vorteile der europäisch-atlantischen Gemeinschaft weiterhin angeboten werden können, um ihre Gesamtsicherheit zu erhöhen.

3. Unabhängig davon sind alle Maßnahmen vorzubereiten, die unter dem Begriff der zivilen Landesverteidigung zusammengefaßt werden können. Sie sind unter Zugrundelegung der völkerrechtlichen Bestimmungen auch für einen »nichtkriegführenden Staat« aus Selbsterhaltungsgründen notwendig und zu verantworten. Sie lassen sich unter dem Stichwort des »außenpolitischen Notstandes« wie folgt skizzieren.

a) Aufklärung der Bevölkerung über ihr Verhalten bei einem solchen Notstand. Bei der Empfindlichkeit der Bevölkerung gegen alle vorsorglichen Maßnahmen der Regierung wird es zweckmäßig sein, die notwendigen Maßnahmen nicht zu früh bekanntzugeben, sondern sie mobilmachungsmäßig vorzubereiten in Form von Merkblättern, Aufrufen, Anweisungen an Presse und Rundfunk. Rechtzeitige vertrauliche Einstellung der Schrift- und Sendeleitungen auf diese Aufgaben wird – mit entsprechender Auswahl – gut sein.

Zu berücksichtigen sind dabei Paniken aller Art, Fluchtbewegungen, Luftangriffe, ja schon Überfliegungen, Sabotagen und Aufstände.

Vorbereitend gehört dazu schon jetzt eine ernste Einwirkung auf die Träger der öffentlichen Meinung, die Diffamierung des deutschen Soldaten einzustellen, den zersetzenden Pazifismus zu bekämpfen und Tendenzen zur Kriegsdienstverweigerung nicht zu unterstützen.

Auch muß der Kampf gegen die kommunistisch-bolschewistische Propaganda mit aller Planmäßigkeit verstärkt und der Sinn für die westlichen Lebenswerte mehr als bisher angesprochen werden. Damit muß Hand in Hand gehen eine Zersetzungsarbeit gegen die Ostzonenpolizei. Es wird schwer sein, den rechten Mittelweg zwischen der Schilderung der drohenden Gefahren

489

und der Überzeugung von der Aussicht auf erfolgreichen Widerstand zu finden. Die Greuelpropaganda des ausgehenden Dritten Reiches hat den Widerstandswillen vermindert! In solche Aufklärungsarbeit sind Schulen, Kirchen und kulturelle Verbände einzuspannen.

b) Für den Fall einer Fluchtbewegung sind Vorbereitungen zu treffen. Sie wird nicht aufgehalten, im günstigsten Falle aber gelenkt werden können.

c) Auf dem Ernährungsgebiet ist der Bedarf sicherzustellen, sind dezentralisierte Lager anzulegen, Rationierungen vorzubereiten, Eingriffsmöglichkeiten gegen Hamsterei zu prüfen.

d) In der Energieversorgung (Wasser, Gas, Elektrizität) ist eine Art technische Nothilfe vorzubereiten. Rohstoffe sind sicherzustellen.

e) Andere wichtige Verbrauchsgüter, wie z. B. Öle, Fette, Treibstoffe, Seife, Leder, Textilien, sind zu bevorraten.

f) Die Zahlung öffentlicher Gehälter, Löhne usw. ist sicherzustellen.

g) Ein geregelter, eingeschränkter Bahn- und Kraftwagenverkehr ist vorzubereiten.

h) Ein Fernmelde- und Störungsdienst ist vorzubereiten.

i) Auf sanitärem Gebiet sind Verbandsstellen, Lazarettzüge, Vorkehrungen für Seuchenbekämpfung u. ä. vorzusehen.

k) Ein ziviler Luftschutz mit Warndienst und Schutzräumen ist dringendes Erfordernis.

l) Eine Erweiterung der Polizei durch eine Hilfspolizei, eine Einwohnerwehr nach bewährtem Muster ist in Aussicht zu nehmen.

m) Für alle diese und noch weiter notwendig erscheinende Maßnahmen ist eine Notstandsgesetzgebung vorzubereiten, die auch die widerstreitenden Bestimmungen des Grundgesetzes und der Länderverfassungen außer Kraft zu setzen ermöglicht.

4. Zum Zwecke der Tarnung, der Spionageabwehr und auch der

Nachrichtengewinnung ist eine besondere *Nachrichtenorganisation der Bundesregierung* in Zusammenarbeit mit den Besatzungsmächten zu schaffen.

Die Verfassungsschutzgesetzgebung ist zu beschleunigen. Bestimmungen, die eine künftige Wehrmacht schützen, wären von vornherein unausgesprochen einzubauen.

5. Die dringendste Aufgabe ist die Einrichtung eines *Arbeitsstabes*, der die notwendigen gedanklichen und, soweit schon möglich, organisatorischen Vorarbeiten für die aktiven Verteidigungsmaßnahmen bearbeitet. Er muß im unmittelbaren Auftrage der Bundesregierung und in engster Zusammenarbeit mit einer von den Westmächten zu bestimmenden Fachstelle arbeiten, die über die Planungen der europäischen und der Atlantikverteidigung und über das Europa-Waffenhilfsprogramm laufend unterrichtet ist. Dabei wird das Schwergewicht der USA als des leistungsfähigsten Teils und des am meisten gebenden Partners besonders zu berücksichtigen sein.

Dieser Arbeitsstab ist das einzige Beratungsorgan der Bundesregierung in allen Fragen der äußeren Sicherheit; er ist auch bei den Planungen über die zivilen Maßnahmen zu hören und zu unterrichten. Er hat Vorschläge zu machen für die Gesetzgebungsarbeit der Regierung auf den einschlägigen Gebieten. Er muß ferner zu unmittelbaren Verhandlungen mit der westlichen Fachstelle über militärfachliche Fragen ermächtigt sein unter Unterrichtung der Bundesregierung über Absichten und Ergebnisse der Besprechungen.

Bei der Fülle von Fragen, welche die Vorbereitung der äußeren Sicherheit umfaßt, wird dieser Arbeitsstab sich auf wenige leitende Personen beschränken, aber eine große Anzahl von zunächst freien Mitarbeitern heranziehen müssen, die als Fachkenner die einzelnen Gebiete überprüfen und entsprechende Vorschläge machen. Eine Erweiterung des Arbeitsstabes durch die freien Mitarbeiter ist vorzusehen. Aus ihm würde im Laufe der fortschreitenden Arbeit die künftige *Bundeszentralstelle* für die *äußere Sicherheit* entstehen.

6. Die Arbeiten des Arbeitsstabes lassen sich in dieser Denkschrift nur in großen Zügen umreißen. Auch hier ist es nicht möglich, endgültige Vorschläge schon jetzt zu machen. Auch hier können nur die Hauptarbeitsgebiete und in ihnen die wesentlichsten Fragen angedeutet werden, die von dem Arbeitsstab anzupacken und später zu lösen sind. Seine wichtigste Arbeit wird zunächst darin zu sehen sein, die Grundlagen zu klären und das nachzuholen, was an gedanklicher Vorarbeit bisher gefehlt hat.

Hauptarbeitsgebiete:

a) Organisationsfragen im Großen.

Eingliederung der deutschen Verbände in den europäisch-atlantischen Rahmen.

Frage des übernationalen und nationalen Oberbefehls.

Politischer und militärischer Oberbefehl,

Spitzengliederung,

Beteiligung des Parlaments,

Abgrenzung dieser Befugnisse,

Territorialfragen,

Fragen der Kontrolle und der Garantien für die Sicherheitsbedürfnisse der Nachbarn,

Verhältnis der Wehrmacht zu Volk, Staat, Regierung auf Grund der geschichtlichen Erfahrungen zur Vermeidung früherer Übelstände,

Zusammenarbeit mit den anderen Paktpartnern,

Gesamtgliederung der Wehrmacht,

Frage höherer Stäbe als Kommando- und Territorial-Stäbe,

Gliederung der Einzelverbände.

b) Führungs- und Ausbildungsfragen.

Mitarbeit im europäisch-atlantischen Oberbefehl,

Vorbereitung operativer Studien für die Verteidigung des Bundesgebietes,

Feindbeurteilung und -überwachung,

Führerschulung,

Praktische Vorbereitung der Verteidigung (Sperren, Befestigungen usw.),

Ausbildungsfragen der Truppe,

Überwachung der Fortschritte der Kriegskunst und ihrer Mittel.

c) Personelle Fragen.

Möglichkeiten der personellen Erfassung,

Auswahl der führenden und leitenden Persönlichkeiten nach fortschrittlichen Gesichtspunkten,

Festlegung der Bildungs- und anderer Voraussetzungen für Führer- und Unterführerschaft,

Werbungsfragen,

Schaffung einer Ersatzorganisation,

Zentrale Bearbeitung aller Ersatz- und Nachwuchsfragen.

d) Klärung und Bearbeitung der materiellen Grundlagen.

Herkunft und Art der Bewaffnung,

Auslandshilfe und Einschaltung der deutschen Wirtschaft,

Erstausstattung und Nachschubfragen aller materiellen Bedürfnisse,

Fragen der Lagerung.

e) Wehrwirtschaftliche Fragen.

Einschaltung der deutschen Wirtschaft (s. auch d),

Wirtschaftliche Mobilmachungsfragen,

Rohstoffbeschaffung und Bewirtschaftung,

Lähmungs- und Zerstörungsvorbereitungen auf wirtschaftlichem Gebiet,

Fragen des Verkehrs, des Post- und Fernmeldewesens für die militärischen Bedürfnisse.

f) Fragen der Verwaltung.

Besoldung, Versorgung, Ernährung, Bekleidung, Unterbringung, Übungsplätze, Gesundheitswesen.

g) Fragen der inneren Struktur.

Eine neue deutsche Wehrmacht muß innerlich nach anderen Gesichtspunkten aufgebaut werden als bisher. Eine demokratische Grundhaltung, kein »Staat im Staate«, dabei Wahrung der innerpolitischen Überparteilichkeit, Angliederung an die europäisch-atlantischen Mächte bei Wahrung der natürlichen nationalen Eigenart erfordern eine völlig neue Anlage. Fehler zu Beginn des Aufbaus lassen sich später nur schwer wieder gut machen. Abzulehnen sind vor allem: falsche »Traditions«-Begriffe, innerer Militarismus, »Kommiß« im alten Sinne.

Unter diesen Gesichtspunkten sind zu bearbeiten:

die rechtliche Stellung des Soldaten,

die Beschränkung seiner verfassungsmäßigen Grundrechte,

die Frage der Disziplin und Disziplinarstrafordnung,

das Beschwerdewesen,

das Militärstrafrecht und Militärstrafverfahren,

alle Fragen des Innendienstes der Truppe.

Schwerwiegender Beachtung bedarf von vornherein die Frage der Ausschaltung der sofort zu erwartenden kommunistischen Zersetzungsarbeit.

h) Fragen der *Wehrgesetzgebung.*

auf dem Gebiete des Wehrdienstes,

auf dem Gebiete des Wehrschutzes (gegen Zersetzung, Landesverrat, Beleidigung u. a. m.),

auf dem Gebiete der Leistungspflichten (personell, sachlich, Einzelpersonen, Gemeinden, Länder, Erfindungsschutz u. a. m.).

i) Vorschläge für die *psychologische Behandlung des eigenen Volkes und des Feindes.*

Wehraufklärung, Feindpropaganda, Feindzersetzung.

V. Die Voraussetzungen für einen erfolgreichen Aufbau der äußeren Sicherheit.

Die Voraussetzungen für einen erfolgreichen Aufbau sind wiederholt angeschnitten worden. Sie sollen noch einmal zusammengefaßt werden:

1. Politischer und militärischer Schutz des Wehraufbaus durch die Westmächte, insbesondere die USA, zur Verhinderung eines vorzeitigen Überfalls der Sowjetunion auf Westdeutschland.
2. Zusage der *militärischen Gleichberechtigung* der Bundesrepublik im Rahmen der europäisch-atlantischen Gemeinschaft.
   Deutschland ist nicht als Vorfeld der Verteidigung anzusehen, sondern als Hauptkampffeld mit einem Beginn der Verteidigung soweit östlich wie möglich;
   den anderen Staaten gleichartige, in sich führungsfähige moderne Verbände bis zu Korpsstärke mit eigener taktischer Luftwaffe und Küstenvorfeld-Streitkräften;
   gleichberechtigte Einordnung in den europäisch-atlantischen Oberbefehl unter deutscher Mitwirkung für das Bundesgebiet.
3. Begnadigung der als »Kriegsverbrecher« verurteilten deutschen Soldaten, soweit sie nur auf Befehl gehandelt haben und sich keiner nach alten deutschen Gesetzen strafbaren Handlungen schuldig gemacht haben.
   Einstellung der noch nicht angelaufenen Verfahren.
4. Einstellung jeder Diffamierung des deutschen Soldaten im In- und Ausland.
5. Gerechte Regelung der Versorgung der alten Berufssoldaten.
6. Einverständnis der Opposition und der Gewerkschaften zum Wehraufbau.
7. Verstärkung des Verfassungsschutzes im Sinne der kraftvollen Bekämpfung des Kommunismus, sowie zum Schutz der anlaufenden Aufbauarbeit.
8. Planmäßiger Beginn der Aufklärungsarbeit im deutschen Volk.

VI. Vorschläge für Sofortmaßnahmen.
1. Inangriffnahme der Klärung der außen- und innenpolitischen Grundlagen.
2. Schaffung eines *Arbeitsstabes* in Form einer besonders gut

getarnten Bundesdienststelle mit festem Etat und unter Anerkennung der genannten Befugnisse,
Erlaß einer Dienstanweisung für diesen Arbeitsstab.
3. Einleitung der zivilen Verteidigungsmaßnahmen.

Verzeichnis der Abkürzungen

Ia = Erster Generalstabsoffizier, zuständig für Führung, Organisation und Ausbildung

Ic = Dritter Generalstabsoffizier, zuständig für Nachrichtengewinnung und -auswertung (Feindlage)

A-, B-, C-Waffen = Atomare, bakteriologische und chemische Waffen

AFCENT = Allied Forces Central Europe (Alliierte Streitkräfte Europa-Mitte)

A.O.K. = Armee-Oberkommando

COMLANDCENT = Commander Allied Landforces Central Europe (Oberbefehlshaber der Verbündeten Landstreitkräfte Europa-Mitte)

DEFA = Deutsche Filmgesellschaft m.b.H., Ost-Berliner staatliche Monopolgesellschaft, gegr. 1949 als Deutsche Film A.G.

EVG = Europäische Verteidigungsgemeinschaft

EWG = Europäische Wirtschaftsgemeinschaft, gegr. 25. 3. 1957, seit 1974: EG (Europäische Gemeinschaft)

Fallsch.Jg. = Fallschirmjäger; die deutschen Fallschirmjägerverbände im zweiten Weltkrieg gehörten der Luftwaffe an

G_3 = Erster Generalstabsoffizier (in NATO-Verbänden), zuständig für Führung, Organisation und Ausbildung, entspricht dem ehemaligen Ia

Gestapo = Geheime Staatspolizei

i. G. = im Generalstab

KR-Blitzfernschreiben = Kommandeur-Blitzfernschreiben, war mit absolutem Vorrang an den Adressaten weiterzuleiten

LANDCENT = Allied Landforces Central Europe (Verbündete Landstreitkräfte Europa-Mitte)

MC = (North Atlantic) Military Committee (NAMILCOM), der Militärausschuß, das oberste militärische Organ der NATO; die Veröffentlichungen dieses Organs erscheinen als »MC Papers« mit Reihenbezifferung

MG = Maschinengewehr

NATO = North Atlantic Treaty Organization (Nordatlantikpakt), gegr. 4. 4. 1949

OB = Oberbefehlshaber

OKH = Oberkommando des Heeres

OKW = Oberkommando der Wehrmacht

OTAN = Organisation du traité de l'Atlantique Nord, französische Version für: NATO

SACEUR = Supreme Allied Commander Europe (Oberster Alliierter Befehlshaber Europa), Hauptquartier: SHAPE

SD = Sicherheitsdienst der SS, 1931 zur Überwachung der Parteimitglieder geschaffen, seit 1933 zur Überwachung aller Lebensbereiche eingesetzt

SHAPE = Supreme Headquarters Allied Powers in Europe (Oberstes Hauptquartier der Alliierten Streitkräfte in Europa), 1950/51–1966/67 in Rocquencourt bei Paris, seit 1967 in Casteau bei Mons in Belgien

UNO = United Nations Organization (Vereinte Nationen), gegr. 26. 6. 1945

V-Waffen = ›Vergeltungswaffen‹, unbemannte Flugkörper mit Sprengköpfen, 1944/45 eingesetzt: V 1 mit Strahltriebwerk, V 2 mit Raketenantrieb

WEU = Westeuropäische Union, gegr. 5. 5. 1955

Personenregister

499

500

501

502

504

508

509

510

Bildnachweis

Hans Speidel

Invasion 1944

Ullstein Buch Nr. 3051

Hans Speidel, der ehemalige Generalstabschef der Heeresgruppe
Rommel, der als Augenzeuge und in seiner verantwortlichen Stellung
weitgehende Einblicke in die damaligen Geschehnisse gehabt hat
und sich schon vorher als Soldat, Historiker und Politiker einen
Namen gemacht hatte, schildert den Ablauf der Invasion 1944. Ausgehend von einer Lagebeurteilung, in der er sowohl die militärischen
als auch die politischen Faktoren einer eingehenden Prüfung unter-
zieht, ist die zweite Hälfte des Buches der eigentlichen Invasion
gewidmet, die nach dem Durchbruch von Avranches und mit dem
Fall von Paris die deutschen Truppen bis auf die Vorfelder des Westwalls zurückwarf. Nach einer Schilderung der Beseitigung Feldmarschall Rommels und einer Würdigung der soldatischen Persönlichkeit seines Oberbefehlshabers schließt Speidel mit Betrachtungen
zur Normandie-Schlacht. Sachlich und nüchtern legt er die Gründe
klar, die zum Sieg der gelandeten Alliierten und zur endgültigen
Niederlage der deutschen Truppen führen mußten.

In der Gestalt von Hans Speidel reicht die Tradition des früheren deutschen Generalstabs mit den Idealen eines Scharnhorst, Gneisenau und Clausewitz in die Gegenwart hinein. In der Nachfolge der preußischen Reformer, aber auch von Generaloberst Ludwig Beck verkörpert Speidel den Typus des gebildeten Soldaten, in dem sich das Ethos des Dienens und Führens mit diplomatischen Fähigkeiten, weitgespannten geistigen Interessen und musischen Neigungen verbindet. Wie kein anderer hat er zukunftsweisende und bewährte Elemente in die Bundeswehr eingebracht. Nach dem Untergang des Kaiserreichs diente Speidel, der 1925 den Doktorgrad der Philosophie erwarb, in Reichswehr, Wehrmacht und Bundeswehr; er tat dies an verantwortlicher Stelle, im Bewußtsein einer höheren, den ethischen Gesetzen des Soldatentums verpflichteten Verantwortung. Dies macht ihn zu den führenden Gestalten des heutigen deutschen Heeres.

Sein Erinnerungswerk erzählt und bedenkt die Geschichte dieses Lebens, das im württembergischen Metzingen begann. Sein Weg als Soldat führte ihn vom Freiwilligen des Ersten Weltkrieges über den stellvertretenden Militärattaché in Paris, den Leiter der Abteilung Fremde Heere West, den Korps- und Armeechef im Osten schließlich zu Feldmarschall Rommel, dessen Generalstabschef er während der Invasionsschlacht war. Mit ihm und dem Militärbefehlshaber von Frankreich, Karl Heinrich von Stülpnagel, bereitete Speidel eine selbständige Beendigung des Krieges im Westen vor. Nach dem 20. Juli 1944 wurde er von der Gestapo verhaftet und in dem berüchtigten Keller in der Berliner